U0105216

國殤

GUOSHANG

施原 著

国民党对日抗战谍战纪实

第四部

团结出版社

图书在版编目（CIP）数据

国殇：国民党对日抗战谍战纪实　第四部 / 施原著

. 一 北京：团结出版社，2012.1（2024.2 重印）

ISBN 978-7-5126-0650-0

Ⅰ. 国… Ⅱ. ①施… Ⅲ. ①国民党军 - 抗日战争时期战役战斗 - 史料 Ⅳ. ① E296.93

中国版本图书馆 CIP 数据核字 (2011) 第 186116 号

出　版：团结出版社

（北京市东城区东皇城根南街 84 号　邮编：100006）

电　话：（010）65228880　65244790（出版社）

（010）65238766　85113874　65133603（发行部）

（010）65133603（邮购）

网　址：http：//www.tjpress.com

E-mail：zb65244790@vip.163.com

tjcbsfxb@163.com（发行部邮购）

经　销：全国新华书店

印　装：三河市东方印刷有限公司

开　本：170mm × 240mm　1/16

印　张：29

字　数：442 千字

版　次：2012 年 1 月　第 1 版

印　次：2024 年 2 月　第 10 次印刷

书　号：978-7-5126-0650-0

定　价：79.00 元

前言

这是一段沉重的历史。带着一股血腥味。

倘若不为自己准备好一副铁石心肠，不做面对浓重口味的心理准备，很难把这段内容讨论进行到底。的确，要不是一些朋友的鼓励，本人原本没有涉入讨论这一话题的思想准备。

任何人的生命都是宝贵的，任何与生命伴生的人性尊严都是宝贵的，这是人类共通的基本认识。生命与人性尊严的原则是不容任何人破坏的。危害其他人的生命与尊严的任何企图都是罪恶。为维护生命与人性尊严这一共通的基本认识，必须铲除罪恶。铲除罪恶，就是正义。

在和平时期，正义通过国家法律来维护。

但是，在“二战”期间，中国遭受了侵略战争，中国的法律遭受践踏，国家正义无法得到保证。

数百万日本侵略军冲进中国的大地，侵略者把战争强加在中国人头上，把种族屠杀的法西斯暴政强加于中国人头上。他们用刺刀、子弹、大炮、毒气弹及731的病毒细菌武器造成了三千五百万中国人民的伤亡，这是人类历史上最严重的罪恶，是一场大灾难。日本的刺刀和大炮，蹂躏了中国的正义与法律。

中国人面临要么用战争维护自身尊严，要么接受暴政、接受灭亡、甘当亡国奴的生死选择。

绝大多数中国人选择了反抗。除了投身炮火连天的战场外，有一部分人选择了献身于铲除侵华战争祸根的行动，对日本战犯和卖国的汉奸进行惩处，对极个别对中华民族危害极大者予以“定点清除”。他们希望通过清除祸根，而减少战场的牺牲、平民的损失。这种需要极大勇气和甘冒极大牺牲的行动，他们自称为“铁血锄奸”。铁血锄奸是在战争的状态下，采用公认的“自然法”维护正义的行动。这不是恐怖，恰恰相反，是希望通过付出最小的代价达到消灭暴政、消灭恐怖的目的。

这就是正义。

讲到铁血锄奸，我们再次重申：

生命是宝贵的，任何与生命伴生的人性尊严都是宝贵的。而罪恶是丑恶的，是无耻的。侵略战争就是最大的罪恶。不铲除罪恶，生命的价值就无法得到保证。

铁血锄奸行动正是出于珍惜每条生命、珍惜每条生命代表的人性尊严。

当然，这场人性之间的搏斗非常血腥惨烈，极其错综复杂，其结果也极端扑朔迷离，至今还留下许许多多令人不解的谜案。

本书集中叙述发生于1938年到1945年抗战胜利前的一些史实，其中多数事件发生在上海。

目 录

CONTENTS

第一章 上海提篮桥监狱

第二章 土肥原计划的破产

土肥原机关 / 4
针对唐绍仪的策反与防范 / 7
对勾结外敌者的警告：伏击汉奸周凤岐 / 11
死神土肥原 / 14
“古董商”杀手 / 15
重庆最高当局的褒扬 / 19
案外案·连环杀 / 22
华北吴佩孚对日军的叛逆 / 23
并非谁都想当汉奸 / 26

第三章 河内惊魂

“和平运动” / 30
梅思平、高宗武与《重光堂密约》 / 32
昆明迷雾 / 39
迷途知返 / 45
《艳电》 / 48
林柏生血洒街头 / 50
最后的挽救 / 56
剪不断，理还乱——王天木与赵理君 / 57
刺汪行动 / 62
卿本佳人，奈何做贼 / 66
上了贼船 / 71

第四章 “铁血军”破门锄奸

王天木探望刘戈青 / 75
刘戈青投身军统 / 78
醉激戈青 / 80
说一不二 / 84
林之江去哪了 / 86
伪外长纳命 /88

第五章 极司非而路 76 号

司令级的军统杀手 / 93
沦陷初期上海的抵抗运动 / 96
“李士群工作室” / 112
汪曼云出卖于松乔 / 117
前台老板丁默邨 / 122
丁默邨“和平救国运动” / 131
吴世宝入伙，魔窟 76 号开张 / 136
伪特狼狈为奸，76 号特工总部“正名” / 149
《大美晚报》 / 154
汪党“六中全会” / 164

第六章　上海滩的大拼杀

李士群“捉放曹”　/ 167
上海追奸，毛万里、王鲁翘刺汪计划夭折　/ 170
上海追奸，刘戈青刺汪计划落空　/ 175
76 号的女人们　/ 187
吴赓恕被出卖　/ 196
万里浪拐骗萧少将　/ 204
平安夜马河图杀贼　/ 213
刘戈青逃出虎口　/ 224

第七章　中统的女特工们

中统苏沪区特务纷纷落水　/ 228
国民党上海市党部的重建　/ 234
谋杀马啸天失败　/ 244
王阆仙之死　/ 247
营救熊剑东　/ 249
女特工郑苹如（一）　/ 256
女特工郑苹如（二）　/ 264
76 号的年夜饭　/ 270

第八章　高陶事件

卖国条约的揭露　/ 279
“要么只有杜月笙”　/ 284
杜月笙两见委员长　/ 289
高宗武、陶希圣回归　/ 291
万冰如和她的儿女们　/ 295
汪记“还都南京”的丑剧　/ 302
对唐生明的通缉令　/ 307
“天马号”覆灭记　/ 311

第九章　怒杀张啸林

被破获的军统电台　/ 317
北极冰箱公司和它的老板陈三才　/ 323
林怀部怒杀张啸林　/ 330
汉奸市长傅筱庵的下场　/ 338
管家万墨林历险记　/ 343
上海，自由射手运动的发源与挫折　/ 352
1942 年，上海锄奸的枪声连续不断　/ 359

第十章　要命的牛肉饼

银行血案　/ 376
伪“清乡委员会”及汪伪汉奸之间的权力争夺战　/ 389
“歹土”上的歹霸王　/ 397
黄金大劫案与吴世宝之死　/ 408
要命的牛肉饼　/ 415
魔窟灰飞烟灭　/ 438

参考文献　/ 453

第一章　上海提篮桥监狱

与森严与恐惧的含义相反，百年的提篮桥监狱的正面外观典雅、华贵。它曾被称为远东第一监狱。要不是两个大门口分别悬挂白底黑字醒目的招牌：上海市监狱管理局和上海市提篮桥监狱，外来游客一定会错以为那是一片高级商务区或高级公寓。

提篮桥监狱是近代中国一座西洋式的“外国监狱”，至今还基本上保持了20世纪二三十年代西洋建筑的风貌。1994年，它被定为上海市近代优秀建筑。

提篮桥监狱曾是中国的屈辱象征。在它周围一大片的地面上，中国丧失了主权。英国殖民当局在这里建立了监狱，雇佣蛮横的红头阿三当打手，关押和摧残中国的平民。1903年，它刚建成，伟大的爱国者和革命家邹容和章太炎就在里面服刑。邹容不堪虐待，惨死狱中。后来，中国共产党许多出色的领导人如任弼时、张爱萍等也在此被拘押。

提篮桥监狱，是对侵华战犯和汉奸执行处决及关押的场所

后来，中国人回收了主权。提篮桥监狱又成为中国人民伸张正义之处。

抗战胜利后，提篮桥监狱先后关押过日军的安藤利吉大将、南京大屠杀的主犯谷寿夫中将等数百名战争罪犯。1946年初，盟军美国军队曾在狱内设立军事法庭，审判47名日本战犯。这也是中国境内最早审判日本战犯的场所。汉奸梁鸿志、傅式说、苏成德及“黄道会”头目常玉清

日本战犯谷寿夫被押往雨花台执行枪决

等在这里被执行死刑。伊达顺之助（原张作霖顾问）、芝原平三郎、大场金次等14名日本战犯就在提篮桥监狱的刑场里被枪决。日本第34军参谋长镝木正隆少将等5名日本战犯于监狱绞刑房被执行绞刑。日本陆军大将安藤利吉可耻地自杀于狱中。日本第六方面军司令官冈部直三郎陆军大将病死狱中。

为此，1997年8月，经上海市人民政府批准，提篮桥监狱中关押、审判、执行处决日本战犯的场所被列为“上海市抗日纪念地”，并立碑作为永世的纪念。

同时，提篮桥监狱收押大汉奸汪精卫的妻子陈璧君、周佛海老婆杨淑慧和汪伪政府的政要高官汪曼云、罗君强、陈春圃、吴颂皋、周隆庠、王荫泰、江亢虎、顾宝衡、夏奇峰、陈济成、邹泉荪、潘毓桂、汪时璟、倪道烺等以及20世纪50年代“镇反运动”中抓捕的原中统军统分子，如艳谍钮美波等。

提篮桥监狱很好地保存了一大批涉案人员的审判记录、口供及服刑期间写的回忆，还接管了日伪时期镇压抗日志士的材料。这些文字累积成厚厚的档案。这些档案记录着一段段中国近现代历史的本来风貌。这当中也有汪伪及原中统军统分子服刑人员的供述材料。

由于“二战”期间发生在秘密战线上的这场锄奸与日伪汉奸猖狂反扑的斗争极其血腥残酷又极端秘密，当事人大都死亡。战后又因继续发生了内战，那段历史也就因而沉没。

翻开监狱中尘封的卷宗档案和上海各图书馆的历年报刊资料，加上分散于海外的相关人员的回忆记述，一段远离现实的历史又重新展现：

“二战”中的广大沦陷区，特别是上海周边，一场在腥风血雨中展开的锄奸与日伪汉奸疯狂反扑的秘密战争重新出现在大家面前。

要讲锄奸的事，我们先要从日本特务机关在中国培育汉奸，企图在中国实现以华制华的罪恶计划说起。

第二章　土肥原计划的破产

一、土肥原机关

本想开门见山，集中注意力去关注20世纪三四十年代中国最危险的汪精卫汉奸集团。可是，有两个人、两件事不容回避。那两个人就是唐绍仪和吴佩孚，那两件事就是唐绍仪和吴佩孚的死亡。两个人都先后死了，一个死于军统的斧头，另一个死于日本“野鸡”牙医的手术刀。两人死后都得到最高当局高调的慰问与安抚。这说明，两人都没有成为事实上的汉奸，历史也没有把他们定性为汉奸。虽然如此，我们讨论有关他们的事件，并不造成任何思想上的混乱。但所牵涉到的各方，都是本书的主角。唐绍仪之所以被杀，正是因为各方都把注意力集中到他身上。唐绍仪的死亡和吴佩孚对日本的“背叛”，都与日本对华侵略中一项计划破产有关。那就是土肥原计划。

对唐绍仪个人来说，那是一场偶然的历史误会，而对参与事件的各方来说，却又是一种必然的选择。正是这种偶然和必然，造成了唐绍仪个人的悲剧而给国家提供了一段短暂的历史转机。

这些都是过去的事了。说说，无非是拿起历史的镜子，照照自己，照照自己的前后左右。

八一三，在上海，中日双方动员了两国总共百万的海陆空三军进行了一场长达三个月的会战，结果中国在上海战败。而以后接连发生的战争，依然是中国大败。即使中方偶有胜利，也是小胜大败，局部胜而全局败。

日本因而占领了中国最富庶的地区，控制了中国的重要政治经济中心。但他们没有能征服中国民心，更没有彻底打败中国。甚至于与日本作战的中国军队的各支主力，都依然活跃在战场上。日本企图靠速胜而彻底征服中国的梦想越来越渺茫。于是日本国内一批势力出于确保占有中国东北、华北和上海及各沿海地带沦陷区的目的，出面活动，企图通过软手段，通过收买利诱和招降纳叛，培养汉奸，迫使中国屈服投降。

日本飞机刚轰炸过，上海火车站只剩有一个不幸的孤儿。王小亭摄于 1937 年 8 月

这样一来，他们即使达不到速战速决灭亡中国的目的，也能占领中国最富庶的地区，并培养造就一批汉奸政权和军队，从而实现用中国的资源来达到“以战养战”的策略，利用中国人打中国人、以华制华的手段，实现全部或部分对中国的占领。

八一三后的上海虹口，因日军的狂轰滥炸，到处一片残垣碎瓦。1938 年，有人发现，日本占领的虹口区东体育会路七号这一幢两层西式楼房已被修缮一新，并有人向楼内摆设家具，就要在此生活居住了。原来，那人就是日本战犯土肥原贤二，他把那里占为私宅，改名为“重光堂”。臭名昭著的特务机关“对华特别委员会”和“土肥原机关”就设在这里。东体育会路七号这地方大致位置比较容易确定，就在虹口足球场北面与上海外国语大学之间的小块地面内。但是，重光堂应该是早就被拆了，现在很难从当地居民口中问出个所以然来。

重光堂是否还在，这无关紧要。我们要知道的是：这“对华特别委员会”和“土肥原机关”究竟是什么名堂？

1938 年，侵华日军十分猖狂，不但全部占领东北，而且还控制了华北、华中和华南大片地区。就是这个土肥原贤二，早在七七事变前就是拼凑伪满洲国和策划“华北自治”的幕后人物。1938 年，日本侵略军在军事进攻的基础上，在中国沦陷区建立了以日本人为后台以王克敏、梁鸿志和德王为头目的伪政权。这些伪政权分别控制着华北、华中和内蒙古地区。

日本法西斯当局知道：日本军队无法全面战胜中国，更无法在短期内实现对中国战局的控制。为了防止陷入中国战场的泥淖，日本政府需

要调整对华策略。同时，为了在侵华过程中协调陆军省、海军省和外务省之间的关系，日本政府决定由陆军中将土肥原贤二、海军中将津田静枝、外务省坂西利八郎预备役中将、负责和广西军队联络的大迫通贞少将、和知鹰二大佐以及土肥原的助手晴气庆胤等组成“对华特别委员会”，并由土肥原负责组成“土肥原机关”。

土肥原机关的全部目标是：

在中国及早地建立“统一”的伪中央政权；

策反和蒋介石素来不和的广西军队。

企图以此达到双管齐下一举搞垮国民政府的目的，从而使日本能够迅速解决中国的抵抗力量，尽早从中日战争的泥潭中脱身。

这就是实现以战养战和以华制华的土肥原计划。为实施这一计划，全部预算为一千万日元。这可不是小数字。那时日元不像如今这么水，一个日元与一个等值的日本银圆对应。

土肥原机关地点就是上海虹口重光堂，也就是土肥原机关的老巢。请注意它与土肥原后继者影佐的“梅机关”的关系。

在日本人看来，王克敏、梁鸿志和德王在中国没有太大声望和号召力，他们不可能成为统一的伪中央政府的头面人物。开初扶植他们只是权宜之计。而具备那种能力和声望且不被重庆抗日政府控制的只有两人，那就是所谓的“南唐北吴”。

日本人欲诱降的北洋军阀吴佩孚

“南唐”就是指当时“闲居”上海福开森路的唐绍仪。唐绍仪是同盟会和国民党元老，是辛亥革命南北和谈的北方首席代表，也是民国北洋政府的首任国务总理。不论其威望还是能力，都是首屈一指的人选。在日本的计划中，他是作为伪中央政府总统的唯一人选。

“北吴”是指吴佩孚。吴佩孚是北洋军阀中的实力人物。在中国北部仍有相当大的号召力。吴佩孚可以作为将来伪中央的副总统兼军事领导。唐绍仪死后，日本人曾撮合汪精卫与他搭配，也是要吴佩孚作为伪军首领。

土肥原机关中的大迫通贞少将与和知鹰二大佐还负责挑拨离间，分化抗日军队之间的团结，特别是制造桂系与重庆政府的不和。

如果土肥原机关的目的得以实现，日本就可以利用中国人来协助其征服中国并全部霸占中国，利用中国的广大人力资源与国土资源为日本的战争机器服务。而要做到这点，诱降“南唐北吴”，则是关键的步骤。

土肥原是日本侵略军的一名悍将，比如不久前的兰封会战，他指挥的8000人的军队竟使得全部德式装备的国民党桂永清部丢尽脸面。但土肥原更是大特务和阴谋家。正是他在东北的长期活动，使得日本关东军能在卖国贼荣臻和熙洽的配合下，迅速占领了东三省全境。还是他策动了东北建立伪“满洲国”，溥仪一伙在东洋人刺刀的维持下当了儿皇帝。随后，又是土肥原策划了“华北自治”。

眼下为实现他的土肥原计划，日本人为策反“南唐北吴”费尽心机。

二、针对唐绍仪的策反与防范

上海徐汇区有一条长度仅有一公里的幽静小路。它弯弯的，像一张弓，南北两头几乎都搭到华山路上。这就是武康路，以前称为福开森路。称福开森路的原因是为了纪念美国人士福开森。因为原来交通大学就在附近，而福开森在交通大学初建时，担任该校的洋教务长和教授。当年，他居中调解了法租界与上海“四明公所”的冲突，化解了法租界跟英美等国的矛盾，他的斡旋活动消除了中外各方之间的利害冲突。法国人感谢他，这段路就以他的名字来命名。

短短的武康路两边，聚集了大批官僚和富商的寓所。不谈紧挨其南端淮海路上的宋庆龄旧居和北首不远的蔡元培故居，仅在武康路上，就有黄兴故居、陈立夫故居、陈果夫故居等。自然还有巴金寓所，英商“正广和”老板的寓所及丝业大王莫觞清的故居，还不用提赵丹、白杨等文艺界名人留下的足迹。当然这些都与本书主题无关。

我们关注的是如今武康路40弄的那个地方，以前称为福开森路18号，那就是唐绍仪故居。原本，唐绍仪不住在这里。1937年八一三的战火迫使唐绍仪搬出大西路（今延安西路）而避进法租界福开森路18号。这是一幢独立的花园小楼，具有西班牙式的建筑风格。

庭院内，偌大的楼房和草坪，只有几个仆人与唐绍仪住在一起。

唐绍仪深居简出，表现出一副做海上寓公、颐养天年的神态。他仿佛十分逍遥自在。

每天早上，先让车夫带自己到四马路杏花楼喝早茶，在杏花楼除了精美的糕点外，他还要喝点人参汤、鹿茸汤之类以补养元气。这上海福州路杏花楼的确是名不虚传，就是到了如今，仍以它的杏花楼月饼名扬海内外。唐绍仪平素在家中，以欣赏古玩自娱，尤其对瓷器有特殊兴趣，关于这方面，他可谓行家里手，面对历朝珍品，每每摩挲把玩，爱不释手。

唐绍仪的别墅附近，法租界警方采取了特别保卫措施。派出不少安南巡捕往来巡逻，并在门口设岗，不准闲人随便进出。

但在这安逸平和的背后，唐绍仪似乎无法逍遥。

神秘的东洋来客谷正之、土肥原、原田等日本首要特务不时登门拜访，给这种平静带来许多诡秘的色彩。

接踵而来的，还有南京伪政权维新政府的任援道、陈中孚、温宗尧。这三人，都是早期的汉奸。

日本近卫首相、广田外相和日本军部要人此前都分别会见过任援道、陈中孚二人，并委派二人回上海游说唐绍仪。而伪政权司法部长温宗尧正是唐绍仪的广东老乡，还是辛亥南北和谈的南方代表。南京伪政权维新政府主席梁鸿志和温宗尧早就看中唐绍仪这个久经官场的老人，力劝他出山做“总统”。他们企图拉他下水，出面组织超越现有局面的统一傀儡政府。

武康路街景。20世纪30年代，上流街区诡异多

1938年，梧桐婆娑摇曳的武康路上的这一段，愁雾疑云弥漫，阴谋诡计重重。

日伪方面在这里活动的阴谋，不能不引起国民政府最高当局的注意。尽管他们正在艰难地组织武汉保卫战。

此时上海虽然已经沦陷，但国民党当局在上海依然有一定的能量。这点，我们可以从一个例子看出。

比如，自1937年11月上海沦陷后，直到1938年武汉失守为止，国民党当局有计划地组织了一项重大行动：将上海的工业制造业成建制地西迁到四川、重庆等大西南地区，确保了以后抗日大后方的国计民生，确保了抗日战场的基本军需。就是这一重大行动的成功，保证了后来坚持八年抗战的经济基础。日本人虽然占领了上海、南京，却对上海浩浩荡荡西迁的工业大军无可奈何。

此外，上海还存在一批地下力量。国民党在上海名义上领导机构是上海市党部，但是最活跃的是军统上海区和杜月笙的帮派结合的苏浙行动委员会等。1938年，在七七周年纪念日和八一三周年纪念日，上海发生了针对日伪的大暴动，以显示力量。这两次暴动，无非是想向世界表明：上海依然是中国人说了算的地方，而不是日寇的属地。

国民党当局探知了土肥原计划。在命令军统加强监控的同时，他们加大了对唐绍仪的劝阻。

对于唐绍仪保持与日本人频繁接触，蒋介石当然感到不满。但证据没掌握到一定地步，自然又有所忌讳。此时的唐绍仪虽已退出政坛，但毕竟是国民党的元老，如果他果真落水，岂不坏了国民党政府的名声？对当局来说，防止唐绍仪落水，当然是第一要务。而且，即使他是不可救药了，他们的行事方式也得是先礼后兵。

于是蒋当局通过各种关系，对唐进行笼络，馈赠津贴，委以官职。

原本，唐绍仪是表示不愿为官的。蒋介石当然知道，那是嫌官小。但没有严重内乱外患时，蒋是不肯迁就他的，但如今不一样了。

孔祥熙头一个出面劝告：

“少老（按：唐绍仪字少川）如有所需，拟请随时电告。”

唐绍仪的一个女婿叫诸昌年，也受当局指派来上海，劝老泰山脱离

日伪包围，移居香港。并传达当局的口信：若能先到武汉，答应委以外交委员会主席之职。

社会对唐绍仪的动向也十分关切。

当时，因八一三战事发生，中国战败。上海铁路局也被日本侵略军占领。在上海铁路局任职的严宝礼不肯受日本支配，毅然去职。学电机工程出身的他筹资办报，以唤起民众。他创办《文汇报》宣传抗日。严宝礼等知道日特汉奸对唐绍仪的阴谋后，于1938年3月12日在《文汇报》刊登了《上海市民函唐绍仪》的公开信，信中恳切劝告唐绍仪：

应以开国元勋的资格，发表光明正大的宣言，与国人共争民族的独立自主。

对于外间纷纷扬扬的传言，唐绍仪也只以外交辞令推托：

“一生政治活动中，对于外间任何谣传，皆视为痴人说梦。”

事实上，戴笠下制裁唐绍仪的决心之前，还先通过杜月笙，从香港写信给杜在上海的代理人徐采丞。徐带着杜的亲笔信拜访唐绍仪，劝他立即离沪去港，以保晚节。还说，少川先生只要愿意，到香港后定有照应。

徐采丞原是《申报》馆主史量才的助手，而此时他是上海地方协会总干事。上海地方协会原是黄炎培从事地方自治运动的机构，后来由于杜月笙等参与，黄淡出，由杜月笙和徐采丞主持。徐采丞从而转为杜月笙的得力“大将”。

唐绍仪老家广东更是表示关切。

广州“抗敌后援会”于1938年3月上旬致电唐绍仪，请其脱离恶势力包围，克日南归。

唐不予答复。

到了3月19日，广州市各界人士及社团在省民众教育馆二楼开会，会上由广州市各社团联衔电催唐绍仪南归，电文说：

“请公善保晚节，否则自堕名誉，遗臭万年。”

并汇去旅费2万元。

唐仍置之不理，旅费也不肯收。

相反，因唐绍仪在福开森路的邻居到香港避难，唐绍仪用低价盘下邻居的房子，并叫人打通围墙。

唐绍仪没有接受方方面面的劝告，不想离开上海，并也继续与日伪保持联系。

当局在“劝告”和“制裁”两个截然不同的措施之间，加插一项，那就是“警告”。

1938 年春节刚过，发生在上海的一幕刺杀汉奸周凤岐事件，令人触目惊心。军统分子林之江率队击毙周凤岐，可以说是一次“严重警告”。这是一次对动摇人员敲响的警钟。这起血案发生地同在法租界，离福开森路 18 号唐绍仪家不到 15 分钟的车程。

我们看看伏击周凤岐究竟是怎么回事。

三、对勾结外敌者的警告：伏击汉奸周凤岐

1938 年中国全面抗日战争已转到以武汉保卫战为中心。为配合武汉保卫战，同时也是针对日本在中国沦陷区培植汉奸实现以华制华企图的土肥原计划，一场激烈的抗日锄奸战斗在沦陷区普遍展开。上海成了抗日锄奸的主要战场之一。

八一三上海沦陷后，汉奸活动猖獗，戴笠电令军统上海潜伏区长周伟龙，指示他对投靠日本侵略者为虎作伥的卖国巨奸坚决进行制裁。周伟龙受命后，立即成立了以赵理君、林之江等人为组长的锄奸行动组，把目光瞄准了土肥原机关策反的目标及南京伪维新政府的汉奸。

1938 年 3 月 7 日下午 1 时，准备出席南京梁鸿志伪维新政府成立仪式并就任伪军政部长（一说是伪绥靖部长，绥靖与军政同含武装与治安之意）的周凤岐，刚从法租界亚尔培路 80 号寓所出来，尚未登上汽车，就遭到预先埋伏在四周的林之江军统行动组突然袭击。措手不及的周凤岐挨了多枪，枪枪命中要害。周凤岐应声倒地。刺客迅速实现人枪分离，立即逃散，来无影去无踪。显然这是一场经过精心策划的伏击。

法租界巡捕闻讯赶到，已毫无线索。他们只好将周凤岐送到数百米外的广慈医院进行救治。但是未到医院，周已经气绝身亡。

顺便向不熟悉上海历史地理的读者说明一下：法租界亚尔培路就是

如今的陕西南路。那里也是多事的地方，就在周凤岐被杀的前五年，杨杏佛就在此地被暗杀。当然两人被刺性质不同，死亡的意义更不同。而法租界巡捕房多有所谓的“安南巡捕”，安南巡捕顾名思义就是来自法属远东殖民地越南的巡捕。安南巡捕是与公共租界的印捕“红头阿三”相对应的历史名词。还有这广慈医院就是如今的瑞金医院。瑞金医院是“文革”时期红卫兵改的名字，叫惯了，也就习惯成自然。

这次行动是军统上海区区长周伟龙安排的，由行动组组长林之江等执行。事前，特务们已对周凤岐的行动规律、周边环境及租界巡捕的反应等情况做了认真分析，对伏击行动做过周密的策划安排。法租界巡捕房事先毫无觉察，事后毫无线索。

谁都知道，周凤岐是汉奸。但这句话是针对那个年代的人讲的，我们这代人对那就没多大印象了。南京沦陷后，日本人要扶植以汉奸头子梁鸿志为首的维新政府。周凤岐千方百计谋得了伪维新政府军政部长这个位子。他由日军的汽艇一路护送，从浙江到上海，正兴冲冲地准备去南京上任。原本负责江南锄奸的“苏浙行动委员会”本想在浙江地面做掉这个周凤岐，因日军的汽艇一路护航，无法下手。不想进入以为“安全”的上海法租界，以为是人不知鬼不觉地到了无需防卫的法租界亚尔培路，周凤岐却送了老命。他不知道，这一路上多少双眼睛盯着他，看着他如何自取灭亡。

其实，周凤岐也是“老革命”。

20 世纪初他留学日本时，就参加革命组织光复会，参与女革命家秋瑾的革命活动。辛亥革命中他参与浙江光复，并参加民军苏浙沪联军去攻打南京的军事行动。在光复南京战斗中，周凤岐立有战功。1912 年他是浙江督军府参谋长。1926 年北伐时，他当了国民革命军第 26 军军长。进驻上海，白崇禧和他出任上海戒严司令部的正副司令。1927 年 4 月 12 日凌晨，他指挥北伐军解除了上海工人纠察队的武装，并在军营前向示威的纠察队开枪，造成流血事件。后来他也卷入多起反蒋活动。但这些，并没有为他当汉奸提供理由。

军统特务林之江这个人小有名气，他与戴笠、赵理君同是黄埔军校六期的学生。此时他是军统上海区行动组长。他狙击周凤岐，是本书开篇第一枪，但远非上海锄奸的第一枪。

此时他组织灭杀汉奸，是作为一个中国人应有的责任。但一个人的路很长，今后怎么走，任何人都该步步谨慎才好。可这林之江，以后的每一枪的枪口都对反了。八年抗战的一半时间，他成了臭名昭著的汪伪特务，枪枪对准抗日志士，成了最冷酷残忍的杀人魔鬼。后来虽又反出76号，但他还是没有任何立场或气节可言。他这种巨大的心态变化，不知该如何解释。那是否出自人性丑恶的另一面？还是当年斗争形势极端残酷和人文环境极度污染而必然形成的怪胎？这该留给历史学家和心理学家去深入研究。

周凤岐被杀半个月后，从北平又传来枪声。

原来1938年初，戴笠从汉口电令陈恭澍制裁伪华北临时政府头子王克敏。陈恭澍精心筹划，于1938年3月28日下午1时57分，在北平煤渣胡同东口，对乘车行驶的王克敏实行狙击。结果伪华北临时政府的日本顾问山本荣治当场毙命，而王克敏受轻伤逃得性命。事后，参加狙击行动的特务兰子春、徐自富被日本宪兵逮捕，惨遭杀害。

对当时的中国老百姓来说，伏击大汉奸王克敏的枪声同样是正义的枪声，因为那子弹是射向卖国贼和日本战犯的。不论开枪刺杀的组织者陈恭澍是军统特务，还是别的身份。

遭到国民党特务伏击，侥幸逃生的汉奸头目王克敏

这里，我们首次提到陈恭澍。陈恭澍是个在刀山血海中穿行的人物，在铁血锄奸的议论中，不会少提到他，但他最后也翻车了。至于该如何给他加点褒贬的言辞，不是本人有能力做到的。把这权利留给读者吧。

汉奸就该杀。不论是杀了汉奸周凤岐和倭酋山本荣治，还是伤了王克敏，百姓无不叫好称快。这锄奸的枪声对某些人来说，该是当头棒喝。国难当头，那些不知民族大义为何物而心怀鬼胎

者，这枪声不能不让他们胆战心惊。

四、死神土肥原

终于，唐绍仪面对这些规劝总算做了一次平和的答复：

“请诸位朋友放心，我唐某宁做亡国奴，不去当汉奸。若有机会，一定去港。”

随后又说：

“等把上海一些家务事料理完毕后便动身。”

可是唐绍仪却迟迟没有动身。

此时的唐绍仪没有爽快答复日本人可能是真的。但因周凤岐事件，他要求法租界当局加强对他的安全防卫。租界当局派安南巡捕当他的门卫，还协助从白俄社区招募两名俄籍“黑猫警长”替他看家护院。法租界巡捕房也加强了周边巡防。

与此同时，军统上海区为了把握动态，方便地察看和探听消息，把经常上唐绍仪家串门的谢志磐拉进了军统。军统行动组也全程秘密监视日本特务机关和唐绍仪的来往。此时，军统的谍报人员掌握了以下动态：

“土肥原机关”首脑土肥原与唐绍仪之间达成一项“秘密接洽合作计划”，那就是双方有关唐出山当“总统”的条件和义务。

前面说到唐绍仪有一个女婿是力劝他脱离日伪包围的，而唐绍仪的另一个女婿岑德广则是另一回事。岑德广名门出身，是清末两广总督岑春煊之子。岑春煊是清末宪政运动的幕后领袖人物，同情辛亥革命。在“二次革命”后，他领导西南的护国运动和护法运动，是民国时期护法军政府总裁主席，一度声誉和地位高过孙中山。他也是国民党的创始人之一。

岑德广虽门当户对地当了唐绍仪的女婿，但他为人还远不及他父亲。在国难关头，他在上海落水，进了土肥原机关，当了土肥原的秘书。这样，唐绍仪这“乘龙快婿”岑德广就引狼入室了。

1938 年 9 月，岑德广把土肥原带进了福开森 18 号唐绍仪家。在这里，土肥原与唐二次会谈。

在日本，岑德广进的是日本贵族学校，精通日文。这次唐、土洽谈由他兼任翻译。岑德广既代表岳丈，又是土肥原翻译。这样既能双方互信，又十分保密。据军统方面得到的消息，密谈中唐绍仪的计划是以自己为中心，合并已有的两个傀儡政府，在南京成立新的政府。

有史料提到，在这次会谈末了，土肥原曾小心翼翼地试探唐绍仪：

“阁下能否起草一份‘和平通电’或‘和平救国宣言’？这是我们建立新政权的第一步。”

至于这次会谈的其他细节，迄今不得而知。

唐绍仪女婿岑德广就这样把死神土肥原引进了老泰山的家里。

军统早已得到 1938 年 1 月 28 日的第 98 号情报，其中记载：

相传唐同意，一俟军事上达到相当败绩程度，即进行与日议和。

根据分析，这“军事上达到相当败绩程度”就是指武汉保卫战的胜败。1938 年 9 月下旬，进行了四个月的武汉保卫战已近尾声，武汉失守几成定局。这也正是快到了伪政权想正式宣告成立并宣布与日本“和平”的时候了。如果一旦武汉失守的同时，伪政权乘机宣告成立，那将在军事上和政治上给中国人民造成双重的打击。

所以上海的军统特务侦知 9 月土肥原与唐绍仪秘密会谈的事后，蒋介石即指示军统局戴笠派得力人员到上海把唐绍仪除掉。

戴笠便发出了刺杀令。

于是，不该发生的事就要发生了。

看来，这土肥原是死神啊。在中国，凡与土肥原交往的，个个不得善终。当然，最后还是土肥原自己死得更悲惨。他是死有余辜。

五、“古董商”杀手

此时，军统上海区区长周伟龙是著名的“四大金刚”之一。锄奸行动组长有赵理君和林之江。行动组成员谢志磐是周伟龙发展的情报员，由他汇报日伪人员出入唐绍仪家的情况。

谢志磐是永安公司的分部经理，是唐绍仪的远房亲戚。唐绍仪 20 世

被军统特务毙命的唐绍仪

纪30年代初不得志，屈尊当广东中山县县长。那时候谢志磐是广州《民国日报》的记者，经常采访报道唐绍仪。到上海，谢志磐自然是唐绍仪家的常客，与门卫及管家佣人熟悉，出入唐家方便。由于谢志磐这身份，周伟龙继续要他协助办理此案。

当时，法租界当局同意重点保护唐绍仪。除巡捕房高度重视外，还向唐宅派安南巡捕进行警卫，同时还加聘白俄警卫当护院保镖。唐家警卫戒备森严，陌生人不能随便进出。一般人即使经同意进入，也会被拦住检查是否带枪械凶器。根据这些情况，军统上海区拟订了两个计划：

一是由谢志磐串通好司机，在唐绍仪外出时狙击；

二是通过谢志磐做内线，组织一批人马武装冲入唐家中刺杀。

前者因八一三后难民拥进租界，马路上人多，刺杀者难以脱身；后者因为唐家保镖警卫多，附近巡捕集中，较难成功，二者皆不可行。

就在军统上海区一筹莫展之际，谢志磐想起一件事：

唐绍仪喜欢收集古董，曾在某古董店里看上一只花瓶，当时店方索价十万，因唐嫌贵，没有谈拢。

赵理君一听，计上心来，决定亲自出马。他计划由自己冒充古董商人去唐家，利用古玩夹带刀斧等凶器，甚至可以直接利用文物古刀剑杀人。用刀斧杀人，就不会惊动巡捕和护院保镖。

赵理君还注意到谢志磐的话，说他在唐家看到古董商带来名画古董时，都由唐绍仪接待鉴定，而且鉴定时，总让下人离开。赵理君觉得这种场合正好利用冷兵器动手。

为了案后能快速安全撤离，赵理君决定驾车前往，况且有身份的古董商当然要有派头。

周伟龙与赵理君商量结果是：

先以推销古董名义不带武器上门探路。第二次则以推销更好的古董的名义再上门，那样门卫见是先前来过的客人，自然松懈，利用古董夹带杀器不易被查。

赵理君首先弄来了唐绍仪曾想要的那只花瓶。他怎么弄来的，这可不清楚。但估计特务处不会有这么多闲钱买古董，即便有那钱也不会花在这上头，多半是“赊”来或“租”来的。然后，由谢志磐陪同，赵理君假作古董店的伙计，拿着花瓶来到福开森路 18 号唐府。因谢志磐是常来常往的亲戚，唐府不虞有诈，赵理君顺利地见到了唐绍仪。

唐绍仪见到花瓶当然很高兴，细细把玩起来。赵理君不失时机地说：

另外还有一只花瓶，年代更久远，价格也不贵，请您定一个时间，我送到府上来。

唐绍仪一听马上说：

“那你就快送过来吧。”

于是定好第二天一早验货。

通过这一次“探道”，赵理君已完全摸透了唐府的路数，客厅外有一个安南警卫，但大宅门的规矩很严，不奉召唤，其他人不会随便进入客厅。会客室外面就是花园，花园里有白俄便衣保镖守卫。因客厅有窗纱，从外向里看什么也看不见。而由里往外则看得清清楚楚。

周伟龙与行动组长赵理君商量好：由于门卫会事先搜身，所以不能带枪，而采取用斧子劈头的办法。他们找来一柄小钢斧，藏在假冒的宋瓷花瓶里，仍由赵理君冒充古董商人把它带入。由于同去的谢志磐、王兴国都是情报员，不会杀人，另选惯匪出身的李阿大，扮成伙计，捧着花瓶同去。又另外搞了一辆不知户主的汽车。

9 月 30 日上午，赵理君等人准备完毕，开车去唐家。一辆蓝色轿车直驶唐宅大门口，从车上走下谢志磐与另外三个装扮成古董商及伙计的特务杀手，他们是赵理君、王兴国和李阿大。他们手上捧着花瓶文物。安南门卫见是熟客，拉开铁门放行。司机继续把汽车开进唐家之后就调头等在一旁，但并不熄火也不下车，以备迅速逃离。

谢志磐和王兴国向唐家人说明是送古董来的，仆人将一行人领去见

唐绍仪故居客厅门口。赵理君站在门口向里面道谢："老太爷不必送了，请仔细看看……"

唐绍仪。他们到了会客厅之后，仆人上楼通报。赵理君一进客厅，就将香烟盘上的火柴都取下装进自己口袋。老迈的唐绍仪由仆人搀扶着下了楼。寒暄之后，唐绍仪命仆人给客人点烟，却发现没有火柴，仆人只好去隔壁的杂物间找。赵理君马上请唐老爷先看一个花瓶。这时赵理君自己手在发抖，但李阿大镇定如常。唐绍仪刚低头俯身向着指定的花瓶察看时，李阿大迅速从另一个宋瓷花瓶抽出斧子，对着唐绍仪后脑劈去，唐绍仪一声不吭地栽倒在地毯上。赵理君知道得手，不慌不忙地收拾所带来的东西走出客厅。出门时还对警卫说：

"唐总理叫我再拿几个花瓶来，你等一下，我很快回来。"

于是招呼其他三人立刻出门上车。自己则站在会客厅门口，对里面道谢：

"老太爷不必送了，请仔细看看，我们马上再送几件来。"

赵理君关上门，向庭院的白俄保镖打个招呼，从容上车，飘然而去。车子刚刚开出铁门，拿火柴的仆人推门进到客厅，发现老太爷已经倒在血泊中，急忙大叫：

"抓强盗！"

门口转过神的保镖这才拔枪向外追，开了一枪，没打中汽车。车子拐弯之后就不见了，几个仆人隐约记得车牌号。

唐绍仪被刺后伤势极重，急送附近的广慈医院抢救，到达医院时已奄奄一息。医生给他打了强心针，又输血 2000cc，仍不见效，神志一直处于昏迷状态。

当天下午 4 时，唐绍仪终告不治。

第二天，上海各报纷纷登出消息：

唐绍仪被刺殒命。

六、重庆最高当局的褒扬

唐绍仪被刺身亡，死得不明不白。

据现场的门防警卫、管家家丁和保镖的证词来看，唐绍仪是被古董商上门杀死的，而把古董商引进家门的是谢志磐。而且还知道谢志磐是永安公司职员，其家就在法租界离发案点不远的拉都路275号。拉都路就是如今的襄阳南路。证人记得古董商的车牌号。看来唐绍仪的远房亲戚谢志磐是关键人物，而古董商的车牌号是重要证据。

据记载：

法租界巡捕房迅即派巡捕，并动用铁甲车巡查要道路口。同时，用电话通知各处巡捕房，注意缉捕该牌号的轿车。中午时分，一辆铁甲车在租界内麦琪路与姚主教路口找到了无人的弃车一辆。

这段翻出来的记载有点问题。

按照所说，这麦琪路就是今乌鲁木齐中路，而姚主教路是天平路。但天平路北端起于淮海西路、武康路、兴国路、余庆路交会之处，是一个“六路汇口”。天平路北端要越过宛平路、吴兴路、高安路，再过上海图书馆，才能到达乌鲁木齐中路。中间有明显距离，决不能构成“麦琪路与姚主教路口”。由于这一带道路自20世纪30年代以来，没发生变化，故转录那段记载显然有误。或许把法租界原始记录翻译成中文时出的错。

赵理君一行逃出唐府，当然可以一直开车到福开森与姚主教路交接处，再转到麦琪路。但那就永远到不了子虚乌有的“麦琪路与姚主教路口”。再说，赵理君不是笔直沿福开森路开的车。因门警拔枪射击时，他们的车是“一拐弯就消失”了。所以，赵理君是一出唐府就拐弯到了其他的路上去了。

我们试想，赵理君一行逃出唐府后，马上就想到要离开福开森路，于是从安福路或五原路岔开福开森路是自然的选择，或许到安福路口时

因车速过快来不及反应，而到五原路路口时就有准备了，于是拐进五原路，开到麦琪路口，弃车分散逃跑。弃车留在五原路与乌鲁木齐中路交叉口。

读者或许会问：为何如此武断？

因为自20世纪80年代以来，笔者就十分熟悉那路段：

五原路上有中国福利会幼儿园。更因为五原路原来的路名是“赵主教路”（Route Mgr Maresca）。我敢断定弃车位置是“麦琪路与赵主教路口”而不是“麦琪路与姚主教路口”（姚主教路：Route Mgr.Prosper Paris）。这不是法租界巡捕房记错，而是后来别人译成中文时弄错。那地区只有两条以主教命名的路，彼此距离又太近了。别说外省的人弄不清，上海本地人也会弄错。

经法租界巡捕取证核实，该车车号与证人提供的相同，证人也确认就是作案用车。但这车车主是出租汽车公司，出租公司称当日被一身份不明的人租去。这租车人当然可能与作案的古董客有关，但与案犯古董客一样未知身份。——那时，没有个人身份证，也没有户口登记制度。线索无法延伸。而拉都路上的谢志磐早已人去楼空，不知所终。法租界巡捕房的侦查追捕到此为止。

唐家的门房警卫、管家家丁和保镖除了证明谢志磐是作案同伙外，别无其他线索。

其实，这唐家有两位能猜测到是怎么回事，那就是彼此意见相左的两女婿诸昌年和岑德广。他俩都不敢说话。岑德广引进了祸水，要是岑德广说出所以然来，肯定遭舆论声讨，汉奸家贼一顿臭骂，里外不是人。诸昌年也不敢乱说，因为担当不起。

军统分子周伟龙、赵理君等把这事做得几乎是天衣无缝。参与案件的人逃之夭夭，经武汉到重庆领奖去了，没有任何证据落入他人之手。而刺唐本身是出于预防而非出自对罪犯的惩罚，是在犯罪没有成为事实之前对嫌疑人采取行动。这种行动自然要高度保密，查出来，谁也担当不起。

党国方面的上层，虽然内部有点质疑但对外是统一口径：

沉痛哀悼，高度评价。

在法租界巡捕房法医到广慈医院验尸作了记录后，尸体由唐氏亲戚子女具结领去，5 天后在胶州路万国殡仪馆设礼堂祭奠。

10 月 5 日，国民政府主席林森下令褒扬唐绍仪，拨给治丧费 5000 元，并将生平事迹宣付国史馆，以表示政府“笃念勋耆之至意”。

日本驻沪占领军对此事虽是心知肚明，但不便多说。

只有媒体舆论猜测纷纷。有说谋财害命的，有说争夺国宝的，有说报复仇杀的，也有怀疑日本阴谋的，不一而足。不过谢志磐挨的骂最多，招的怀疑也最多。

两年来，在法租界如此高超的锄奸行动频频发生，引起租界当局高度警觉。

谁干的，法租界巡捕房会不知道吗？苦于现场没抓到案犯，没取得第一手证据。巡捕房没有直接找军统上海区的麻烦。但这次刺唐却使巡捕房大为震怒，下决心教训一下军统，谁说缺乏证据就不敢下手？

法租界巡捕房要直接向军统上海区下手。军统上海区是军统所属的最大一个地区单位，全体人员在一千人上下。这时，是周伟龙（又名周道三）担任区长。

这年秋天，巡捕房拿法租界内的军统上海区开刀，先以暴徒的罪名逮捕了军统上海区情报组组长刘方雄和助理书记王方南。

军统局无奈，出钱贿通了租界探警人员。俗语说，有钱能让鬼推磨。那些大小捕头得到好处后，事情好办多了。原本，市党部的中统和军委直属的军统按月都向这巡捕房的高级警官发额外薪水，行贿的路本就是通畅无阻的。再说，租界当局目的本就是不让军统在租界内过分肇事，而不是想与军统结冤家。于是刘方雄、王方南获保释。经此一折腾，造成刘方雄和王方南的军统身份被暴露，无法停留上海，保释后只好异地安排到军统香港区。

1938 年 10 月，上海区区长周伟龙迷恋跳舞，在舞厅里被人认出，暴露了身份，被法租界巡捕房逮捕。戴笠立即报请蒋介石同意，派部长级人物，循外交途径和法国当局进行交涉，未将周伟龙引渡给日方，而以“驱逐出境”名义释放，戴笠将周调回重庆。租界当局肯放走军统成员，说明他们也不想过分得罪军统。严重警告一下军统，才是他们的真正目的。

接下来，又因为一外勤人员被法租界巡捕抓住，受他牵连，军统上海区办事处遭到巡捕房搜查，搜出枪支、密电码和一些文件。

经这两次逮捕，军统的活动据点被查封，武器设备被没收，人员被迫分散潜伏，军统上海区陷入瘫痪状态。

1938 年 10 月下旬，武汉三镇沦陷。军统局机关奉命西迁重庆观音岩下罗家湾。周伟龙任军统局秘书室书记长，为主任秘书郑介民下属。不久又改任忠义救国军总指挥。

周伟龙走后，先后由朱啸谷和赵理君代理上海区区长。不久，军统局派军统华北区区长王天木任上海区区长。王天木的到来，却又使军统上海区风浪不止。

七、案外案·连环杀

1938 年 10 月，武汉保卫战已近尾声。武汉失守在即。军统总部移到重庆。

唐绍仪案几个刺客辗转逃脱后，径直投到重庆戴笠门下邀功请赏。赵理君被委任为军统局第三处行动科上校科长，王兴国、李阿大也各有所用。

令人意外的是谢志磐。

案发当日，唐的家人即向法租界报案，称谢志磐带领刺客暗杀了唐绍仪。法租界当即发出通缉令，凡能揭发、检举、抓住刺客谢志磐的，赏 3000 元。

谢志磐本就不是职业特务，心理忍耐力自然较脆弱。自从刺杀唐绍仪后，终日疑神疑鬼。听到舆论界骂声阵阵，内心受到的煎熬不用说是多么难以忍受。一听到受通缉，就更紧张，觉得自己完了。总感到有人在跟踪他，有人要替唐绍仪报仇，结果竟然得了精神病，被送进重庆一家医院。

谢志磐在医院里也是神神叨叨，整天拿着手枪晃来晃去，医生只好向当局报告。

说来也巧，接到报案，当时重庆卫戍司令部稽查处不明内情，就派侦缉队长王克全前往调查。这王队长正是原上海区行动组副组长。对这位警官王克全，谢志磐在上海时本就认识。谢志磐不知道王克全调离上海到了重庆，所以一见到王克全，就以为他是从上海来追捕的，于是举枪就准备打王克全。——当然喽，手枪里是没有子弹的，子弹早就被人拆走了。

王警官绝非浪得虚名之辈，他是原军统的名枪手，见到异常，立刻拔枪抢先发射。结果后发而先至，一枪将谢志磐击毙。

这谢志磐够冤的，给人家帮忙，不但自认为错杀了人，而且把自己的小命也给搭进去了。

接下来，情况更为复杂了。某长官担心对谢志磐的调查会将刺唐案全部曝光，就把王克全撤职。又过了些日子，王克全又莫名其妙地“自杀”了。

于是再一次引起舆论的轰动。

八、华北吴佩孚对日军的叛逆

在唐绍仪死后，土肥原仍然不死心，转去北平做吴佩孚的工作。

为了敦请吴佩孚出山，由大迫少将负责，在北平成立了“大迫机关”，请来吴佩孚原来的日本顾问冈野增次郎担任“敦请专使”。

吴佩孚是直系军阀主要首领，1926年被北伐军击败后，隐居于北平多年。但他隐居也仅是蛰伏而已，并不甘寂寞。他自视颇高，认为自己余威尚在，随时有振臂一呼、东山再起的野心。

当土肥原派去的大迫通贞少将建议吴佩孚组织一个政府时，吴佩孚内心也认为那是自己出山的机会。他认为如果由自己出面调停，或许能解决中日争端。

但是，要他出山，是要有条件的。

条件一：不能让自己戴汉奸的帽子。

条件二：在着手调停之前，吴佩孚要发展实力，建立自己的军队。

有军队才能有实力。有实力才有可能迫使重庆政府接受调停。

为此，吴佩孚希望日本人同意由他出面招抚华北的“匪贼”，组成由他指挥的军队。所谓华北的“匪贼”，就是日本侵华之后，被击垮的“国军”和地方武装。那些大小不一的武装集团在华北地区“占山为王”，与日军和王克敏伪政权周旋，其中许多还举起抗日的义旗。这些原“国军”多数也是从原来北洋军阀部队整编过去的。说抗战中国军队大败，其实是溃败。溃败的军队依然分散在各地。吴佩孚认为自己对他们有号召力。

据说，土肥原贤二曾亲自出马前去拜会吴佩孚。吴佩孚扬言：

“尔等就商于我，首须急速撤兵；次则将所有占据地方之军政、财政，及一切行政交还，顾问、指导官必须取消，经济统制亦应立即解除。我为主，日为客；我发命令，日本人亦当极端服从。能如是，自可建立政府，恢复和平。”

这话，我们可以认为是真的。

吴佩孚也算一代枭雄。说出这样的话，符合吴佩孚的为人。也正因为能这样说话，土肥原贤二才认为吴佩孚有价值，才下决心与之谈。这是吴佩孚与点头哈腰的王克敏、石友三之流的不同之处。

透过吴佩孚的这番表白，看出了吴佩孚有出面“干”的愿望。

吴佩孚在谈判桌上提的日本“撤军”问题，那都一样。几乎所有“代表”中国的谈判条件都有这条，当时日本政府也愿意把这作为谈判内容。在他们看来，撤不撤，怎么撤，何时撤，谈谈看啊。其实，就在这同时，日本政府另派代表正与高宗武和梅思平谈判，还就要达成协议了。汪精卫方面的高宗武和梅思平与日本影佐祯昭、今井武夫谈判的密约中也有“撤军”这一条。

至于吴佩孚讲的“我为主，日为客；我发命令，日本人亦当极端服从”这种话，绝对没有问题。日本人可以举例伪满洲国皇帝溥仪来说话。不但伪满洲国的所有日本人“尊敬”“满洲皇帝”，都听“皇帝”溥仪的话，日本人还可举例东洋日本国内的平民也“爱戴”溥仪皇帝。

而吴佩孚提出的收编流散华北的“匪贼”建立军队的事，日本人正在为解决这“土匪问题”而忙碌着，把它列为谈判内容也不妨试试。

为了促使吴佩孚尽早出马组织新政府，日本人并未当面否定吴佩孚提出的方案。吴佩孚也认为日本人已经同意他的方案，立刻派人去华北的日占区，招抚武装人员。

当时华北日军为了巩固占领区，正在对这些所谓的“贼匪”进行“大扫荡”。

“大扫荡”中被日军包围的数万中国的武装人员，为了摆脱困境，自然宣布投靠吴大帅。加上吴大帅的手下收编人员吹嘘自己将是新中央政府的嫡系，并扬言华北的王克敏“临时政府”即将解散。这引起了本来就没基础的王克敏“临时政府”内部动荡，警察和官员为重新站队而骚动。华北日军因处境困难，产生不满，屡次要求吴佩孚妥善处理。

吴佩孚置之不理，导致吴佩孚与华北日军及王克敏傀儡政府关系恶化。

华北日军于是动用武力来抢占那些已宣布归顺吴佩孚的军队的地盘，要把这些地盘划归王克敏“临时政府”管辖，并对反抗的部队进行镇压。这样，侵华的华北日军与“未来的领袖”吴大帅闹翻了。

土肥原为了使得“吴佩孚工作”能顺利进行，同时兼顾华北日军和王克敏伪政权的意愿，试图使华北日军和吴佩孚和解。土肥原机构与吴佩孚的代表张燕卿签订了接受华北日军条件的协议。协议的主要内容是：

吴佩孚不得在日占区招抚“匪贼”，也暂时不得在北平开展政治活动；

已被吴佩孚收编的部队归“临时政府”指挥；

吴佩孚在黄河南岸（国统区）招抚“匪贼”，华北日军予以协助；

在开封设立吴佩孚从事政治活动和招抚军队的办事处。

张燕卿是清末大臣张之洞之子，曾任伪满洲国实业部长等职。他本就是汉奸。为实现个人当上新的伪政府总理的野心，瞒着吴佩孚签订了这协议。他于是隐瞒真相，只对吴佩孚说协议的内容是为了配合华北日军，要将招抚工作扩展到黄河南岸，并在开封设立办事处，致使吴佩孚认为华北日军已经同意自己的做法。

此时，吴佩孚的代表张燕卿又组织了一个所谓的“和平救国会”。11 月中旬，“和平救国会”发了许多恳请吴佩孚出山的电报，满足了吴佩孚强烈要求得到舆论支持的愿望。

同时，孔祥熙托人送信给吴佩孚，希望他保持民族气节。吴佩孚回

信表示要以刚柔相济手段，和日本人周旋到底，又写五绝诗一首赠蒋介石，希望蒋介石能抗战到底。吴佩孚这回信，分明是在“捣糨糊”。

吴佩孚由此认为出马时机已到，于1938年11月底召开新闻发布会，宣称自己受“和平救国会”推荐，筹建政府。第一阶段首先是组织军队，因此，将使华北的游击队归顺于自己等。

华北日军认为吴佩孚此举是当众撕毁协议，当然强烈不满。土肥原只好继续做吴佩孚的工作，到了1939年1月底，吴佩孚勉强答应遵守协议。

土肥原离开北平回到上海之后，吴佩孚再次宣布，华北地区那些已声明归在他名下的“军队”，华北日军及王克敏政权不得插手过问。

从日本人的角度看，吴佩孚又背信弃约了。

华北日军此次越级控告吴佩孚，直接把报告送到东京大本营，表示无法容忍吴佩孚的多次“背信弃义”，要求立即停止土肥原机关工作。并说吴佩孚的背信行为，使得伪华北临时政府濒临崩溃，断言如果成立以吴佩孚为首的政府，有害无利。

此刻的土肥原，待在重光堂一间昏暗的房屋里，和助手晴气庆胤面对面，一言不发。他闷闷不乐，心事重重。从东京大本营发来的那份华北日军的电报，他已经看了多次，虽然他无法接受华北日军的意见，但是已经是无计可施。他知道从1938年7月成立的土肥原机关，经过半年多毫无成效的工作，也到了该结束的时候。

九、并非谁都想当汉奸

土肥原的计划失败后的一年里，吴佩孚与日本人及王克敏傀儡政权的对立越来越严重。

这年汪精卫公开叛变，日本人认为汪精卫在北方缺乏影响力，且无军事实力，希望促成汪吴合作。汪精卫虽然对吴佩孚没有兴趣，但仍多次和吴书信往来。当然是毫无结果。

1939年6月，吴佩孚提出组织政府，要以自己为大总统，温宗尧副之，王揖唐负责北中国，汪精卫负责南中国。这样的条件日本人自然不会答应。

吴佩孚表示若寄人篱下做傀儡，不如抗战到底，甚至还劝日本人放弃“武力万能主义”。吴佩孚的最终表态，使得日本人对他完全失去了兴趣。

1939 年 6 月 27 日，汪精卫从日本归来，在北平逗留，吴佩孚拒绝前往拜见，坚持要在自己家中会面。汪精卫也不愿屈尊，两人未能见面。

汪精卫在组织伪政府过程中，派人劝吴佩孚出山做“军事委员会委员长”，吴佩孚听后勃然色变，亲笔书写文天祥《正气歌》给汪精卫。

随后日军总参谋长板垣征四郎会见了吴佩孚，许以湖北、江西等六省交由吴佩孚管辖，吴佩孚不为所动。

吴佩孚的日本学生川本芳太郎问起吴佩孚最终的主张是什么？吴佩孚回答：

“还是最先的主张，要和平，日本先撤军。”

吴佩孚终于不听日本人的摆布了，他甚至买了一具棺材放在客厅里，要以死对抗。

12 月，吴佩孚因吃羊肉饺子被骨屑伤了牙齿，延请德国医生到家中诊看，诊断结果说是需住院拔牙。“德国医院”在租界内，因吴佩孚一生拒绝入租界，所以没接受。但后来，吴佩孚死于日本牙医的手术刀下。

吴佩孚孙子这样讲述吴佩孚因拔牙而死的过程：

1939 年 12 月 4 日，北平大雪。日特务头子川本会同大汉奸齐燮元携日本军医前来强行“治疗”。家属欲阻拦而不得。齐燮元说：

“大帅是国家的人，一切由国家主持安排，家属无权过问。”

当时是由吴佩孚儿子扶护着他的头部，儿媳妇也在旁边服侍。川本、齐燮元现场监督。日本的“野鸡”医生用手术刀在吴佩孚浮肿的右腮下气管与静脉的部位一刀割下，即刻血流如注，吴佩孚顿时气绝。当时有人喊了一声：

“快打强心针！”

日本的“野鸡”医生在医药包里寻找一番，表示没带强心针。旋即跳到床上“抢救”，进行“人工呼吸”，强压胸腔及心脏。

事后吴的家属想来，这番“抢救”动作，无非是再施手脚，加速死亡。儿媳妇从屋中出来，痛哭失声，大声喊着：

“天塌了！”

日本特务头子影佐祯昭

顿时，吴家上下一片大乱，哭声震天。

吴佩孚太太当场昏厥。

保镖张劭溥拔出手枪要杀日医。“野鸡”医生在众多警特掩护下鼠窜而逃。

吴佩孚就这样死了。

虽然对他的一生评价各有不同，但他在人生的最后一年能紧急回头，这点值得一赞。

他拒绝了日本人，拒绝了汪精卫。

以往的政敌蒋介石对他予以高度评价，发唁电吊丧，表彰吴佩孚精忠许国，称赞他正气长存、大义炳耀，并千里迢迢为吴佩孚送了八个大字的挽辞：

乾坤正气；宇宙完人。

那就是说，只要你守身自好，不做汉奸，任何历史恩怨均可一笔勾销。汉奸的帽子，是不可以随便给人乱戴的。

同时，汉奸这东西并非人人当得，也非人人肯当。无耻卖身的究竟是少数。

可是就算少数，汉奸也是危害极大，不得不除。

在北平和天津，五四时期被搞得声名狼藉的曹汝霖、陆宗祥、章宗舆也拒绝了日本和汪精卫的拉拢，不当汉奸。五四后的二三十年代曹汝霖退出政界，从事慈善事业，筹资办私立“中央医院”（即如今的北京人民医院）。北平沦陷后，不肯留在日本人控制的协和医院里的医生就转到这家私立医院。林巧稚的妇产科就在这里建立。日军侵华后，日本特务拉拢吴佩孚，也拉拢曹汝霖。日军在筹组华北伪政权时，一度曾把曹汝霖看作伪内阁的理想人选。

但曹汝霖以自己是“世外之人”予以婉辞。他面对公众公开表明要以“晚节挽回前誉之失”，不在日伪政权任职。

王克敏、王揖唐前后给曹挂了顾问或“咨委”的空衔，但曹汝霖从不到职视事，也未参与汉奸卖国活动。日军特务机关长喜多诚一因而曾指责曹汝霖：

“为什么不出头帮忙，究竟做什么打算？”

土肥原计划失败了。

1939 年 5 月，失败的土肥原贤二离开了上海虹口区东体育会路七号重光堂的“土肥原机关”。

就在同年同月同个地方，从重庆叛逃而来的汪精卫集团暂时住进来了。1939 年 5 月，汪精卫集团住进东体育会路七号重光堂，不过原来设在那里的“机关”改名为“梅机关”了，机关长也换了人。“梅机关”的机关长是影佐祯昭。“梅机关”的总部后改设在北四川路永乐坊内，影佐祯昭手下有特务 50 余人。

汪精卫集团这伙人是怎么来的?

让我们接着看下去。

第三章　河内惊魂

一、“和平运动”

汪精卫、陈公博、周佛海、陶希圣、梅思平在抗日战争开始后不久，就彼此联络，组成“低调俱乐部”对抗全民抗日的国家政策。接着，配合日本侵略军的进攻，发起了“和平运动”。

或许有人会问：什么“和平运动”？和平难道不好？

中国正在经历抗日战争的炮火，八一三一战，大半个上海被夷为平地，到处残垣碎瓦，数十万上海军民死亡。八一三战后，南京跟着失守，三十多万无辜平民遭屠杀。中国人民经历了深重的灾难，在这种情况下，和平难道不对？

问题是，在回答这对不对的提问前，首先该向日军发问：日军怎么不待在自己的国家里“和平”，而漂洋过海跑到中国的上海南京、长江黄河来，到处杀人放火、开枪放炮、发毒气弹呢？

强盗在翻墙砸窗入室抢劫前，平民家庭本来不就是十分和平吗？怎么反倒是平民有义务向入室抢劫的强盗表示“和平”？而不是强盗放下屠刀，立地成佛？

向中国人提问，为什么汪精卫的“和平运动”不好，是否能回答如下一个问题：

一个遭受侵华日军施暴威吓的良家女子是否应该停止反抗，发起“和平运动”来迎合强奸犯？

我们还是先看看，日本人的“和平条件”是什么？而与之相应，汪精卫、陈公博、周佛海、梅思平的“和平运动”又是些什么名堂？

正在上海八一三抗战激烈进行的关头，日军侵华气焰十分嚣张。日本政府却在要花招，欺骗国际舆论，对抗国联正在布鲁塞尔举行的会议。花招之一，就是散布“和谈”舆论。

那时，中国军队在上海的每一寸土地上抵抗侵华日军，上海大部分还掌握在中国军队手里。而中国政府向世界呼吁正义，日本正受到全世界舆论的指责。

根据中国政府的要求，国联在布鲁塞尔召开《九国公约》会议。中国外长宋子文出席了那次会议。这次会议做出的决定，要求《九国公约》签字国制止日本对中国的侵略行径。

《九国公约》是什么呢?

1922 年，列强为均衡对华利益而与中国一起签订了一项国际公约，那条约简称为《九国公约》。条约申明了“尊重中国之主权与独立及领土与行政之完整”的立场，同时也就归还山东和青岛主权做了规定。但《九国公约》本身依然是中国耻辱的一种象征，其中，令中国人内心难以平复的是：

条约要求中国政府执行“门户开放”、“机会均等”的原则。

“机会均等”原则是在中国土地上大家机会均等，而不是中国可以在别国的土地上享有均等权。

但是，即使是这种条约，日本人也要践踏。

由于日本是《九国公约》缔约国，它单方面发起侵华战争，违背《九国公约》的立场，也侵犯其他缔约国利益。

1938 年，中国要求国联在布鲁塞尔召开的《九国公约》会议，却正是运用了这略含屈辱性的“机会均等”的原则，要求《九国公约》缔约国根据条约制止日本对中国的任何单方面行动。作为弱国，中国人想利用《九国公约》来保护自己，实属无奈啊！但除此之外，又有什么办法呢?

《九国公约》的其他缔约国当然可以指责日本，抨击日本企图谋求单方面对华霸权而践踏了“机会均等”原则。

国联在布鲁塞尔召开的《九国公约》会议，对日本是不利的。

1937 年 10 月 21 日，就在日军继续向上海发动大规模军事进攻的同时，其政府为破坏《九国公约》会议，施展其“中日直接谈判”的外交伎俩。

日本外相广田弘毅向德国驻日大使狄克逊表示：

随时都准备与中国直接谈判……

但在 11 月 2 日，广田弘毅秘密向狄克逊提出日本所要求的八项谈判条件：

（一）承认“满洲国”；

（二）内蒙古设立自治政府；

（三）在华北设置非武装地带和解决华北经济利益和权利问题；

（四）扩大上海非武装地带，并由国际警察队进行管理；

（五）关于放弃抗日政策，应实施我方（指日方）在 1935 年南京谈判时所提出的要求；

（六）协力防共；

（七）降低关税；

（八）尊重外国人的权利。

这就是日本的“和平条件”。

当时上海绝大部分还控制在中国军队手中。而这第一条到第五条分明是令中国亡国的条件，是企图巩固日本已占有的中国国土并实施殖民化。德国代表向蒋介石通报时，不敢说出口那条承认伪满洲国的条文，八条变成了七条。

可汪精卫一伙却联络和鼓动各省党政军各界，发起响应日本外相广田弘毅“和平条件”的“和平运动”。汪精卫一伙策应日本侵略的行动，给中国全民抗日的行动造成极大的破坏。

1938 年 4 月，受汪精卫一伙的鼓动，云南省主席龙云与四川实力人物刘文辉等致函已经投降日本的伪北平临时政府委员长王克敏，声称将联络四川、云南、西康、贵州四省，组成反蒋联盟，发起“和平运动”。

二、梅思平、高宗武与《重光堂密约》

在举国一致投入抗日的浪潮中，投降逆流也甚嚣尘上。

1938 年 1 月 11 日，日本御前会议通过《处理中国事变的根本方针》。

宣称：

如果中国政府不接受日本的条件，日本今后将不再承认国民政府，即不以其为谈判对手，而扶植新的“中央政府”，并与之调整关系。

这就是要在中国重新扶植新的“中央政府”的方案。所谓新的“中央政府”，其实就是日本的傀儡。从后来看，物色的预备对象正是唐绍仪、吴佩孚和最终的汪精卫。

对日本御前会议的精神，汪精卫副总裁并没有怠慢。估计，他领导他的“低调俱乐部”班子进行了深入的学习、认真的讨论。“在充分吃透天皇陛下精神实质的情况下，要贯彻到他们的每个人实际行动中”。这话说得有点俏皮，不过也就是表达那么个意思吧。

周佛海算是个“活学活用、立竿见影”的典型。日本御前会议精神刚传达，周佛海就灵活地采用欺骗手法，以派高宗武到香港收集情报为由，不顾蒋介石和外交部长王宠惠的阻止，暗中差遣高宗武到上海私下通敌。当蒋介石发现异常、断绝高宗武的经费时，周佛海竟动用国民党中宣部经费继续支持。后来高宗武甚至私下到东京与日方私通。

当蒋介石听到高宗武上东京的消息，而指责“太荒唐了！”的时候，周佛海却满意了。

后因高宗武患肺结核病，在对日勾结中坚持不住，汪精卫和周佛海最后加派梅思平去上海与日本特务会谈。记住，这梅思平不是一般人啊！他是1919年的运动闯将，要不是他带队去火烧赵家楼，痛打章宗祥，把那在街上喊口号的事搞大，那就没有后来闻名遐迩的五四。

最高做到伪上海市长的大汉奸周佛海

首先与梅思平进行谈判的是松本重治。松本重治是特务，他披挂的外衣是日本同盟通讯社驻上海分社社长兼香港分社社长。在松本重治的回忆录《上海时代》中有记载：

1938年8月29日至9月5日间，梅思平与松本就实现“中日和平的条件与办法”等连续进行了五次会谈。

会谈中，梅思平告诉松本：

“和平运动必须由汪兆铭先生领导，周佛海和我们一些同志，集合在汪先生的旗帜下，已经行动起来。而且和云南的龙云、四川的将领及广东的张发奎等人进行了联络。”

随后，梅思平、高宗武与西义显、伊藤芳男等人又做了进一步的谈判，并拟订了实现“中日和平”的详细方案。正是由于这一秘密交涉，终于导致汪精卫、周佛海走上了叛国投敌，另立伪政权的冒险之路。

当然，精卫、佛海和思平不会赞同我们把他们的行为定性为“叛国投敌，另立伪中央政权”。在他们看来那种定调太一本正经。要是能站在“和平运动”的立场上看问题，可以如下解读梅思平向日本高级谍报人员透露中国最上层蒋汪的争论：

那不关国家机密，不关军事机密，绝非里通外国，更不是出卖情报。那一切是为了贯彻天皇陛下御前会议精神，一切是为了及早消灭蒋介石顽固集团，一切为了日中友好大业，一切为了日中亲善，一切为了在大日本领导下建设繁荣昌盛的大东亚共荣圈。

日中亲善要比抗日战争好啊。他们随后达成的协议，完全是为了建立“皇道乐土”的大东亚共荣圈事业。“皇道乐土”就是天堂啊！思平出色的外交活动就是为了把中国引导向“皇道乐土”。思平先生功莫大焉！

当然，这不是坚持抗日立场的中国人所能理解的。

其实，以上戏谑的说法并不符合梅思平的智商。梅思平绝不是没有头脑的糊涂蛋，更不是不知他所有行为将造成的严重后果。在与日本军谍的会谈中，梅思平曾突然哀叹：

“从今而后我不也成汉奸了？”

他内心清楚得很。

明知贼难做，偏向贼窝钻。

这就是梅思平。

他为什么要这样？

梅思平认为自己留在抗日阵营里，是没有前途的。蒋介石给他的那个正式身份是江苏省江宁实验县县长，那区区七品芝麻官，有啥当头？他还以为，没人能担保他不用上战场，即使留在后方，在日军飞机大炮的狂轰滥炸之下，能保住小命吗？

一旦中国被日本打败，梅思平以为自己很难得到苟且偷生的机会。与其战败当亡国奴，还不如抢得先机，率先投降而享受皇军优待。

梅思平认定自己是俊杰，俊杰就要识时务，就要当先进，那就是要抢先一步。这是他梅先生的先进一步的思想。

1938 年 10 月 21 日梅思平直接由香港飞往重庆。他本次来重庆的重要任务，就是向汪精卫、周佛海汇报，并把他和高宗武在香港与日交涉所拟订的“和平方案”拿出来讨论。10 月 22 日他到重庆，向汪精卫、周佛海汇报赴沪与日本特务接洽的全部内容。

29 日上午，汪精卫把陈公博自成都召到重庆。随后汪又纠集周佛海、梅思平、陈公博等会谈。重新将各项文件研究一遍，决定同意上海协议。下午，继续商讨行动计划。当时他们计划的“和平运动”分五个阶段：

一、汪精卫离开重庆，在外地宣布下野，脱离国民政府。然后日本政府立即发表声明，提出不要领土、不要赔款、两年内撤军的条件，倡议与中国进行和谈。

二、汪精卫以个人身份发出响应日本政府的“和平倡议”，建议国民政府接受日本的条件和平停战。

三、云南等地的地方实力派通电响应汪精卫的“和平号召”，在云南等日军未占领地区建立新的独立政府。

四、日本承认新政府并与新政府进行“和平谈判”，日军撤退回长城以北，将日军占领区转交新政府。

五、新政府统一全国，实现中日两国间的真正“和平”。

10 月 30 日，汪精卫与周佛海、陈公博、梅思平、陶希圣等秘密商量，决定派梅思平、高宗武去上海，与日本人签订关于实现和平条件及另组政府的协议。

梅思平临行，汪精卫在家设宴为他饯行。酒饭毕，汪夫妇送梅思平至客厅门口，陈璧君在一旁激励汪精卫：

“梅先生明天就要走了，这次你要打定主意，不可反悔！”

汪频频点头：

“决定了，决定了！”

周佛海由汉口飞往成都，第二天马上与国民党四川省党部的陈公博会见，周佛海向陈公博报告外交最近真相。

1938年11月20日，梅思平、高宗武再到上海与日方影佐祯昭、今井武夫“敲定”最后协议。日方还有西义显、伊藤芳男、犬养健等参与会谈。犬养健这姓有点怪，其实他老爸当过内阁首相。日本人取犬养这类姓，估计与中国人将儿子取名“阿猫”“阿狗”的理由差不多。以前中国农村讲迷信，担心自家生的男孩被鬼怪摄魂绑架而夭折，就取名“阿猫”、“阿狗”，以为那样“命贱”的孩子可逃避鬼怪绑架勒索那一关。后面文中，可能还会借犬养健的大名戏说“阿汪”几句，那是触景生情的议论，但愿读者理解。

11月20日下午7时，梅高等人与日谍在土肥原机关的“重光堂”举行正式签字仪式。双方签署了《日华协议记录》及两份文件。另外一份《日华秘密协议记录》虽暂未签字，但双方取得了一致意见。由于文件要事先得到汪精卫的同意，因此，梅思平与高宗武两人要等汪精卫同意后，才可以在秘密协议记录上签字。这样，与《日华协议记录》捆绑一起的总共有三个文件：《日华协议记录》《日华协议记录谅解事项》及《秘密协议记录》。同时影佐、今井还与梅思平、高宗武制定了一套汪精卫出国及近卫发表宣言的详细计划和日程。这是日汪双方携手扼杀中国抗日战争的“路线图”。

此时“重光堂”还刚装修没多久，土肥原贤二是这里的主人，而影佐祯昭只是借用“重光堂”的临时客户。但，随着影佐祯昭与汪集团的《日华协议记录》的签署，影佐祯昭取代土肥原成为新主人，就不可避免了。

影佐祯昭此时是日本陆军省的军务课长，而今井武夫属于参谋本部。显然他们都是日本的军部特务。顺便指出，这影佐祯昭就是后来臭名昭著的“梅机关”机关长及伪76号特务机构的后台老板。当然，此时还属“土肥原时代”，“重光堂”还属于土肥原的“机关”。但不用多久，“土肥原时代”就要变成“影佐时代”，“重光堂”的“机关”就要换名为影佐祯昭的“梅机关”。

由于《日华协议记录》在重光堂签字，所以《日华协议记录》所包括的三个文件统称为《重光堂协议》。而这次会谈被称为“重光堂会谈”。

细看《日华协议记录》，可以发现它其实没有什么新内容，不过是重复了广田弘毅的“和平条件”而已。

梅思平等在“重光堂会谈”所达成的那份秘密协议记录，是有关汪精卫出逃，宣布下野脱离蒋介石，然后联合云南、四川及广东将领，在蒋介石势力以外的地方另立“政府”，并以此取代重庆国民政府，而与日本实现“和平”等内容。

为此，双方还拟订了汪精卫今后的行动计划，包括如何逃跑，如何在境外发表声明，日方如何配合，以日本政府名义发表首相声明响应等。

11月21日，梅思平把《重光堂协议》抄在丝绸上，缝在西装马甲里，带回向汪精卫交差。

11月27日，汪精卫看到梅思平的协议，一伙人反复讨论后，接受了。于是，汪精卫、陈璧君按秘密协议记录，开始实施汪派要员分散出逃的计划。

12月5日，周佛海以视察宣传为名先去昆明，陶希圣以讲学为名尾随而至。

12月8日，汪精卫夫妇托词去昆明、成都演讲，离开重庆。

汪精卫还和陈璧君、周佛海、陶希圣等人研究拟订了一个具体的行动计划。

按设想，在逃离重庆后，由日本首相近卫发表一个声明，然后汪精卫发表一个响应声明，宣布与蒋介石断绝关系。

与日本相呼应后，由云南军队首先出面通电全国：

响应汪精卫的声明，宣布反蒋独立。

接着四川军队也“起义响应”，先在云南、四川两省建立独立政府，编成新军队。然后再请日本政府予以“协助”，撤退一部分军队。

再将广东、广西两省扩大为新政府的地盘，在西南边远省份开展“和平运动”，切断抗日政府通过桂越边界和滇缅边界得到外援的可能。

这样，一项巨大的毁国叛乱阴谋诡计就这样偷偷摸摸地出笼了。

12 月 1 日，梅思平飞返香港、上海，告诉日本人，汪精卫预定于 12 月 8 日从重庆出发，10 日到达昆明。希望日本能在 12 日左右发表“近卫声明”以策应。

为了巩固汪阵营，汪精卫带着陈春圃以“视察”为名，两次去广东与主持粤政的第四战区副司令长官余汉谋、广东省主席吴铁城会晤，对他们进行拉拢。陈璧君还不辞辛苦，以演讲和视察锡矿为名，再次来到昆明，与龙云和卢汉进行多次秘密会谈。龙云对蒋介石改编他的军队、调用云南的物质、削弱他的势力耿耿于怀。利用这点，陈璧君企图紧紧抓住龙云不放。龙云对此也做了保证：

汪先生是党国元老，在国内外声望极高，只要他登高一呼，应者必然云集于他的旗帜之下。蒋介石一贯阴险奸诈，排除异己，所以汪先生发动和平运动、另立新政府是天经地义之事。除了共产党和冯玉祥等少数人之外，都会拥护汪先生出来倡导和平事业，在国际上也会得到许多国家的支持。

龙云的这剂迷魂药彻底冲昏了汪精卫和陈璧君的头脑。

这就是汪精卫、周佛海“和平运动”的全过程。

从这，我们可以看出：

1. 和平运动是日本人授意的，目的是让日本侵华可以不战而胜。

2. 和平运动是要中国接受日本的亡国条件，要分裂中国领土，彻底割出东北、内蒙古，放弃上海和华北地区主权。

3. 和平运动是背着中央政府，欺骗中央当局，秘密勾结敌国的行为。

4. 和平运动破坏全国军民的抗日意志，发动部分异己分子分裂中国抗日大后方，全面破坏抗日基地。

5. 和平运动不对蒋介石的重庆国民政府“和平”，要由“皇军”支持的另立“政府”去取代重庆国民政府，以达到最后消灭抗日政权的目的。

这“和平运动”的“和平”两字的含义，只能到日本的《大和字典》去求解。人家日本对“和平”两字是要倒过来理解的。不信，那看看是否把“和平”两字颠倒过来，才能出现在日本的出版物上面？

1938 年 11 月 29 日，汪精卫再召陈公博由成都来重庆，并召周佛海、梅思平、陈璧君等举行会议，将上海谈判全部协议重新研究，并做出决定：

全部协议可同意。

并电香港通知日本方面。

当天下午，他们又一起为出逃的方式与时间表做出决定。

至此，汪精卫叛国投敌的计划，便全部决定下来。

汪精卫本是党国要人，身居“一人之下，万人之上”。他身为国民党副总裁、国民参政会议长，公然对抗国民党临时全国代表大会所确定的“抗战建国纲领”，秘密与交战的敌国日本谈判“和平”，破坏抗战。真是牛人一只。

当然，这牛气霸气来源于大日本皇军有力支撑。而从其与日本联手以致最后决定出逃的全部过程来看，周佛海的参谋、督促、鼓动起着重大作用。看来，周佛海算得上是汪主席领导“和平运动”的“参谋长”。

三、昆明迷雾

秋天的昆明难得有雾，可 1938 年秋末，却不时雾气弥漫。

汪精卫听从周佛海的劝说，最后下决心接受日本的招降条件，逃出重庆，另立傀儡政权，以达到与日本实现“和平”的目的。

汪主席与日方拟订的“和平路线图”是：

汪精卫于 1938 年 12 月 8 日飞昆明。

汪到昆明后，日本政府将选择适当时机发表实现中日和平的条件。

汪精卫则发表声明与蒋介石断绝一切关系，即日乘飞机去河内，转至香港。

抵香港后，发表收拾时局的声明，以与日本相呼应。

接着，云南军队首先响应汪精卫的声明，反蒋独立。

继之而起的是四川军队的响应。

为了配合云南、四川将领的行动，日本军队将予以军事上的协助，如有可能，将从贵州方面对重庆军队进行追击，给忠于蒋介石的中央军制造困难。在此计划实现后，汪精卫便将上述各方力量集中起来，在云南、四川、广东、广西等日本军队尚未占领和已经占领的地区成立新政府，

组织军队。

按照上述计划，决定周佛海于 12 月 5 日先行飞往昆明等候，并与龙云联络，为汪的到达预做准备。

汪精卫按原计划，于 12 月 8 日离重庆赴昆明。

其他重要成员陈公博本在成都，陶希圣家亦在成都，他们两人便由成都往昆明，以如此安排来避人耳目。

可是，略有意外。

正当汪精卫计划出逃的前一天，陈布雷突然从桂林回到重庆，并夜探汪精卫，告知蒋介石将于 8 日回重庆的消息。

这一下打乱了汪、陈夫妇的时间表。

原来，蒋介石接到孔祥熙的秘密报告，说汪精卫正与日本人勾搭。正在此时，日本近卫首相按《重光堂密约》发表一项声明，以启动汪的“出逃”并实施“和平运动”的程序。可是蒋介石不明其中奥妙，于是决定立即飞回重庆，并要陈布雷当晚去汪公馆摸清汪精卫与日本人勾搭到了什么地步。

陈布雷深夜到来，使汪精卫大吃一惊。

陈布雷坐定之后，汪很客气地问：

“布雷先生一路辛苦，风尘未洗，深夜驾临，有何指教？”

“汪先生，日军进逼，战局危艰。布雷请副总裁赐教。”

汪精卫摸不透陈布雷的来意：

“这个战局……”

汪停了停，接着说，

“敌我两国可谓各有难处。”

陈布雷直接剑指靶心：

“日前，日本近卫首相声称‘倘国民政府能转换政策，变更人事，参加建设新秩序，日本并不拒绝’。未知副总裁对此做何评论？”

汪精卫哈哈一笑，以反问代答：

“兆铭正想请教委员长对此做何评论？布雷先生作为委员长的幕僚长，一定很了解委员长的胸中韬略吧？”

陈没探得丝毫虚实，更不知有什么《重光堂密约》。见汪不做正面回答，反而进行试探，于是含含糊糊答复：

“委员长的见解嘛，可谓一如既往。”

陈布雷空手而回。

即便如此，陈布雷的探访，却发挥意外的效果。

这点，陈布雷自己不知道，老蒋也不知道，倒是汪精卫惊出一身冷汗。

汪精卫与陈璧君商量，怀疑行动被蒋介石发觉了，与其匆匆忙忙去冒险，还不如留下静观其变。

汪精卫果然小心谨慎。

7 日深夜，汪密电在香港的高宗武：

因蒋介石突然来到此地，不得不将 8 日出发的预定加以变更，然而前途并不悲观。……如蒋介石逗留时间较短，等他离开重庆后，从重庆出发，如时间较长，则借口尽快从重庆出发。

12 月 8 日，陈春圃抵达昆明，向周佛海通报情况。

陈春圃是汪精卫的内侄，当时是侨务委员会成员。他本应与汪同机去昆明，但由于发生此种变化，陈春圃将汪的行李及两个子女先行送往昆明，再转河内，陈春圃则留在昆明，负责与汪精卫联络事宜。

早年的汪精卫、陈璧君夫妇

蒋介石突然飞回重庆，打乱了汪精卫、周佛海等人的叛逃计划，汪精卫没按期逃离重庆。周佛海立即写信给龙云，报告暂缓行期。这一变化，又影响了日本首相近卫正式声明的发表时间。《和平运动路线图》出了点小问题。

周佛海得到陈春圃的通报，十分惊慌，坐立不安。他在日记中写道：

> 天下事多周折，往往如此，成败真由天定，非人力所能预谋。午睡不能成寐，苦心焦思，为平生所未有，其立即脱离现状欤？其返渝暂观形势欤？苦思深想，仍决定不返。原因甚多，最要者有二：一为迟早均须脱离，早则多挨几天骂，迟不过少挨几天骂，但届时恐无法脱身；二则思平两度赴渝，蛛丝马迹，在在可寻，一旦发现，国未得救，而身先丧矣！

平生不做亏心事，夜半不怕鬼敲门。周佛海却难得太平了。

何苦啊，周佛海，何必要干那祸国殃民的勾当？

但日本首相近卫准备于12月11日在大阪发表演说的消息已公布，得知汪未能如期脱离重庆，只得发表一个假消息，托称近卫因患肠病，中止大阪之行。

在昆明打前站的陈春圃，更是焦急万分，不得不取消了为汪精卫代订的滇越铁路加挂的火车包厢，等待着重庆的消息。

蒋介石是否事前怀疑汪集团有阴谋而故意惊扰汪精卫？这不得而知。但可以肯定的是，即使蒋得到预先警告，这警告也是含糊不清的，绝对不掌握日汪“和平运动路线图”的细节，不知汪精卫叛逃的传闻是否真实。即使是知道真实计划，也不至于在行动之前就采取逮捕之类的措施，那样反而不好办。蒋介石此来，更多的是从西南地区形势来考虑，特别是警惕两广余汉谋、陈济棠、云南龙云、四川的刘氏军阀因汪的活动而出现异常。蒋介石到来，是对西南离心离德的军阀们的震慑。只要能稳住地方实力派，就不愁汪精卫施展任何手段。

据说上海中统女特工郑苹如在日伪高层社交圈活动时，曾和日本在上海的特务早水亲重有联系，继而结识了当时日本首相近卫文麿的弟弟近卫忠麿和日本军谍今井武夫等人。今井武夫正是与梅思平、高宗武秘密谈判的日方代表。还说郑苹如通过嵇希宗等向重庆中统总部汇报了汪精卫可能在1938年12月“将有异动”的传闻。

但对于这种没有得到《日华协议记录》《日华协议记录谅解事项》及《秘

密协议记录》等实质性文件的口头传闻，是称不上“情报”这两个字的。对口头传闻只能当作观察事态变化的参考，但不能轻信，更不能当作决策依据。决策不能随着口头传闻团团转。持谨慎淡定态度，冷静观察，沉着应对，那才是可取的。有关中统女特工郑苹如的故事，留到后面叙述。

事实证明，切断西南军阀与汪精卫的关系链是正确做法，以致后来汪精卫发《艳电》后，得到的不是西南各军头的“热烈拥护”，而是一致的声讨。余汉谋、陈济棠、龙云、四川的刘氏军阀，不是一致拥护汪主席，而是宣誓效忠蒋委员长；不是宣布“对日和平”，而是誓死抗日。汪主席被迫走上了一条不归路。

在重庆的汪精卫，此时更是急得像热锅上的蚂蚁，左盼右盼，才在12月17日发现次日是脱逃的机会。

汪精卫看到12月18日这天，蒋介石的日程安排是去特别行营“发表训话”。蒋介石的训话对象自然是下属，地位与蒋介石脚碰脚的汪主席自然不在受训的行列，不用参加。

趁此机会，汪精卫令其内侄陈国琦赴交通部托次长彭学沛购买几张去昆明的飞机票。彭学沛本就是汪系人物，自然严格保密，小心照办。

18日上午9时，陈璧君和曾仲鸣、女婿何文杰等，预先到达珊瑚坝机场。

事前陈璧君约定：

汪精卫必须在起飞前几分钟内赶到。

陈璧君到机场时，刚巧空军司令周至柔也要乘飞机去昆明。陈璧君心里有鬼，连忙支遣曾仲鸣上前与周至柔打招呼，彼此寒暄时，含糊其辞地说陪汪夫人有事去昆明。眼看飞机就要起飞了，汪精卫仍然没到，陈璧君心里急得像热锅上的蚂蚁。她吩咐曾仲鸣，如果汪精卫迟到了，就马上向机场调度室说明汪精卫搭乘本航班，务必令飞机延缓起飞。

就在这时，汪精卫的小汽车正向着珊瑚坝疾驰而来，侍卫陪同汪精卫赶到。周至柔等看到汪精卫，都上前敬礼。陈璧君这时才告诉周司令，说汪精卫去昆明讲演。

12月19日，汪精卫、周佛海、陶希圣、陈璧君、曾仲鸣、陈君慧、陈国琦、汪文惺、何文杰及副官、随从等一干人马，乘上龙云代包的专机，

昆明巫家坝机场近照。当年龙云派飞机送汪精卫一行从这里叛逃河内

从昆明巫家坝机场飞向河内。汪精卫为掩盖真相，在离开昆明前发电报给蒋介石，说因高原反应，身体不舒服，且脉搏时有间歇现象，决定多留几日，再行返渝。

12 月 20 日，陈公博也由成都经昆明飞往河内。

汪精卫此行，对云南龙云、广东张发奎以及广西、四川等地的地方实权人物，抱有很大的希望，全部心思就是要拉拢他们这些人一起下水，狠狠地把举国一致抗日的阵线撕成碎片。

汪精卫盘算着，自己不日亮出“和平”的旗号时，龙云在云南第一个发表拥汪通电，接着张发奎起而响应，然后广西、四川的地方实力派也纷纷行动。

这样既可挖蒋介石墙脚，釜底抽薪，削弱抗日阵营力量，又可增强自己的势力，拼凑一支武装力量。

在昆明落脚期间，陈璧君、汪精卫再次与龙云深谈，把计划“拷拷牢”。

由于蒋介石突返重庆而使汪精卫、周佛海一阵慌乱，龙云看在眼里，内心也狐疑，担心蒋介石对汪精卫有所警觉。

还是小心一点好啊。龙云等汪精卫等人一走，立即致电蒋介石，报告了汪等一行于“午后 2 时已离滇飞航河内”。

陈公博离开昆明后，龙云也再次致电蒋介石，补充称：

汪到滇之日，身感不适，未及深探，其态度亦不似昔日之安详，不无诧异。匆匆离滇时，始道出真语，谓与日有约，须到港商洽中日和平事件，若能成功，国家之福；万一不成，则暂不返渝，亦不做离开钧座之工作。职观其言行，早有此种心理，惟关系甚大，未知在渝时与钧座切实讨论及此否？现陈公博继续赴港。

龙云既想依靠汪精卫，通过中日间“和平”，以保存其地盘和实力；又考虑到投汪成败难卜，弄不好就会受千夫唾骂，而且还会遭到蒋介石大军压境，丢失一切，于是又主动向蒋请示汇报。

小心点没错啊！龙云的谨慎，给自己留下了一条光明之路。

四、迷途知返

龙云的动向，也引起蒋介石的特别关注。蒋介石的嫡系部队因对日作战屡遭失败，蒙受重大损失。倘若云南、四川等地相继脱离抗日阵营，其后果是不堪设想的。云南是后方的一个大省，又是重庆通往国外的主要门户，滇缅公路是当时国外物资供应的交通线，昆明机场成为飞航重庆、香港和印度间最忙碌的中国机场。云南的向背，关系到整个抗战全局，也直接影响到蒋介石的统治地位。蒋介石决定，非得要做好对龙云的争取工作不可。

而事实上，自汪精卫逃到河内后，军统就全程监听了龙云与汪精卫间来往电话，而事前坐镇贵州的薛岳也兼了云南的副司令。主张抗日的李宗仁，此时也在云南。龙云这“云南王”也不再像过去那样可以翻手为云覆手为雨了。

根据蒋的请求，李根源首先来到云南。李是国民党元老，是云南军政界老前辈，原是云南讲武学堂的总监，学生遍布各地，在云南颇有威信。李根源又是龙云的老师，龙云对他十分敬重。

李根源劝龙云不要响应汪精卫，决不可以发表通电拥护他。

他警告龙云：

“若你发出通电，中央的飞机就轰炸你，你首先被解决无疑。”

龙云：

“依老前辈的意思，应如何办呢？”

李根源：

“你不发这个通电就行了。你没有行动，中央也不会追究，你就无事了。”

唐生智也奉蒋介石之命来到昆明。

曾经，大革命时汪精卫在武汉，唐生智是他在军事方面的主要支柱。

1927年6月底，唐生智与张发奎、朱培德听信汪精卫的调度，共产国际顾问按鲍罗廷与罗易的主张，放弃北伐而发起东征，讨伐南京政府。到8月蒋介石已下野不当总司令了，南京胡汉民为主席的政府因蒋下野而自动解散以示抗议，同时孙传芳、张宗昌正大举反攻南京。在这种情况下，东征本该适可而止。不想汪精卫反过来要火中取栗，不惜与孙传芳、张宗昌合伙夹击，想消灭南京的北伐军，从而染指上海和南京。结果，退出南京政府的原同盟会元老钮永建出任江苏省主席，并以国民革命军北伐军总参议的名义（就是总顾问）召集何应钦、白崇禧、叶楚伧组成的江苏省委员会，联合安徽省主席李宗仁和海军总司令杨树庄。第一军、第七军及国民革命军海军联手发起龙潭保卫战，消灭孙传芳、张宗昌主力军6万后，乘胜反击，重新攻克军事重镇徐州。不但基本消灭军阀孙传芳、张宗昌，还顺便把唐生智、张发奎、朱培德东征军也打得稀里哗啦。唐生智、张发奎、朱培德亏吃大了，事业垮了，从此一蹶不振。而武汉政府因而丧失了军事上与南京叫板的本钱，鲍罗廷也难堪了。至此地步，汪精卫马上变色，反身一变，放弃武汉的地位，翻脸驱逐鲍罗廷，转道投向南京，搞宁汉合流，捞取政治资本。唐生智、张发奎、朱培德被汪精卫转身一脚踩蒙了，加上南昌发生的八一起义，他们被汪精卫玩惨了。

唐生智把自己跟汪精卫吃亏上当的经过详详细细地告诉了龙云，要龙云警惕：

“汪为人善辩多变，生性凉薄，对人毫无诚意，尤喜玩弄军人。”

还告诫说：

“民族大义，千古是非，在抗战期间，忠奸不两立。”

唐生智、李根源等人的劝告，使龙云看清了现实，加上力主抗日的广西实力人物李宗仁此时也在云南，龙云最终没按汪精卫集团的愿望行事。而广东的张发奎以及广西、四川的地方实力派，也都继续留在抗日阵营中，声明与汪精卫决裂。这使汪精卫一伙的如意算盘全部落空。日本虽空捞了一个汪精卫，却没能动摇中国全民族统一抗日的意志。重庆政权反而因汪精卫的叛变，而减少了内部摩擦。

龙云在《抗战前后我的几点回忆》一文中，对汪精卫从昆明逃往越南河内这事件做了说明。

龙云称，抗战期间，还有这样一段事，就是汪精卫曾经过昆明飞往越南。在他未到昆明的前几天，龙云接到国民政府文官长魏怀的电报说：

汪主席将到成都和昆明演讲，到时希即照料。

龙云接到电报后，以为汪精卫先到成都，故未即做准备。

后来汪突然直接飞昆明，已经到了机场，龙云才得报，去机场接他，把他招待在云南警务处长李鸿模的家里。

那天晚上恰巧龙云宴请美国大使詹森，就问汪：

“方便不方便参加？”

汪说：

“我不参加了。”

当晚宴席散后已深夜，龙未与汪见面。

次日上午，龙云去看汪。汪说：

“我明日要到香港。”

龙问：

“到香港有什么事？”

汪答：

“日本要派一个重要人员来香港和我见面，商谈中日和谈问题，我要去看看他们是否有诚意。”

龙云留他多住几日再去，他说：

“我要转来的。”

于是，龙云把他要去越南的事电告蒋介石。

龙云还记起汪精卫临走前还为护照的事表示不满。

汪精卫叫曾仲鸣到昆明的法国领事馆办理出境签证，签证办好了，曾仲鸣拿给他看。他看见是一份普通护照，当时就大发脾气，即刻打电话到重庆责问外交部，随即他就飞往越南去了。

其实，不论龙云如何解释这件事，国人并没有任何指责龙云的意思。龙云是抗日的将领，是爱国者，而汪精卫是卖国贼，是汉奸。

这就是他们之间的根本区别。

五、《艳电》

汪精卫一伙乘飞机仓皇出逃，抵达河内。而林柏生、梅思平、高宗武却留在香港。

20日上午，汪精卫偕陈璧君、周佛海、陶希圣与“格格”汪文婴和“驸马爷”何文杰等乘汽车到海防市的一处海滨休闲度假。度假海滨离河内100里的光景，汪精卫等人表面上尽量装得轻松潇洒，却掩盖不住内心的迷茫。

1938年12月23日，日本首相近卫按照《重光堂密约》，发表了第三次对华声明。可是，汪精卫发现，近卫发表第三次声明的内容与原来所承诺的条件不符，近卫显然打了折扣，本来约定双方撤兵的事不提了。汪精卫懊恼了，内心大为紧张。当天，汪精卫移居河内郊区避暑胜地三桃山，意乱情迷之下不慎跌伤了腿。

12月26日下午4时，汪精卫召陈公博、周佛海、陶希圣等共同讨论，反复商量对策，但无结果。而同日，蒋介石眼见汪精卫出逃一周以来并没什么激烈的动作，只是国内猜测纷纷。

党国二号的出逃，使蒋介石感到大失面子。为了挽回局面，蒋介石下令封锁消息，谎称汪精卫是告假去河内治疗。蒋称：

外间一切猜测与谣言，国人必不置信。

同时，老蒋派汪精卫的好友陈布雷前往河内好言相劝，希望能回心转意，返回国内。但不起作用。

蒋介石根本不知内情。

汪精卫之所以表面上很平静，仅因为他在等待第三次近卫声明发表。第三次近卫声明一发表，汪精卫就按步骤进行响应。12月27日后，陈公博、周佛海、陶希圣先后去香港与梅思平、林柏生、顾孟余、罗君强等人会合。注意，这罗君强是周佛海的铁杆朋友，或许因为罗君强、周佛海、陈公博都是中共最早的成员，又都具备共同的叛逆的本性，他们才拉帮结派，凑成一伙，结果是一叛再叛，叛出了国门，最后一起叛出地球。

1938年12月29日，林柏生不管顾孟余的坚决反对，在香港代表汪兆铭发表致蒋介石的电报声明，表示支持对日妥协的政策，公开与重庆抗日政府决裂。这就是历史上的《艳电》。《艳电》是汪精卫集团公开卖国、投降日本的宣言。

之所以称为《艳电》，只因为发电报时为了节省字数，采取韵目代日的表示法，29日用“艳”来代写。比如，原本电文末了应写成“兆铭29日”，发电报时写成“兆铭艳”。

顾孟余因《艳电》的发表，认清汪精卫一伙的本质，毅然与汪精卫集团决裂。

12月30日，汪精卫通过在香港的高宗武向日本军方提出四点要求：

一、日华在完成新东亚建设的基础以前，尽量避免与英、美列强引起纷繁的事端。

二、在军事发动以前的3至6个月期间，希望日方每月援助港币300万元，在对华文化事业费中支出。

三、在北海、长沙、南昌、潼关等地日军作战的行动，以获得政治效果为目标。

四、彻底轰炸重庆等，要求日本发动军事行动来配合他的“和平”攻势。

原本，汪精卫预计，只要他成功逃到河内发出《艳电》声明，云南的龙云、四川的王瓒绪、西康的邓锡侯、军政部部长何应钦及政学系头子张群都会追随他，相继行动，使抗日战线彻底破裂，蒋介石被迫下野。

但，不曾料到的是，汪精卫的《艳电》除了招致全国人民的愤怒声讨之外，没有得到一句喝彩声，更没有任何人响应。龙云没有像他希望的那样通电拥护他，两广、四川也没有任何人出来支持他。汪精卫陷入极端孤立的困境。更为狼狈不堪的是，策划“和平运动”把汪精卫引出国门的日本主子近卫内阁在汪精卫的《艳电》发表后的一周内倒台。1939年1月4日，日本继任的平沼首相见汪精卫发起“和平运动”后，西南省份的中国军政要人并没有像预计的那样通电支持汪精卫，因此对汪精卫的号召力和影响力产生了怀疑，认为汪精卫没多少使用价值，故把汪精卫晾在一边。这使汪精卫情绪跌落到崩溃的边缘。他孤独和失落，充满惆怅和迷惘，终于尝到当丧家犬的滋味。他每天躲在房间里，从不

外出散步。他后来写道：

“脱离了重庆，在河内过的这孤独的正月，在我的一生，是不能忘却的。”

1939年1月1日，国民党中常会通过“开除汪精卫党籍及撤销其一切职务的决定”。

六、林柏生血洒街头

回头看看蒋介石。《艳电》的发表及高宗武向日本军方提出四点要求的披露，重重地激怒了蒋介石。1939年元旦，蒋介石暗地里命令戴笠严密监视汪精卫一行，防止他们公开投敌。他还要求戴笠，既要达到监视和警告汪精卫及其追随者的目的，又不能让汪精卫抓到任何把柄，以致公然与老蒋决裂，造成无法挽回的局面。此时，蒋介石同样不放弃劝解的办法，企图软化汪精卫，不要投降日本。

戴笠接到蒋介石的命令，于1939年1月飞抵香港，他带着亲信秘书毛万里在香港铜锣湾晚景楼一号公寓内建立了调度指挥中心，调兵遣将。这毛万里是毛人凤的二弟，后来军统“三毛一戴”中的二毛，就是这对兄弟，其余两人则是毛森和大老板戴笠。1949年，毛万里父子都在福建的建阳被解放军包围，毛万里居然冒充资本家，误被释放，后经温州逃台。这里是把后话提前说了。

戴笠派遣刚刚调回重庆的原军统天津站站长陈恭澍和自己的随身警卫王鲁翘先行，经香港办好手续去河内，设立秘密联络点。临澧特训班副主任余乐醒参与现场策划和指挥。陈恭澍动身去河内的前夕，戴笠在铜锣湾公寓对他当面交代说：

“这次制裁汪精卫的行动，委座极为重视。一切行动计划，必须事先报经委座亲自批准，才能执行，绝对不准擅自行动。”

当月中旬，戴笠化名何永年取得护照，从香港乘飞机到了河内行动组所在的秘密联络点，召集陈恭澍、余乐醒、王鲁翘等行动组人员开了会。

为打开局面，戴笠单身一人去拜会国民政府驻河内总领事许念曾。

戴笠向许念曾说明了此来的意图后，许念曾同意总领事馆作为刺杀汪精卫的临时指挥部和联络点。随后，行动组的人员带着电台驻进了领事馆。当天晚上，戴笠又秘密会见了一位姓徐的直属联络员。此人因在欧美留过学，与河内法国殖民当局的关系非常好，而且在当地华侨社会中也颇孚众望。

过去，戴笠交给徐的任务是长期潜伏，发展关系，以为后用，平时只由戴笠单线联系。此时正是用人之时，戴笠要他全力配合行动组工作。为确保刺杀汪精卫行动的成功，戴笠指令特务处美国站购买了两支新制的左轮手枪。这种手枪的特点是射程远和杀伤力大，很适合在狙击行动时使用。这两支枪，由曾为法国空军作出过贡献的法国援华志愿大队联络官曹师昂，通过其法国妻子带到了河内。法国越南当局严禁本地人和华人携带武器枪械，但对他们自己的"法国女同胞"就不在禁止之列。

四天后，戴笠又回到了香港。

戴笠离开河内时，再三提醒行动组的人员既要做好必要的准备，但又千万不可轻举妄动。

陈恭澍一行，来到国民政府河内总领事馆，和总领事许念曾共同密谋刺杀汪精卫的行动计划。刺杀汪精卫的行动指挥所正式设在驻河内总领事馆内。接着，戴笠又电令陈邦国等八人，以及擅长纵跳、拳术的武功教师唐英杰，从重庆到香港，分批办好手续前往河内。陈恭澍任总指挥，余乐醒参与指挥策划，许念曾负责情报，唐英杰为行动组长，王鲁翘负责指示目标，因为这些人中只有他认识汪精卫。这陈恭澍、余乐醒、唐英杰、王鲁翘等 18 条汉子都是戴笠手下的精兵强将，他们个个都堪称老蒋的"御猫义鼠"。王鲁翘原本是戴笠的持枪警卫、神枪手，在戴笠眼中可算是白眉大侠徐良，那独当一面的前线指挥陈恭澍就是展昭，老资格且诡计多端的余乐醒就相当于翻江鼠蒋平，唐英杰是飞檐走壁的黑妖狐智化。这样形容戴笠的行动小组或许有点滑稽。但戴笠的班子是强调仁义礼智信那一套的，他们是以自己当老蒋的"御猫义鼠"为荣的。

安排部署完毕。看来该准备的，都备齐了，此时就只等一声令下，便可手到擒来。谁也不曾料到，如此周密的准备，最终会落个兵败河内的惨痛结局。

戴笠在对汪精卫出走河内的所有情报进行分析后，决定在严密监视汪精卫等人的同时，在香港来个声东击西的行动以达到杀一儆百的作用。确定的制裁目标是在香港的梅思平、林柏生和肖同兹。

汪精卫的《艳电》是在他的亲信林柏生主办的香港《南华日报》上发表的。林柏生做这事完全不管顾孟余的极力反对，顾孟余因此断绝与汪的来往，保住了自己的清名。为此事，戴笠对林柏生和驻香港中央通讯社社长肖同兹发出警告，亲自出马给他们打电话，指责他们发表《艳电》和支持汪精卫的文章，是与重庆政府公开唱对台戏。与此同时，戴笠还派人上门扬言要烧毁《南华日报》社。但戴笠没有吓住林柏生，林柏生依然我行我素继续攻击重庆政府。被激怒的戴笠指示军统香港区对林柏生采取行动。军统香港区区长是王新衡，他指派郭寿华和刘方雄组织相关人员实施。原本打算把林柏生等“做掉”，但是，当时港英当局对香港华人带枪限制极严，军统是有人无枪。同时考虑到枪声大，容易引起注意，而使杀手不易逃掉。因此决定用斧头，在闹市中砍杀林柏生。

在香港《珠江日报》当编辑的刘大炎是军统情报员，特工郭寿华要求刘利用记者身份与林柏生接近，另由刘方雄指挥行动人员随刘大炎跟踪侦察林柏生的日常出入途径，伺机行动。1939 年 1 月 17 日，在林柏生从家到报社的路上，刘方雄指挥行动人员上前用斧头对准林柏生的头部猛砍过去，看林柏生倒在地上，血流满面，便扬长而去。

前文说过，这刘方雄原本是军统上海区情报组长，因刺杀唐绍仪案发生后，被法租界巡捕房逮捕。后由军统局托人出面花钱行贿巡捕房当局，保释后易地安排到香港。

林柏生大难不死，全赖此时是冬天，他头上戴着的软质薄绒帽阻挡了一下斧头的尖刃部分，因此伤口不深，不久便治愈。还有就是港英当局关注了他，那天有个便衣警察正化装成水手离林柏生不远跟随，见状及时吆喝，使得执斧人匆忙扔掉器具，而没有补上第二斧。后来林柏生在汪伪的“公馆派”中大出风头，压倒了褚民谊、陈春圃等人，颇得力于头上这两块伤疤。那是永远忠于汪主席，为汪主席的“和平运动”路线而出生入死的象征。最后到了 1946 年，南京军事法庭对卖国的大汉奸进行审判时，林柏生吃的那一颗子弹，也是他为了汪主席而心甘情愿的，汪主席提前死了，就该由林柏生替汪主席受过。

大胖子林柏生当日挨打横卧街头，正巧被上海来的汪曼云看到。

汪曼云是国民党上海特别市党部委员，又是杜月笙的“学生”，八一三后，作为CC派的代表，在上海出任“苏浙行动委员会”的少将参议。上海沦陷后，原本要他转入租界坚持抗日，结果他却主动去上海大西路67号，与叛变当了日本谍报员的李士群暗中联络勾结。

汪精卫发表《艳电》声明以后，汪曼云蠢蠢欲动，准备追随汪精卫。汪曼云对他加入国民党十多年来，一直不被蒋介石重用，十分不满。他想，汪精卫发表《艳电》，声明反对抗战，要与日本实现“和平”，当然希望吸引一批人马为之摇旗呐喊。自己既然不能得到蒋的青睐，为何不能投奔汪？此刻汪精卫正是急招喽啰之际，他紧密追随，想必有被重用的机会。

但也有问题：以往他够不着汪主席，彼此没有交情。

汪曼云是个见风使舵的投机分子。此时他已不惜身份，连卖身投靠日本的小间谍李士群都愿意与之背后勾勾搭搭，他怎么不盼望能攀上威名远扬的汪主席呢？

汪曼云要去香港巴结汪精卫的干将陈公博，想通过陈公博而进入汪精卫的圈子。但平白无故，怎能联系上？他想到褚民谊。褚民谊是同盟会元老，国民党中央执行委员，还是陈璧君的妹夫。当年汪精卫主持行政院时，褚民谊是行政院秘书长、国民党新疆建设计划委员会主任委员，此时正在上海。由于褚民谊与汪精卫陈璧君一家亲关系，汪曼云想通过褚民谊攀上汪精卫的大腿。可是此时褚民谊联络不到汪精卫。

为什么呢？

那是因为褚民谊门槛太精，太小心谨慎了。

汪精卫发表《艳电》以后，褚民谊担心被人“误会”，怕被看成与汪同流合污而遭到不测。他连忙在上海各报遍登启事：

“声明一切，盖犹亲戚归亲戚，政治归政治，对汪和平运动，绝无参加之意向。”

在汪精卫最需要人响应时，褚民谊却如此发启事表白自己。这在汪精卫看来，无异于被褚民谊踢了一脚。

为了这则启事，汪精卫对褚民谊深怀不满，不给褚民谊留下任何联络方式。

另一方面，褚民谊绝非光明正大之辈。他利欲熏心，极力想从事政治投机。于是在汪曼云的恳求之下，写了两封信，一封致香港《南华日报》的林柏生，另一封致陈公博，一并交给汪曼云带到香港作为引见的借口。汪曼云与陈公博虽然相识，但不知其地址；虽有林的地址，可并不相识。汪曼云此行的目的是找陈公博，估计陈公博在香港的地址，林柏生必然知道。所以褚民谊介绍汪曼云去看林柏生，旨在询问陈公博的住处。

汪曼云到了香港落下脚，就到皇后道上逛一会儿马路以打发时光。他走到中环，看见许多人围着在看热闹，汪也凑了上去。只见一个身材矮胖穿西装的中年人，被人用铁器砍伤，倒在地上，血流满面。凶手早已逃走了。当地差馆（巡捕房）的巡捕就把受伤者用车送往医院，一伙看热闹的人也就散开了。此时因离报馆上班的时间还早，汪曼云又踱到“高罗士打”吃了一些西点。看看时间差不多了，才到《南华日报》馆去看林柏生。到了报馆，这才知道刚才被人打伤的那个矮胖子正是林柏生，现在已住在山上的玛琍医院里了。汪曼云表示要到医院去看林柏生，但报馆里的人劝汪不要去，因为医院里面已驻有“差馆人员”（即警察），去了也见不到，反添麻烦。由于见不到林柏生，汪曼云也就找不到陈公博，只好挟着两封信，怅怅地回到上海交还给褚民谊。

汪曼云在褚民谊那里，虽走了一条死胡同，可是在另一方面，他却通过别人的牵线，接上了周佛海的关系。自此，汪曼云也就有了“靠山”。

没几天，汪曼云又受国民党上海市党部派遣去重庆参加第二期党政训练班受训，而去重庆只能再次途经香港。汪曼云这次到香港，拜会了恩师杜月笙。杜月笙很高兴，因为汪曼云既然是经香港去重庆，而不是留南京，这表明汪曼云当了南京伪维新政府副部长的传闻是假，汪曼云没当汉奸。杜月笙不知道，此时的汪曼云不但已投靠了周佛海，而且与丁默邨、李士群暗中勾结上了。就在上船来香港之前，汪曼云拿了丁默邨送的1000元钞票，同时填了表格参加丁默邨、李士群的“和平运动”。那1000元钞票是“意思”钱？是“好处”费？是“礼金”？还是奖金？汪曼云连问都没问就收下来了。但这暧暧昧昧的钱，更像卖身钱。正是从此时开始，汪曼云已卖身给日本的间谍机构，已经不是杜公馆的门下，更不是党国的信徒。但与所有敌特间谍一样，他的真实身份没人知道。党国继续栽培他，杜公馆继续信任他。

汪曼云到重庆，参加了第二期党政训练班。蒋委员长参加了他们的结业典礼，参加了他们的聚餐会。

林柏生挨斧砍之后，1 月 18 日，汪精卫的外甥沈次高在澳门被人开枪打死。

以上坏消息不断传来，身在河内的汪精卫感到了自己的处境危险。1 月 28 日，突然有十几个身份不明的人从汪精卫住的三桃山下向上攀登，汪精卫得报后紧急下山。

当天，汪精卫急忙迁居到人口稠密的河内中心高朗街 27 号。高朗街 27 号是一栋法式小花园洋房，原为朱培德公馆。虽时值严冬，但这里仍然云淡风轻，阳光明媚，景色如春，梧桐成荫。汪精卫害怕遭到中国义民的袭击，就向法国殖民当局申请保护。法国当局于是派一个警察在门外站岗。当年河内是法国人的天下，在越南境内，普通人带枪是违法的。外国入境人士更是如此，汪的侍卫在过境时也是不能带枪的。所以法国越南当局认为越南没有发生过枪击的治安事件，而且也不可能发生。

余乐醒、陈恭澍和王鲁翘等人亲自侦察，并对之实施全面监控。陈恭澍还对高朗街 27 号前后左右考察了一番。

监视汪精卫的工作取得了重大突破。陈恭澍、余乐醒和王鲁翘等截获了一封汪精卫企图策反龙云的密函。函件敦促龙云表态拥护汪精卫，并在西南成立伪政权。

原来，《艳电》发表后，云南、四川、广东毫无动静。汪精卫忍耐不住，冒险给龙云写此密函。密函中写道：

“弟蛰居河内，非有所谓，然寄人篱下，言论行动，不能取信于国人。若回到内地，则声势迥然不同。各方趋附，有其目标；国际视听，亦有所集，事半功倍。日本对弟，往来折冲，亦比较容易有效。此弟三个月前不敢求之先生，而今日始求之先生，未知先生能有以应之否？……如先生予以肯定，则弟决然前来；如先生予以否定，则弟亦不能不谋他去。盖日本一再迁延，已有迫不及待之势……”

密函中，汪精卫投敌叛国及谋划分裂中国之心昭然若揭，成了他当汉奸的铁证。

戴笠得此密函后，急将此密函亲呈蒋介石。

七、最后的挽救

掌握了证据，蒋介石命令秘密监控汪精卫防止其投敌，但依然派人去河内进行游说。派去劝说的，有汪的朋友陈布雷和谷正鼎，还有此时出任外交部长的同盟会元老王宠惠。这谷正鼎和谷正纲是一对亲兄弟。这时的蒋介石倒没有乘人落井而投石的想法，只是想利用汪精卫原来的亲信当说客，也许容易让汪精卫改变主意。就这事，蒋介石在日记里写道：

“不料精卫之糊涂乃至于此，党国不幸，有此寡廉鲜耻之徒。”

其实，他犹存惋惜之心。

当时中国沿海港口已经全部被日军占领，中国正为了生存与日本展开生死搏斗。中国唯一能通向国外的就只有广西河内之间的通道。此时，外交部长王宠惠正为了补充国内战场的消耗而到河内洽办武器运输事务。王宠惠与汪精卫是广东同乡，又都是老同盟会的盟友，王宠惠、汪精卫也先后在日本留学。加上王宠惠不参与结帮拉派，在党争问题上往往采取超然态度。蒋介石想利用他的这种身份，做做汪精卫的工作。

于是，王宠惠接受蒋介石的指示，顺道出面劝汪精卫回重庆。王宠惠说：

“委员长三番五次对人说，汪先生只是赴河内治病，现在回去，仍然名正言顺。”

汪精卫回答说：

“谢谢重庆方面目前还给我留条退路。虽然这样，我还是不能回去，为什么呢？我这次离开重庆，只是对政局有不同意见，并不夹杂其他任何个人意气在内，这一点务请你们转告中央，请他们理解。在重庆，我要发表个人意见很不容易，我不离开重庆，这份《艳电》就不能发出，和平工作就难以开展。我的和平主张能否采纳，权操中央，我丝毫不勉强。

如果政府出面主和，改变立场，我可以从旁做些协助工作，或者退隐山林不问国事都可以，但如果政府不转变立场，那我只能出面来谈和了。”

王宠惠无奈。

早在2月中旬，谷正鼎第一次受命到河内，劝汪精卫仍回重庆原岗位。但汪不听。

3月，谷正鼎再次到河内，携带了汪精卫、陈璧君和曾仲鸣三人的出国护照和一笔资金。见了汪精卫，转达蒋介石的意见说：

“汪先生如果要对国事发表主张，写写文章，发发电报，任何时候都很欢迎。如果有病需要赴法国等地疗养，可先送公费50万元，以后随时筹寄。但不要去上海、南京，不能另搞组织，免得被敌人所利用，造成严重后果。”

汪精卫一听，大骂蒋介石，拒绝谷正鼎表达的好意。谷正鼎无望而归。此时汪精卫已经对公款出国旅游之类丝毫不感兴趣了。

谷正鼎此时任天水行营第二厅厅长。蒋之所以三番两次选他担当此任务，唯一的原因是他还有一位胞兄叫谷正伦，谷正伦与谷正鼎两弟兄原本都属于汪系的改组派。汪精卫发表响应日本“近卫三原则”的《艳电》，受到同为改组派的顾孟余、陈公博的反对。谷正鼎也同样持反对态度。所以派谷正鼎去河内，除了传达蒋委员长的劝告以外，还可以“自己人”的身份，传达改组派团体成员的一致规劝，可是，汪精卫要一意孤行了。

其实此时，带着四点要求去日本的高宗武也得出结论：他们(日本人)说的是连自己都不相信的谎话。高回香港后给汪报告，讲日本人没有诚意，不可一厢情愿。但汪却不回心转意。

看来，蒋先生自认为做到仁至义尽了。仁至义尽后面该闻闻火药味和血腥气了。在谷正鼎游说失败后，蒋介石终于下定了要除去汪精卫的决心。

八、剪不断，理还乱——王天木与赵理君

监控汪精卫的调度指挥中心设在香港铜锣湾晚景楼一号公寓。1939

年春节，戴笠对汪精卫不敢疏忽大意，他继续坐镇该中心以观动静。在此处，他顺便让军统上海区区长王天木来港述职。汪精卫叛逃的事，使他感到压力很大。可上海区正、副区长王天木与赵理君彼此不和的事，也令他心烦。

王天木算是军统队伍里的老前辈了，年龄比戴笠还长6岁。民国初年，王天木曾当过浙江省监察厅厅长，后来转到“复兴社特务处”，也就是此时的军统。戴笠与王天木既是上下级同事，也是朋友。戴笠独生儿子叫戴藏宜，而王天木有两个女儿，一个叫王抗子，一个叫王因子。据说戴藏宜与王抗子交过朋友。为此，戴笠还主动提起过儿女之间的事，如果不是随后王天木发生重大变化，戴笠与王天木还真的要成为儿女亲家。当然这种事，戴笠原本是出于政治考虑。儿女婚姻可以用来笼络、控制自己的同僚和部下。

王天木曾任军统局天津站站长。1933年，原湖南督军张敬尧受日本人板垣征四郎、土肥原贤二的指使潜入北平，妄图策动驻军叛变，制造暴乱。王天木到北平，同北平站站长陈恭澍以及北平站的白世维合作，联手将张敬尧刺杀于北平东交民巷六国饭店。在铲除汉奸张敬尧过程中王天木有勇有谋。在军统中，他堪称一号杀手。可是后来因一件糊涂案，王天木手下胡作非为闯了大祸，杀人碎尸，造成轰动一时的“箱尸”案。老蒋震怒，御笔亲批逮捕王天木，点名严惩。王天木差点为此送掉小命，还多亏戴笠力保而减为无期徒刑。又因抗日战争爆发，以需要人才为由，经戴笠力保，被关押两年的王天木提前释放，先后出任军统局天津站站长、华北区区长。

王天木重新出任军统局天津站站长时，他和天津一批爱国中学生结拜为十兄弟，这些人是王天木、曾澈、王文、李如鹏、张斯铭、赵尔仁、陈肇基等，王天木是大哥，他和曾澈均是军统成员。在此基础上，发动耀东、汇文和南开等各中学学生参加抗日运动，并成立了“抗日锄奸团”，专门对付日军和汉奸。成员入团要宣誓，誓词是：

抗日杀奸，复仇雪耻，同心一德，克敌治国。

抗日锄奸团团长曾澈，下设组织干事、行动干事、宣传干事、交通干事。李如鹏负责组织，孙大成负责行动。

抗日锄奸团一成立，便广泛散发传单，宣传抗日，启发市民行动起来对抗日本侵略。他们利用清晨或夜间，把宣传品投往住户的邮箱内。1938年夏，锄奸团出版《跋涉》刊物，揭露日本侵略军暴行，报道抗战的消息，进行抗日动员。

在王天木离开北方南下后，抗日锄奸团继续成功地开展锄奸活动。

行动是由团长曾澈负责领导的。行动组长是孙大成，成员有赵尔仁、祝友樵、袁汉俊、刘友琛、冯健美(女)、夏致德(女)、王宗钤、宋显勇、李国材、丁毓臣等人。主要行动是针对敌伪目标投弹和纵火警告。

抗日锄奸团成员趁人多买书时，在一家销售伪教科书的书店放火，对店主发出警告。天津国泰电影院放映侮辱华人影片《大地》时，他们在影院座位上放炸弹。还放火烧了日本人开的大丸商店。这些行动虽然没有造成多大的破坏，但却轰动全市，对敌伪政权起到警诫的作用。

1938年秋，就在华北方面的抗日锄奸活动组织得有声有色之际，上海因唐绍仪案发，军统上海区得罪法租界当局，遭巡捕房报复。军统上海区被破获，大小头目多名被捕。戴笠关键时刻点将，让王天木当军统上海区区长，以图恢复局面。

可谁也没料到，王天木在上海却与副区长赵理君耗上了。在这关键时期，王天木不图多立点功劳，却与赵理君闹得不可开交，频频贻误战机，怎不恼人?

戴笠令王天木到香港述职。这个春节，戴笠没让王天木回上海。

就在王天木到香港述职之际，天津的抗日锄奸团成功制裁了汉奸王竹林和程锡庚。

王竹林当时是天津商会会长及长芦盐务局局长。日军占领天津后，王担任伪维持会委员，到处拜访亲朋故友和遗老遗少，拉拢别人去当敌人的帮凶。经曾澈等人研究，认为王竹林地位虽不算高，但死心塌地为日本侵略军卖命，决定派行动组惩办王竹林，起到杀一儆百的作用。

1938年12月27日，行动组得知王竹林在丰泽园饭庄请客。于是，迅速采取行动，由孙大成与赵尔仁、孙湘德等人潜伏在丰泽园门口守候。宴会结束，王竹林出来送客，孙大成当面一枪，中弹后的王竹林往后跑。赵尔仁逼上去又是一枪，王当即倒毙。王死后，天津群众对这件事谈论

了不少日子。此事也警告了不少原北洋旧官僚，使他们不敢公开当汉奸。

伪天津海关监督兼伪联合准备银行津行经理程锡庚，不顾民族大义，为日本人效劳。他也被抗日锄奸团列为制裁的目标。

1939年初春下午，天津大光明电影院播放电影《贡格丁大血战》，程锡庚带全家到大光明电影院看电影。这事被天津抗日锄奸团行动组事先知道，立即派团员祝友樵与袁汉俊、刘友琛去执行制裁，队员冯健美带枪到影院内协助。组员们成功地坐在程锡庚座位后面。影片放映期间，祝友樵自身后一枪击毙程锡庚。行动组趁影院大乱之机安然撤出。

天津弟兄们的行动使王天木脸色好看了许多。

此处，请注意，不要把天津的这个“抗日锄奸团”与“中华青年抗日锄奸团”弄混了。“中华青年抗日锄奸团”是由另一位国民党中爱国人士陈有光组织的。这一秘密机构曾将汪精卫、杨永泰、唐有壬、黄郛、张群、李泽一等亲日官僚定为清除目标，重点放在日本人活动频繁的上海、南京和武汉等地。只不过，汪精卫被别人抢先动了手。

在1935年12月24日和1936年10月16日，“中华青年抗日锄奸团”成功暗杀了当时亲日派外交部次长唐有壬和亲日官僚湖北省主席杨永泰。唐有壬还是向川岛芳子出卖国家重要机密的内贼。而暗杀行动神秘莫测，对当时政坛来说，是两起强烈地震。只不过，“中华青年抗日锄奸团”的活动不在本书叙述的范围，读者可另找参考资料。

回过来看，赵理君也不含糊啊！

1938年的7月7日和8月13日，上海组织过两次全民大暴动，以纪念抗战一周年，同时也向全世界证明，上海还是中国人占支配地位，日本人无力控制上海。大暴动袭击日本的目标，搅得敌人摸不着方向，日本人死伤不少。这两次暴动，都是以赵理君为第一路指挥，他们既冲击日本的机关和日资企业，又枪击日军兵营，还把手榴弹投进日军兵营。

还有，1938年底深入福开森路18号杀唐绍仪的“古董商”就是他。赵理君服从最高命令，对唐绍仪采取果断措施，搞得干脆利落。这事还有谁不信服？为此，他成了后来江湖上威名远扬的“追命太岁”。

赵理君与戴笠都是黄埔军校六期出来的，他算得上是戴笠的贴身心腹。好不容易等到老资格的周伟龙调走，赵理君十年媳妇熬成婆，代理了军统上海区区长。由他来代理区长，这绝非靠人情关系，他是有功劳的。再说，军统上海区大部人马都是他的心腹。

可如今，这交椅没坐热，偏来了个王天木，硬生生挡了自己的道，这能不恼？

上海发生的王、赵矛盾，使戴笠后悔，不该把王天木与赵理君摆在一起，一山不容二虎啊。

军统头子戴笠

王天木到香港述职。令王天木没有想到的是，赵理君在他前面已经到了香港。王天木总认为是赵理君恶人先告状，在背后打小报告，说他的坏话。可戴笠说：

“作为老大哥的你，怎能跟这个小兄弟赵理君一般见识啊？你两个这样闹别扭，吵啊，让别人听到就不太好。再说你是正职，搞不好关系当然是你王天木该多担待才对。”

戴笠也不容王天木辩解，一通话直说得这个王天木一肚子气。王天木认为自己在上海人生地不熟，加上赵理君搞小动作，工作自然难以开展。如今见戴笠不但不体谅自己的苦衷，反而一见面就责备他，认为戴笠偏向赵理君，心里不是滋味。于是赌气说，不调走赵理君，他就自己走。戴笠也不含糊，直接告诉他，想走也只能回天津。而且想走也得拿投名状来，组织部下杀几个汉奸再走。

戴笠还问，当年大智大勇的王天木如今在哪儿？

不想，春节一过，香港报刊以《铁血军破门而入，伪外长即登鬼门》的标题，转载来自上海的特号新闻：大年初一，南京伪维新政府的外交部长陈箓在上海家里被刺身亡。

这事震惊了日本侵略者和汉奸们。为安抚汉奸走狗，日伪机构忙于新年办丧事，为陈箓举行葬礼。还一本正经地在沪、宁两地下半旗，并发给陈箓家属 10 万元抚恤金。

从军统内部来的消息证实，这是王天木属下刘戈青小组出色完成的一起锄奸大案，再次毙杀梁鸿志伪维新政府部长级的大汉奸。目前小组

成员全部安全转移。戴笠看了心情大好。属下杀了汉奸，当然应该高兴，多少算自己领导有方啊。再说，完成锄奸任务的刘戈青正是临澧特训班的学员，原本就是自己得意的门生。起初，自己就要留他在军统本部重用，但刘戈青报仇心切，立功愿望强烈，执意要下基层，要手刃汉奸，为被日本人用刺刀砍杀六刀的父亲复仇。刘戈青果然有勇有谋，是英才！于是戴笠下令刘戈青及参加这次暗杀行动的全班人马撤离上海，赴香港受奖。并让刘把自己的一家老小全部由上海迁到香港，以免遭到敌人的报复。这临澧特训班，就是 1938 年 3 月在湖南临澧县举办的“中央警官学校特种警察人员训练班”，共有学员约 1000 人，是军统在抗战时期开展特工训练的一次示范。学生后来大都成为军统骨干，形成军统内的一个重要派别。这次参与河内策划指挥的余乐醒就是去年临澧特训班的副主任。

刘戈青的功劳，并没有根本改变王天木的处境。只是此时戴笠心情好，考虑王天木在天津熟人太多，目标太大，让王天木仍回上海。不过，王天木的身份是直属通信员，主要联络天津站。上海区长继续由赵理君代理。刘戈青留香港训练栽培。王天木可以继续与刘戈青保持联系。

为了不打断叙述对汪精卫跟踪监控过程的连贯性，我们把此时发生在上海的毙杀汉奸陈箓的事情放到汪精卫去上海彻底投靠日本人时一并介绍。

九、刺汪行动

稍后，戴笠化名何永年，亲自飞河内检查刺汪的各项准备工作。

陈恭澍、余乐醒立即投入紧张的策划中。

经陈恭澍短时间的积极活动，在许念曾的密切配合下，很快弄清了高朗街 27 号汪精卫住处的布置情况。军统特务朝夕在隔街向汪寓所遥窥，他们发现，高朗街 27 号寓所后门的道路复杂，巷道纵横，于是对暗杀后的撤离路线进行规划。同时，他们推断，顶层朝北较大的一室应是汪氏夫妇的卧室兼汪氏的会客室。

注意，这里讲的是推断。推断，或许能出真理；推断，也可能出错。

在无法进一步核对事实的情况下，推断是必要的，因为即使推断不十分精确，也可以避免盲动。但，推断的结论只有在与事实相符时才是可靠的，因为任何一件事实，都可能对真理体系构成颠覆性的后果，何况只是推断。当然，这说法是否妥当，也有待进一步验证。

行动小组进入了等待的阶段。

等待，是一个紧张而又难耐的过程。余乐醒等人在这一过程中考虑过要对汪采取“软性行动”。所谓“软性行动”就是用下毒等办法，在不知不觉中把汪精卫毒死，而避免舞刀弄枪造成太大的动静。行动组有人发现高朗街上的一家面包店，几乎每天早上都派人给汪精卫家送面包，而且汪精卫每天早上也必用面包。他们就决定把送面包的人拦截下来，换上一只含毒面包，由行动员化装成送面包的人送去。没想到，当毒液注入面包后很快就结成了黄豆般的小块。这天汪精卫见此面包异样而退回不吃。毒杀行动宣告失败。

陈恭澍和余乐醒等人一计不成又生一计。一天，获悉汪精卫找水电修理工去修他浴室的水龙头。陈恭澍便指示行动组把修理工暂时扣押起来，另派一个行动员冒充修理工，随身带了一罐毒气，在水龙头修好后，把打开盖的毒气罐放在浴缸底下，同时把浴室门窗关闭，让毒气弥漫全室，只等汪精卫晚上一进浴室，中毒丧命。不料，汪精卫的一位侍从在检查浴室时发现了毒气瓶。当汪精卫得知此事后，认定是蒋介石派人干的，为此增加了防范的措施。

“软性行动”计划宣告失败。

几次刺汪机会错过，陈恭澍很懊恼。

3月18日，日本驻香港总领事通知高宗武，日本支持汪精卫成立新政府。重庆方面的细作得知这一情报，汇报给了蒋介石。戴笠得到了采取行动的指示。

3月19日，根据指示，戴笠从重庆给河内的陈恭澍发去急电：

“着即对汪逆精卫予以严厉制裁，不得延误。”

行动组收到密电，对原先制订的行刺方案确认无误后，决定在第二天的夜里武装袭击汪精卫住宅，处死汪精卫。

第二天，也就是3月20日，一早，负责监视汪精卫住宅的行动人员

报告说，汪精卫正在打理行装，有全家逃离河内的迹象。过了约两个小时后，又有报告说汪精卫一行坐了两辆黑色轿车往河内达莫桥方向驶去。

陈恭澍、余乐醒立即带领行动人员驱车追赶。当陈恭澍开车追过达莫桥后，发现在前面不远的空地上停着两辆黑色轿车。由于不能靠得太近，加上当时阳光又相当耀眼，陈恭澍等人看不清哪辆车里坐着汪精卫，不敢贸然开枪。就在他们犹豫不决的时候，那两辆黑色轿车迅速启动并朝原先来的方向疾驶而去。等陈恭澍调转车头再追时，那两辆黑色轿车已经没有踪影了。显然汪精卫对戴笠手下要采取的行动已有察觉。要不然，就不会出现刚停车又急促离去的情况。不一会，监视汪精卫住宅的人来报告，说两辆黑色轿车已返回，并发现汪精卫夫妇俩正在住宅外的草地上争吵着什么。

可是当陈恭澍带人赶到时，汪精卫夫妇已回到了屋里。此后的整个白天，行动人员的眼睛再也没有离开过汪精卫的住宅，但没捕捉到下手的机会。

1939 年 3 月 20 日夜 11 时 40 分，按照预先的方案，陈恭澍驾车带着六人出发到达高朗街 27 号后门。分工后，陈恭澍留守车上策应，张逢义和陈布云留在外边放哨，王鲁翘、余鉴声、郑邦国、唐英杰越墙而入，这四人飞身上楼。汪宅的人被惊动了，厨师何兆开门张望，郑邦国抬手就是两枪，伤及何兆左脚，并吼道：

“谁再出来，老子的枪不认人！”

特务堵住侍卫居住的房门，厉声警告。汪的侍卫们出境后不能携带武器，所以不敢轻举妄动。

负责直接刺杀汪精卫的王鲁翘、唐英杰两人奔到三楼，对着他们以为是汪精卫居住的北屋撞了几下，却怎么也撞不开。显然，屋里有人，反锁了。王鲁翘接过唐英杰带来的利斧，将房门劈了个洞，但门没打开。

此时，楼下又有动静了。原来陈璧君的侄儿陈国琦正睡在楼下，也许是砸门的声音惊动了他，便大声喊叫着想上楼救应。军统特务郑邦国在黑暗中见有人影，开枪射击，陈国琦被击中腿部受伤倒地。王鲁翘听楼下一阵喊声后连着响枪，越发急了。他用手电从砍破的门洞往房内一照，见有个男人。王鲁翘以为他就是汪精卫，便对其腰和背就是三枪，那人当场倒地。当他刚想收手时，发现床下还有个女人，以为是汪精卫的妻子陈璧君，便甩手又是三枪。当王鲁翘正想验证时，先前的枪声已经惊动了周围的警察，远处已有了警车的呼叫声。王鲁翘等行动人员只得匆忙撤离。而此时，汪精卫、陈璧君惊恐万状，正哆嗦着在隔壁房间的墙角里等死，因始终没有刺客进门而毫发未损。

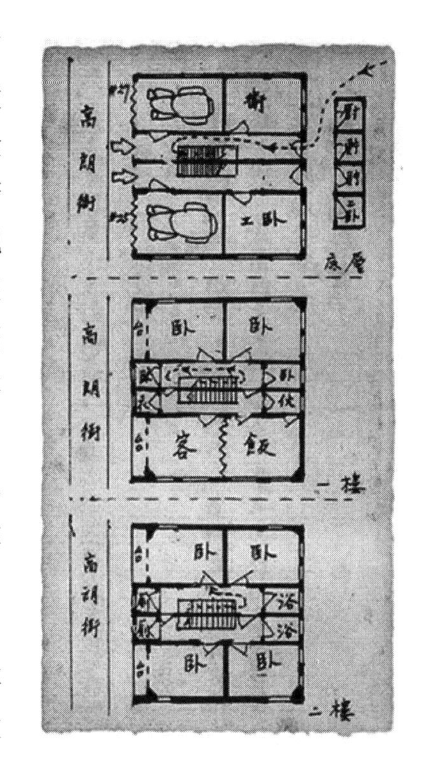

汪文婴提供的当年高朗街27号楼层布局图。

朱执信的女儿朱微，听到枪声，急起躲在门后，认为那是个死角，危险性会小些。原来辛亥革命元勋朱执信死后，他的女儿朱微就跟汪夫妇一起过日子。这次自然是被连哄带骗地弄出来的。其实，她用不着害怕，只要在房内开声放出“本小姐不怕死”的豪言壮语，自然就不会有人找她的麻烦。刺客的目标只是汪夫妻俩。

军统特务听到室内倒地声、呼号声，以后除了呻吟声以外，一切归于沉寂。特务们以为任务完成，汪氏夫妇定死无疑，遂携枪准备下楼离去。

此时，楼外福特车里的陈恭澍极为紧张，不知道行动是否成功。见王鲁翘出来，也来不及等其余战友上车，便驾车飞驰而去。回到驻地后，王鲁翘对陈恭澍说，凭他的枪法汪精卫夫妇必死无疑。不久，唐英杰和陈布云也先后回来了，但张逢义、余鉴声、郑邦国等三人被河内警方逮捕。

负责接应的陈恭澍显然未能尽职。他带去六人，只接回王鲁翘一人，丢下五人，结果三人被捕。

四个月后，王鲁翘在上海的法租界被捕，又被法国殖民当局查出是河内刺杀案的重要“嫌疑犯”而被引渡到安南，判处八年徒刑，直到

1945年国军在越南接受日本投降时，王鲁翘才恢复自由。

十、卿本佳人，奈何做贼

凌晨4时50分，军统的内线传来情报，说汪精卫安然无恙，打死的是曾仲鸣。陈恭澍一下子从头凉到了脚。

原来当晚的情形是这样的，高朗街27号洋楼的三楼有四间卧室，汪精卫夫妇、汪的女儿汪文惺与女婿何文杰、朱执信的女儿各住一间房，而曾仲鸣夫妇临时留住大客厅。因为曾仲鸣妻子方君璧刚从香港来，本在外住宾馆。因传说汪精卫夫妇白天受刺客汽车骚扰，曾仲鸣夫妇特来问候，从而留住27号，结果代替汪夫妇挨了子弹。

曾仲鸣并未当场死亡。在急救医院醒来时，还能清晰与汪对话。而曾仲鸣妻子方君璧中了三枪但非致命。刺客王鲁翘砸门肯定惊醒许多人，包括曾仲鸣夫妇。曾仲鸣刚好起床察看，结果首当其冲，子弹直接命中他的胸部，尤其腹部中两弹，当场倒下……

当汪精卫到达医院急救室看曾仲鸣时，曾仲鸣已昏迷多次，他醒来时对汪精卫说：

"我能代汪先生死，死而无憾，国事有汪先生，家事有吾妻，我没有不放心的事。"

曾仲鸣临死前又挣扎起来，在以他的名义替汪精卫在国外银行存款的支票上一一签了字，为汪精卫尽了最后的一份力。

好糊涂的人，好糊涂的死。

一个根红苗正的人，一个顶聪明的人，却活得糊里糊涂，死得不明不白。

曾仲鸣来自革命家庭，16岁留学法国，是里昂大学文学博士。曾仲鸣国学基础很好，这与他在法国期间得到过吴稚晖、蔡元培、李石曾等人的教诲不无关系，他夫妻俩也积极支持留法勤工俭学运动。此时的他还够不上汉奸的罪名，他却当了汉奸的替死鬼。

汪精卫、陈璧君与曾仲鸣夫妇的密切关系来自曾经共同留学法国。

辛亥革命南北会谈中，汪精卫劝说南方革命党拥立袁世凯当总统，袁世凯为此十分感激。在汪精卫、陈璧君新婚之际，袁世凯送五万银圆供他们在法国度蜜月。汪精卫就此留学法国，认识留法学生曾仲鸣和方君璧。汪夫妇与曾仲鸣和方君璧友善，或许还与方君瑛有关。方君瑛在1923年英年早逝，汪精卫、陈璧君、方君瑛之间关系一言难尽。方君璧是方君瑛妹妹，曾仲鸣是方君瑛的妹夫，夫妻俩来自十分亲密的两个家庭：福州市的方家和曾家。两家儿女搭对配婚，算是亲上加亲。曾仲鸣的姐姐曾醒就是方君璧和方君瑛的亲嫂。

方君璧的七哥，革命烈士方声洞

方君璧一家堪称“满门英烈”。

方家兄弟姐妹11人，都曾渡海留学，方君璧就是那个排行第11的小妹。方声洞、方声涛和方君笄三兄妹是1903年拒俄义勇队成员，兄弟姐妹中六人是1905年首批同盟会会员。方君璧的二姐方君瑛、七哥方声洞、四嫂曾醒都到广州参加黄花岗起义，起义前都给家人留下家书遗言。结果方声洞战死，是著名黄花岗七十二烈士之一。方君瑛25岁那年，被孙中山选任同盟会暗杀部部长，是清末革命党著名的女暗杀团成员（不知何故，方君璧称方君瑛为“七姐”，或许方君瑛上面有一个姐姐，五位哥哥）。1911年春，因林觉民夫人已怀孕八个月，行动不便，方君瑛替代她，冲破层层关口，从福建运送炸药到广州参与黄花岗起义。随后方君瑛与黄复生、汪精卫一起策划刺杀摄政王载沣。方君璧的六哥方声涛是辛亥革命军的一个师长。后来，孙中山在广州组织南方革命政府时，方声涛出任广州警备司令。广州七十二烈士墓及纪功坊、墓亭等就是他主持修建的（事前由潘达微先收集七十二烈士遗体入土）。方君璧四嫂曾醒也是首批同盟会会员，曾醒就是曾仲鸣的亲姐。

老同盟会员曾醒没从她亲弟弟曾仲鸣之死吸取教训，后来跟随汪精卫当了汉奸，算是方、曾两家的耻辱。方声洞一家满门英烈，却因汪精

安葬着林觉民、方声洞等七十二烈士的黄花岗革命公墓（广州警备司令方声涛主持建成）

卫而蒙羞。

但方君璧或许还应该感谢刺客的子弹。曾仲鸣一了百了，止步于通往汉奸的罪恶之道。方君璧也因曾仲鸣之死，与汉奸一族绝了缘分。或许正是河内的那几枪，使方君璧摆脱政治羁绊而继续潜心于她的艺术生涯。她早在1924年就被巴黎各大报誉为“东方杰出的女画家”，当时的代表作品有《拈花凝思》等名画。后来她成了享有国际声誉的著名女画家。

抗战胜利后，受民国大佬吴稚晖、李石曾的鼓励，方君璧回国举办过画展。

1972年她回中国访问时，周恩来、邓颖超与她作了长谈。当年方君璧全力支持过他们这批勤工俭学的留法学生。周恩来、邓颖超等属于胸怀大志的革命家，而方君璧属于学有所成的艺术大师。周恩来问方君璧有何要求，方君璧说只要求能自由地走遍祖国的名山大川作画。1978年中国美术馆为她举办了大型的画展。1984年巴黎博物馆为她举办了“方君璧从画60年回顾展”。两年后的1986年，89岁高龄的方君璧居然“因登山作画，跌断腿骨，送医三日，病情恶化”而离开人间。

金子和污泥原本也可能混在一起，但金子永远是金子，而污泥终归是污泥。历史长河涤荡着，最终把污泥卷得一干二净而留下金子。

本该死去的汪精卫、陈璧君却在庆幸自己好运，庆幸自己不死。其实他俩都错了。倘若他俩死了，第二天，重庆的蒋介石先生就会为汪精卫先生的“意外死亡”而发表谈话，声讨敌国的暴行，就会让戴笠、陈恭澍组成调查小组去查明真相，还会马上宣布全国下半旗为汪精卫先生哀悼，并组织全国治丧委员会，安排国葬。全世界都会高度评价汪精卫、陈璧君夫妇，他们俩就不至于因当汉奸而遗臭万年：

一个死后被刨坟挖尸，一个终身陪伴提篮桥监狱的铁栏杆。

相反，等到多少年后真相大白时，蒋介石会被一些人怀疑是小肚鸡肠，说他不能容忍不同政见者。他洗刷不掉暗杀同僚的恶名。因为到此为止，把汪精卫、陈璧君定罪为汉奸的证据都保留在日本人手中，蒋的司法机关一点也不掌握。因此，最多只能说汪精卫一伙是“反党集团”，是“反对抗日”。“反党集团”和“反对抗日”不能列入刑事犯罪，而只是不同政见。

就是啊，汪精卫这难得一遇的机会失去了。能好死，却不得好死。这就是汉奸自以为是的好命运。

曾仲鸣之死使汪精卫极度悲愤而又无奈。日本欺骗他，让他走上这条绝路。可恶的是，日本继任的平沼首相差点把汪看成一只无主的弃犬。汪精卫这条弃犬还有使用价值吗？日本人狐疑不定。是的，背叛民族和国家的人，总是另类。在这点上，全世界人的眼光基本一致。

汪精卫不敢把满腔的忿懑之气喷向未来的日本东家，于是只好利用林柏生的《南华日报》发表《曾仲鸣先生行状》和《举一个例》的那类文章，曝点料或揭点内幕之类作为对蒋介石暗杀行为的报复。可是，那没有丝毫翻身的效果。相反，还招致蒋介石的回击，并以国民政府名义下令通缉汪精卫、周佛海、陈公博、陈璧君等首要分子。这之前，蒋介石没有公开指责过汪精卫。

令汪精卫沮丧的是，曾经与他私交甚笃的民国大佬吴稚晖在报纸上刻薄地讽刺他：

“卿本佳人，奈何做贼！？”

暗杀事件之后，河内一时哗然。河内当局立即调派大批警察日夜保护汪精卫的寓所。

陈恭澍等已知道再也没有机会行刺汪精卫了，只好向戴笠发电告知，并派王鲁翘急赴香港当面向戴笠汇报行动全部过程。戴笠了解了全部细节后，也感到再也不可能有天赐良机了，只好下令撤回河内行动组，香港指挥中心也撤回国内。

河内刺汪失败了，陈恭澍和余乐醒等人离开河内转道香港回到重庆。他们开会认真地总结，坦诚地承认，失败的根本症结是情报不准确，误将曾仲鸣居住的房间当成汪精卫的房间。

实际上，因为汪精卫年轻时就是暗杀团成员，从事过暗杀活动。他从事暗杀虽说也是失败的，但在那过程中他养成为人狡猾、行动诡秘的性格，也善于从杀手的心理逆向考虑问题。搬到高朗街27号前，他住在三桃山，就因疑似杀手的惊吓而马上搬家。所以一进寓所，他白天多在北房起居会客，而夜晚却到隔壁的房间睡觉。刺汪行动组就误作判断。后来汪精卫女儿汪文婴回忆了当夜的情况，还画了楼层内部平面图，表明陈恭澍他们的情报不准确是要害。

戴笠听了全面汇报后，就到蒋介石面前自请处分。蒋介石听了之后，脸上好像半天没有表情。许久，他说：

“事情虽然没有成功，但你们是尽了力的。汪精卫这次不该死，将来还是要上断头台的。”

应该说，这次河内的刺汪行动调动了军统们的全部智慧和行动经验，连戴笠本人也大部分时间都坚守在香港的指挥中心里。甚至这年春节他也是在香港过的。此次行动的失败，对戴笠确实是个不小的打击。

陈恭澍回到重庆后，戴笠始终不见他，即使两人进入防空洞中，也视而不见。那不是因为个人恩怨，而是双方避免触景生情。

要把失败的阴影从一个人的心头抹去，太难了。

十一、上了贼船

曾仲鸣之死，使汪精卫异常惊恐，深感处境危险。他不得不另谋途径。

他明白，河内非久留之地。但离开河内能往哪儿去？

当然是尚未被日本军队占领的云南、四川最好，原本他就打算在西南建立独立的政府。可是，自《艳电》发表后，全国一片讨汪之声，西南各省军政各界也纷纷发表声明，以撇清与汪的关系。西南各省舆论界讨汪之声调一点也不比其他地方低。虽说龙云本人讲义气，汪精卫河内遇刺脱险后，龙云本人到河内慰问汪精卫。但他也只限于悄悄地私下活动，而且没有同意让汪精卫利用云南作为据点。龙云同样向蒋介石示忠。而且此时，李宗仁、唐生智都在云南，或是养病，或是规劝。谁能担保，一旦重庆方面发出逮捕汪精卫的命令，云、贵、川、桂、粤各层的军头警棍们或仁人志士真的会拒绝执行？他们之中真的会有人不肯拿汪某人的人头去向重庆当局邀功请赏？

西南的路被堵死了。

去香港也不是一条平坦的出路。英国警察监视很严，目前连陈公博、周佛海、陶希圣、林柏生等人活动都很困难。广东更不能去，广东沿海也已被日本军队占领，倘若去广东，就会使中国人民看清他们是在日军的刺刀保护之下开展“和平运动”的。

与之相比，上海虽然是世界上屈指可数的暗杀横行之地，但日本军队有强大的力量。从表面上看来，上海又不完全是日本人占领的，英、美、法等国在租界的力量还很大，租界各方面还归外国人掌管。租界司法权只有部分归外国人，而法院裁判权则操在中国人手中。因此，比起广东来，中国人有相当大的自由行动的余地。正是出自这种考虑，汪精卫夫妇派周佛海、梅思平等人前往上海进行准备。

日本方面，河内发生刺杀汪精卫暗杀事件后，日本驻河内总领事馆就刺汪一案向日本政府作了详细报告。因为汪精卫毕竟是响应日本的“和平号召”才到河内的，日本政府内原来极力主张招降汪精卫的日军参谋本部中国课课长影佐祯昭等人四处游说，向当局施压。日本当局召开了

首相、陆相、海相、外相及藏相参加的“五相会议”，研究决定派遣影佐祯昭、犬养健等人前往河内营救汪精卫，帮助汪精卫转移到安全的地方。这个犬养健，前面曾谈到他曾参加与高宗武、梅思平的谈判。而且他是日本前首相犬养毅之子。犬养毅死于法西斯分子的内讧。

正当汪精卫、陈璧君在做离开河内的准备时，奉日本“五相会议”之命来救汪等脱离险境的影佐、犬养等人，乘“北光丸”轮船于1938年4月16日抵达河内，并与汪精卫秘密会见。汪精卫提出打算建立“能安定民心进行和平交涉”的中央政权。这自然是要借助日本的力量。

汪精卫还想离开河内去上海。汪精卫对日方说：

“住在河内危险而又无意义，所以，希望今后以上海为根据地发展运动。”

影佐建议汪精卫、陈璧君等人乘他们的“北光丸”赴上海。但汪精卫认为直接使用日本船，会造成“和平运动”受到误解。他坚持租用一艘法国人管理的760吨的小船——“冯·福林哈芬”号，等离开海防后，再在海上与“北光丸”会合，由其护送他们到上海。

陈璧君怕乘小海轮太苦。她一方面担心船太小，不安全，但又觉得汪说得有理，也不好坚持要搭日本船。1939年4月25日深夜，汪精卫、陈璧君等人在细风迷雾中逃出河内，在海防附近登上了租借的法国货轮“冯·福林哈芬”号出海。

“冯·福林哈芬”号是艘小船。坐小船过南海，苦啊！摇晃颠簸，差点把肺都呕出来了。接着，又是大风大浪，还得彻夜航行，白天呕得天翻地覆，夜里又不能睡，又跟不上日本船“北光丸”。最后，在一个风雨交加的夜里，他们迷航了。

“北光丸”哪儿去了？难道丢下自己跑了？汪、陈夫妻俩终于体会到丧家犬的滋味。绝对不能没有主子啊。

吃不了苦，又怕失去靠山的汪精卫再也顾不得面子，急电向日本“北光丸”号求援。

日本“北光丸”号的船主是什么人？

日本“北光丸”号的临时船主是影佐祯昭。影佐祯昭是日本军部间谍，他虽披着军衣，却是贩卖鸦片走私洗钱的江洋大盗。

不信，看看他的历史记录：1937年11月，他受陆军大臣板垣征四郎委托来到上海，指导民间人士里见甫（按：日本的鸦片大王）在上海创立“里见机关”，勾结帮会一起贩卖鸦片，收取巨额资金补充关东军军费。既当间谍又从事贩毒走私、杀人放火、谋财害命的影佐祯昭当然是贼，而且是五毒俱全的大贼。另一个船主是犬养健。犬养健也是间谍，间谍偷抢诈骗，能不是贼？和他的尊名大姓一样，犬养是下贱的贼。

那“北光丸”号是什么船呢？

“北光丸”号此时一不载货贸易，二不拉网捕鱼，三不救援打捞，而是载着两个巨贼鬼鬼祟祟地在海上游荡。那“北光丸”号也就是贼船了。汪副总裁精卫此时在迫切地呼唤贼船，急切希望登上日本的贼船。

4 月 30 日在汕头海面，汪精卫、陈璧君一行爬上日本特务头子影佐、犬养的“北光丸”船，上了大日本帝国的贼船。

丧家犬上了犬养的贼船，丧家犬便有了东家。

汪精卫、陈璧君经历大风大浪的考验之后，实现了与大日本贼子“同舟共济”了。在“北光丸”上，影佐、犬养和汪精卫屡次会谈。汪副总裁向日本人表达了自己的理想和宏伟蓝图：

一、建立和平政府，真正体现日华合作，向一般国民证实抗战是没有意义的。

二、和平政府建立后，组织军队。

三、为了建立和平政府，希望先去日本，与日本政府要人交换意见。

四、该政府仍将继承中华民国的法统，称之为国民政府，采取迁都的形式，实现三民主义，规定青天白日旗为国旗。

5 月 2 日，当“北光丸”号抵达台湾基隆港时，汪精卫看到龙云发表的复函，龙云称：

“蒙手赐复书 3 月 30 日函，附以港报举一例云云。展诵回环，弥得诧骇，举一例文中将国家机密泄中外，布之敌人，此已为国民对国家初步道德所不许，至赐书，则欲之背离党国，破坏统一，毁灭全民牺牲之代价，反举国共定国策，此等何事？不仅断送我国家民族之前途，且使我无数将士与民众陷于万劫不复之地步，此岂和平救国之本，直是自取灭亡，以挽救敌寇之命运耳。”

龙云义正辞严。汪精卫挨了当头一棒。

5月6日，日轮“北光丸”号进入上海虹口虬江码头。汪精卫知道上海的租界仍在英、美、法等列强手里。租界被人称为“孤岛”，是因为虽然四周被日军占领，但日军不能随便进入租界。而国民党的军统、中统特务们大多以“孤岛”作掩护，活动频繁。汪精卫一想起河内的事，便心有余悸，所以日轮“北光丸”号到达上海后，汪精卫迟迟不敢上岸。直到5月8日，今井武夫再次上船邀请他们上岸，汪精卫一伙才在日本宪兵的森严保护下，下船住进虹口的“重光堂”。

第四章 “铁血军”破门锄奸

一、王天木探望刘戈青

1938年底，原军统华北区区长王天木出任上海区区长。而代理了个把月上海区区长的赵理君为副区长。赵理君原本就只做一种准备：总局座戴老板及早把自己转正，把“代理”两字去掉。在他看来，军统上海区区长这宝座本就非他赵理君莫属。

不料，这半路还果然杀出个程咬金，新来个“赤佬”叫王天木，抢去了区长这宝座，让赵理君屈身为副区长兼行动组组长。王天木是个狠角色，这点赵理君早有所闻，只是做梦也没有想到就是这王天木横刀夺爱，搅了自己的好梦。到嘴的肥肉岂能白白落到别人的口里！

当然王天木到上海，并非取决于王天木自己的意愿，而是戴笠的决定。军统上海区是军统重镇，当然需要老辣的王天木来掌管，而赵理君则不是上海这种地方总管全局的理想人物。

王天木初来乍到，自然放下架子，主动与副区长沟通。其实，这凶残老辣的谍报头目也有随和的一面，就是这双重的性格，王天木还挺善于调动手下替自己卖命。他以往的成功也有这方面的因素。

可赵理君却死活不买账。真是话不投机半句多，王天木遇赵理君，是生铁碰石头，硬碰硬，脆对脆，一碰就崩。

赵理君不甘心也不服气。他要摆DOSS做给旁人看，气气王天木。他公开叫来几个心腹，叽叽咕咕地议论一番，然后哈哈大笑：

“我要是当了区长，绝不会亏待你们的。”

转眼王天木上任两月有余，他觉得处处都不顺心。

新官上任三把火，王天木原本打算一到上海就干成几件大事，树立

自己的权威，也报答戴笠对自己的关照。不想几次行动都无功无果，不是消息不准，就是走漏了风声。凭直觉，他知道是赵理君在暗中搞鬼。但自己初来乍到，人地生疏，不敢贸然与赵理君这个地头蛇拉开面子。这如何是好？

王天木正在办公室冥思苦想之际，军统上海区人事组组长陈明楚敲门进来了。

人事组长也算是关键人物，刚到上海的王天木当然不会不加以特别笼络，也曾打算提拔重用，本来就提议让陈明楚当上海区的书记长，但因赵理君不赞成而搁置。这风声，不免也传到陈明楚的耳边。本来嘛，人事主管对人事变动的风声总归是首先知道的。

王天木客气地招呼他。

王天木虽心狠手辣，但对部下或对普通人说话口气还是相当和善的。特别是他初来乍到，缺乏人脉，根基不稳，所以特别小心，对下属也比较客气。这点他与赵理君的居功自傲、蛮横霸道形成鲜明的对比。

“闲来无事，想和您聊聊。当然，您如果忙的话，我就不打搅了。”

陈明楚站在门口，做出随时退出的架势。

王天木忙招呼陈明楚进门坐下。

能多了解一些情况，当然是好事，王天木还真的没有任何架子，亲手给陈明楚泡茶。

陈明楚坐下后，彼此说了几句闲话。

他们彼此之间究竟说点什么，外人很难知道。

似乎是陈明楚表示关心领导，而王区长却不断叹气。

后来他们停止讲话，而是陈明楚用手指蘸着茶水，在桌面上写字。

二人看了相互点点头。

有人说，陈明楚用手指蘸水，在桌面上写的是“赵”字。凭这，后来人认为他俩谈到了赵理君。

在他们继续议论一阵后，一同起身外出。陈明楚在前头带路，王天木在后面跟着。

他们走进上海旧式里弄。那地方又偏僻又狭窄。陈明楚和王天木七弯八拐，好不容易才到一家门前。陈明楚先是敲门，里面没有响应。又敲了几声，还是没有动静。于是他轻轻推了推门，门居然就开了。怎么连门都不锁呀？陈明楚和王天木带着疑问推门进了房间。

刚刚踏进房门立足未稳，王天木忽然觉得身后一阵微风，仿佛又人影一晃。凭着多年特工的经验，王天木知道此人身手不凡，赶忙伸手掏枪，侧身回头，只见一个赤着上身的年轻人悄无声息地站在身后。

陈明楚见是刘戈青，就责怪：

“小兄弟，别这么神经好不好，人吓人要吓死人的。”

王天木上下打量了那人几眼。只见他二十七八岁的年纪，中等个，身体偏瘦，胸前隆起一块块肌肉，说明他体质好。再往脸上瞧，见他生得浓眉大眼，二目有神，显得精明强干，不觉好感顿生。

陈明楚忙介绍：

“刘老弟，王区长是特意看你来了。”

这个被陈明楚称为刘老弟的人名叫刘戈青，是军统上海区的一名年轻特工，刚从戴笠在湖南办的临澧训练班出来而被安排到军统上海区。猜得出来，刚才陈明楚与王天木在办公室议论的人和事，一定与刘戈青有关，所以陈明楚带王天木上门访问了。

刘戈青在会议上见过王区长，但没有打过交道。今天区长亲自登门探望自己，他颇感意外。前任区长是周伟龙，周伟龙根本不把他们这些刚从特训班毕业的学生放在眼里，总爱摆出一副高高在上的架势。没想到，这位新区长竟然亲自登门来看望自己。

他忽然感到自己失礼了，一边拿过衣服往身上套，一边忙不迭地招呼区长请坐。

此时已经入冬，上海虽说冬天里也偶有几天不太冷，但不至于热得打赤膊。

看着有点慌乱的刘戈青，王天木为了缓和气氛，拉近与刘戈青的距离，就咧开嘴笑了笑，开起了玩笑：

“刘老弟啊，这么冷的天还赤膊光着膀子，莫非是金屋藏娇，让我们搅了好事不成？”

刘戈青红着脸，一个劲儿地摆手解释，说是刚才练了几趟拳脚出了一身汗，热的。

看到刘戈青的窘态，王天木不禁乐了，拍着刘戈青的肩膀笑着：

“哈哈，刘老弟，你别紧张呀，刚才是开玩笑，别介意。”

这一说一笑，刘戈青自然起来，发觉这王区长平易近人，毫无长官的架子，跟前面的周伟龙、赵理君可谓天壤之别。

这王天木为何如此重视刘戈青？原来因自己身边无人可支配。正因为这点，他有如虎落平原被犬欺。他这几个月受赵理君的气真受够了。还巧，这人事组长陈明楚挺理解领导的心情，出面向区长大人推荐刘戈青。本来一听，刘戈青是行动组的，行动组还不全是赵理君的人马？王天木心就凉了一截。但细听陈明楚的一番介绍，王天木不觉眼睛一亮。他急于想见到这个刘戈青。王天木深知，搞特务，搞锄奸，不在于人多，而只求兵精。只要有合适人选，凭自己的老谋深算和诡计多端，加上血气方刚又有勇有谋的刘戈青，必能互相配合取长补短，干出一番大事来。

当下，王天木急着便要拜访刘戈青。

陈明楚忙表示不必劳区长大驾，自己去唤他来就是。

王天木执意要亲访。于是陈明楚前头领路，发生了刚才的一幕。

因为是第一次见面，王天木觉得不宜深谈，闲聊了一会儿无关紧要的话题就走了。

过了几天，由陈明楚出面，王天木在饭店宴请刘戈青。

从此，王天木、陈明楚和刘戈青逐步加深来往。这王天木是老江湖，阅人无数，待人不薄，江湖义气一类自然十分讲究。这陈明楚长久经营人事关系，最善于见风使舵，讨人所好。而刘戈青年纪轻轻，涉世不深，头脑相对单纯，加上长久被周伟龙和赵理君冷落，如今能遇到王天木、陈明楚这样的长官对自己以兄弟相称，实乃难得。于是他们关系愈加密切，几成同党。

二、刘戈青投身军统

刘戈青出生在福建厦门，原本不是军统的特务。至于他如何变成军统特务，这还得从头说起。

1935年，刘戈青在上海从国立暨南大学毕业。当时，他漳州老家的一块耕地发现了锰矿，于是刘戈青请原上海淞沪警备司令杨虎出面，集合了十几个同学，在爱多亚路中汇大楼四楼开办“国兴矿业公司”筹备处。这爱多亚路就是今天的延安路，这中汇大楼如今还是中汇大楼。中汇原是上海大亨杜月笙的产业。把采矿机构取名为“国兴矿业公司”，因为刘戈青本名刘国兴（在南方的许多方言中，“国兴”与“戈青”发音十分接近）。想起军统的另一个人来，那人叫陈恭澍，他与刘戈青老家同在漳州，可算是个同乡。

一天晚上，刘戈青父亲的一个朋友孙祥夫约他在杨虎公馆见面，商谈开矿事宜。当时杨虎不在家，孙祥夫也未到，刘戈青只好在客厅等候。过了一会儿，来了一位四十来岁的中年人，也是来找杨虎办事的。那人仔细打量了刘戈青，继而和刘戈青攀谈起来。刘戈青礼貌对答，内心却觉得此人非常讨厌，第一次见面，就刨根问底步步紧逼，还歪着个头，啰里啰唆地问个不停。正好孙祥夫打电话来，说自己喝醉了，谈事情改在明天。刘戈青借机告辞。杨虎和孙祥夫显然是“设局欺骗”刘戈青。只是刘戈青对此一无所知。

第二天，刘戈青又去杨虎家，杨虎告诉他昨天那个中年男人是戴雨农，但刚出校门的刘戈青并不知此人为何方神圣。杨虎于是告诉他，戴雨农（戴笠）是蒋委员长的亲信、得力干部。原来，戴笠看上了刘戈青，所以才不厌其烦地仔细盘问。杨虎劝刘戈青为戴笠工作，刘戈青本不愿意，因为他的开矿事业才刚刚开始。杨虎夫妻又说了一堆国家兴亡匹夫有责的道理。毕竟杨虎是自己的父辈，刘戈青答应了。其实，由于日本不断加剧侵华战争，此时酝酿在福建开矿是不现实的，杨虎和孙祥夫显然对开矿不感兴趣。而此时动员刘戈青参与抗战，也符合当时的形势。

刘戈青就这样由杨虎推荐加入了军统。

刘戈青的父亲刘建寅，并非寻常人。老刘家世代居住台湾省云林县。台湾被割让给日本后，年轻气盛的老刘聚众起义反抗日本人统治，在与日本军警战斗中，被日军刺中六刀，但还最终毙伤敌人而逃出性命。大难不死的他渡海逃到厦门。因为痛恨清政府割让台湾，他们占山对抗朝廷，暗中联络革命党人反清。从大清闽浙总督到道台、知县无不对此十

分头痛，耍了镇压和招抚两手。刘建寅山寨中就有两个兄弟被招安“做了宋江、卢俊义”。而刘建寅拒不投降，并改名为刘汉臣，表明自己是“汉魆不两立”。大清朝廷并力追剿，刘汉臣被迫到处躲藏。后来厦门的安溪茶商李福连掩护刘汉臣，还把女儿许配给他。辛亥革命中，刘汉臣参与漳州光复。民国成立，刘汉臣做了中华国民军第七混成旅旅长。是年，小刘出生，刘汉臣给他取名刘国兴。

老刘念念不忘国仇家恨，从小就教刘国兴学文习武，强身健体，立志报效祖国。并讲述自身经历，讲述台湾沦陷、人民当亡国奴的痛苦。可以说，刘戈青从小对日本人恨之入骨。

这杨虎和孙祥夫就是父亲老刘的朋友。

刘戈青后来考进暨南大学。说起来，这暨南大学就是如今广东省的那个暨南大学。原本是在南京开办，但绝大多数时间，暨南大学设在上海。20 世纪 50 年代我国学习苏联老大哥，大学搞院系调整，暨南大学才搬迁到广东省。

刘戈青加入军统后，1938 年到军统在湖南省办的“临澧训练班”学习。刘戈青是“临澧训练班”的技术尖子。

上海沦陷后，戴笠撤到武汉，要把刘戈青带到军统总部。但刘戈青坚决要求留在最前线的上海从事地下工作。当时上海也的确需要一批精明强干之士，便依从了他。

不想刘戈青以为自己在上海所遇非人，顶头上司赵理君骄横跋扈，刘戈青又不愿趋炎附势，一直不被重用。刘戈青处于苦恼之中。

当然，这刘戈青是官二代，也是富二代。周伟龙和赵理君表面冷落他，是因为刘戈青身后有杨虎、孙祥夫和戴笠的这种背景，怕他出了“万一”。更想因“冷落”而迫使刘戈青改变主意，趁早回总部去。这点苦心，思想单纯的刘戈青是无法理解的。

三、醉激戈青

原本，王天木还想等待一些时机，再向刘戈青交底，把打算和盘托出。

哪知，春节前夕，发生变化。一封电报打乱了王天木的计划，戴笠电令，让他马上去香港述职。

因汪精卫叛逃河内并发《艳电》以公开宣告叛国投敌，诱发了重大国内危机，戴笠被迫集中精力，亲自在香港设立机构专心应对。没想到戴笠居然分心来过问上海的事。

是啊，王天木到上海已有好几个月了，没干成一件像样的事，王自己也感觉不是味道。这次述职肯定没好事，弄得不好，这个区长的位子就要易人了。

王天木想到这，不由得恼起赵理君来。赵理君真不是东西，许多事就坏在他手里，还要倒过来向香港的戴老板打小报告！

怎么才能躲过这一遭呢？王天木想到了刘戈青。

当天晚上，王天木请刘戈青和陈明楚下馆子，说是话别。

酒至半酣，王天木借酒诉苦。说自己到上海后，一事无成。惟独有幸结识刘戈青，算是他平生最大的安慰。讲到马上要去香港述职，他神情不无沮丧。

“老弟，明天我就要去香港述职了。说句心里话，哥哥我真不想去，这一去，你我兄弟恐怕就再难相见了。”

刘戈青不以为然：

“大哥，不至于那么严重吧，不就是述职嘛，例行公事啊。”

王天木摇头叹气。

旁边的陈明楚开始“拷边”。他说刘戈青太年轻单纯，看不出里面的门道。

陈明楚说，赵理君一直想当区长，以为是王天木大哥来，抢了他的位子。于是赵理君把王天木大哥看作眼中钉，处处作对，下绊子暗算人，搞得王天木寸功未立。

陈明楚还说：

“你想想，戴先生派大哥来上海，是来享福的吗？不，是为了抗日大业。如果不除掉几个臭名昭著的大汉奸，大哥怎么向戴先生交代，戴先生又怎么会放过大哥呢？”

这番话说得刘戈青不由得心中发急，一时不知说什么才好。大家沉

默了一阵。

看着王天木在喝闷酒，刘戈青起身宽慰：

“不如这样吧，我替你干一两件漂亮的工作，给你壮壮行色，见了戴先生，也好有所交代。即使不被表扬呢，去了也不至于挨训。”

王天木就等刘戈青开这口。

刘戈青坚持留在上海，本来就立志要锄奸救国，以往是空有一腔爱国激情而被官僚主义的周伟龙和赵理君埋没。区长能同意自己出手杀几个汉奸，是给自己立功报国的机会。再说，自己一旦立了功，也能减轻王大哥的压力，何乐不为？想到这，他慷慨举杯：

“士为知己者死，在所不辞！”

一饮而尽。

王天木放下了心。

可是又面临一个问题。上海的汉奸成百上千，该拿哪个动手？弄小的，引不起轰动，老板也看不上，于己无益。而挑太大的，又过于冒险，万一失手造成损失，对自己则更为不利。

伪维新政府“外长”陈箓

刘戈青仿佛看透了王天木的心思：

“不干则已，干就干个大的，就拿陈箓下手。”

陈箓是什么人？

陈箓原籍福建闽侯。1891年进福州船政学堂学习，后赴法国的大学留学法律，因翻译《法国民法》成名。起初，他也算是个有点新思想的人物。归国后步步高升，历任北洋政府外交次长、代总长等。陈箓还曾在驻法公使任上和当时在法国勤工俭学的周恩来、陈毅、李立三等打过交道。多年后陈毅等人还记得他这个“顽固反动的封建官僚”。

陈箓曾经对日交涉过中国海军进驻黑龙江问题。当时，中国海军陈世英舰长带四艘军舰组成特遣舰队驻黑龙江口庙街。庙街就是如今俄国称为尼古拉耶夫斯克的那个港口城市，此时，北洋海军的特派舰队司令林建章代将正驻军海参崴。日本方面指责庙街的中国舰长把舰炮送给当地红军，造成日军被打败，还指控中国的舰长虐待日本士兵，把日本士兵塞进军舰的冷冻室冻死。交涉中，陈箓妥协退让，同意把陈世英舰长调回国处理。当时国人普遍赞扬这些北洋海军军官，而对陈箓表示不满。

抗战爆发时陈箓已经退休，但他不甘寂寞。1938年，梁鸿志在南京组织伪政权维新政府时，陈箓落水当汉奸，出任其“外交部长”，汉奸排序仅次于梁鸿志。同时还与北平的王克敏敌伪组织关系密切，故被任命为伪南北两府的“外交总长”，是联络南北敌伪组织的重要人物，算得上是上海滩上数一数二的大汉奸。

王天木听此，略犹豫一下：“能除掉这种大汉奸，当然是最好不过，只是难度大了些。”

“大哥放心，我一定会为你争脸的。只是枪支太少，我埋在地下的那三支枪恐怕早已锈得不能用了。”

刘戈青认真地说。刘戈青参加过上海的七七和八一三暴动，不活动期间，则把抢来的枪支隐蔽起来。

“枪支不成问题，我让林之江给你准备。如果能干掉陈箓，必定大振民心士气，增强全民抗日的信心。来，兄弟，大哥先敬你一杯。”

王天木举杯敬酒。

刘戈青双手捧杯，信誓旦旦地说：

“大哥放心！我一定尽全力完成任务，铲除陈箓这个大汉奸。”

两人碰杯后，一饮而尽。

当天晚上，王天木特意向管理枪械的林之江交代，让他给刘戈青准备几支好枪，以备其执行特殊任务时用，林之江满口答应下来。第二天，王天木乘船离沪，怀着忐忑不安的心情赴香港述职去了。

让林之江提供枪，本以为是十拿九稳的一件事。周伟龙接替戴笠出任忠义救国军总指挥时，林之江也兼任过忠义救国军的支队长，杜月笙管家

认得他，还因此喊他为“司令”。叫他弄些枪，根本没问题。去年3月，林之江毙杀周凤岐，就动用十多条枪。事后不损一人一枪。同时，林之江与赵理君虽同是黄埔同学，但似乎并非情投意合，赵理君贪权而林之江谋财。一年之前，赵理君与林之江也是“脚碰脚”的行动组长，要说功劳，两人也彼此彼此。如今赵理君那么狠，林之江也未必信服。所以，对王天木，林之江并没有表现出过分的敌意。反正，在王天木看来，林之江好像比较配合。

四、说一不二

刘戈青是个说一不二的人，他找来几个临澧特训班的老同学，共同密谋策划。这些人是朱山猿、平福昌、谭宝义、徐国琦和尤品山。他们先开始调查陈箓的动向。

了解一些情况后大家一起碰头，觉着在外面除掉陈箓的可能性太小。因为陈箓多在南京办事，在上海的时间很少。他难得一次到上海过年过节，也是居家多外出少。即使外出，陈箓经常是几人扎堆出行，还穿同样的服装迷惑对手，使他人难以分辨出来。

所以刘戈青小组的成员提议：不如直接潜入陈宅，来他个出其不意，攻其不备。

主意拿定，问题又来了，他们谁也没去过陈宅，不熟悉里面的地形，贸然闯入，恐怕行不通。

刘戈青有位朋友叫刘海山，当过公共租界的巡捕。原先他是张学良的卫队长，对日本人极为仇恨。由于陈箓与张作霖是亲家，陈箓儿子陈友涛时任伪维新政府“外交部”总务司司长，他就是张学良的妹夫。所以陈友涛家雇用的保镖都是原张学良的警卫，因而刘海山与陈家保镖十分熟悉，而且还都是东北老乡。

这东北保镖中有一位名叫张国卿的。他在一次保护大少爷陈友涛的枪战中腿部受伤致残，陈家只支付了一点点抚恤金就将他撇在边上，并且停了薪金。张国卿对陈家的刻薄寡恩深感痛恨，于是手绘了一张陈宅的平面图，并详细讲解了陈家的基本情况。他还透露了一个重要信息，陈箓大年三十晚上一定在家吃团圆饭。还有每年大年初一，他都要领着全家祭祖拜年。刘戈青意识到，这正是自己要寻找的千载难逢的机会。

但，真的要下手的话，那还是危险重重的。

上海沦陷后，连连发生锄奸活动，许多作恶多端的汉奸死于非命。陈箓自知罪孽深重，平时行动十分小心。

陈公馆在愚园新村 25 号，据说就离愚园路镇宁路交叉口不远，属静安寺闹市区。该地域原本戒备森严：其东北紧靠公共租界意大利警备区，南边是公共租界英军警备区，同时靠近沪西警察署，距日本土肥原机关的打手李士群、丁默邨的特务据点也很近（注意，此时丁、李还是直接隶属于日特头目土肥原的）。一旦响枪，就会引来各处巡捕警察。实施刺杀行动十分不容易。

但刘戈青不动摇。

这次应邀参与行动的几名特工虽然年轻，但都很出色。

刘海山并非军统成员，原本没有把他列入行动小组。刘海山有上海公共租界巡捕的经历，租界里消息灵通，又与陈箓家的保镖熟悉，对这次活动肯定十分有帮助。他又是刘戈青的朋友，刘戈青一向对他以大哥相称。开始时，刘戈青只是向他了解一些情况，通过他搞到了陈箓家的房屋布置图。后来因刘海山表示自己非常痛恨日本侵略者，愿意参与行动，刘戈青才吸收他参加。

参与行动的还有朱山猿、平福昌、徐国琦、谭宝义、徐志浩、尤品山等，他们都是原临澧特训班的同学，与刘戈青是铁哥们。虽说这些人远非老牌特工，但都年轻、爱国、有血性、敢冒险、有献身精神。

1939 年 2 月 18 日是农历大年除夕。

这天上午，陈箓从南京打电话到上海家中，告诉提前回沪的儿子陈友涛，说自己将于下午 3 点抵达上海北站，要儿子安排接站。这个消息很快从内线透出来了。刘戈青立即得到消息。据确切的观察报告，陈箓一行人都穿戴同样的驼毛大衣和毡帽到上海火车站，其儿子陈友涛带一群保镖簇拥着他钻进两辆小轿车，快速离去。

陈箓安全回家后，松了一口气，随即招呼家人放鞭炮，吃年夜饭，一番热闹快活自不在话下。

而这边。经过周密策划，刘戈青等人准备大年初一晚上动手。他通知隐居在法租界一家旅馆的刺杀小组成员朱山猿、刘海山、徐国琦等人，于大年初一下午4点在愚园路东端不远的沧州饭店会合。另外通知平福昌，要求其大年初一早上9点提早到沧州饭店见面。

1939年2月19日是大年初一。

这天上午9时，平福昌准时到达，刘戈青安排他去喇格纳路（即今崇德路）一个刘姓人家取武器。那里实际上是军统骨干林之江的家。

这天下午，刘戈青在沧州饭店提前约见刘海山，核对情况。

根据当事人回忆，刘戈青先问：

“海山大哥，陈箓家里的情况，不会有变吧？”

刘海山说：

“昨天，陈箓下午回家，准备过年祭祖，晚七点吃年饭，忙得很。”

两人小声交谈，刘戈青再次仔细询问陈箓家的地形、房间等情况。计划先解决门卫，进大门；然后进厨房；从厨房通客厅的门进客厅。时间以傍晚六七点钟为宜。此时为晚饭之前，仆役们准备晚餐，进进出出，便于行动。

至此，除了刘戈青和刘海山外，其他人还不知道此次行动的目标是否正是陈箓。

与刘戈青交谈后，刘海山去约陈箓家保镖何鹏和赵玉定，让他们从大门到客厅的一路通道的柱子上用白灰画上“×”的符号。

此时平福昌来报，没有遇到刘姓人家的男人。

刘戈青让其他人陆续到沧州饭店集中等待，自己和同学朱山猿赶到林之江家。当他们风风火火地赶到时，林之江竟然不在家……

五、林之江去哪了

林之江去哪了？

林之江肯定是故意躲开了。王天木指示要他提供枪的事，他本是一口答应。刘戈青马上要枪的事也是定好的。偏偏此时不在，当然有原因。

这原因有两种说法。

一是林之江向赵理君汇报了刘戈青要枪的事。但刘戈青的行动，赵理君一无所知。因赵理君的阻碍，林之江不好向刘戈青交代而躲开。

二是后来多数人的看法，林之江已暗中投降日本人，只是此时还没有暴露。他不知道刘戈青要枪干什么，躲起来不给枪最好。既不至于将来被日本人知道后难以交代，也不因直接与刘戈青对抗而暴露自己。都说林之江这人贪财。贪财的人，是很容易因小恩小惠而失足。我们马上就会发现，军统上海区最先投身汪伪 76 号特工总部的人就是林之江、万里浪、张劲庐与陈明楚。而汪伪 76 号特工总部的成立就在陈箓被杀之后，林之江、万里浪、张劲庐就首先出现在 76 号特工总部骨干分子的名单上，但他们具体投 76 号的日期与投 76 号的动机，始终是个谜。

刘戈青没见到林之江，便着急地追问他老婆。

他老婆一推三不知。

刘戈青又问：

“那林大哥什么时候回来呢？”

她倒过来诉苦，说林之江是三天两头都不着家。

这么重要的事，他竟然不交代一声就走了，分明是故意躲着自己。情急之下，刘戈青掏出仅有的一把手枪，顶在林之江老婆的脑门上，威逼道：

“说实话，林之江到底躲到哪里去了？”

林之江的老婆吓得脸都黄了，哆哆嗦嗦地说她确实不知道，而且说林之江一大早就出去了，连午饭都没回来吃。

眼看天色不早，再纠缠下去计划就落空了。刘戈青抱着最后一线希望，开门见山地问有没有枪。

林之江老婆先是连连摇头，后来突然又蹦出一句：

“我想起来了……”

刘戈青心头一喜，马上追问，“在哪？”

林之江老婆改口说在家里藏了一些子弹。

林之江老婆一阵翻箱倒柜，找出 14 颗子弹。

刘戈青带着子弹返回家中，又把自己收藏的三支生了锈的手枪取出

来，凑合着揣在身上，和朱山猿匆忙赶到沧州饭店，正好是下午4时整。

这里提到的沧州饭店，在清末民初时，这是一家“涉外饭店”，辛亥革命中南北和谈的朝廷代表团就住在那里。它原本建在静安区中心的南京西路和陕西路交叉路口一带，现早已拆除。原址大体就在锦沧文华大酒店一带。单从锦沧文华的名字上看，也带有“沧州”的印迹。

六、伪外长纳命

4时整，徐国琦、谭宝义两人来到沧州饭店，刘戈青等六人在此等候。八个人围在一个小桌子旁边坐定后，刘戈青分发武器，交代此次行动的任务。

夜幕降临，天上纷纷扬扬地飘起了雪花，一阵潮湿和寒冷袭来，颇感凄凉，只有此起彼伏的爆竹声还在提醒着人们，过年了。今天是大年初一，人们都在家过大年，街道上冷清清的，见不到几个行人，巡捕和宪兵也都缩进了岗楼或住房里。过年时候警宪的懈怠，正是刘戈青期盼的良机。

晚7点，雨下得更大了。刘戈青站起来，穿上雨衣。七个人跟在身后，穿过愚园路，快捷地闪进愚园路新村弄堂口，分两边向愚园新村25号大门扑过去。一辆接应的汽车也悄然停在弄堂口外。

此时陈公馆的大门口，一个名叫宋海林的保镖在岗亭里抽烟避雨取暖，忽然发现两边来人面相不善，于是心慌意乱。随同行动的刘海山是个行家，立刻从刘戈青手里夺过枪，一个箭步跳到岗亭前，用枪指住宋海林：“不许动。”刘戈青跟上前去，下了保镖的手枪，这时他们才又有了一支可用的手枪。刘海山站在门口扮成警卫。徐志浩、平福昌、朱山猿用布将保镖的口堵上，拖进庭院，一边观察，一边监视。刘戈青带领徐国琦、谭宝义、尤品山顺着标志进入厨房。厨房里面正忙得热火朝天，有个保镖在里面和女佣鬼混调情，直到刘戈青的枪指着胸口，才反应过来，乖乖地交了枪。其余个个目瞪口呆。刘戈青示意谭宝义、尤品山两人留下，一个挥枪示意众男女靠边让路，不准出声，一个举枪对准监视。刘戈青带领徐国琦迅速从厨房冲进客厅。

此时，客厅里灯光明亮，丰盛的晚餐摆放在大桌上。陈箓夫妇正和来访的前驻丹麦公使罗文干夫妇聊天。徐国琦拔枪照陈箓脸上就打。陈箓见势不妙已先弯腰，正巧闪过了这一枪，滚翻到桌子底下试图逃命。刘戈青靠近射击，打中陈箓，随后又补几枪，由于目标在桌下无法转动，这几枪弹弹见血。陈箓胸部、头部、颈部、腿部多处中弹。事后陈箓还有一息尚存，被匆忙送往医院，未上手术台就气绝毙命。这罗文干也是原北洋政府名人，没任敌伪要职，刘戈青对他手下留情了。

刘戈青对伏在地上战战兢兢的人说：

“没有你们的事，我们只杀汉奸！”

掏出一张事先写好的标语，扔在陈箓身上。上书“抗战必胜，建国必成，共锄奸伪，永保华夏！”及两句涉及某人万岁的口号，放在陈箓身上。

落款为“中国青年铁血军”。

陈箓儿子陈友涛在楼上，闻枪声出来。陈友涛与张学良交往过，平时骑马打枪，颇有功底。他看到情况不妙，连忙锁住楼梯口的门，防止刺客向楼上冲击，并和保镖一起向楼下连连射击。刘戈青虚张声势装着要进攻的模样，还向楼上打了三枪，乘机和徐国琦、谭宝义、尤品山，连同陈家两个做“卧底”的保镖何鹏、赵玉定一起贴着墙根火速撤退。

事后，报纸把这情节报道为刺客裹挟保镖逃跑。

眼看杀手出门去，陈友涛连同两个保镖就在楼上窗口朝弄堂出口射击，想封锁刘戈青他们的逃路，还想引来近邻军警和日本特务救援。

有趣的是由于陈家此前大放鞭炮，尽管此时双方枪声大作，但邻居以为陈家官大气派大，鞭炮放个不停。而警察们更远，当然是都把枪声当作鞭炮声未加注意。

等警察接到陈家报案电话赶到时，连刺客的人影都没有见到。

其实这时，门外的刘海山、徐志浩、平福昌、朱山猿等放开门卫，与刘戈青会合冲出弄堂。在弄堂口外，停着一辆预约等待的汽车，司机先是听见打枪，心就慌了，接着看见冲出来几个年轻人，非常害怕，想把汽车开走，但见副驾驶位上的雇车人把手放在衣服底下，似乎握着手枪对着他。司机不敢造次。等刘戈青他们全上了车，被吓破了胆的司机

陈箓住宅原址，门上画有白色 × 的醒目标志。日本记者拍摄的这张照片次日刊载于上海各报

开着车像喝醉了酒，歪歪斜斜地行驶着。幸好此时路上车少人稀，开出一公里外就到了如今的东湖路富民路口，大家下车分散，同时把好坏枪支一律丢弃。把作案的家伙尽快抛弃于让人意料不到之处，这是杀手的操作程序，目的是避免被巡捕来个“人证俱获”。反正这些枪本就是陈箓家的。

刘戈青回家，换了一套新年的衣服，直接去了舞厅，挑个不抢眼的台子前坐下，要杯茶，慢慢定下心来。

大年初一来跳舞的人还真不少。刘戈青本就是这里的常客，坐着喝一会儿茶，再招呼茶房过来，塞点小费。这茶房见是常客，又常有小费入账，自然十分周到，就顺便问是否看上适合的伴舞小姐？刘戈青便大声说自己从 5 点钟等到现在，一个中意的陪舞小姐也没有找到，意思是让茶房帮张罗一下。其实，刘戈青这么说的目的无非想让别人误以为他一直在舞厅，以便有事时，能提供一个自己不在谋杀现场的证据。

这晚，刘戈青尽兴跳了一个通宵的舞。

刘戈青步出舞厅的时候，已是年初二早上。满街叫卖报纸的声音不绝，报上竞相刊载陈箓毙命的特大新闻。两个最引人注目的标题是：

“铁血军破门而入，伪外长即登鬼门”

“汉奸陈箓夜登鬼录，飞快将军从天而降”

一早醒来，看了上海各报的新闻报道，上海市民无不拍手称快。而大大小小的汉奸个个胆战心惊。

陈箓死后，日本记者曾迅速赶去，但由于案情影响太大，巡捕封锁现场，记者不允许进入宅第，所以流传下来的只有现场外拍摄的陈箓住宅照片，从照片上可看到门上画有白色 × 标志，认定这就是指引刺客潜入的标志。

自从这些报道出来之后，上海有钱的人家，特别留心自己家门口有否特别记号，总担心暗中被别人“铆牢”。一旦门口偶尔出现异常记号便因紧张而疑神疑鬼，惶惶不可终日。不过，据说自此以后，也的确有地下势力在“目标”活动处留下别人看不懂的符号。所以太平年代，要教育自家的孩子们，不要在别人的家门周围乱涂乱画，以免惊扰胆小的人家。

日军以陈箓遇刺为借口，胁迫工部局增加租界日籍警员，工部局不得已接受日方要求。图为日方代表在交涉后离开工部局的情景

南京伪维新政府为陈箓举行了隆重的葬礼，并发给陈箓家属 10 万元抚恤金，沪、宁两地均下半旗。大年初二汉奸政府的葬礼，预示着汉奸们政治命运不祥的结局。

日本没查到案发时枪手留下的任何真实证据，也没有任何破案线索。仅凭留下的传单上落款“中国青年铁血军”而到处盲目搜捕。“中国青年铁血军”是刘戈青拍脑袋而随手写上的。

不过，上海也真有个名称与之接近的爱国帮会机构被日本人发觉而遭破坏，但他们的确与陈箓被刺案毫无关系。

陈箓死后数月，刘戈青八人小组中的谭宝义和平福昌又参与了策划刺杀汪精卫，不幸事泄，1939 年 6 月 29 日被法租界和公共租界巡捕逮捕。经过 5 个月的审讯，没有结果，后来因被引渡给日本宪兵队审问，遭受日本宪兵严刑拷打，平、谭两人于 1939 年 11 月 8 日终于供出刺杀陈箓的情形。各报于 11 月 9 日再次竞相刊登新闻，陈箓被刺案的详情才大白于天下。这事后面会补充说明。

值得一提的是，由于负责枪械的军统变节特务林之江躲避不肯给枪，刘戈青行动时，突然发现无枪可用，仅凭一支手枪及 14 发子弹，另加挖

出的三支长期埋藏在地下多年不用的锈枪，这种情况下依然出色完成了刺杀任务，堪称经典。

第五章　极司非而路76号

一、司令级的军统杀手

1939年2月下旬，刘戈青和他的小组到香港受奖，而王天木正离开香港回上海。他们彼此之间没有会面。王天木到上海时身份已变成军统直属通讯员，而上海区长仍由赵理君代理。王天木除了直属副官马河图等人外，没有其他可直接指挥的人马。唯有陈明楚还不时来与王天木私下嘀咕点赵理君和上海区的事。

此时日本特务头子土肥原贤二还继续留在上海。他临离开上海之前，受到上海民众抗日锄奸活动的巨大压力。正是这种称为“铁血锄奸”的地下反抗运动，让数以百计的汉奸特务送了命。使得日伪人员个个提心吊胆，惶惶不可终日。

上海有组织的地下锄奸异常活跃。其主力究竟来自何方?

总的说来，不外乎党政军民这四种。具体地说，就是党部、中统、军统和民间的帮会。党部、中统是一家，由于内部腐败及官僚习气严重，党部和中统的作用远不及军统、帮会及他们的混合机构。早期上海从事锄奸活动的，大多是军统，以及军统与帮会的混合机构，还有一些爱国青年学生。

实际上联合开展锄奸活动的主力是由军统头子戴笠与杜月笙合作促成的。早在1937年八一三抗战时，杜月笙就与军统戴笠成立了“苏浙行动委员会”，由杜月笙任主任委员，戴笠任书记长。苏浙行动委员会的委员中还有上海市市长俞鸿钧、广东省政府主席吴铁城、财政部长宋子文、军方代表张治中及前面提到的上海警备司令杨虎等人，后来当上76号特务的汪曼云当时也是该会少将参议。苏浙行动委员会下设忠义救国军，

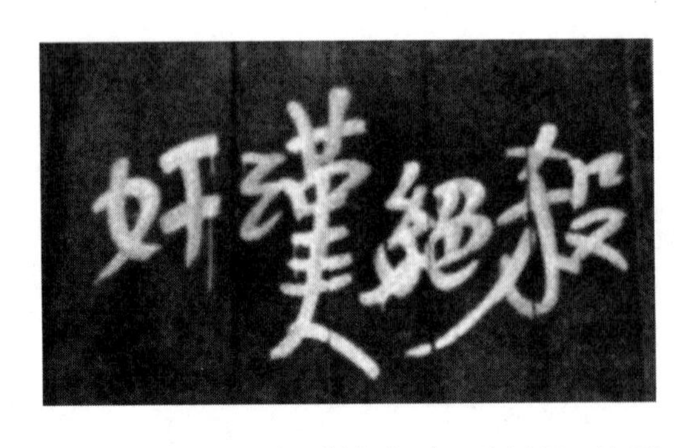

上海有组织的地下锄奸行动异常活跃，这是1938年日本记者摄下上海街头抗日锄奸标语

戴笠就是忠义救国军的第一任总指挥。而杜月笙的粉丝和会众是忠义救国军的主力。提到忠义救国军，我们先提一个名叫阮清源的人，他是1937年忠义救国军第二纵队司令。在上海沦陷后，忠义救国军继续活动在各沦陷区，周伟龙和阮清源先后当过后续的总指挥。

刺杀伪江苏省长陈则民未遂案，正体现了军统戴笠与帮会杜月笙在锄奸上的合作。

陈则民曾在日本留学，回上海后以律师为业。侵华日军华中派遣军司令官松井石根曾经与陈则民是同学。因这层关系，经松井石根引诱拉拢，陈则民终于丧失人格成了汉奸。他先做了苏州维持会会长，随后又在“维新政府”里做了伪江苏省省长。因梁鸿志伪维新政府设在首都南京，江苏省省会设在苏州。

1938年1月，忠义救国军第二纵队司令阮清源，探得消息：

陈则民来上海准备与日本驻上海宪兵司令部进行交易。却因怕被熟人发觉，不敢明目张胆住在自己家里，而在沧州饭店开了房间。这沧州饭店，我们在刘戈青刺杀陈箓时就提到过。

阮清源决定亲手对陈则民来个“定点清除”，于是带着助手刘某来到沧州饭店，挑选与陈则民相邻的房间开房，伺机行动。

但是在动手的前一天晚上，阮的助手刘某却向巡捕房告密，出卖了阮清源。

1938年1月21日，阮清源被公共租界巡捕房逮捕。

这是上海沦陷后，第一起军统人员被捕事件。从这时开始，我们会看到一个情况：不少司令级或将军级的军统头目，往往是亲自握枪去执行刺杀任务的。对这点，我们不必惊奇。这就像军长、师长级飞行员驾机参与空中格斗一样，本是一件平常事。由于阮清源是忠义救国军第二纵队司令，属于高级特工，所以军统上海区认为，阮清源被捕，可能牵连面很大。一时间，军统上海区人人自危，风声鹤唳。阮清源被关在公共租界巡捕房里，接受上海特区法院的审讯，大多数华人巡捕都尊敬他是抗日志士，比较优待。上海特区法院是在 1927 年 1 月建立的。那时，上海爱国的商界领袖人物赵晋卿等出面收回租界的“会审公廨”，中国当局把它改为在租界行使中国法律的法院。

一天夜里，一位华捕探长靠近阮清源，低声说明自己是杜先生的人，问他认不认识王兆槐？这王兆槐是原淞沪警备司令部稽查长，是军统重要头目，还是杜月笙的门徒，当然也是阮清源的熟人。但此时阮清源真实身份并未暴露，而且交谈对方是探长，在这种场合，阮清源当然摇头不语。探长又问他需要帮什么忙。阮清源于是要了一张纸，写下：

粉身碎骨，绝不牵连组织。

托探长带出去，交给书记长刘方雄。前面说过，刘方雄那时是军统上海区书记，当然这“书记”相当于如今的秘书长或办公室主任，是刘伟龙的属下而不是与周伟龙脚碰脚的“一字并肩王”。

刘方雄收到纸条，军统上海区的众特工才安下心来。

戴笠知道阮清源被捕，指示军统上海区全力营救。

因为阮清源是个司令级的人物，又是上海沦陷后，第一个因刺杀汉奸而被捕的军统特工，所以也惊动了蒋介石，以致老蒋也密令司法部，由司法部命令江苏高等法院责成上海特区法院（设在租界），早日替阮清源开脱。

谁知道，阮清源在被捕时使用的是假名“方新”。特区法院调遍档案，也无法找到阮清源这个人，更不知道这“方新”就是阮清源，于是只好作罢。

巡捕房给了阮清源三个罪名：私藏军械、杀人未遂和危害公共安全。

阮清源自己毕业于警官学校，又干过警察局长，因此对法律很熟悉。

于是，阮清源要求法院拒绝受理“杀人未遂”这项起诉。阮清源宣称自己与陈则民互不认识，更无私仇，无杀人动机，更没有杀人行为。阮清源提出，“杀人未遂”的指控，起码要“被杀”方陈则民亲自来法庭，与自己当面辨认真假后，法院才能受理。

这要求十分合情合理，总不能原被告之间既不认识，又不知彼此之

租界内与巡捕一起站岗的日本士兵

间有何瓜葛的情况下，就提出对被告的诉讼。

在苏州忙着做伪省长的陈则民自然不会到庭。陈则民明白，一个汉奸进出由国民政府实际控制的法院该冒多大的风险。他也的确不知道被告“方新”到底是何方神圣（别提其他人，阮清源自己也没预设好“方新”该是什么身份）。于是上海特区法院最后驳回“杀人未遂”这项起诉，仅以“私藏军械”和“危害公共安全”两项，按最低量刑判阮清源两个月徒刑。由于从被捕到最后审决已经历时两个月，阮清源与无罪释放并没有两样。

阮清源本身就是军统和“苏浙行动委员会”双重身份的人物，租界巡捕房中杜月笙门下的巡捕就积极参与掩护和营救。加上上海特区法院的审判权掌握在抗日政府手中，法官也由重庆方面委派，所以阮清源安然脱险。

阮清源回游击队后，一度出任过国民党苏浙行动委员会忠义救国军总指挥，后来出任苏浙行动总队长及淞沪区总指挥等职，坚持了八年游击战。

1945 年，阮清源、毛森、刘方雄等带队进入上海，接收日伪特务机构。

而陈则民在 1946 年没有逃脱阮清源等人的追捕，他以汉奸罪被判处无期徒刑，1951 年病死于苏州监狱。

二、沦陷初期上海的抵抗运动

上海沦陷初期的抵抗运动十分活跃。

几起系列性的重大事件是：

1．1938 年夏天的上海大暴动；

2．持续不断的城乡抗日游击战；

3．持续不断的地下锄奸。

为向全世界显示力量，表明即使上海已经沦陷了一周年，日本仍然达不到控制上海的目的，上海依然是中国人的上海，中日的上海战役究竟最后谁胜谁负，还远未成定局，在 1938 年的七七事变周年和八一三抗战周年两个纪念日，上海发生了两次全面大暴动。

这两次暴动伴随着上海的罢工罢市，从上海的各个街区沿道路和水道延伸到郊区县镇，到处发生拦截伏击日军和汉奸，冲击日本机构和日资企业，向日本兵营射击和投掷手榴弹，攻击日军军用船只等等事件。其来势之凶猛，其规模声势之浩大，引起全世界的关注。

1938 年 7 月 7 日，上海首先展开罢工罢市。接着，由军统控制的地下抗日武装，经过周密计划，分六路打击日本的部队机关和工厂，并沿途散发标语传单。由于地下组织全面出动，商店机构各自关门自保，罢工罢市的局面不用号召，也就自动形成。

这六路是：

第一路指挥赵理君，率三个行动队。第一队和第三队进攻市区的几处日本纱厂，击毙日籍职员一名，破坏了曹家渡日本纱厂，还进攻海防路及槟榔路的两处日资纱厂宿舍；第二队进攻劳勃生路日本海军留守处，投掷手榴弹两枚，又进攻小沙渡路，击毙日本人一名。

第二路指挥于松乔，率三个行动队与第一路同时进行。进攻目标是上海火车站、日本人聚集区北四川路及日本人掌控的锡金公所等地。他们与日本人进行枪战，并投掷手榴弹，击毙敌人哨兵两名。

第三路指挥赵平江，分五队进行袭击。目标是外滩及仁纪路、外白渡桥、日本人聚集区海宁路和阿拉伯司脱路。击伤日军数名，各队均引起市面混乱。

第四路指挥李楚琛，带四个行动队。第一队进攻水上饭店附近，炸死日本宪兵四名；第二队进攻东康路，也炸死四名日本人；第三队进攻公大纱厂，炸毁门窗，使厂内日本人惊骇无比；第四队进攻正金台湾银行，

投弹射击。

第五路指挥朱啸谷，领导沪西工人散发传单。

这几路人马在上海各条街道穿行奔袭，租界巡捕不知所措，日本侵略军龟缩兵营内。日本特务和汉奸死的死，活的不敢冒头。

第六路由苏浙行动委员会直辖第一大队陆俊卿负责，其第一中队进攻虹桥机场，由早晨战斗到中午，杀敌十余名，并炸毁青沪公路桥梁两座；第二中队进攻丰田纱厂，另外挑选敢死队队员 35 名，分成七组，进攻高昌庙造船厂、龙华机厂、梵王渡、曹家渡、徐家汇及沪杭公路 20 号桥等地，毙敌数名。高昌庙造船厂即江南造船厂，周边地区因有一座庙宇称高昌庙，故以高昌庙为该地名，有如静安寺的取名。

有一则关于上海七七大暴动的细节记录来自租界巡捕房。因这份记录后来作为英美当局向蒋介石进行外事交涉的依据，而被外界获知。

情形是这样的：

由于有两名日本人住在美国控制的租界内，日军当局要求公共租界允许派兵协助美国军队维持秩序，被美军司令拒绝了。但是美军承诺，他们将提供一切可能，保护日本居民。租界当局动员了一切军事的和警察的力量，其中还包括白俄义勇军，来防止骚乱。

在接下来 24 小时的巡逻中，工部局巡捕房逮捕了近千名嫌疑犯，法租界巡捕房逮捕了数百名嫌疑犯。其中一名叫做江海生的人被捕时，手里仍然握有手榴弹。

江海生是出生在南京的福建晋江人。1937 年 7 月，在上海读书期间，看到报纸上的招募广告，参加了孙亚星领导的“中国青年救亡会”。这次上海大暴动，江海生是中国青年救亡会的行动小组的一员。

中国青年救亡会是个立场十分坚定的民间抗日组织，在 1937 年八一三前后，在上海滩，它已经是声名远扬。

中国青年救亡会正是江海生的同乡孙亚星筹建成立的。孙亚星也是福建晋江人，在上海当学徒出身，后来经营一家钟表店。抗战爆发，他卖掉钟表店作为经费，联络各界抗日青年，组织了中国青年救亡会。协会成立后，在孙亚星指挥之下，会中有 200 名青年前往嘉定南翔，帮助陆军第 71 军第 87 师修筑工事（军长和师长都是王敬久）。后来又参加了苏浙行动委员会下属朱学范的第三支队，1937 年 11 月 9 日起，他们和警察总队一同奉命坚守南市，掩护军队撤退。从 1937 年 11 月 11 日夜间奉命退入法租界之后，中国青年救亡会成员按上级指示接受租界解除武装而被收容在租界难民营中。

1937年12月3日上午，驻沪日酋松井石根指挥日军6000人，包括步兵、骑兵、炮兵、工兵和辎重等，在5架飞机低空飞行的掩护下，以移防为名，肆无忌惮地穿过公共租界，经南京路、外滩和外白渡桥去四川北路，向英美示威。租界巡捕房卑躬屈膝，为日军提供掩护。

1937 年，松井石根指挥日军 6000 人闯入公共租界，中国青年救亡会的孙景浩向该日军队列投掷了两枚手榴弹。日本记者拍摄的新闻照片

孙亚星和中国青年救亡会成员决定袭击日军大部队，打击他们的嚣张气焰。他们设法弄来两颗手榴弹，等在南京路和浙江路转角处。12 时 44 分，日军队列经过此处，离日军队列比较近的同伴孙景浩奋力挤出人群，及时冲到大街上，向日军队列投掷了手榴弹。日军队列混乱，手榴弹爆炸，日军两名士兵受重伤，另外还伤及另一名日军、一名执勤的华捕和一名英捕。

就在孙景浩投弹的同时，巡捕向他开枪。孙景浩身中两弹，当即倒地，最后因日军不许抢救而牺

牲。被袭日军气急败坏，他们穷凶极恶地在南京路自福建路起至虞洽卿路止，布置警戒线，禁止行人通过，并进行搜查逮捕，一度还包围了先施、永安、新新和大新四大百货公司。日本兵折腾到晚上 9 时，才灰溜溜撤去封锁，接受这一丢人的事实。

1938 年，孙亚星到汉口和戴笠取得了联系，当年 4 月，又回到上海从事锄奸活动。

为参与七七事变周年的上海暴动，江海生和孙亚星联系上之后，被分在第二行动组。7 月 6 日下午 4 点，孙亚星和江海生等行动人员在法国公园聚会(按：法国公园即今复兴公园)，向下属布置了任务。晚上 8 点他们离开公园，在一个饭店租了房间玩了一夜麻将。凌晨 4 点半，他们出发参与了暴动。其他的人都很顺利，只有江海生出了事，他在早上 5 点 20 分，乘坐黄包车前往执行地点时，在路上被巡捕连人带手榴弹一起截获。

由于公共租界屈服于日本人的军事压力，江海生被拘押的第二天，工部局警务处的巡捕将江海生带过了外白渡桥，引渡给以百老汇大厦为据点的日本宪兵队。

尽管在汉口的国民政府向美国政府和英国政府提交了一份正式的抗议书，指出他们的引渡行为违背了上海临时法院协定，但是工部局警务处在此后仍然不断地将他们抓获的抗日志士，交给外白渡桥另一边的日本宪兵。

江海生遇难。

从此，有人将外白渡桥比喻成叹息桥。叹息桥原本是威尼斯通向多吉宫和国家监狱行刑场的一座桥。过了外白渡桥就是日军控制的“歹土”，外白渡桥成了通往地狱之桥。

发生在 1938 年的抗日战争七七事变周年纪念日的上海大暴动，出其不意，声势浩大。对日本人的打击，是不言而喻的。

七七事变周年大暴动刚落幕，八一三抗战周年纪念日又掀起了大暴动。

为预防八一三的第二次暴动，敌伪们已实行了戒严。

1938 年 8 月 8 日，伪上海市政公署警察局局长卢英就发文批准在上海实行戒严宵禁。从文中可见日伪当局惶恐不安的心理。

注意，这个上海市伪警察局局长卢英是个流氓和汉奸。他原本充当巡捕房的侦缉。上海一沦陷，他就附日当了汉奸。在梁鸿志的伪政权下，他出任伪上海市政公署警察局局长，充当日本侵略军的打手，镇压抗日活动。汪精卫发表《艳电》后，已经投倭当汉奸的卢英率先响应，声称率5000名“党员”投入汪精卫的“和平运动”。后来汪精卫还想提名他充当汪党中央委员，因汉奸名声太臭，受到一批自以为“不太臭”的汪党汉奸成员反对，卢英改任汪党中央候补委员。这是后话。

可是，敌伪警察局局长卢英的戒严宵禁令一点也没起到作用。

1938年8月13日，上海八一三抗战周年纪念日，又一场上海大暴动发生了。这一次，也是罢市加针对日本军警人员和机构的袭击，行动范围更多地选在了日本人控制的虹口、杨浦等地区及军事要地，特别是攻占了上海虹桥机场这样重要的战略据点。由于七七暴动后，军统各行动组及时收缩而没遭受损失，机构依然健全，这次暴动的行动方式与前次基本相同。

第一组仍由赵理君负责，爆炸沪西愚园路日本巡捕宿舍、澳门路米择洋行、劳勃生路日华纱厂、戈登路日本棉纺厂，造成日方很大损失。

伪上海警察局局长卢英

第二组由李楚琛负责，分成三路：第一路于13日夜里乘船自苏州河潜入虹口，由广东会馆登陆，冲过麦根路，沿保定路奔袭虹口的日本哨兵。他们用驳壳枪射击和投掷手榴弹的办法，冲过警戒线，击毙日本哨兵两名。日军铁甲车队闻讯赶到，行动队员牺牲二人。第二路于13日夜间潜入杨树浦，分别在汇山码头共盛公司堆栈、眉州路消毒厂、棉花堆栈等处纵火，并击毙日军哨兵数名。又在华盛路和杨树路口击毙日军哨兵三名，割断电话线，还袭击

了华德路跑马场日军骑兵队。第三路于13日夜间，由黄浦江泅渡到十六铺上岸，潜入南市。在亲贤里对面日军军营纵火，又袭击日军南桥司令部，击毙哨兵两名，其余人未遇见日军，散发了传单。

第三组由于松乔负责，在南市一带活动，分别在汉奸住宅和火神庙日军养马场等地纵火，又在老西门等地投掷炸弹，在江阴街等处悬挂国旗。

这前三组主要是制造声势，扩大影响，并诱导日军分散注意力，掩护对虹桥机场的重点进攻。

第四组由陆俊卿负责，也是本次行动的重点。陆俊卿派两个中队袭击了虹桥机场，从13日夜里开始，与日军及伪警部队进行激烈的破袭战，日伪遗尸21具后撤离。两个中队人马乘势攻入虹桥机场，悬挂国旗，焚烧滑梯机库等，随后安全撤退。

再次进攻虹桥机场，并一度占领控制它。这对日本侵略军造成极大的心理震撼。

上海的两次大暴动，固然达到了打击敌人、振奋民心的作用，但是由此也带来了明显的副作用。在日本军事的压力之下，租界当局更多地屈从了日本人的要求，禁止抗日人员利用租界行动，凡中国人被搜查出武器，就被引渡给日本宪兵队，从而造成多名抗日志士的牺牲。这给此后中国军民在租界进行抗日活动带来了更大的困难。

由于遭受1938年两次暴动的打击，日本侵略军到1939年仍然心有余悸。《申报》在1939年8月13日抗战两周年之际，尖锐地揭露了日军的暴行与他们内心的虚懦和恐惧。

当日《申报》的三段报道原文如下：

> 今日沪战两周年，租界防范愈严密，日便衣队搜查行人。昨日上午六时起，闸北虹口各处日兵，均派出大批便衣队，乔装华人，有穿云纱短衫裤、有穿白短衫裤、有穿长衫、有穿西装者，每队四五人，在杨树浦路、百老汇路、狄思威路、北四川路、虬江路、苏州河沿河、北苏州路，如见行人认为有可疑之处，即有一人从旁或背后上前将其人拦腰连两手抱住，同时另有数便衣兵则蜂拥而至，出示手枪，施行搜查，如无违禁品，则当场放行。

浦江交通，今日封锁

沪市四郊，日军伪警，连日已加派岗位，增加巡查，以资戒备。关于浦江交通，今日完全封锁，行驶南黄浦、塘口、王家渡、闸港、杜家行、叶树、闵行、洙泾一带之轮只，一律停止，苏州河上游北新泾、虞姬墩一带，水道交通，亦被封锁，任何船只，不得进出，故各内河小轮，一律停驶。

村民三百人被拘捕

又大陆报云，昨晨七时，附有装甲汽车之日兵五十名，包围程家桥居民约五百人。据外人目击者称，开枪射击之后，遭日兵逮捕之居民，包括妇孺在内，不下三百人，并见数华人僵卧血泊中。直至昨日午刻，附近仍（闻）开枪声。昨据未确实消息，该村某屋中被抄出手枪八支，枪弹若干。据外籍观察者与记者称，昨日程家桥之战事，或系日方因星期三日午后日骑兵队四十名在虹桥区遭游击队袭击而施之报复手段，外籍观察家曾见日骑兵疲惫不堪，泥泞满身，拽轻野战炮一门，自虹桥区某地而返，昨日之战事，证实公共租界甚近处有广泛游击队活动之说。此次军事行动中，华人约千人，包括携蔬菜入公共租界之农民在内，均遭日兵扣留。

可见，1938 年上海两次大暴动，给日军留下的恐惧心理，一年之后依然是风声鹤唳，草木皆兵。

1938 年两次大暴动后，上海的地下抵抗力量把袭击常态化，随时发起游击战争。常态化的游击战争成为更使日伪胆战心惊的第二种行动。

在军统上海区的配合下，活跃在上海城乡的别动队（就是游击队）在 1938 年以来，策划过炸仓库、烧机房等 22 次造成日本人重大损失的事件，甚至袭击和烧坏了日本运输舰“卢山丸”号等许多日军作战船只。

有关地下游击小组抗击日伪的事迹，我们还可以在《上海市长宁区

地方志》上引出如下一段简短的记载来证实：

民国廿八年(1939年)

4月16日游击队在虞姬墩附近吴淞江上击沉日本侵略军巡逻艇一艘，日军二十余人全部丧命。

这吴淞江就是苏州河。击沉日本侵略军巡逻艇的地点沪西“虞姬墩”牵涉到一个上海的老地名，这地名来自一个人名，这人名伴随着一段凄美的故事。

虞姬墩的名字使人想起2200年前的绝代佳人虞姬。楚霸王兵败垓下，虞姬在帐前举剑自刎向霸王告别。临死留下“汉兵已略地，四方楚歌声。大王意气尽，贱妾何聊生”的千古绝唱。

楚霸王因愧对江东父老，也自刎乌江而没能把自己及虞姬的遗体带回故里，而留在安徽灵璧南的垓下。

苏州河穿过上海市区，舒舒缓缓地向东流淌着。它不仅流淌着上海的变迁，也流淌着那一段鲜为人知的历史故事。多少年以前，就在苏州河经过的上海县华清乡附近的河面上，还有一个不起眼的土墩，当地人称其为虞姬墩。据说，虞姬死后，楚霸王手下的江东子弟，将这一不幸的消息告诉了虞姬的两个妹妹，姐妹俩听后决心为姐姐报仇，遂举旗起义与刘邦的汉军决战。然而，因势单力薄终于战死在疆场，埋在这个土墩里。

后来，人们为了纪念这两姐妹，也为了纪念虞姬，称其为虞姬墩。虞姬虽没有葬在这里，却在故乡留下以她命名的虞姬墩。虞姬故乡就在如今上海的苏州河边。

据史籍载：项羽在公元前209年，随从叔父项梁起义于吴郡。

吴郡就是今天江苏的苏州，项羽就在此时与虞姬成婚。历史上提到项羽、项梁从会稽到吴郡，其实不必想象成是从绍兴到苏州，因为那时的上海属会稽郡。全程穿越上海的苏州河，这段流域地面就是虞姬和她俩姐妹的故土，就是虞姬的故乡。刘邦夺得太下后，因上海的苏州河日日月月潮起潮落，汹涌澎湃，常淹没两岸地面，俗称霸王潮。取名霸王潮的原因一是因为来势凶猛；二是因为项梁和项羽叔侄起兵前曾活动于这一带，故怀疑是楚霸王的亡灵重回故地图谋复仇而兴风作浪。于是刘邦下令沿苏州河各村镇以战胜过项羽的汉将命名，以镇住霸王潮。至今苏州河边还遗留有彭越浦、纪王镇等地名。彭越浦和纪王镇就是以汉将彭越和纪信命名的。如今苏州河上段变窄变小，是明清时疏浚黄浦江后的事。疏浚后的黄浦江经冲刷变大变宽，苏州河变小，黄浦江最后抢了苏州河的入海水道，取代了苏州河的地位。

岔开主题，说这点闲话，意思是作为霸王遗留的江东子弟的后人，面对如此大好河山落入倭寇之手，实在不服啊。该让更多的日本侵略军死在英雄姐妹的古坟堆前。

讲苏州河击沉日军巡逻艇的事，黄浦江上游更有击沉日军炮艇的事。

忠义救国军第九支队第四大队姚杏林部驻扎金山。1938 年秋，姚杏林部在保卫金山县韩家坞战斗中，与进攻的日军上海派遣军一部激战一昼夜，击毙日寇多人。1939 年春，日寇炮艇三艘途经黄浦江上游的泖桥，被驻扎该处的姚杏林部击沉两艘，日寇死伤数十人。日寇调动军队进行报复，姚部灵活地撤到钱圩李家廊下，联合同支队的田岣山、沈俊生部，击毙日寇 30 余人。

上海地下抵抗力量第三个令敌伪寝食难安的行动是持续不断的锄奸。由军统特工与帮会、工会及其他抗日团体混合组成的各上海行动小组，穿街走巷，随时对汉奸变节分子实施清除，叫敌伪分子随时不得安生。

上海行动小组的锄奸活动是从制止日本人拼凑汉奸组织“上海市民协会”开始的，第一个因参加“上海市民协会”而被军统制裁的就是上海闻人陆伯鸿。陆伯鸿生于 1875 年，上海南市人，是上海实业家和慈善家。上海沦陷之后，日本人的烧杀抢掠制造了严重的难民问题。按《日内瓦公约》规定，日本占领军有全部义务解决留在被占领区的难民问题。可是，陆伯鸿却把它当作与日本侵略军进行勾结的机会。他以慈善为名，利用中国人的捐款来替日本人消弭罪过。他主动和日军接触，同意就任伪上海市民协会会长，代替日本人维持南市地方秩序，成了实际上的日本侵略军在上海南市的傀儡。经爱国人士多方劝说无效后，为警告商界成员不要参与伪上海市民协会，1937 年 12 月 30 日，陆伯鸿在法租界吕

班路家门口，被装扮成水果小贩的军统特工枪杀。吕班路就是现卢湾区的重庆路。

第二个被上海行动小组枪杀的是拟任伪上海两特区法院汉奸院长的范罡。

范罡是著名的“强盗律师”，他当律师十多年来，专门为强盗作无罪辩护，为此捞得许多钱财。但这不是他致死的原因。死因则是他要当日军控制下的伪上海特区法院的汉奸院长。

1938 年 1 月 14 日，范罡走出威海卫路 155 弄 20 号的家门口，猝不及防，迎面就飞来一颗枪弹。他当即倒地毙命。次日各报登载这一消息，轰动一时，暗杀的手法干净利落。这是陈默接手上海行动小组后策划的一件得意之作。杜府大管家万墨林重赏枪手数千银洋。

为彻底摧毁伪上海市民协会，上海行动小组没有放过对伪市民协会其他成员的狙击。1938 年 6 月 10 日早上 8 时，孙亚星的暗杀小组，凭两把手枪，按照片和汽车牌照号码，伏击伪市民协会委员尤菊荪，开枪打死了尤菊荪的俄国保镖，尤菊荪负伤，但是参加行动的两个成员，一人被捕，一人牺牲。伪上海市民协会另外一名委员杨福源也毙命。几天后的 6 月 25 日，预备接任伪市民协会会长的粮商顾馨一在天主教路永大粮行门口被杀身亡。由于受到惊吓，当了伪市民协会委员的荣宗敬和姚慕莲分别去了香港和大连，其他人则登报声明与上海伪市民协会脱离关系。上海伪市民协会实际解体。

可叹的是这个顾馨一，辛亥革命那年，他曾与李平书、穆湘瑶、李显漠一起组织了上海商团起义，推翻清政权，还当了上海第一届市民政府的副市长。那尤菊荪是著名的安利洋行买办尤葛民的儿子，受过很好的教育，历任瑞生、安利洋行的华方经理。尤菊荪受伏击后依然与汉奸分子来往，后来他成立“东南贸易公司”自当总经理，在日本特务中岛信一的监督下，与“国统区”交换物资牟利。

1938 年 10 月 17 日，文化汉奸余大雄，被人用斧头砍死在新亚饭店的浴缸里。他当时躲在新亚酒店内为日本人当翻译。

日伪要人被刺与地下行动小组有关的还有：

伪上海市政督办公署秘书长任保安、伪上海市政督办公署检查处处长范耆生。

伪绥靖第三区特派员日本人中本达雄。

随后，孙亚星暗杀小组的陈开光又成功刺杀了日本翻译官郑月波。

接着，“黄道会”会长周树人等人又陆续被刺。

成功伏击尤菊荪、郑月波等多名汉奸的孙亚星暗杀小组成员，原都是“中国青年救亡会”的会员。

孙亚星的暗杀小组终因消灭日本翻译官郑月波而被租界当局破获。

1938 年 7 月 22 日上午，郑月波出现在暗杀小组陈开光两兄弟面前。郑月波不知道对方身份，以为是普通路人。当他从陈开光身边走过时，陈开光掏出手枪向其背部开了两枪。此时，正好一名公共租界巡捕房的骑警经过现场，于是开始追逐逃跑的陈开光。陈开光向骑警开枪，不料子弹卡壳，于是他便扔掉了枪。骑警跳下马，抓住了陈开光。

由于孙亚星年轻，缺乏地下秘密斗争的经验，为增加抗日力量而盲目招募人员，并让各组人彼此认识，于是恶果很快就露出来了。

由于日本宪兵队介入审问，被捕的陈开光熬不住，很快就招供了。巡捕按供出的名单地点立刻展开抓捕，各小组人员陆续被捕。其中一位名叫周守刚的被捕以后，又供出了包括孙亚星在内的其他 5 人。

晚上 11 点，孙亚星被捕，武器被查获。

这样，在郑月波被杀后 24 小时内，孙亚星及其手下 10 人被捕。按照工部局已经和日军达成的协议，这些人终被移交给日本宪兵队，孙亚星等人与江海生一样，最终遇害。

但愿历史会记住这些无私无畏的爱国青年。

“黄道会”会长周树人被镇压之后，这个丑陋的汉奸机构也随之彻底覆灭了。

“黄道会”是由日军特务部一手策划建立的汉奸恐怖组织，专门从事屠杀无辜平民和抗日志士，以其手段极端残忍而臭名昭著，是后来更臭名昭著的日伪特工机构 76 号的前一个孽胎兄长。对于这个机构，我们有必要在这里交代一下。

1938 年 2 月，日军特务部联络员许斐、日本浪人高桥井上出面组织“黄

1938年2月24日，黄道会在沪西哥伦比亚路（今番禺路）制造的一起暗杀案件

道会”，以常玉清为会长，总部设在北四川路新亚饭店。新亚饭店与上海百老汇大厦都是侵华日军宪兵司令部的窝点，臭名昭著的日军宪兵司令部特高课，就设在上海百老汇大厦内。

常玉清原系青帮通字辈人物，号称“江北杜月笙”。他杀人越货无恶不作，前科累累。曾因私贩军火鸦片被公共租界巡捕房逮捕判刑。早在一·二八淞沪抗战期间，在日军的授意下，常玉清伙同汉奸胡立夫成立傀儡组织“上海北区市民维持会”，立即受到国民政府的通缉，逃亡日本，同伙胡立夫被政府逮捕枪决。

“黄道会”成立后，常玉清在上海新亚饭店6楼设有办公场所，这实际上就是杀人机关。“黄道会”员有许多是川岛芳子骗来的苏北地区的小青年。他们按“杀人业绩”来分等。普通成员分成三等：三等会员，每月支薪30元，其后奉令杀一人成功，立即提升二等会员，每月多拿钱。同样以杀人成功为多拿钱和再升级的条件。

被害人被“黄道会”捉拿后，可以不加审问而杀掉。如果要审问的话，也不论审问结果如何，审完立即用白布蒙头盖脸，拖至浴室，杀于浴盆之中，再以自来水冲去血渍，手段极为残忍。被害者的尸体被肢解后，在半夜时分运到野外抛弃。

驻上海的日本特务机关长、日本黑龙会上海分会会长楠本实隆给予“黄道会”大量经济、装备方面的援助。在日军的支持下，“黄道会”成员在租界进行了一系列暗杀、绑架、投弹等恐怖活动。租界巡捕房当局也对黄道会进行调查取证，然后予以打击。据租界巡捕房调查，在短短不到一年的时间内，至少有 17 件恐怖活动可以肯定为“黄道会”所为。

据租界巡捕房的调查记录，黄道会所进行的恐怖活动中，属于投弹破坏的有：

1938 年 2 月 10 日下午和 3 月下旬，黄道会两次投弹炸《文汇报》；此外还有中国旅行社大楼投弹案；震旦大学投弹案；沪东无线电台投弹案；爱文义路呼号为 X.M.H.C 的无线电台投弹案；晨导报社投弹案；中央储蓄会投弹案；浙江路和九江路口人群投弹案；南京路国货公司投弹案；阴谋向上海中学投弹案；大陆无线电台投弹案；谋划向迪化路中国小学投弹等。

属于绑架勒索赎金的有：绑架米行老板韦伯成。

属于暗杀的有：1938 年 2 月 16 日暗杀《社会日报》主笔蔡钓徒。

“黄道会”党徒把蔡钓徒的人头挂在薛华立路 12 号的电线杆上，留下标语，说是抗日者的下场，制造残忍和恐怖气氛；此外还有暗杀沪江大学校长刘湛恩；暗杀中华基督教青年会戴泳；其中谋杀邓本瀛将军和上海中学校长苏颖杰未遂。

“黄道会”堪称是本·拉登基地恐怖分子的祖师爷。

港版《申报》1938 年 3 月 2 日报道一起恐怖案就被怀疑是“黄道会”所为。报道是这样描述的：

沪难民被敌诱杀　制造恐怖空气　法租界人头案已得线索

（汉口一日电）沪讯：沪法租界最近发生人头案七起，兹经某难民收容所主任认明，其中两颗系该所难民之头颅，闻此辈被杀之难民，系由恐怖党人骗往南市，伪可介绍工作，迫抵目的地，即被处死，然后将首级砍下，抛弃法租界内，并将手臂手指等分送新闻界中之抗日分子，以造成恐怖空气云。

“黄道会”暗杀沪江大学校长刘湛恩的事，更加令人发指，引起全上海的公怒。从被捕凶犯的供词，公共租界巡捕房确认，暴徒是“黄道会”的。

这事，我们还可以引《申报》（汉口版）1938 年 4 月 18 日报道为证：

沪江大学校长刘湛恩被刺　拒绝附逆竟遭毒手　伤重逝世　明日大殓

（香港七日电）沪讯：沪江大学校长刘湛恩，七日上午在静安寺路小沙渡路转角处公共汽车站时，突有人向其开枪，弹中刘氏头部，伤势颇重，当即送往医院救治，凶手鸣枪后逃逸，岗捕立即开枪追捕，亦有二人受伤，一轻一重。

查在三周前，曾有人向刘送水果一筐，并附一函，署名者系刘之友人，但已死二年矣。刘氏收之，遂将水果送付化验，内果含有毒质。

该报还继续引用来自中央社合众的电讯来证实这一事件：

（上海七日中央社合众电）刘湛恩遇刺案，凶手共有三人，其一已为巡捕击毙，其一被捕，另一则逃逸无踪，当时受伤者，有行路者二人，英捕维德亦受轻伤。刘之尸体将于九日大殓，沪江大学自今日起，停课三日致哀。

据目睹者谈，当刘偕其幼子在公共汽车站候车时，凶手持枪立于刘后，枪口距刘之脑部仅三寸左右，故第一枪即击中，刘倒地后，凶手伏视，又开一枪，其后即将枪放入袋中，从容走入一弄内，同时有另一凶手前行开道，巡捕追入弄内时，双方即开枪射击，结果一人被击毙，一人被捕。闻数日前伪组织聘刘为伪教育部长被拒绝，故下此毒手。

从以上摘录的当年新闻报道，我们可以看出：

刘湛恩大义凛然，不愧是中国知识界的骄傲。1938 年 4 月 7 日晨 8 时 30 分，刘湛恩牺牲，时年 43 岁。

他说：

“我生平教导学生应为祖国献身自己，就应当以身作则做出榜样。”

他用自己的血肉身躯实践了自己的诺言，树立了最好的榜样。

如今，刘湛恩墓碑立在上海龙华革命烈士陵园，每年接受上海市民的自发祭扫。

在中国公众的压力下，租界当局巡捕房通缉常玉清，逮捕了一批“黄道会”成员，并向怂恿黄道会制造恐怖事件的日本占领军提出抗议。最后，常玉清在上海无法立足，在日军包庇下逃往南京。同时，抗日地下力量也加大对“黄道会”首恶分子的镇压。

“黄道会”终于被消灭了。潜逃的常玉清最后于1945年落网，在提篮桥监狱内被执行了死刑。

1938—1939年，上海的地下抵抗运动，给了日本侵略者沉重的打击。

被“黄道会”暗杀的沪江大学校长刘湛恩博士

日本侵略军和特务在遭受打击之后，往往是盲目应付，毫无明确目标。为了报复上海军民的攻击，日本人就在上海滥杀无辜。上海军民每次行动过后，日军立刻处决一批无辜的当地中国人。日军的残暴，散播了恐怖气氛，但并不能有效地还击中国人的挑战。

日本人乱捕乱杀的报复，从市区扩展到郊县。日本人因怀疑地下锄奸的志士躲藏在郊县，就多次搜查并进行烧杀掳掠的报复。据档案馆的资料记载，从1938年起，日军在崇明的沈家镇、庙港、南星镇、新安镇、永安镇、猛将镇、三光庙等地皆有规模不小的“扫荡”。在上海虹桥机场以西的青浦县东部，沪西苏州河沿岸就屡遭日军疯狂的报复。

日军残暴的结果与目的相反，疯狂的报复没有征服中国人心，不但招致传媒舆论的猛烈反击，招致中国人进一步的愤怒和反抗，使军统的锄奸行动更得到平民的支持。

大战犯土肥原早已看出日本的报复招数无法应付上海地下组织的锄奸运动。

他知道，因为策反唐绍仪和吴佩孚的失败，他在中国拼凑统一的傀儡伪政府以取代重庆蒋政府进而实现以华制华的计划已告失败。而唐绍仪被刺，正是直接造成土肥原计划失败的重要因素。而大年初一大汉奸陈箓之死，更是令他触目惊心。针对中国军民的锄奸活动，日本侵略军、

宪兵警察毫无作为，日本在沪的特务机构，也是两眼一抹黑，不知如何应付。土肥原明知道自己该被炒鱿鱼，在上海混不了几天了，但他仍旧忠实地为日本军国主义卖命，为大日本帝国站完最后一班岗。他想在离开上海之前，建立一个强有力的特务机构，镇压中国人的反抗，扼杀中国地下机构针对日伪头目的清除活动。

土肥原贤二觉得这个棘手问题必须由他来解决。

他仍旧搬出“以华制华”的办法，那就是日本人出枪，扶植和收买汉奸当特务，建立以日本人为后台，以汉奸为主体的特务机构，利用汉奸特务充当前台的打手和刽子手，对付抗日志士，以达到镇压抗日军民的目的。

1939 年 2 月，土肥原着手规划建立这种汉奸的特务机构。那时，日本驻中国的大使馆在上海，大使馆书记官清水董三给土肥原带来了两个人，那就是李士群和丁默邨。

三、“李士群工作室”

李士群工作室在上海大西路 67 号。这大西路 67 号就是如今的延安西路 665 号。

本段标题一定会引起读者的不满：为何要杜撰个“李士群工作室”来？

的确，当年大西路 67 号没挂出“李士群工作室”的牌子。当时的电话黄页也没有标明李士群办公电话和“李士群工作室”的小广告。还不知那时李士群是否也名片不离身，即使是真的从李士群身上搜出名片来，那上面也不会印上标明身份的“李士群工作室主任”的字样。“李士群工作室”的名称的确是笔者拍脑袋说的，只用于李士群那时复杂身份和诡秘机构的简称。

但不能否认，从 1938 年底到 1939 年上半年，大西路 67 号是李士群的窝点。李士群在那里忙，在那里“创业”，把那里称为李士群工作室未尝不可。而且这称呼很中性，适合日本人的叫法。须知，李士群在大西路 67 号开展业务，背后投资人就是日本人，是日本大使馆书记官清水董三为李士群拉来了“赞助费”。当然，这所谓“赞助费”是来自中国上海海关关税的积存，那原本就是属于中国人的钱。那钱之所以落入日本人的手，就是因为上海海关的巨资被日本侵略军霸占了。日本人就是这样地搞“以战养战”，要用抢夺来的中国人的钱继续危害中国，要用抢夺来的中国的资源灭亡中国。

1938年，在生活极度艰难的上海，李士群拉出这门面，干起这“事业”，着实让不少人“弹眼落睛”。

李士群不愧是创业能手。此时虽说他才31岁，但已经在许许多多的老板手下干过事。他换过一个又一个老板，但似乎每个原来的老板都对他有好感。哪怕是老板被他炒了鱿鱼，也依然以为李士群还在继续为自己办事。

把大西路67号称为“李士群工作室”的确太没创意。其实，李士群在大西路67号这家“公司”进行的业务是信息交易。也可以说是服务于日本国的“战略信息出口公司”，是当时的“高新产业”。本可以称为“日华信息交流中心”或者“大东亚共荣圈信息中心”之类。但李士群没有这样做。他认为那要一步步来才行，眼下上海人觉悟还没到那一步。前一阵子，上海枪声不绝，许多人饮弹身亡，还不是因为上海人觉悟太低？仅为了个机构名称不顺耳的问题就说人家是汉奸，就开枪夺命。比如那个“上海市民协会”就一连被杀了不少大人物。直杀得死的死逃的逃，最后“上海市民协会”关门了事。

李士群不希望自己也会那样。“李士群工作室”远不能同“上海市民协会”比，他工作室目前的全部编制“罕里漫当”不过一兵一帅。除了主帅李某人外，就是看门的张鲁。别看张鲁是看门的，其实也是李老板的同门师弟。李士群和张鲁都拜上海大亨季云卿为老头子。过了几个月，张鲁也成了“牛头马面”，是76号阎王店里“牛”字号的人物，是大队长级别的狠角色。

目前李士群的老板是日本特务清水董三，而李士群的前老板也是特务机关，不过是中国的中统局。李士群新开张的“李士群工作室”就利用前老板手下的中统同事当“第二职业”。干“第二职业”十分便当，只要在下馆子、上澡堂或在“长三堂子”（妓院）销魂时，答复几句关

键话，或提供书面文字就成了。李掌柜会按件或按月发银两犒赏。

李士群在 1932 年和 1933 年间在 CC 骨干分子丁默邨主持的《社会新闻》当编辑，此时的中统上海区情报员唐惠民、翦建午及国民党中央宣传部驻沪特派员章正范等人也是《社会新闻》的同事。李士群就是利用这老关系，用钱和吃喝玩乐引诱他们下水，通过他们，拉起了一支情报队伍。

同时李士群还同国民党某些要员比如汪曼云、马啸天等发展联系，这是互惠互利的。一旦汪曼云等遭遇皇军而“有事”时，由李士群出面通融化解。而国民党地下锄奸队威胁到李士群时，由汪曼云等出面解释。这样一来可以互相提供安全保护，对李士群本人和“李士群工作室”的事业都是“大大地有利”。

当然，李士群并不总是向前老板手下的情报员索取信息，有时会根据需要向前老板跟前高级成员提供信息。这很重要。这叫作双重间谍。双重间谍有时会使得你死我活的双方都舍不得杀自己。

此时中统特务章正范、唐惠民、刘坦公等脚踩两只船，不时给李士群提供情报，而李士群也捏着他们领钱的收条以作不时之需。当然，汪曼云是上海市党部委员，有一定地位，既是杜月笙的得意门生，还兼苏浙行动委员会的参议。李士群不会简单地向汪曼云索取情报，而是倒过来坦率地交底，把为自己服务的中统名单如实相告。李士群为了巴结杜月笙，不惜把日本人收集的杜月笙材料抖出来，托汪曼云转给杜月笙看，牺牲情报的提供人。这说明，受日本人保护的李士群不仅还要利用汪曼云来掩护自己，还想让杜月笙当自己的保护人。其实在青帮中，李士群早就有老板，那人是季云卿。1928 年，李士群进入苏联老大哥第三国际的东方大学培训，他在东大的一个同学就是苏成德，后面会谈到，这苏成德与李士群夫妻在相当长的一段时间内很有交情。李回国后，在上海租界从事地下活动时，意外被巡捕房拘押。李士群就拜季云卿为老头子，靠季老板的威名和当高级探长的金宝师娘的帮助，李士群被平安释放。李士群在租界多次受惊于巡捕房，不过总因季云卿的名号而化解。巡捕房探长金宝师娘正就是季家老板娘。

共产党和第三国际才是李士群第一个宣誓效忠的组织。所以李士群的老板重重，他从来没有说过要对任何一个老板不忠。说是双重间谍，其实他不只是双重，而是多重又多重。

不消说，李士群、叶吉卿夫妻早年都是中共党员。李士群被捕时，叶已有身孕。那时，正值叶吉卿临产。李士群被捕对于叶吉卿来说，无疑是雪上加霜。叶吉卿无奈，把李士群被捕的消息告诉了自己复旦大学的同学胡绣枫夫妇，他们也是中共党员。胡绣枫义无反顾地分担了叶吉卿的困难，全身心地照料叶吉卿分娩生育全过程，并从经济上给予大力帮助。

李士群受训的东方大学，不知是否像许多文件所讲的那样就是莫斯科东方大学？但从他受训的课程是特工、保密一类“契卡”的内容来看，更可能只是挂在东方大学名下的特训班。那样，就不必在莫斯科，甚至哪怕就在苏俄远东城市海参崴附近的某个镇也行。所以著名的“左派”先驱汪精卫主席在李士群死后题写的墓志铭中指出，李士群是在苏俄海参崴的“东方大学”学安全、保卫的。这说法，一般是可采信的。1927年汪精卫就是从法国到苏联逗留后回上海的，那时李士群也正在苏联。1927年4月，汪精卫在上海之所以不肯留下来领导国民党中央，而转道去武汉配合鲍罗廷与罗易当顾问的左派政府，出任武汉的政府主席，那还不是表明汪精卫主席也接受过斯大林的指示？

李士群是从何时开始把中统这个原老板换为目前的这个日本老板的呢？那还得回头讲起。1932年李士群被国民党中央组织部调查科上海区长马绍武秘密逮捕，具结悔过后就成了组织部调查科的情报员，就在马绍武的手下当差。国民党中央组织部调查科就是后来“中统”的源头，为方便起见，以后叙述中就把“国民党中央组织部调查科”用“中统”来称呼。

李士群这中统情报员的公开身份是《社会新闻》的记者。

这里顺便提一件同时发生的相似事件。提那事件是因为事件主人公与李士群有太多的相似之处，而且后来又是同一战壕的汉奸。那人就是胡钧鹤。就在同年年底，上海报纸便刊出消息，说是逮捕了共党魁首胡大海、陈炳文。这也是中统特务上海区区长马绍武干的一起罪恶勾当。他通过租界巡捕房，破获了共青团中央，逮捕了中共中央委员胡大海和共青团中央书记胡钧鹤。陈炳文就是胡钧鹤的化名。胡钧鹤开头挺硬的，但后来还是被马绍武和顾顺章突破防线，终于也成了中统南京区的副区长兼情报股股长。

不久后发生了马绍武被中共特科毙杀事件。李士群受怀疑而被中统头子徐恩曾弄到南京审查，最终审查无果。李士群留在中统南京区侦查股长马啸天那里当了一名侦查员。此时，马啸天是李士群的顶头上司。但后来是反过来，马啸天拜倒在李士群的门下了。

就这样，李士群与老婆叶吉卿在南京安下家。他们家聘用了一个名叫关碧玉的美貌女人做“家政服务”，那时称“女佣”。当然此时李的同学、朋友和苏俄东方大学的领导和同志们并不知道李的被捕经历，更不知道他的中统身份。可偏是这美貌“女佣”关碧玉早就认清了李士群和老婆叶吉卿的老底。

南京沦陷后，李士群、石林森、夏仲高等中统特务人员，本来奉命“潜伏工作”，但李士群和叶吉卿却借机溜之大吉而窜到汉口。1938 年夏秋之交，设在武昌的原国民党株萍铁路特别党部特务室上尉主任甘青山调任国民党浙赣铁路特别党部特务室主任，甘青山的肥缺由李士群充任。李士群认为这是千载难逢的机会，在领到一笔川资与特务费用后，他给了老婆叶吉卿一部分钱，要她火速回遂昌老家。自己则席卷余资，从广西、云南经越南的河内、海防逃到香港。这时，漂亮的“女佣”关碧玉亮出日本特务的身份，帮助李士群搭上了日本驻香港总领事中村丰一。中村认为李士群在香港人地生疏，起不了多大作用，便把他介绍给上海的日本大使馆书记官清水董三。

李士群到上海，清水就叫李为日本大使馆搞情报活动。李士群满口答允。于是，由清水提供资金，李士群在大西路 67 号开办了上述的“李士群工作室”。李士群正式成了“大倭国”这家小分店的掌柜。

包括原 76 号特务在内的许多人在回忆材料中说李士群是与川岛芳子勾搭成奸，从而被川岛芳子拉进汉奸卖国的泥塘，估计那是误听误传的结果，或许是把“女谍”关碧玉错认为是川岛芳子。那时真实的川岛芳子早已在北方做卖国的大生意，虽说那卖国生意做得一阵升天又一阵落地，但她大部分时间总在日本或中国北方游荡，当然也来往上海，不过她没有多少时间来与李士群缠绵，也不至于情愿当李士群的床垫。有人估计，故意传出李士群与川岛芳子风流韵事的人正是李士群自己，或是出于无聊的意淫，也或是故意把吹嘘当作唬人的资本。如果有人相信李士群与川岛芳子真的勾搭成奸也无妨，我们暂且把后来 76 号特务们流传的川岛芳子与李士群之间的风流韵事当作一起寻常的明星绯闻吧。

日本女谍川岛芳子。战后她是否被国民政府处决至今仍有争论

李士群为什么要充当日本特务这角色？用他自己的话来说，那就是为了捞大鱼。他说：“可以在河边摸大鱼，何必到河中心摸小鱼？我们都是没有根基的人，到重庆是同别人竞争不过的。蒋介石依靠英美，我李士群什么都没有，只有依靠日本人了。”

所以他不是因日本特务的威吓利诱才被动投靠日本人的，而是要主动充当日本的走狗。

四、汪曼云出卖于松乔

而李士群“利用汪曼云来掩护”这一着，还真的见了效：汪曼云果然掩护了他。

1939 年初，军统上海行动组的一名股长于松乔来到了东湖路 11 号汪曼云的家。于松乔与汪曼云本都是杜月笙的学生，他此来目的是向汪曼云讨要李士群的照片。他告诉汪曼云，李士群已被列为汉奸，上头要自己执行枪杀任务，只是自己不认识李士群，所以求汪曼云帮助弄一张李的照片。

汪曼云拒绝了于松乔。汪曼云向于松乔证明李士群对杜月笙表过忠心，还表明自己也是李士群的朋友。同时还声称自己不会“出卖朋友”。于是，于松乔悻悻离开了汪家。而汪曼云却马上通过章正范用电话通知李士群。汪曼云口口声声不会出卖朋友，却毫不迟疑地向李士群出卖自己的同门师兄弟于松乔。

据说到了第二天，给李士群看家的张鲁，果然在对面云飞汽车行墙角前的人行道上，看到了一个测字摊。

一回想，这个情况已有两三天了。张鲁不敢怠慢，马上报告李士群。原本，李士群听章正范提到这个令人头疼的“于松乔”三字，已是打了个冷战，但此时不硬着头皮顶上去，看来也是不行的了。无奈，只好挺起了头颈，冒充硬汉，叫张鲁过去对那个“测字先生”说：

这里风大，你要做“工作”，不妨请到过道里面去。

那个“测字先生”听了张鲁的话，对张鲁看了一看，不置一词，便双手托了测字摊，踉跄而去。

听到“测字先生”的汇报，于松乔可能体味到李士群的这一手是在告诉他：

汪曼云已把你出卖了。

秘密既已泄露，料想李士群已有了准备，军统策划的这桩暗杀，也只得就此收场。

看来，这空城计也不见得是诸葛孔明的专利。诸葛亮摆得，李士群一样摆得，只取决于谁具备那份胆量。

要冲进李士群的大西路 67 号锄奸，的确有点难度。大西路 67 号，就是如今延安西路 665 号。紧挨它西面的是谢筱初的家（如今这江苏路延安西路街角一带已辟成绿化地，谢筱初的洋房不知是否已被铲平）。谢筱初是有权有势的亲日经济汉奸，李士群自然不用担心。而东面的如今延安中学一带，那时是美国在上海驻军的兵营。谁敢在洋人兵营边上开枪？而对马路的云飞汽车行，毫无避眼之处。军统特务无奈之下找个人设“测字摊”想观察动静，结果没侦察到目标，反而被目标先察觉了。

这于松乔最近真有点背手。

此时的李士群不过是只孤魂野鬼，一只形影相吊的丧家犬，于松乔居然做不掉。

而前不久，于松乔执行过一次伏击任务，不但没杀成，反而被对方认出来。他要刺杀的目标居然是张啸林。从而于松乔成了张啸林的眼中钉。

于松乔自己说过那次失败的过程：

“……指定的时间与地点，听某人的指挥。地址是在福熙路附近，守候了一阵子，见前面来了一辆汽车，指挥的人就叫我准备，当他把手一挥的时候，我就走上去对汽车后面坐着的人，隔着玻璃开枪射击。当我开枪的时候，一看原来是张啸林，等到看清，子弹也已出了枪口，可能在看到时，思想上一震，手也慌了一些。同时，也因张坐的是保险车子，不但车身护有钢板，汽车玻璃也是子弹打不破的。这时我虽没有打中他，他在车子里却看清了我，结了个冤家。”

于松乔话中提到的福熙路就是延安中路。

据台湾一位作者的介绍，这次刺杀行动中，于松乔所讲的“听某人的指挥”中的某人就是令汉奸丧胆的陈默。这就是第一次刺杀张啸林的情节。由于刺杀的是帮会头子张啸林，不管成功与否，按他们的行事规范，于松乔不会把参与行动的其他人随便写出来，而将全部责任由自己揽下。

由于张啸林认出了于松乔，而这人正是“三弟”杜月笙的弟子，于是一肚子气无处可发，一回家，就对着隔壁的杜月笙公馆大骂。当然，此时杜公馆只留下家属子女和管家万墨林手下一帮下人，杜月笙早就去香港许多时日了。

张啸林不死的原因除了自己的防弹车十分牢固及于松乔的思想一阵走神外，他的司机阿四的果断灵活也是重要因素。阿四也是个见过大场面的人物，临危不慌。此时一听枪响，管它前面是红灯不红灯，逃命要紧！当下果断地将要踩刹车的右脚猛地改踩油门，汽车不是减速刹车，而是猛地一声怒号，飞也似闯过了路口。闯红灯只会死别人而不会死自己，流氓张大帅就这样从鬼门关闯了出来。

其实于松乔绝不是窝囊废一个。于松乔一度是上海家喻户晓的名人。他是邮务工会的成员，也就是陆京士和朱学范那个工会的骨干。他还是杜月笙的学生，也是军统的特务。当年是上海滩出了名的铁汉子。

原来，九一八事变后，上海民众组织“上海市抗日救国会”进行抗日活动。为禁止日货，上海各地建立检查所和保管所，吁请上海市民，全面拒买、拒卖东洋货。

工会和许多抗日团体派出志愿者充当检查所工作人员。检查所工作人员可以采取直接行动，到处搜查日本货物，一旦有所发现，立即加以没收，交给“保管所”加以储存备案。邮务工会的于松乔也是抗日救国会会员。他负责一个街区的查禁工作。他和一位名叫刘心权的青年，没收了上海市纱布同业公会理事长、合昌祥大老板陈松源的两箱日本丝绸。陈松源带两名保镖携枪欲夺回赃物，遭到于松乔驳斥。争斗中，于松乔在两保镖的枪口下强行把陈松源拖进禁闭室关押。陈松源的保镖则鸣枪威吓，但毫无作用。相反，枪声又招来群众围观。陈松源的保镖只好回陈家去报告。于是陈松源全家总动员，立刻央人四出营救。纱布大亨陈松源被抗日救国会的人捉牢关起，消息随即传遍了上海滩。凡顶风作案，推销日货者，人人吃惊，个个失色。马上，于松乔检查所前车水马龙，特来看热闹者无数。这陈家货被抄了不算，老板还被关押起来，而且闹得满城风雨，成了家家的笑料。

于松乔先胜了一阵。

国民党市党部书记吴开先和抗日救国会秘书长陶百川闻讯赶来，高调嘉许了于松乔一阵后就婉转地求释陈松源。但是，于松乔依然坐在地上，挡住了羁押陈松源的那扇房门。他声色不动、心平气和地说：

“陶先生，你地位高，口才好，学问一等。我于松乔无论讲地位、讲口才、讲学问，统统服帖你。不过今天的这件事情，不管我错我对，我已经决心，天王老子的话我也不听。陈松源带了保镖，带手枪来抢所里的东西，我非关他不可。假使有人想来拖开我……”

于松乔伸手指一指左侧的钢筋水泥墙壁继续说：

“我立刻就撞墙头自杀！”

陶百川和吴开先一再善言劝解，给予松乔讲道理。于松乔就是不听。这堂堂的上海吴书记和陶秘书长无计可施。

门外汽车不停地从远处开来，来的是虞洽卿、王晓籁……有人疾言厉色，有人娓娓动听，什么好话歹话都说尽，要于松乔释放陈松源，他的回答只有一句话：

“啥人敢来拖我，我立刻撞墙自杀！”

以致上海商会扬言闹罢市来抗议于松乔。当然，那只是虚张声势的闹剧。于松乔的检查所马上涌来了大批人马。人多，口杂，推推挤挤，吵吵嚷嚷，于是有人趁乱想把于松乔抱住拖起来，企图破了他这一铁门卫，开门释出陈松源。

当他们冒险地一动手，于松乔说话算话，他突如其来地奋身猛冲，向左首墙壁狠狠地撞去，砰的一声，众人惊呼声中，于松乔头上已撞得皮开肉绽，鲜血直流。他又退回去，守住小房门口不动。最后陆京士来了，他请司机开来了杜月笙的座车，把于松乔接送到枫林桥骨科医院治伤。上海纱布同业公会理事长陈松源才“刑”满开释。

于松乔的行动虽然超越法律许可范围，但是上海各界人士一致赞扬他：满腔忠义、慷慨壮烈。精神可嘉，行为是否得当，那被看成是次要的问题。于松乔扣留陈松源的故事传诵一时，他成为了抗日救国会的一个知名硬汉。

后来，珍珠港事件发生，杜月笙从香港到重庆与军统一起策划全国帮会团体组成抗日的“人民行动委员会”，于松乔充当杜月笙与该会的联络员。

看来杀手这活，的确不是什么人都适合干的，连于松乔这种上海滩出名的铁汉子也干不好。也许，还是那句迷信的话：

李士群、张啸林两汉奸此时是“气数未尽”。

李士群的这家“战略信息出口公司”获利颇丰。但此时日本方面不满足了，认为李士群尚有潜力可挖。日本东家提出新要求，即不但要继续搞情报还要兼做“行动”。这“行动”自然是指招兵买马，扩大山头，拿起刀枪与抗日锄奸队对抗的意思。而要扩大山头，唯一的人力来源就要从蒋介石手下的特务圈子里动脑筋。

对此，李士群感到有些问题：一是他自知在蒋介石手下的特务圈子里，他的声望与地位均不足以号召，可利用的资源有限。要从蒋介石的特务圈子里拉拢汉奸，得到更重要的情报，就需要更有影响力的人物。二是

李士群隐隐感到当这个头面人物有风险。带头当汉奸就可能带头被“锄奸”。在没有强有力的武装保卫的情况下，李士群觉得还是退居二线好，退居二线管钱管权而不出头露面，那才最理想。于是，他想到了一个人，那人就是丁默邨。

五、前台老板丁默邨

丁默邨与李士群相似，20年代，他们都是追求进步的好青年，都“入党提干”。这丁默邨从事革命更早，1921年他就在上海由中国共产党发起人之一的施存统介绍参加社会主义青年团。丁默邨回湖南后，1922年被选为社会主义青年团湖南常德市委书记。1924年国共合作时丁默邨参加国民党。丁默邨成了中统上海区的情报组织负责人，面上的工作是在上海办《社会新闻》，《社会新闻》后台就是陈立夫。《社会新闻》办在公共租界白克路同春坊新光书局。1932年李士群投身中统后就在《社会新闻》当差。这里说的白克路就是如今的凤阳路。

丁默邨与李士群就从这时候开始搭上了关系。

李士群向上海地下党组织隐瞒了自己被捕叛变的事实。他装着忠诚，向上海地下党解释他到CC派控制的《社会新闻》刊物去的原因，是一时应付环境的权宜之计,是为了革命才深入虎穴的,将来可以为革命多做贡献。

据说，接着由他导演了一起“李代桃僵”的事件。这就是前面已经简单提到过的马绍武被杀事件。

1933年6月，地下党告诉李士群：

丁默邨因出卖组织，出卖同志，使革命事业遭到极大的破坏。所以丁默邨是叛徒，必须严厉制裁。

党组织要求李士群协助制裁丁默邨。具体地说，就是由李士群出面把丁默邨诱出，并向不认识丁默邨的地下党特科红队成员指示刺杀目标。在李士群看来，这是地下党对自己的考验。

李士群当时和丁默邨朝夕相处，成了无话不谈的知交。于是李把党交给他的任务，向丁和盘托出。在与丁默邨反复考虑之后，他们想出主意：

首先当然是不让中统其他人知道地下党的计划及李士群与地下党组织的联系，李士群可以继续同党联系，可以继续玩弄两面手法欺骗党。

其次为了对党有所交代，他们策划了一个“李代桃僵”的办法，把李士群和丁默邨的共同上司马绍武推出来取代丁默邨。因为安排的刺杀活动中，执行刺杀的红队人员是不认识目标丁默邨的，同样也不认识马绍武。红队人员只凭李士群手势来执行，李士群指谁则打谁，所以才有实施这“李代桃僵”的可能。他们认为，即使后来发现“杀错人”，党要追究这一错误的责任时，李也可把它推到执行人员的身上，推诿自己的责任。

再说，马绍武是国民党中统上海区区长，是更高级的特务。杀马绍武的功劳当然更大。杀马绍武而不暴露党组织，李士群自然不至于被怀疑。

执行的那天晚上，马绍武正与公共租界巡捕房的政治部督察长谭绍良、上海市警察局特务股主任刘槐以及丁默邨等在广西路小花园一家“长三堂子”里四个人凑成一桌打麻将。当打完麻将吃完花酒后，马绍武醉眼蒙眬地与丁默邨从弄堂里踉跄地走出来，事先约定好的李士群正好与红队队长邝惠安等六人在外面守候。双方对面，邝惠安等人按李士群指点随即开枪，马绍武中枪倒地，而丁默邨亦闻声而倒，好像也被击中。中统特务头目马绍武，就这样死了。可他怎么也不会料到，他是在自家特务的阴谋下，做了丁默邨的替死鬼。

这次马绍武到上海与公共租界巡捕房的谭绍良和上海警察局的刘槐搞“公关”，目的就是要那两人给他提供方便，以对付共产党。也因这“公关”，提供了特科红队刺杀他的机会。

但，以上这些说法是来自 76 号特务们后来的供述。说法的源头就可能是李士群在 76 号内部的自我吹嘘，以说明自己对丁默邨如何“上路”，讲义气。其实，地下党如何向李士群交代这事，丁默邨是不知道的，别的特务更不可能知道。话要怎么说，还不随李士群那两片嘴唇皮怎么翻？

其实，从后来掌握的事实来看，地下党要清除的目标就是马绍武而不是丁默邨。

从 1933 年 3 月党中央临时负责人博古亲自签发的一个《关于反对叛徒斗争的提纲》的文件来看，中共特科要清除的叛徒名单点到了顾顺章、

向忠发、卢福坦、李竹声等人，其中也有胡钧鹤，但没有发现有丁默邨的名字。

马绍武究竟是什么人？马绍武的真实名字是史济美，他是黄埔军校第六期毕业生，也是顾顺章叛变后，在中统培养的第一批学生。

对地下党来说，马绍武血债淋淋，罪恶累累，是中共之大敌，是必除的目标。而丁默邨的巨罪主要是1939年当汉奸之后发生的。当然，他参与策划张国焘叛党也是大罪，但那是发生在1938年4月而不是这次谋杀之前的事。至于他在1924年国共合作时参加国民党，那谈不上叛党犯罪和出卖同志的问题。1924年那时国共合作，参加国民党也是符合党当时的主张的。那时国民党也是在野的反对党，国共两党同是北洋军阀镇压的对象，不存在向国民党“出卖组织，出卖同志”问题。

从诸多流传的中共特科的故事中，也都说到中共特科是有计划地伏击马绍武的。

1931年，原中共特科负责人顾顺章叛变，出卖了大量机密情报，并替国民党当时负责反共的中统徐恩曾培养出许多熟悉中共地下活动规律的高级特务。史济美就是其中之一。1930年6月史济美进入国民党党务调查科，1931年6月起作为第一期的四个人之一，接受顾顺章培训三个月，系统地接受了顾氏的反共技巧。共产党把顾顺章送到苏联学习对敌斗争的理论和经验，而却反过来教会特务来镇压共产党。

史济美主持上海地区的特务活动时，就因受过顾顺章培训而成果“辉煌”。在上海主持特务工作期间，他逮捕了共产国际驻华代表牛兰夫妇、党总书记向忠发、重要干部陈赓、廖承志和中委胡大海及共青团中央书记胡钧鹤等人。

史济美化名马绍武，是他刚到上海时的事。

他考虑到特工总部尚系秘密机构，为遮人耳目，先是以马绍武的化名取得了国民党中央党部驻上海特派员的公开身份，以党部的名义掩盖特务的面目容易改善同上海各个方面的关系。接着，史济美又以吕克勤的化名在上海警察局取得了督察员一职，同样是为了掩护史济美的秘密身份。

他改善了同上海警察局的关系。如刘槐是上海警察局侦缉总队副队长兼特务股股长，本身是属戴笠那条线的。史济美为了笼络他，经请示徐恩曾同意，按月发给刘槐大笔津贴，作为他协助中统上海区工作的补助。有了刘槐的帮助，此后，中统上海区特务逮捕到共产党人便不用送往警察局了，而是直接押往小东门东方旅社秘密囚禁。愿意自首的，马上神不知鬼不觉地放回作为内线；否则，才送到警察局处理。

史济美还注意跟租界巡捕房搞好关系。史济美以中央特派员的身份，公开同巡捕房西探长和翻译官接触，并代他们向中央申领礼金，以示亲善。至于一般巡捕，则经常同他们吃喝玩乐。因此，史济美在租界办理案件时，巡捕房总是协助行动；史济美手下特务在马路上公开抓人，翻译官也在巡捕房面前善言加以掩饰。有时，巡捕房捕捉到一些嫌疑人，却无证据定案，这时候只要中统上海区特务们认为“有价值”就会弄去伪证，巡捕房也会顺水推舟，立即定案，引渡给上海的中统特务。

李士群大约在这个时期被马绍武逮捕，吃不了苦头而投降。而且他吃的苦头估计不轻，并因此内心怀恨马绍武，以至于后来能积极配合红队搞掉马绍武。除去马绍武，李士群在党内算是立了大功，同时也少一个知道他变节投敌的人，而且出了一口当初受刑遭虐待的恶气。

另外，徐恩曾回忆录中提到马绍武之死，可间接说明马绍武原本就是地下党的刺杀目标。

徐恩曾提到：

“我派在上海工作的负责人史济美(马绍武)，是我一个得力的干部。于同年六月回京述职，我因上海连续出事，想到他过去的服务成绩优异，向忠发和共产国际职工会驻华代表牛兰夫妇，以及其他重要案件，都是经他设计破获的，断定共产党对他必恨之切骨，意欲调他离开上海，以避风头。但他不同意这样措置，坚持仍回到原来的岗位。我只好叮嘱他注意安全，让他回去。不料回沪当天下午，他因欲赶赴一个自己作主人的约会，回到上海一下火车，即径趋约会地点。就在他下汽车走上台阶的时候，被邝惠安率领六个预伏在该处的暴徒，包围袭击，身中七枪而死。”

徐恩曾这样写，回避了马绍武上“长三堂子”的事。

徐恩曾本是交通大学学电机出身的，原也本着实业救国的愿望留学美国康奈尔大学，回国后担任中国广播电台第一任台长。不想却半路出

家转行当了特务头子。徐恩曾当特务头子，使得他的同班同学邹韬奋大跌眼镜，也令章乃器等一帮知识人士疑惑不解。徐恩曾从事这种行当，即使到了被老蒋宣布“永不叙用”的十多年后，依然天天受内心折磨。当然，他也庆幸自己，不但没有落到戴笠那样的结局，反而后来几十年弃政从商而发了财，长寿终身。

提起李士群自我散布的“李代桃僵”的事，只是想说明，李士群与丁默邨早就勾结在一起，同时也为李士群的善编善变而“汗毛凛立”。

马绍武被杀，中统头子徐恩曾甚为震惊。他严饬中统“上海区”限期破案。特务布下罗网，要镇压地下党。

对于这种形势，丁默邨和李士群并不知情。他们继续与中共地下党组织配合，寻觅适合的中统特务，如法炮制，进行清除。

一个月后，丁默邨和李士群“顶风作案”，又把中统特务股长陈静灌醉后带出指引枪击。陈静重伤垂亡，但因抢救及时捡得一命，醒过来讲到事前与李士群一起喝酒的事。

随后，红队邝惠安等六人被中统特务苏成德逮捕，惨遭枪杀，为保护上海的地下党机构流尽最后一滴血。这叛徒苏成德把从苏联东方大学学到的一点本事也全用来对付自己宣誓效忠的中共党组织了。

中统终于认定，两案都与李士群、丁默邨有关，于是一并扣留侦讯。由于有后台 CC 派高干兼上海社会局局长吴醒亚的保护，丁默邨很快获保释。而李士群没有后台，就被押解南京，关进了瞻园路的“特工总部”内，由南京区侦查股长马啸天看管，而由情报科长徐兆麟和机要科长顾建中进行审问，一直连续关押了半年。皮鞭、老虎凳、灌辣椒水等酷刑，李士群也一一受用。

说也巧了，在李士群命悬一线之际，出现了一个人，那人就是苏成德。前面说过，苏成德原是李士群在苏联东方大学的同学，此时在中统南京区接触到李士群的案子。在接下去叙述李士群命运之前，先简单介绍一下苏成德。

这苏成德正是后来的日伪 76 号特工总部的首要罪犯之一。1947 年，苏成德与杨杰一样，被军事法庭作为罪大恶极的汉奸宣判死罪，枪毙在上海提篮桥监狱内。

在76号这批头面人物中，苏成德与丁默邨、李士群、胡钧鹤一样，都是中共叛徒。他是山东省济宁市人。1921年，苏成德在济南由王尽美、邓恩铭介绍参加了“马克思学说研究会”。1922年9月，加入了社会主义青年团。1925年3月，苏成德被推举为青岛工人罢工总指挥。罢工斗争坚持到第11天受到反动派血腥镇压，造成震惊全国的“青岛惨案”。苏成德1926年秋由中华全国铁路总工会派赴苏联，进中山大学学习，与同校的李士群结交成朋友。1929年回国后，苏成德于1931年被调往上海，先是安排在中共中央组织部工作，后调中央政治局特科。1932年下半年，苏成德叛变投敌，参加中统，提交了上海、南京等地中共地下党组织的情报。从而受到徐恩曾重用，被委任为国民党中央组织委员会设计委员，专门从事对共产党进行破坏方面的研究设计。1933年初，化名吴德的苏成德被徐恩曾提升为特工行动队长兼看守所主任，全面负责对中共地下党组织的侦破工作。

1933年下半年，苏成德被徐恩曾调往上海，任国民党特工总部上海行动区沪西分区主任，兼京沪、沪杭两路党部调查室主任。1934年在其主持沪西中统特务期间，中共上海特科行动队被中统派遣“细胞”打入破坏，一日之内全体队员在大街上全部被俘，大批中共地下党库存的手枪等武器被破获。1935年2月，“红队”队员邝惠安、孟华庭、赵轩、陈杰明四人被执行绞刑，壮烈牺牲。苏成德的此次“清剿行动”，使沪西区中共地下党组织蒙受了严重的破坏和惨重的损失。此后，苏成德又升任国民党特工总部总行动队队长，专司跟踪、逮捕、刑讯、暗杀活动。

苏成德的这种身份，必然会接触到李士群的案子。可能他想救老同学一命，也觉得有点救出来的希望，于是他瞒着别人给叶吉卿打了个电报：

“群兄病重，速来救治。”

李士群老婆叶吉卿闻讯后，才知道“失踪”许久的李士群原来是被自己人“隔离审查”了。于是请求中统上海区的同僚派人送她到南京看望李士群。叶吉卿到了南京，就带着孩子住到了同学胡绣枫、李剑华夫妻家里，求胡绣枫夫妻帮忙。

前面已提到胡绣枫是叶吉卿的复旦大学同学。李剑华是复旦大学教

授，也是社会活动家，曾与蒋光鼐、蔡廷锴有过政治合作，一度也被捕过。李士群也曾托关系帮忙通路子，李剑华最终获释。此次李士群遇难，叶吉卿反过来求援也是当然的。

估计事件相关的重要证人谭绍良、刘槐在马绍武遇袭时，不在现场，不可能指证李士群有“犯罪”嫌疑，再说他们本身更不愿意牵涉其间。去风花雪月的“长三堂子”喝花酒、风流鬼混，绝非光明正大之事，卷进这些事断难洗去贪腐的嫌疑。所以谭绍良、刘槐是绝不肯出面作证的。

丁默邨则更不会说李士群在场“作案”而把自己卷进去。

李士群明知一旦承认，则必死无疑，所以，虽经严刑逼供，也紧咬牙根，不吐露真情。

“红队”直接刺杀马绍武的关键人物是邝惠安等六人，邝惠安的行动虽与李士群配合，但本就不容许彼此知道对方真实情况，即使有邝惠安等人的口供，口供中也不可能指名道姓提到李士群。加上邝惠安等人已被绞杀，亦不会有与李士群当面指认或对质的可能。

而负责破案的又是苏成德，既然苏成德有意救李士群，自然会顺手消除对李不利的线索。由于这些因素，李士群被逐渐降低嫌疑成分。这样一来，只要打消一号特务头子徐恩曾及周围几个人对李士群的怀疑，肯拍板放掉李士群，李士群就有救了。

李剑华要回报李士群也在情理中。整个事件中，李剑华托苏成德、马啸天、顾建中、徐兆麟等的人情是可能的。苏成德、马啸天、顾建中、徐兆麟等人从中活动，打通关节，最后大事化小，小事化了，把李士群处理意见改成“辫子捏在领导手中，带着问题留用”，也就成了可能。

由于后来李士群成了 76 号大奸，为天下人所不齿。任何人即使当初参与救助李士群，抗战后也会三缄其口的。

李士群就这样被放出来了。

关于李士群怎么被放出来的事，76 号特务汪曼云另有一套说法。不管怎么说，汪曼云与当事人李士群、叶吉卿、苏成德、马啸天都关系密切，应该是个知情人。同时，对该事件，不论过程如何，对他本身又没有名誉与利益的亏损，所以他没有故意回避或歪曲事实的理由。

我们不妨听听汪曼云的说法。汪曼云等人是这样说的：

叶吉卿倾其所有，把珠宝首饰分送给南京区的侦查股长马啸天与行动队长苏成德，情报科长徐兆麟和机要科长顾建中等人，让他们对李士群多多照顾。马啸天与苏成德得了叶的贿赂后，对李士群另眼相看。而顾建中、徐兆麟也因“得人钱财，与人消灾”，便干脆陪同叶吉卿去面见中统头子徐恩曾。

徐是有名的色鬼，叶吉卿虽非生得千娇百媚，可怎么说也曾是复旦大学的校花，颇有几分姿色。叶吉卿与徐恩曾，一方施展着浑身解数，尽其所能；另一方顺手牵羊，尽得所需。

于是云雨过后晴天来。李士群与马绍武之间有何相关，就毋须再问了。

徐恩曾好色是有记录的，据说，钱壮飞在挽救党中央的关键时刻，就是利用了徐恩曾急于去上海会女朋友的机会。

没多久，徐恩曾的一纸“手谕”发下，李士群虽不能擅离南京，也算是恢复了自由，并派在“南京区侦查股”马啸天手下当特务。

李士群与叶吉卿在南京中央路大树根76号安家住下，雇了关碧玉这位不寻常的女佣。李士群老婆叶吉卿，富家小姐，复旦大学校花，曾经跟李士群一样加入过共产党，但也跟李士群一样叛党投敌。

叶吉卿这次用色攻关、钱铺路，以大手笔搞翻了李士群这必死之官司，凸显她非凡的能力。由此，奠定了她在76号第一女强人的地位。

“有钱能使鬼推磨。”马啸天、顾建中、徐兆麟这些人因钱而变鬼，终于围着叶吉卿“推起了磨”。

后来苏成德、马啸天也成了卖国贼，与李士群、叶吉卿一样，围着汪伪而继续当推磨的鬼。

讲了李士群出狱的几种说法，每种说法都提到苏成德。看来，李士群之所以化险为夷，“东大校友”苏成德才是关键。起码，李士群被秘密逮捕押送到南京后，苏成德发电报给叶吉卿就很重要。此后在敌伪76号，苏成德与李士群、叶吉卿夫妇也是一开头就打得十分火热。

李士群脱离审查后，夫妻俩对胡绣枫感激不尽，发誓要重报恩人，两家亲热。胡绣枫的姐姐胡寿楣也因此与李士群和叶吉卿相熟了。不想，李士群、叶吉卿对胡绣枫的一片感恩之情，却给胡绣枫的姐姐胡寿楣带

来了终身的不幸。

与李士群反复曲折的经历不同，马绍武被杀并没有影响丁默邨的仕途，随后丁默邨一度迎来他职业的顶峰。

1935 年，蒋介石将国民党中央党部调查统计科与军事委员会特务处合并，成立军委会调查统计局，以陈立夫为局长，下设三处：第一处处长徐恩曾，第二处处长戴笠，第三处处长丁默邨。

虽说丁默邨个子矮小，大家都叫他“丁小鬼”，但此时的他已不可小看。似乎一步登天，他与徐恩曾、戴笠几乎要平起平坐了。

但好景不长，1938 年 4 月，丁小鬼参与策划张国焘叛党事件。张叛党之后，也成为国民党特务，此举在国民党特务系统内引起不小的震动。然而，由于丁默邨锋芒毕露，戴笠为之深感不安。同年 8 月，戴笠告御状，说丁默邨在策反和招待张国焘的问题上存在贪污行为，丁默邨好梦结束，受到追查，还被强令反省。

1938 年 4 月，陈立夫任教育部长，军事委员会调查统计局撤销，第一处扩充成国民党中央调查统计局，简称中统，由国民党中央执行委员会秘书长朱家骅兼任局长，徐恩曾任副局长。第二处扩充成国民政府军事委员会调查统计局，简称军统，由军事委员会办公厅主任贺耀祖兼任局长，戴笠归军统。第三处被撤销，原第三处的邮电检查业务，由军统、中统共管。丁默邨挂个少将参议的虚衔，靠边站，连薪水也难以准时领到。

丁默邨郁闷成疾，得了肺病，被送到昆明“休养”。

在昆明，丁默邨更是烦躁难安，便以养病为名，到香港尝试着学做生意，想赚点外快。无奈他不谙经商之道，不仅没有赚到钱，连本钱也打了水漂。正在处境尴尬之时，丁默邨的同乡翦建午受李士群之托来见他，开了价钱要他去上海，由他主管定西路 67 号的“李士群工作室”。事先说好，李士群自愿退居幕后，让丁默邨做前台经理。

此时，丁默邨也听说陈立夫要他去上海活动，正好翦建午到来，无疑是天假其便。所以，丁默邨便随翦建午来到上海。

丁默邨来到上海，他有自己的说法：是陈立夫遣他前来。但他的这一说法，是不让别人去核实的。

丁默邨这次到上海，是应李士群之邀？还是如他自己声称的奉了陈立夫之命？

这只有鬼才知道。不过这鬼不是别人，这鬼就是丁默邨。

此时李士群有钱啊，日本人给的“铜钿”是“莫克莫克”的。那“铜钿”大把大把地落入李士群的腰包。

李士群见丁默邨来了，立即上门直截了当地说：

“听说国民党已经不要你了，这种乱世，我们哪里不能打天下？吃饭要紧，什么名誉不名誉。实不相瞒，我已经在日本人那里挂了钩。怎么样，一起干吧？”

说罢，李士群将一把手枪和一沓钞票放在丁的面前：

“愿意干就把钱拿去开销，你仍然是我的上司，一切听你指挥。不干呢，也不要紧，你就用这支手枪把我这个汉奸打死，也落个好名声！”

骨瘦如柴的丁默邨身子微微颤动了一下，什么也没说，阴险冷酷地收起了钱，拿起了枪，当仁不让地做起了“李士群工作室”的老大。

六、丁默邨“和平救国运动”

丁默邨托章正范邀汪曼云到大西路 67 号会面。

丁默邨到上海出任“李士群工作室”前台经理的事，汪曼云当然及时地知道了。此前，汪曼云有一段时间不去“李士群工作室”了。为什么？那还不是因为于松乔想行刺李士群？李士群吹嘘自己的大西路 67 号风水好，是“保险房子”，那其实是屁话一句。

说房子风水好，安全保险，能比得上人家福开森路的唐公馆或愚园路上汉奸“外长”陈箓的府第？

固然于松乔放弃了行刺李士群的打算，但谁能保证李士群哪天不招惹那班军统的夺命太岁？

汪曼云此时虽与李士群彼此来往过几次，但与李士群还不是一回事。起码，汪曼云还不曾直接与日本人勾搭过。就在几个月前的八一三抗战周年纪念日上海大暴动时，汪曼云就利用上海人民同仇敌忾的抗日情绪，

参与布置了一次大罢市，效果就很好。

此时，汪曼云还是党国的人啦。

不过，这丁默邨也是熟人，不论是否由陈立夫直接派遣，汪曼云觉得与丁默邨见见面是应该的。

汪曼云与章正范来到 67 号。令他感到意外的是，房子的墙上挂有两面青天白日满地红的旗帜，当中还悬挂着孙中山的遗像。自上海沦陷后，尤其在私人的家里，这种情景是很难看到的。正在惊异之间，丁默邨已踱进了房间，大家本来都是熟人，一见面便欣然问候。丁默邨指着墙上挂的旗帜与孙中山先生遗像对汪曼云与章正范说：

“这些都久违了吧？”

接着又说：

“我这次是奉立夫之命而来的，因为在里面（按：指大后方）大家看到抗战如此进行下去，总不是办法。共产党的抗战到底，是要抗垮国民党，是唯恐中国不乱。为了国家的前途，立夫要我来上海‘开路’，一俟时机成熟，他也要来的。不过在未成熟时，我们应当代立夫保密。至于日本人那里，我已和他们交涉过，允许我们仍用青天白日满地红旗帜。”

丁默邨讲的日本人就是晴气庆胤。日本人晴气庆胤不仅授意他们挂青天白日满地红旗，还指使他们以“和平运动”名义，扩大山头，加紧与汪精卫集团联系。

丁的此番所谓“奉陈立夫之命来上海打前站”的表白，其实是在为自己充当日本人的走狗寻找借口的。如前所述，他是在穷途末路之时，受李士群的拉拢而卖身投靠日本人，与陈立夫毫不相干。而章正范、汪曼云竟信以为真。

丁默邨边说边笑着问汪曼云：

“老兄有何意见？”

汪曼云说：

“这是一件大事，但以你丁默邨三个大字来‘号召’是不够的。由于你过去工作环境与条件的限制，你的大名，别说党外的人不知道，即使党内的人，若非 CC 派骨干，也很少有人晓得。所以这件事，在你倒不是才的问题，而在号召力方面。为求事业迅速成功，我觉得应速接上汪精卫的关系，他已在河内发表了《艳电》。要是你能采纳我的意见，一定能事半功倍。”

汪曼云似乎有点小看丁默邨，但丁默邨毫不在意，而是表示赞同：

“对此，我也有同感，汪精卫先生方面，我可以派人去联系。”

汪曼云又问丁默邨：

“你现在有多少人？”

丁默邨告诉汪曼云：

“并不多，最早发起人有七个，除了我和正范兄外，还有李士群、唐惠民、茅子明、翦建午、叶耀先。”

这七个人，就是后来所传说的“七人委员会”。

但据马啸天回忆，后来李士群曾告诉他，“七人委员会”中并没有章正范、翦建午、叶耀先三人，除了丁默邨、李士群、唐惠民和茅子明外，其他三人分别是李志云、杨杰与张鲁。

这是汉奸特务们自己内部的事，我们暂且不管他们之间的谁是谁非。

接着他们又谈了一些上海的风花雪月的闲话作为收场。这次谈话，李士群没有参加，他已将丁默邨推到前台，自己则退居幕后，干脆不露面了。

这是丁默邨主持“李士群工作室”之后首次亮相。

他要把一个公开为日本国效劳的间谍机构用“青天白日”旗包装起来，把露骨的卖国行为用“和平运动”掩盖起来。他们以为，卖国不能只限于丁默邨、李士群两人的事，也不限于那些已经公开当汉奸的人的事，他们要勾结更多的人一起参与卖国。

丁默邨知道，日本人指使他们勾结汪精卫集团是对的。他们看到，打着“和平运动”旗号的汪精卫集团才是更大的卖国集团，把命运与汪精卫集团联系在一起，才是出路。

可是，丁默邨、李士群要与汪精卫集团联系谈何容易？

丁默邨、李士群都是CC系的特务，本就与汪精卫的改组派针锋相对。丁默邨、李士群以前办的《社会新闻》就没少攻击汪精卫派别，积怨本来就很深。丁默邨与他们从来是彼此不来往，而那时，李士群在国民党内，

只是小八腊子（上海话，指无权无地位的小人物），根本就无缘见到他们。

不久前，丁默邨派翦建午去香港找周佛海，就碰壁而回。

于是丁默邨、李士群小集团要通过上海党部委员汪曼云的牵线搭桥，开始了寻求与汪精卫集团勾结之路。也正是汪曼云把这个汉奸特务小集团与汪精卫联系起来。

汪曼云个人首先想到的是通过褚民谊拉上与汪精卫集团的关系。

前面讲林柏生在香港遇袭时，我们已讲到汪曼云正巧看到林柏生血流满面地倒在地上。他此时正尽力与周佛海、陈公博联系。最后，汪曼云搭上了周佛海，成了汪精卫、周佛海“和平运动”的正式成员。

1939 年春，国民党在重庆开办“中央训练团党政训练班”。重庆当局根本不知道汪曼云已变质，还特地指名道姓，让汪曼云去重庆参加第二期党政训练班受训，作为中坚骨干来培养。

汪曼云临行前，与丁默邨在大西路 67 号楼上起居室会面。

丁见了汪曼云就说：

“小别在即，知道你即将远行，所以特请你来见见面。”

随即问了汪的启程日期与受训时间后，从衣袋里摸出了 1000 块钱：

“这一个微不足道的数字，请你收下，聊壮行色。”

汪推辞一番后也就收下了。丁默邨又说：

“我在这里的情况，你到了重庆，务希严守秘密，即见了立夫，也千万不要提起，免得戳穿了他与我的关系，使他不好意思。”

丁随后又拿出两张铅印的表格对汪曼云说：

“为了彼此的信任，我请你也加入我们的组织；你与周佛海的关系，正范兄已和我谈过，好在并不冲突。这个志愿书与誓词，请你填一填，我与正范兄也填过的。”

原来丁默邨已探知汪曼云通过周佛海的关系参加了“和平运动”，现在要拉汪曼云宣誓参加日本的特务组织。按丁默邨的话，汪集团的“和平运动”与他这个日本特务机构的“和平救国运动”没有什么两样。

这时章正范也坐在旁边，同意丁的说法。

汪曼云觉得要讲的话，都已被丁默邨讲在前头，而堵住了自己的喉咙。且自己原来已勾搭上了周佛海，“参与”了汪精卫的“和平运动”。

现在加上一个丁默邨的“和平救国运动”，事情还不是一样的？于是就依式填好了志愿书和誓言。其誓词的内容是：

“余誓以至诚，参加和平救国运动，绝对保守秘密，遵守组织纪律，如有违反，愿受严厉制裁。谨誓。”

随即举行了宣誓仪式。

监誓人为丁默邨，介绍人为章正范，他们在誓词上分别签了字。

这样，汪曼云就正式成了丁默邨、李士群的日本特务组织成员，这个组织正是76号的前身。

接着，丁默邨就要汪曼云带信给香港的周佛海，帮忙沟通：

“此次你到重庆去，道经香港，势必与佛海碰头，过去我曾叫翦建午去找周佛海，建午与佛海虽不相识，与周太太杨淑慧却是熟人。可是不知怎的，杨见了建午，总是远而避之，即使回避不了，只要一提到老周，杨总是支吾其词。因之我有一封信，请你见到佛海时转交给他，我在这里的情况，也请你婉为代达，使他对我的情况不致误解。”

汪曼云早就乐意牵线搭桥，当即欣然接受，满口答应了。

其实，谁都知道这丁默邨本是陈立夫门下的特务。丁默邨却让翦建午去找周佛海，殊不知，翦建午原也正是周佛海提防的中统特务啊！

发《艳电》后，香港林柏生遇袭，小命几乎不保。河内汪精卫靠运气捡得老命一条。这群叛国的“和平运动”团伙，个个成了惊弓之鸟。听到特务之大名，管他是军统还是中统，早就吓得逃命都来不及，哪还有胆量与原中统特务丁默邨和翦建午接触？当然，周佛海那批人显然是不知丁默邨和翦建午已经投倭的底细，因而周佛海、杨淑慧不肯轻信他们。

如果这丁默邨自己有本事与周佛海联系上，他才不想劳驾你汪曼云呢。这也是不得已啊。

汪曼云于是在路过香港之际，联系上周佛海，告知丁默邨已经卖身投靠日本，当了日本特务的真相，又从怀里掏出丁默邨的信交给了周佛海。周看了信后，才恍然大悟，便对汪曼云说：

“怪不得日本人一再问我，丁默邨与汪精卫有什么关系？我总是答不出来。同时，淑慧对我说，翦建午在尖沙咀码头，老是盯着她，说想

要见我。我说，翦是‘中统’特务，要她提高警惕，设法回避。现在既经默邨来信说明，我也可以见他了。”

经汪曼云这番穿针引线，周佛海终于认识到原来丁默邨与李士群不但不是蒋介石的特务，而已是日本忠实的“战略伙伴”，是比自己更领先一步的“同志”，值得自己好好学习。丁默邨与汪精卫集团总算挂上了钩，也使汪精卫的叛国活动又多了一支生力军。从此，汪精卫汉奸集团与丁默邨、李士群的特务恐怖组织连成一体，共同谋划危害中国的“大事业”。

周佛海谈话中提到的那个“淑慧”，就是周佛海老婆杨淑慧。1921年7月，陈公博、周佛海到上海卢湾参加中共一大时，会场外的未婚夫妻周佛海、杨淑慧就亲密地同住同行，那时人们赞许他们思想解放，崇尚婚姻自由，没人会料到17年后的他们，竟然会堕落到这等地步。

七、吴世宝入伙，魔窟76号开张

说到这里为止，我们看到的丁默邨和李士群不过是混在上海滩的一对先叛变共产党再叛变国民党的小叛徒、投身日本的小间谍、卖国的小汉奸，其所作所为充其量不过偷鸡摸狗之徒。不论怎么说，他们离刽子手、巨魔的形象还相去甚远。此时，那称为极司非而路76号（JessfieldRoad，现万航渡路）的地方，也不过是一处被日本人霸占的地产，也不曾有人想到它会升级为沪西“歹土”根源及“魔窟”的地步。

但丁默邨和李士群不久之后，的确成为十恶不赦的恶魔、血债累累的“刽子手”。极司非而路76号也从此成了令人毛骨悚然的“魔窟”，千真万确的沪西“歹土”之源。

发生这种变化，莫非是出了“点金师”？——哦，用词不当，该叫“造鬼师”才对。这造鬼师把丁默邨和李士群造成了恶魔，把极司非而路76号造成了“魔窟”。

应该客观地说，有“造鬼师”。“造鬼师”不是别人，而是日本的晴气庆胤和他的后台影佐祯昭。晴气庆胤后来是76号的后台总指挥和总

极司非而路 76 号

监督，是他实现了把小丑变成恶魔、把 76 号变成魔窟的“奇迹”。

人间不免有缺陷，公正的历史也会有遗漏。76 号的后台老板晴气庆胤在“二战”结束时，被人遗忘了，他没有受到应有的惩罚。再说，中国人不像犹太人那么执着：

哪怕是天涯海角，纳粹战犯一个也不许逃掉！

以色列人是德国纳粹战犯的索命鬼。但许多日本战犯逍遥自在，无人过问。

日本在中国犯下滔天大罪的坏人，许多都能逍遥法外。晴气庆胤就是其中之一。

晴气庆胤后来写了《上海特工 76 号》这本书，揭露了一些别人的罪恶事实。但他把自己写成无辜的胆小鬼，还说他厌恶丁默邨和李士群的恐怖活动。仿佛，作为大日本皇军驻 76 号魔窟总代表的他才是可爱的小白兔或天真的小绵羊。

他给读者留下这样一种印象：

晴气庆胤是好的侵略者。如果他晴气庆胤也有一点什么瑕疵的话，

丁默邨（左）和李士群

也一定是丁默邨和李士群把他带坏了，而不是相反。

反正如今人也已死去，生前的一切罪行，一死就一笔勾销了。

如今，日本有人为东条英机翻案，国内个别阴暗的角落也不时传出汪逆精卫的赞美诗。这晴气庆胤与东条英机和汪精卫相比实在太微不足道了。大奸尚且如此有市场，小战犯、小汉奸要招摇过市也只好随他去了。口头骂他几声或许还随各人便，但要去拾棒头教训教训，大家就懒得动手了。

丁默邨和李士群是在1939年2月初，由日本使馆的特务清水董三带着去见土肥原贤二的。那时日军部间谍晴气庆胤少佐正是土肥原的助手。

会见地点在东体育会路七号“重光堂”的客厅里，土肥原贤二召见了由清水董三引来的丁默邨和李士群。

早晨9点，丁默邨和李士群已经端坐在那里。丁默邨一身西装，白白胖胖的李士群穿的是中装。土肥原很随便地穿着中式服装，慢腾腾走出来，脸色不好。

昨天东京大本营的来电，等于宣布土肥原计划的末日来临，他的使命结束了。刹那间，一股失败的耻辱感重重压在土肥原的胸口，他彻夜难眠。不过，当他看到眼前这两个中国人时，昨日的苦闷已在脸上消失。也许这两个自称国民党员的人的到来，真的给他带来了一线希望。土肥原用流利的汉语招呼客人，按中国礼节给他们递上香烟，点火。

丁默邨、李士群见状十分感动。后来李士群对晴气庆胤说：

“我没想到土肥原先生竟是那么和蔼的人。”

真是天生的一副汉奸相！

土肥原直接把话题引到了上海的“恐怖活动”上，土肥原向丁默邨挑明：

“丁先生，中国人的暗杀活动太残酷了。对上海出现的恐怖活动，也得想个办法。”

土肥原开门见山，要尔等来，就是如何解决军统无休止的锄奸问题。

“锄奸”正是导致土肥原计划失败的重要因素。唐绍仪被“恐怖”了，土肥原计划被东京大本营终止，其间的因果关系十分明了。加上陈箓乐极生悲，杀手堂皇入室，在众目睽睽下又被“恐怖”了。这使得大日本皇军颜面全无，许多原来想当汉奸的人，再也不敢当了。

聆听土肥原的教诲，丁默邨总算领会了主子的意图，于是开始大谈特谈如何消除重庆特工组织的威胁，如何由他们出面建立一支由汉奸组成的特工队伍，并请求日军给予领导和援助。

土肥原对丁默邨的计划极感兴趣。

第二天，土肥原派其助手晴气庆胤与丁默邨、李士群继续会谈。

本来约好，晴气庆胤先到兆丰公园（按：现上海中山公园），再由李士群接他去大西路67号。这么简单的一件事，晴气庆胤回忆起来却颇费笔墨。他按战后20世纪50年代的为人标准，把自己描写成十分胆小和十分有损皇军威严的形象。晴气庆胤说自己心惊肉跳地到了接头点的大榆树下，装作“若无其事”地抽着烟，忽然看到一辆黑色汽车开过来，李士群在车里向晴气庆胤打招呼，随即跳下一个彪形大汉，高喊：

“危险，快上车！”

大汉把他一把拉进车内。上车一看，这是一辆防弹汽车。李士群不停地催促司机快点。汽车沿着大西路飞驰，不停地冲过英国人的警戒线，开进了大西路67号黑色大铁门。晴气庆胤故意不讲明这彪形大汉是谁，晴气庆胤后来在76号住了三年多，他能不识？不过晴气庆胤记得丁默邨忧心忡忡等候在大门口的神态。

丁默邨在大门口迎接晴气。进了房间之后，李士群才对惊魂未定的晴气庆胤解释，说晴气到这里来的消息似乎泄露了，“蓝衣社”可能有所行动，原因是电话可能被窃听了。

“蓝衣社”这名称早就不用了，但李士群、丁默邨与晴气庆胤的嘴中，总是不停地说到这名词。

晴气庆胤一听，便被“吓住了”，在他心里，蓝衣社确实是个可怕

的敌人。他连忙对李士群表示感谢。

按这过程的一开头来看，“胆小善良”的皇军少佐晴气庆胤是后来被丁默邨、李士群教坏了，而绝不是相反。不过，如此“胆小懦弱”的晴气庆胤少佐两年内因调教丁默邨、李士群有方，功勋卓著，而被日军大本营越级晋升为陆军大佐。这事说明什么呢？是陆军大佐晴气庆胤先生谦虚过度呢，还是日军的东京大本营有目无珠？

当然，要知道汉奸特务是如何与日本主子勾结的，还是要看当事人写的东西，哪怕当事人为自己涂脂抹粉，我们也还得听听他是怎么说的。

根据晴气庆胤记述，他与丁默邨、李士群会谈就在大西路67号的“李士群工作室”进行。丁默邨、李士群交出大量情报，特别是国民党上海市党部及下属单位、各种抗日团体、国民党游击队的指挥部；特工组织蓝衣社（军统）、CC团（中统）和三青团等地下组织的组成、领导人、经费来源和势力等情况。

为此晴气庆胤表示钦佩和高兴。

他们研究了建立汉奸特工机构问题。

为建立效忠于皇军的特工机构，那时候的操作流程估计也像如今搞项目建设的流程一样：

项目可行性分析→项目初步设计→项目扩大初步设计→……

丁默邨、李士群一定事先已深入研究了日本的办事流程。他们拿出李士群、叶吉卿写的《上海特工计划书》。计划书分方针、要领、工作组织、据点的开辟、情报、行动队的编制管理、武器装备、经费等项目。

看完以后，按晴气庆胤的说法，他此时才知道这是一个以恐怖对恐怖的可怕计划。于是，“正直的”晴气庆胤先生还以谴责的口气说：

“这是个令人胆寒的恐怖计划。”

你看，这是一个连皇军都指责的76号的计划。可见，皇军多么仁慈！当然，我们该从中去体会这位逃脱战争罪处罚者的高明之处。

晴气庆胤拿了丁默邨、李士群的《上海特工计划书》回东京大本营，受到影佐祯昭的赞许。于是，晴气庆胤改换门庭，从落魄的土肥原将军手下，转到上升中的将星影佐祯昭少将的门下（据证实，此时的影佐祯昭还只是陆军炮兵大佐，但所有汉奸的回忆文章，都把他说成是陆军少将）。1939年2月10日参谋总长发布关于特务工作的命令：

“致晴气少佐的训令：

一、大本营确定，将援助丁默邨一派的特务工作，作为对付上海恐怖活动对策的一个环节。

二、你在上海应与丁默邨进行联络，援助特务工作，协助华中派遣军推行其对付租界的对策，并处理土肥原机关所遗留的工作。分派土冢本诚宪兵大尉和中岛信一少尉，作为你的部属。

三、在援助特务工作时，宜就下列事项与丁默邨进行联络：

（一）专事杜绝在租界内发生反日活动时，尤应避免与工部局发生摩擦；

（二）不得逮捕与日本方面有关系的中国人；

（三）与汪兆铭的和平运动合流；

（四）三月份以后，每月贷与三十万日元，借与枪支五百支、子弹五万发以及炸药五百公斤。”

2月15日，晴气庆胤先在南京和日本华中派遣军交涉，华中派遣军司令官山田乙三大将指示上海宪兵队和特务机关协助晴气庆胤的特务工作。

晴气庆胤把好消息通知了丁默邨和李士群：

“大本营批复已经下来了。”

晴气庆胤还从意大利军警备区内的日占房产中挑选极司非而路76号作为他们特务机构的基地。

丁默邨和李士群听完晴气庆胤的传达，欣喜若狂，相互拥抱，流下热泪。

晴气庆胤的两个下属土冢本诚宪兵大尉负责与日本宪兵队联络，中岛信一少尉负责和丁默邨联络。后来，晴气庆胤高升后，就由这中岛信一少尉替代影佐祯昭和晴气庆胤成了梅机关机关长及76号的后台东家。千万别小看这中岛信一此时只是区区一个少尉，其实他资格不比土肥原贤二低。中岛信一和日本的“支那派遣军”总司令板垣征四郎是日本陆军大学的同班同学，他原来还是日本少壮派军人的头儿。作为主使人，他煽动法西斯军事政变，推翻日本犬养内阁并杀死内阁首相犬养毅和其

他一大批内阁大臣。乘机上台的日本军部为了掩盖真相而包庇了他，仅褫夺军职了事。直到侵华战争发生，他又重新被起用。要不是那段经历，他怎么着也是个将级军官了。

从此丁默邨、李士群特务机构正式成立。由丁默邨任主任，李士群任副主任，直属日本大本营领导。起初地址设在上海大西路67号，后来迁至极司非而路76号。

到同年8月，影佐祯昭为首的“梅机关”成立后，这个组织又划归“梅机关”指挥。

其后个把月的工夫，30万元的钱来了，300支手枪也到了，极司非而路76号也在按特务工作的需要进行改造了。

物质条件有了。那人呢？

只要有钱，人当然没问题。不就是招罗一批杀人放火之徒吗？那好办，找“老头子”季云卿去。前面说过，李士群早就拜在季云卿门下了。

季云卿给李士群介绍了几位得力流氓，比如在沪西开赌台的朱顺林和许福宝。无奈，这两个小流氓爱搭不理的。似乎在这俩小子的目光里，汉奸这行当，不比流氓更上流。

于是，季云卿忍痛割爱，把干女婿干女儿吴世宝和佘爱珍一并介绍过来。吴世宝和佘爱珍又把手下的张国震、顾宝林、赵嘉猷、夏殿元、郭忠和、王吉安等三十几个兄弟一齐拉过来。顿时，丁默邨、李士群声势浩大。由于人多，大西路67号根本无法活动，于是租下忆定盘路95弄10号。此时，丁、李、吴这帮人全由日本特务机关所控制，犹未隶属于汪精卫的伪国民党，所以对外则用“中华扬子江轮船公司”的名义为掩护。这忆定盘路，就是如今的江苏路。

新来的吴世宝是何方神圣？

吴世宝，原名吴四宝。

吴世宝原本也是娶妻生子图安稳日子的普通百姓。他结过婚，本有一子一女。家里请个奶妈带孩子。不想，吴世宝得罪过人。他的仇家买通了吴家的奶妈，一把火，活活烧死了他儿子。不久，吴世宝又发现妻子与人私通，而对方却有些来头，吴世宝只得忍气吞声，强压怒火。

一次吴世宝酒后失言，老婆与人私通的事被手下小弟兄知道了。其中有个小弟兄为了江湖义气，找机会用斧头劈死了奸夫。吴世宝吓了一跳，知道对方不会放过自己，于是远走北方投山东军阀张宗昌手下当兵避祸。

过了几年当兵生活，想想世道有所变化，吴世宝又重新回到上海。此时他意识到，做人要混得开，就必须找后台硬的靠山。于是他先加入青帮，拜22代通字辈的青帮小头目、绰号为“烂脚炳根”的为师傅。后来他又为上海的二等流氓、丽都舞厅的老板高鑫宝开汽车，并借此机会拜高鑫宝为“先生”。同时，又投靠上海青帮流氓头子季云卿，成为季云卿手下的流氓，因而也与李士群成了同门兄弟。

这样吴世宝转到季云卿门下。由于吴世宝身材高大，满脸横肉，又善于见风使舵，有时自觉用车接送季云卿，因此讨得季云卿欢喜。季云卿从而厚待吴世宝，并让他负责修枪。上海有家汽车修理行是吴世宝的南通同乡开的，有车床设备，什么零件都可以车出来。吴世宝对车床兴趣很浓厚。那时季云卿手下青帮徒众私藏各式手枪或盒子炮，有几十件，凡是损坏了，都交给老头子季云卿想办法修理。季云卿就交给吴世宝去办，吴便转交给同乡的汽车修理行去修整。每次修好之后，吴世宝都到郊外试枪验收。由于吴世宝在张宗昌手下当过兵，本来善射，又有如此练枪机会，他枪法精益求精，终于达到百发百中的地步。在圈子里，他有神枪手之称。季云卿出出入入，也怕冤家寻仇。但他从不用保镖，吴世宝也常把自己当作季云卿保镖。

此时，青帮、洪帮经常互斗。一次，洪帮的打手，深夜翻墙潜入季云卿家里行刺。正当两个枪手准备对熟睡在床上的季云卿开枪时，吴世宝从侧面发枪，两个行刺者同时应声倒地。接着，他又指挥季家的门徒，将潜入季家的其余杀手驱逐，己方无一伤亡。季云卿为感谢吴世宝的救命之恩，将自己的干女儿、青帮女流氓佘爱珍许配给他为妻。

自参军逃命以来，吴世宝成了杀人不眨眼的亡命之徒。他同时又对上司非常顺从听话。自从搭上李士群后，发觉李士群出手大方，肯花钱。他认为有李士群这样的上司，必“大有窜头”（上海方言，指“有奔头，有发展余地”，略含贬义），因而特别卖力。他虽生性粗鲁野蛮，但知道怎样对上司恭顺。只要能博得上司的欢心，他会毫不迟疑去执行。李士群别的成员不肯做或不敢做的事，他奋勇当先，做得彻底，做得干净。

搞打砸抢他是行家，杀人放火，他最拿手。

从此而后，凡是被丁默邨、李士群特务机构拘捕的人，只要遇到吴世宝，总先吃他一顿皮鞭，打得血淋淋。这算下马威。这使得当时人们对丁默邨、李士群特务机构的畏惧程度，并不亚于日本宪兵队。

起初，丁默邨、李士群的组织还不够庞大，李士群派出去做暗杀的杀手，常常击而不中逃了回来，唯有吴世宝打一个中一个，因此他就坐上了行动组的第一把交椅。

吴世宝老婆佘爱珍原是旧上海有名的女流氓。她也是一个狠角色。

她富裕家庭出身，受过现代教育，毕业于上海启秀女中。她精明强悍，容貌甚佳，善于交际，尤其精于射击，有“百发百中”之称。她在嫁给吴世宝之前，不仅已结婚生子，且与多名男人有染，曾沦为上海三大骗子之一施德之的小老婆。她后来加入黑社会，拜上海黑道人物季云卿为养父。

吴世宝与佘爱珍的婚事自然办得风光一时，但却被一个巡捕房的“包打听”注意到了。“包打听”发现吴世宝就是数年前被通缉的杀人犯，立刻上门勒索。

当时，吴世宝不在家。佘爱珍愿意出一千大洋了结。然而“包打听”不依，要价二千大洋。谈崩后，佘爱珍安排吴世宝先去外地避风，随即拿了一千大洋到了死者家中，表示愿意用一千大洋和解。死者妻子觉得事情本由自己丈夫勾引吴世宝前妻而起，现在的吴世宝太太登门赔礼，也算对死者有了交代，于是同意和解。于是，按照佘爱珍的安排，死者妻子先去起诉，要求捉拿凶手归案，吴世宝再去自首。然后由死者妻子在法庭上声明，她见到的凶手并非吴世宝这个人，吴世宝因此无罪释放。

既然法院已作公断，巡捕房的“包打听”只好自动闭口。

经过此事，吴世宝对佘爱珍佩服得五体投地，从此言听计从。

后来，经佘爱珍的帮助，吴世宝成为极司非而路 76 号特工总部警卫队长，她则担任经理主任，吴世宝对她则极为珍爱。但佘爱珍自己并不安分，多次背着吴与相好幽会，给吴世宝“戴绿帽子”。慑于雌威，吴世宝只能睁一眼闭一眼。佘爱珍自己如此，却对吴世宝看管甚严，一旦得知吴在外鬼混的消息，便会大打出手，完全是一副流氓泼妇形象。佘爱珍敢作敢为，后来，她与叶吉卿、钮美波等人都成为令人侧目的 76 号女人。

到1939年3月底，丁默邨、李士群的班底基本上都已经组成，丁默邨的部下大多是由他策反拉拢收买的一些原上海市党部、中统和新闻界、文化界的败类。而李士群的人马以帮会分子、地痞流氓和一些中统、军统特务为主，除吴世宝外还有唐惠民、杨杰等人，加上他自己的亲戚、亲信，如傅也文、谢文潮等人。汉奸特务也不忘搞裙带关系：这谢文潮就是李士群的妹夫。

李士群还通过当过巡捕房探长的潘达等人，收买了租界的一些华人巡捕，号称“十兄弟”，为在租界内从事特务活动提供了一些方便。

随着极司非而路76号装修的逐渐收尾，日本人晴气庆胤和丁默邨、李士群陆续搬进。

极司非而路76号处于公共租界外，是日本人占据的一处场所，但又紧挨着租界，而租界这一带由意大利军警负责卫戍。由于意大利和日本的特殊法西斯同盟关系，意大利军警自然特别关照76号。极司非而路76号既出入租界便捷，又受日本宪兵队与意大利军警的双重防卫，安全绝无问题。

极司非而路76号就在如今万航渡路435号这个位置。如今万航渡路435号是上海逸夫职业技术学校静安分部，曾是建东中学的校址。该处早年是军阀陈调元的别墅，日本占领上海后，被日军以“敌产”的名义霸占。

如今的上海市逸夫职业技术学校静安分校的院内就是原汪伪76号特工总部，现已经全部改建

76号这地方，很适合特工活动。里面有很大的院子，四周是坚固的围墙，但是因为大门外就是租界搞的“越界筑路”，管理权属于租界，在巡捕房控制之下，汉

奸特务们无法沿街安设岗哨，但可以在内部设岗警卫。

76 号原来的洋大门用中式牌楼代替，牌楼正中镌刻了“天下为公”四个大字，像模像样地掩盖住日本狗腿子的尾巴，标榜成国民党的一派。大门内两侧的两座水泥碉堡，在“天下为公”两边开了枪眼，架设了两挺轻机枪，正对着门前的马路。水泥围墙上，加设了电网。

门内的东边，一排平房，就是吴世宝的办公室和审讯室等。向内深入，就是各个处室。

在院子的正中，是76号的主楼，叫作“高洋房”。一楼有会客室、交际室，会客室有沙发，有烟酒糖茶等，交际室有两个交际花，都是用来拉拢利诱被抓进 76 号的重要人物的。她们是柳尼娜和徐才立。柳尼娜又叫钮美波，是当时沪上交际花的“花魁状元”，也是日伪双料间谍。后来，徐才立作了佘赛珍弟弟佘廉卿的老婆，钮美波也嫁给了马啸天的内弟陆云。

交际室后面是电话间，电话繁忙时，两个交际花也要当起接线员。对面是餐厅和会议室。

楼上，丁默邨的卧室和办公室并在一起。其实丁默邨每晚睡在卫生间浴缸上方的棕绷上，卫生间四周装着防弹钢板。早上再把棕绷放回卧室床上，以掩人耳目，防止暗杀。

李士群办公室与他相邻。丁默邨在李士群办公室里面也有一张办公桌，但从来没有去过。李士群办公室前面，有条走廊通到另一边的一幢石库门房，还另有甬道直通吴世宝宿舍。还有用来关押女犯人的房间。三楼两间是俘虏优待室，用来软化重要对象。楼梯口有铁栅栏，有便衣特务持枪警卫，无特别证章或特别通行证不能上楼。

高洋房的另一边，是一幢石库门楼房改造的大礼堂。

花棚前最富丽堂皇的平洋房，由日本特务机关的派驻人员居住。翻译夏仲明、沈耕梅等人在此与日本人联络。

此外还有收发报和监听敌台的无线电室；负责译电并破解“敌人”密码的密码破译室及负责分析整理情报的情报室。院子里竖起了三座 20 多米高的无线电发射塔。

76 号内有派出涩谷准尉为首的日军宪兵队小队，有马场曹长、坂本军曹和宪兵长冈等七八个人。

晴气庆胤的下属中岛等人也常驻76号。在76号斜对面，就是“梅机关”的分支机构。76号有任何行动，先要得到“梅机关”的批准，再由涩谷派出便衣宪兵一同去现场协助和监督。76号每天要将拘捕的人员、工作情况、收集到的情报等，写成报告送交涩谷，由他上报上海宪兵队特高课。76号所使用的枪支、子弹、手榴弹、炸药等，也由涩谷等人经手，由宪兵队领来。76号枪决犯人，也有宪兵到场监督。76号的人在租界活动一旦失手被擒，则由宪兵队出面保释。一般情况下，由于巡捕不愿意得罪日本人，76号的人常常在被捕后说出与日本宪兵队的关系就会被释放。

自从1939年9月以后，76号的机构编制不断变动，但主任丁默邨，副主任李士群、唐惠民一段时间不动。而76号的杀人放火机构警卫总队(原称“警卫大队”)和特工总部行动总队(原称“行动大队”)的头目吴世宝和林之江也维持一段时间不动。

这里，军统的林之江、万里浪及女特务张劲庐如何从一开头就投进76号，一直是个谜。后来虽有间接地提到林之江和万里浪投敌过程的传言，但无法肯定。而张劲庐更不知从何来，再往何处去。只知一开头她就是大队长或处长，有过利用色相诱捕人的经历。反正，对他们只能在已知的范围里说说。

76号特工总部，还设立了若干外围特务机构：

如设在极司非而路75号的“海社”，以李士群为社长，胡钧鹤为书记长——胡钧鹤如何进的76号，将在后面说明。

设在宁波路的“立泰钱庄”(后改为立泰银行)以叶耀先、孙时霖任正副经理。

还设有“上海法院同仁会”，由夏仲明负责。

《国民新闻》社，以黄敬斋任经理，蒋晓光为总编辑，胡兰成为主笔。

曾经迷倒张爱玲的汉奸胡兰成

通过这些组织，76号将特务触角伸

向文教、司法、新闻、金融各界。

看到这里，我们发现原来这胡兰成也出现在极司非而路76号的机构中。这不稀奇，胡兰成本是一个文痞。进76号，他才更发挥专长，比如他方便地“花”倒了张爱玲，同样方便地拜倒在佘爱珍石榴裙下。不过胡兰成在76号不是杀人放火，而是利用《国民新闻》社和《中华日报》来喊“和平运动”的口号，当然他的主业之一是写恐吓信和勒索信，恫吓上海各媒体。那些年，上海各报老总们就收到过难以计数的恐吓信，都是胡兰成为吴世宝代笔的杰作。比如，胡兰成做主笔的《中华日报》曾头版头条刊出血腥口号：

以血还血，以牙还牙！再杀中储人，枪毙人质三名！

发出血淋淋的叫嚣，要屠杀上海银行钱业公所的员工，原因是上海银行钱业公所拒绝兑换伪币。同时，该报社论严厉警告重庆当局和“蓝衣社”，将不惜采取一切手段进行报复！这就是《中华日报》与76号一对流氓汉奸的文武搭配。

看来，胡兰成不像如今一些粉丝所想象的那样：奶油小生，毫无血性。

胡兰成到76号，还得从头说起。原来，1938年胡兰成就投身在林柏生麾下，在香港任《南华日报》编辑。他的一篇文章《战难和亦不易》深受陈璧君赏识，陈璧君要社长林柏生提升胡为《南华日报》主笔。

1939年春，汪精卫到上海着手组织伪政权，陈璧君邀胡兰成来上海充当自己的侍从秘书并兼任76号机关报《国民新闻》主笔。76号机关报《国民新闻》除了擅长写恐吓信之外，好像看不出更多的其他特长，而胡兰成却颇有花头。后来，胡兰成被任命为伪宣传部政务次长兼伪《中华日报》总主笔，成了汪精卫的“文胆”。期间，胡兰成与吴世宝接近，原因无非是其女人佘爱珍的吸引力。胡兰成虽说勾上了女才子张爱玲，但更垂涎吴世宝老婆佘爱珍，她是胡兰成眼中的又一个西施。胡兰成是依靠女人陈璧君的提拔而起家的，又不断地靠追求一个又一个的女人来维持生存。

这时，胡兰成也向张爱玲曝点76号秘闻，作为女小说家写作的素材。大概《色·戒》就是这样写成的吧。

八、伪特狼狈为奸，76 号特工总部“正名”

土肥原在上海站完最后一班岗，着手弄出 76 号这个怪胎后，他要交班了。他向影佐祯昭少将（姑且把他这个陆军炮兵大佐称为少将）交班。土肥原的计划失败了，而影佐祯昭却成功地策划了汪精卫集团反叛。影佐祯昭取代土肥原是必然的。于是，上海虹口区东体育会路 7 号重光堂的机关就要改换门庭了，新成立的机构的主人是影佐祯昭。土肥原在上海的助手晴气庆胤也移交给新主人影佐，继续督管丁默邨、李士群。移交给影佐的土肥原班底还有其他人，这些人中有个被日军大本营誉为“帝国之花”的年轻女谍，据说是日本机构的特一课课长。她名叫什么，各方面莫衷一是。由于她父亲本是潜伏上海的日本特务，用的是南造次郎的名字。既然是潜伏特务，自然要掩盖自己真实身份，这南造次郎的名字更可能只是化名，从而没人知道他的家族姓氏。而这“帝国之花”既出生在上海，自小在上海长大，她取中国女孩的名字廖雅权或孙舞阳等也很正常。她有个日本名字叫“南造云子”，好像是父亲“南造次郎”家族姓氏的延续。但这也只能看作国际间谍逢场作戏的手段。间谍的姓氏远不及间谍的联络编号重要。我们姑且就用南造云子来称呼这“帝国之花”吧。

在本书末了部分，将讲到这“帝国之花”被上海地下反抗组织正法的过程。

土肥原贤二回到东京述职，然后调任北满第五军司令官，驻扎在东北佳木斯。

不过，最早住进上海虹口区东体育会路 7 号重光堂的，不是影佐祯昭，而是他的战利品周佛海和梅思平，随后来的是汪精卫和陈璧君。

1939 年 4 月底，坐镇 76 号的晴气庆胤收到了发自香港上司的一封莫名其妙的电报，指示他到码头去接香港来的日船“浅间丸”号，接受随船来的“佛像”一尊、“梅钵”一个。第二天，晴气庆胤接到的“佛像”和“梅钵”居然是周佛海和梅思平。此时汪精卫正在开往上海的另一条贼船“北光丸”上与影佐、犬养共商“大计”。他们派周佛海和梅思平到上海打前站，为汪的“和平计划”搭台唱戏。

晴气庆胤告诉“佛像”和“梅钵”，想在上海开展“和平运动”，不妨将丁默邨、李士群拉进来，那样会安全一些。由于上海舆论媒体早就齐声谴责汉奸行为，市民对汪精卫、周佛海、梅思平之流恨之入骨。晴气庆胤出于安全考虑，不让周佛海、梅思平白天抛头露面，而把周佛海和梅思平安置在外白渡桥边的理查饭店。理查饭店也就是如今的海鸥饭店。当时理查饭店被日本人霸占，旅馆内外，由日本宪兵警戒。只有等到了夜间，周佛海面目不易被人发觉时，才能外出。

晴气庆胤安置好周佛海，自己回到了76号内，建议丁默邨、李士群去理查饭店拜访周佛海。丁默邨却找出各种理由搪塞，根本不想动身。因为丁默邨曾主动派人巴结周佛海，却吃了闭门羹，咽不下那口恶气。现在他不愿卑躬屈膝。但是晴气庆胤表示讨厌丁默邨这种态度，加上李士群不停劝说，丁默邨勉强同意前去见周佛海。毕竟主子的旨意违背不得。从这事来看，似乎一开头晴气庆胤就对丁李二人各有褒贬，这为后来李士群战胜丁默邨埋下伏笔。

见了面之后，丁默邨和周佛海还是“谈得不错”。几个人谈到第二天黄昏。随后，周佛海移居重光堂附近的一幢洋房里，由76号派卫兵负责警卫，从而周佛海开始联络各路汉奸。

1939年5月，汪精卫搭乘日本的“北光丸”号贼船来到上海。起初，汪精卫慑于上海不停息的锄奸枪声，不敢上岸而坚持留在“北光丸”号船上。但，那成何体统？于是听从劝告，由日本宪兵严密保护，搬进东体育会路的重光堂住下。

汪精卫住进东体育会路重光堂后，还是整天提心吊胆，只有等到了夜间，才敢偷偷摸摸去租界活动。为了应付紧急情况，汪精卫等40余人检查了血型，以便万一受伤能及时输血抢救。日本人还加派宪兵“保护”，对汪作了周密的防范，在汪的住房里安上防弹窗，以防止军统、中统特务的暗杀。

汪精卫一边日夜苦思如何打开寸步难行的僵局，一边又意识到一种无形的巨大魔影已经笼罩在他们头上。他们名义上是受日本宪兵“保护”，但心里明白，自己已被日本人严密监控了。他们的一举一动，都得经日本人的同意。这是一种监视式的“保护”。这种靠日本刺刀来维持的“和平运动”，对汪精卫来说是极为不利的。汪精卫、陈璧君想到了就在上海的褚民谊，决定放弃前嫌，秘密召见褚民谊，要他参加“和平运动”代替自己出面在上海活动。究竟是亲戚，还因为是“同志”，褚民谊与汪精卫一拍即合，他也成为汪精卫汉奸集团的核心人物之一。

被汪精卫、陈璧君拉来参加“和平运动”的褚民谊

为摆脱此种不利的情况，汪精卫等人希望能尽早正常独立活动，摆脱日本宪兵的保护。日本人也意识到，过分地罩住汪精卫，势必造成汪精卫变成一文不名的废物。要利用汪精卫，就要淡化汪精卫是“日本养”的形象。于是想到丁默邨、李士群，要利用他们来充当汪精卫的保镖打手。

得到日本老板的授意，丁默邨、李士群前去拜见汪精卫，正式商谈双方合作的条件。

丁默邨开出了高价：

一是，要求承认丁默邨、李士群的特务组织是汪派国民党的秘密警察，成立特务工作总司令部（特工总部），当年10月以后，特务经费由汪精卫集团供给。

二是，如果成立新的“中央政府”，要给丁默邨、李士群等人“内政部长”“江苏省主席”和“上海市长”等职位。

第二个条件价码之高，令参加会谈的周佛海等人面面相觑。汪精卫和手下略做商议之后，答复道：

“很高兴将你们的特工组织作为特工总部，经费要和影佐商谈之后决定，不会不如意。但是，上海市长、江苏省主席的职位不能给贵方，因为江苏、上海是整个‘和平运动’的基础。‘内政部长’由特工来兼任不太合适，警察行政可以由特工兼任。因此，可以另外成立一个警政部，部长、次长由贵方指定。”

丁默邨不满意汪精卫的这个答复，他坚持要得到“上海市长”的职位。

但是李士群却劝丁默邨妥协。汪精卫又许诺：

“8月召开的‘全国国民大会’，请你们务必做发起人。”

由76号发起“全国国民大会”这一许诺无比重大。至此，双方才算达成一致。

丁默邨、李士群向汪精卫表示，一定不辜负领导的栽培和期望。

于是这批日本人羽翼下的特务，终于正式与汪精卫集团连成一体。

76号也有了“特务工作总司令部”的称号，后来简称76号“特工总部”。

随后，汪精卫便迫不及待地要求赴日谈判。他先让周佛海、梅思平与日方代表今井武夫在重光堂进行预备性谈判，尔后他同周佛海、梅思平、陶希圣、高宗武、褚民谊等反复讨论，拟定了《关于收拾时局的具体办法》，作为向日方提供的谈判条件。

1939年5月31日，上海大场机场附近十步一岗、五步一哨，临时断绝通行，戒备非常严密。汪精卫、周佛海、梅思平、高宗武等一行11人，乘坐日本海军的军用飞机去东京和日本政府首脑会谈。6月6日，日本最高决策机构五相会议决定承认汪派国民党，以汪精卫建立“新中央政府”为根本方针。汪精卫一行在日期间，分别会见了平沼首相、近卫前首相，以及陆相（陆军）、海相（海军）和藏相（财政）等大臣，承认日本方面提出的旨在以“和平”形式吞并中国的各项卖国条件。

汪伪政权呼之欲出。

日寇在上海设立了“梅机关”，目的是扶持汪精卫成立伪中央政府。它由日本陆军、海军、外交、兴亚院派员组成，负责人是影佐祯昭少将。“梅机关”让汪精卫迁往沪西愚园路1136弄去住，弄内有10余幢独立的花园洋房，分别由汪精卫、周佛海、梅思平、陈春圃、林柏生、罗君强等以及日本沪西宪兵队特遣小组成员分宅而居，是清一色的汉奸巢穴。在各家房屋围墙上都加装了铁丝网，门窗上也都装上铁栅，汪精卫、周佛海住宅后面，还加设了瞭望楼。有警卫大队，专门负责保卫全弄的安全，没有特别通行证，或预先通知为特定宾客，任何人也无法进入弄内。后来汪伪国民党中央党部就设在这里。

汪精卫卖国集团一面大造“和平运动”的舆论，一面招兵买马，只要能赞成其卖国主张的人，都被视为“同志”，来者不拒，悉数搜罗。先来附汪投敌的有赵尊岳、岑德广、傅式说等人。赵尊岳出身名门，是江南有名词家，一个堕落文人。岑德广就是前面提到的唐绍仪之“乘龙快婿”，他把土肥原带进唐府密谋，而造成唐绍仪遭殃。傅式说原是个教授，附汪后当过伪部长和伪浙江省长。

上海愚园路1136弄，现长宁区少年宫，当年汪精卫窃居此处。此处原先为同盟会元老王伯群私宅，王伯群先后任交通大学和大厦大学校长

日军占领上海海关后，掠夺中国大笔的海关资金并截取其后征收的海关关税。汪精卫卖国集团的活动经费就是从日本霸占的海关关税中每年提取4000万元，供维持伪政权的运转。

这件事的经手人是影佐和大迫通贞。

这从“二战”后缴获的一份定为“绝密”级的《日本正金银行上海支行公函》可以得到证明。

原文如下：

日本正金银行上海支行公函（1939年7月5日）　绝密

总经理汇兑课公启：

敬启者。

接上月19日贵行电文指示，今后五个月每月可向陆军炮兵大佐影佐祯昭支付海关存款返还款的300万元，并以此作为个人贷款。上月30日请求支付六月份款额的300万元，在贵电中没有对期限等方面另作规定，为此，在方便时亦如附件所示开具简单的借据，交付申请金额。

对海关存款返还款的影佐祯昭及大迫通贞的贷款。

1. 是否需交换借据，或是对交换借据只需简单地交给借据。

2. 对海关存款返还款，是否需事先征得兴亚院联络部长官的同意。

请参照电文，并以本月一日贵行电报交换借据。

已经接到复函，无需兴亚院联络部长官的同意。

现送上收到的借据复印件，请浏览，其中若有不够完善之处，望通知为荷。

上海支行经理昭和十四年7月5日

附：影佐祯昭收据（1939年6月30日）

横滨正金银行上海支行公启收据上海通货法币叁百万元整

今从贵行借得上述款项，确已收到。望将上述款项存入贵行陆军主计少佐远藤馨存款户头内为荷。

陆军炮兵大佐影佐祯昭

昭和十四年6月30日

九、《大美晚报》

上海老牌大报《申报》《新闻报》与1937年新办的《文汇报》等新闻媒体宣传抗日、揭露汉奸的舆论攻势，使日本和汪伪十分难堪。

《申报》此时的总编是老资格的报人伍特公。伍特公是1903年发生的中国学生第一次大学潮的导火索人物，清王朝为镇压那次学潮，制造了苏报案。1911年辛亥革命，伍特公率回民商团参加上海光复。他也是路透社和法新社著名记者。自主持《申报》以来，伍特公亲笔在《申报》上发表大量抨击日本人和伪政府的文章。虽屡遭日本特务和汪伪的恫吓，他都置之不理。

《申报》及时报道日军的暴行及汪伪汉奸的无耻，既激发当时人民的抗日意志，也给历史留下重要的史实。

《译报》1938 年以后改名为《每日译报》，坚持抗日宣传。图为该报报头和编辑部

《申报》几乎天天揭露日军暴行。

比如，1939 年 4 月 14 日《申报》一则揭露日军随便抓人滥杀无辜的报道：

日军在徐家汇等处滥捕无辜

近来沪西林肯路日军警备队，时有化装工人模样之日兵，到处捕人。

昨日上午，又有化装日兵六七人，在虹桥路麦克劳路附近，捕去农民田保根（住中新泾西袁更浪）、张小弟（住虹桥路南鲍家宅）、黄金荣（即皮鞋秀堂之子任拍球场西首徐家宅）、余和尚（住虹桥镇南余家油库）等四名，认为有游击队嫌疑，解送林肯路日军部讯问。惟余身上因抄出手铐一副，遂绑至虹桥路铁路口，于昨日下午，被日军枪决。其余三名，现尚被禁。

導報

與日方訂立密約

汪精衛賣國有據

派周佛海赴日請加緊進攻

《导报》揭露汪精卫卖国的报道

同一篇报道中，还指出绰号为小东洋的日本人，因霸占中国人的泰山砖瓦公司而被游击队击毙。日军报复，抓走无辜村民顾金毛、沈阿秋、沈阿坤及华泾镇开茶馆的金阿田，开豆腐坊的金阿桃等村民解送闵行日军部讯问。报道又一并指出同一地区，30余名日兵由汉奸领路，捆绑抓走乡民洪关平及李雪生二人。

由于《申报》是当年国内第一大报，影响力很大。各主流媒体无不受其影响，导致大众抗日反伪立场更加激烈。

另一大报《新闻报》也同样坚持抗日立场。新兴的《文汇报》也以抗日为第一宗旨。其他如《大美晚报》《译报》《导报》等等，大凡不落入日伪手中的报纸都持抗日反伪立场。舆论对汪精卫集团极端不利。

在全国舆论压力下，汪精卫的“和平运动”陷于困境。汪精卫于是想到要利用特务来压制舆论。李士群为了向汪精卫履行“甘为前驱”的诺言，在舆论的围攻面前，替汪精卫杀出一条血路来。于是派了大批特务为汪“打头阵”，一再捣毁报馆，不断暗杀绑架抗战人士，接二连三地制造血案。其阴险毒辣，手段残忍，令人发指。一时间，上海弥漫着恐怖气氛。

赤膊上阵的76号特务选中的第一个目标就是处于公共租界与法租界边缘的《大美晚报》。

为什么选《大美晚报》而不是最大的《申报》或《新闻报》？

在汪精卫的心目中自然是“一个也不能留”。能打下，自然是先打下大的更好。但《申报》和《新闻报》的报社地理位置，让76号特务感到有点难度。特别是《申报》，就与租界的工部局及中央巡捕房挨在一起。

尽管有日本宪兵队这种强大的后台，他们还是认为先挑软柿子捏捏更妙。《大美晚报》处于公共租界与法租界交界的爱多亚路（今延安东路）上，案发后容易利用英法两租界管辖权的矛盾而脱身。

于是经充分策划，76 号特务要动手了。

《大美晚报》是美国人在上海出版的报纸，1929 年 4 月 16 日在上海创刊。它以旅沪美侨为主要读者对象，着重报道美国和其他国家侨民在中国的商业、教育、文化等活动。1933 年 1 月 16 日增出中文版，1937 年 12 月 1 日又发刊中文《大美晚报晨刊》，且发表过不少抗日救亡文章。《大美晚报》还出《大美画报》。曾发文章介绍中国抗日战场，刊登蒋介石、毛泽东和朱德的大幅照片。

对《大美晚报》，特务们也搞先礼后兵那一套。

丁默邨先派人去疏通，想软化他们，不想没用。丁默邨与李士群一看软的不行，改用硬的，便着总队长吴世宝派人去打《大美晚报》，企图杀一儆百，压制舆论。

为了避免日伪的干扰，上海销路最大的《新闻报》不得不改挂洋旗

1939 年 7 月 22 日，莽撞的吴世宝把爱多亚路（今延安东路）上的《中美日报》馆当作《大美晚报》进行打砸。吴世宝手下的几名特务被闻讯赶来的公共租界巡捕捕获。

英、法两租界当局事先已得到 76 号要袭击《大美晚报》的情报，当即实行戒备。法租界尤为森严。不知是吴世宝派去的这些特务打手临场胆怯呢，还是真的弄错了对象，他们没冲击由法租界戒备森严的《大美晚报》馆，而打了对面属于英租界的《中美日报》馆。不想《中美日报》馆

为了防止日伪特务的袭击，大美晚报社在大门口加强了警戒

同样有所戒备，英租界巡捕房当即抓了几个 76 号的特务。

第二天这批特务被解送到设在公共租界的上海第一特区地方法院，法院毫不手软，依法都给判了刑。

于是这批特务的家属，都哭哭啼啼地闹到了 76 号，要吴世宝替他们设法营救。吴世宝当场拍着胸脯，叫大家放心，并说：

“我吴世宝做事体，是一向有肩胛的。”

于是一面请律师提起上诉，一面为了给承审的法官一些压力，由 76 号出面，写了一封恐吓信给江苏高等法院第二分院的刑庭庭长郁华，要他对这件案子撤销原判，宣告无罪，否则，对他不利。

法院予以坚决拒绝。

《大美晚报》则依然大骂日伪汉奸。于是，丁默邨与李士群改令夏仲明派第六行动大队队长潘公亚带领特务打手再度冲击，目标是殴打编辑部的人。

由于 76 号在报馆里没有内线，不知哪一间是编辑部，一冲进去就摸不着门路。于是就胡乱开枪、乱扔手榴弹，把报馆里的人，吓得逃个精光，失去了袭击对象。

于是，暴徒们闯进排字间，把铅字架上的所有字盘全部打翻。几个来不及逃避的工人被打伤。

报馆外面原本驻有一辆装甲车，是法捕房派来保护报馆的。听到报馆里传出来的枪声与爆炸声，知道出了乱子，就狂吹警笛。在里面动手的这些特务，听到警笛，就要逃。于是潘公亚领头向外蹿。一个安南巡捕与潘公亚展开枪战，结果安南巡捕被打死而潘公亚的脚受伤。潘公亚身后特务，急忙冲出了报馆。

当年这爱多亚路是法租界与英租界的界线。潘公亚腿部受伤后，犹极力挣扎，想穿过爱多亚路逃入英租界。但力不从心，于是用尽平生之力，把手里的枪，扔进了马路对面的英租界内，自己与另一姓史的同伙终于被安南巡捕逮捕。

潘与史被捕后，先押在法租界大自鸣钟巡捕房，后又押解到卢家湾的总巡捕房。潘公亚虽是76号的第六行动大队队长，但他持有上海日本宪兵队的"派司"，并且此时身上已没枪了。他就狡辩说自己是路经此处，被流弹所伤，是一个无辜被害人。同时又因他持有日本宪兵的"派司"，法捕房奈何他不得，旋即由日本宪兵队派人把他领了出去。那个姓史的特务，虽从他身上搜出了76号的"派司"，法租界的警棍们自然也明白是怎么一回事。由于这些法租界的安南巡捕担心遭76号的报复，不久也交由日本宪兵队把他保了出去。

潘公亚袭击《大美晚报》，却引起76号内部一场狗咬狗的互斗。

潘公亚因有前车之鉴，当然没再打错，还因此受伤被捕，这对76号来说，是属于完成了任务的"有功"行为。可是吴世宝却醋劲大发，认为潘公亚是要跟自己别苗头(上海方言，有"暗中较劲，争出风头"之意)，想打击自己的威信。吴世宝就凭自己的总队长级别高于大队长潘公亚的级别，就把潘公亚关了起来。

被76号杀害的国民党江苏高二分院刑庭庭长郁华

夏仲明明知这是吴世宝出于恼羞成怒而为，但不敢与吴世宝论理，免得吵

将起来，反使自己没个好下场。夏仲明明白自己有级别却没有山头，硬来的话，也罩不住吴世宝。于是，夏去找马啸天，请马向吴婉转进言：

潘公亚这次去打《大美晚报》也是“奉命”差遣，并非自己要求。潘纵有不是，也应该姑念他实无丝毫企图，曲予谅解。

经马啸天好言相劝，潘公亚被放了出来。这潘公亚也不是东西，看吴世宝比自己的老头子夏仲明更有来头，于是办了一桌酒，又拜吴世宝做了“先生”。

夏仲明知道后，只好装作不知。吴世宝占了便宜。

《大美晚报》虽受此一场打击，事后也觉得不过如此，于是在报上对汪伪76号骂得更凶。76号汪伪特工总部于是使出更毒辣的手段：改破坏报馆为对报人实施暗杀。暗杀的第一个对象就是他们恨之入骨的朱惺公。

朱惺公是江苏丹阳人，时年39岁。他幼年家贫，通过自学成才。艰难曲折的生活道路使他养成了正直的品质和刚烈的性格。1938年2月，他进入《大美晚报》任副刊《夜光》编辑。爱国的和正直的他义无反顾地坚持抗日立场。1939年3、4月间，朱惺公在《夜光》上连续发表《民族正气——中华民族英雄专辑》，介绍中国历史上的民族英雄与爱国志士，向读者热情宣传中华民族爱国的优良传统，激励人民的抗日斗志。接着他又连续刊载《汉奸史话》，对秦桧、吴三桂、洪承畴等中国历史上大大小小的汉奸加以淋漓尽致的揭露，让人民从历史明镜中看到汉奸群丑，使忠奸对比，古今相映。

朱惺公对汪精卫尤其深恶痛绝。在汪精卫叛逃上海时，他特地发表了署名陈剑魂的《改汪精卫诗》，对汪指名道姓地进行批判和鞭挞。诗云：

当时“慷慨歌燕市”，曾羡“从容作楚囚”。
恨未“引刀成一快”，终惭“不负少年头”。

巧妙地将汪精卫在清末因刺杀摄政王被捕，在狱中写的《绝命诗》原诗嵌入其中，经前后对比，将汪精卫背叛祖国，背叛自己，堕落成汉奸的嘴脸勾勒活了，令人拍案叫绝。

1939 年 6 月，朱惺公接到汪伪 76 号的恐吓信：

> 如若再写反动文章，即派员执行死刑。

朱惺公针锋相对地写了《将被“国法”宣判“死刑”者之自供——复所谓“中国国民党铲共救国特工总指挥部”书》登出，讥笑汪伪 76 号。

76 号终于下毒手了。1939 年 8 月 30 日下午 4 时许，朱惺公在其寓所附近被三名预伏的汪伪特务抓住，朱惺公厉声怒斥。暴徒连连开枪，朱惺公倒下了。

76 号继续恫吓《大美晚报》，他们写了一封信，附子弹两粒，寄给《大美晚报》经理李骏英与总编辑张似旭，要他们把投稿人姓名、住址告诉 76 号，否则将以附物奉餐。但《大美晚报》并未在 76 号的恐吓前退却，而是义正辞严地在报上正面答复，断然拒绝。结果张似旭被 76 号枪杀在南京路咖啡馆楼上，李骏英被打死在福州路附近的四川路上。《大美晚报》国际新闻编辑程振璋也被 76 号特务枪杀。

从此，丁默邨与李士群对上海新闻界发起疯狂的屠杀。

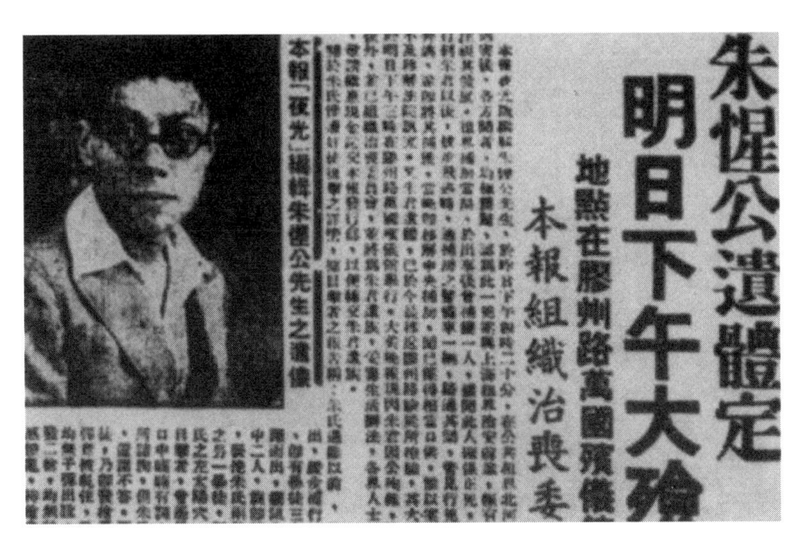

朱惺公遺體定明日下午大殮

地點在膠州路萬國殯儀館

本報組織治喪委

本報「夜光」編輯朱惺公先生之遺像

《大美晚报》副刊编辑朱惺公，1939 年 8 月 30 日被 76 号杀害。图为当时的报纸报道

大光通讯社的社长邵虚白，为人小心谨厚，他办的通讯社本身没有报纸，所以并没有公开的抨击日、伪的场所。然而，他毕竟是中国人，爱国之心未泯，私下里不免有时骂骂汪伪走狗。李士群就把他列为暗杀的下一个目标。

这天傍晚时分，邵虚白从南京路叫了一辆黄包车回家。车到明德里，76 号的杀手埋伏路旁，一阵乱枪，邵虚白当场气绝。

此外，76 号特务枪击大中通讯社编辑秦钟，秦重伤不治而死。

《新闻报》记者顾执中，先被 76 号特务击中一枪，未中要害。他急中生智，凭战场采访的经验，采用“S”形前进的跑法，使枪手难以瞄准，终于拣了一条命。

《新闻报》的新闻编辑倪澜深被捕进 76 号受刑。

《申报》记者兼律师的瞿钺在上海公共租界被日伪特务刺杀。《申报》另一记者兼国民党中宣部驻沪新闻界的特派联络员金华亭几遭磨难，最后还是遭到 76 号特务暗杀。

原本也是记者出身的汪伪汉奸分子金雄白就承认是汪精卫下令袭击《申报》的。76 号奉命派特务万里浪等暗中向报馆投手榴弹，结果造成路人伤亡。万里浪还直接对金华亭等实施暗杀。

位于爱多亚路（今延安东路）的泰晤士大楼，是上海报馆的集中地

摘录部分金雄白在《汪伪政权的开场与收场》中的叙述为证。其中的第一人称“我”就是指金雄白本人。原文如下：

一次我去南京，往佛海公馆，佛海一见面就说：

“都是你一向为申新两报说情，现在反而使我为难了。汪先生认为过去处置太宽，才弄成现在的状态。”

我听了正在莫名其妙，佛海把汪氏的手谕拿出来给我看，那是一纸便条，我还清楚记得写着如下的寥寥几个字：

佛海兄：申报言论荒谬，请兄严厉制裁。兆铭。

我呆呆地看了一遍，问他：

“你预备怎样呢？”

他说：

“昨天申报潘某某所撰的社论，骂得我们太过分了，汪先生既有命令，我无法再为回护，已去电七十六号立刻行动。”

我懂得行动的含义，绑架、暗杀，也可能有更甚于此的事。我说：

“我是望平街出身的人，我不能不替一班老朋友说话，我仅凭良心，并无作用。是不是能让我再以私人资格去劝劝他们，在此期间，请你暂缓行动。”

佛海说：

“电报已经发出，一切已无从挽救，那只能看他们的命运了……”

这一个电报居然发生了效力，七十六号原意要送一个定时炸弹进去大干一下的，因为防范严密，未能得逞。仅由万里浪在三马路——申报外面，投了一个手榴弹，轻伤了两名路人，作为交账。

但是事情还不能就此轻易了结。七十六号既不能深入申报内部，于是等在外面，把七八个排字工人拘捕了，又把副经理王尧钦、经理陆以铭的五六个孩子与一位古稀高龄的姨母一并捉来，关在七十六号……

金雄白还披露，正是周佛海在76号请求对金华亭执行（暗杀）的签呈上批了“准予执行”四个字，于是，《申报》记者兼任国民党中宣部

驻沪新闻界特派联络员金华亭被谋杀。

这就是汪精卫、周佛海策划指挥万里浪等袭击谋杀的经过。从而证明，这场摧残正义舆论的丑剧的幕后导演正是汪精卫和周佛海，前台打手正是李士群、丁默邨、吴世宝、万里浪等人。

接着，汪精卫签署对83名抗日人士的通缉令，其中《申报》同仁共11名，除金华亭外，总编伍特公名列其中。该报被列入暗杀名单的记者还有张寄涯，因事前有人报信，张寄涯逃脱。

此时上海的血腥味越来越浓烈。面临日伪的追杀，有人劝伍特公暂离上海，但他不为所动，他住进回民社区的朋友沙善余先生家里，把路透社的工作移给沙善余一人负责。伍特公继续与日伪周旋。

十、汪党“六中全会”

就在汪精卫集团用子弹和手榴弹对付上海报刊媒体的同时，他们还把在76号召开汪党的全国代表大会，当作汪集团粉墨登场的第一件大事。

汪派的国民党，为了制造自己继承国民党正统的假象，就把筹划中的伪全国代表大会，按国民党历次大会顺序称为“第六次全国代表大会”。

这次会议有两个目的：

一是把所谓“和平建国”写入汪记伪党的党章中，对三民主义作出符合日本人要求的解释；

二是选举汪精卫为伪“国民党主席”，取得“合法地位”，好和其他的汉奸联合召开伪“中央政治会议”，搭起汪伪国民政府的架子。

1939年8月28日，汪派的国民党“六大”假“极司非而路76号”的大礼堂开幕。安全保卫工作自然由丁默邨、李士群全权负责。日本人在背后牵线和警戒。

为了安全，会议对外严格保密，对不知情的“代表”，只通知汪精卫要训话，务必到场。致使许多被胁迫的“代表”，到了会场才知道怎么回事。进入76号的“代表”，一律不能和外界联络。

开幕当天，为了迷惑外人，还在76号大门外，搭起了一座彩楼，中间点缀了一个“寿”字。把里面的闹哄哄丑剧，伪装成是在做寿。

按公共租界的分工，这个地段的防务归意大利的驻沪军队负责。为了防止英美控制的公共租界巡捕房前来干预，日本人就出面与意大利联系。此时意大利与日本同为法西斯政权，彼此勾结，臭味相投。意大利派了一排驻军，携带了机枪，荷枪实弹，驻在76号的对门，还煞有介事地把机枪对准了76号大门，名为监视，实则保护。

这样一来，英法租界的巡捕房方面即使想出面查禁，也因担心与意大利军队发生误会而罢休。76号这边，也给驻沪意军一个响应，在开会的那天，关紧大门。那些来开会的“代表”，自己有汽车的，一概绕道极司非而路开纳路口（即今武定西路），从日本沪西宪兵分队后门的小路进76号的后门。没汽车的，进76号西首的华邨，穿过76号与华邨之间墙上临时开挖的墙洞钻进76号。开会前后，大雨滂沱，这些钻狗洞的家伙，被淋得十分狼狈。

76号内部特务全体出动，充当警卫，注视着每个“代表”的一举一动。

当时汪精卫住在愚园路1136弄，与极司非而路76号虽然很近，但汪的目标太大，为了防止参加会议途中遭受军统或其他民众意外的伏击，丁默邨与李士群向汪精卫建议，要他提早一天住进76号，推迟一天回愚园路。汪精卫要在76号里睡两个晚上，心里委实不甚愿意，但又担心万一这天在路上真的出点事而丢掉性命。河内那次经历，他心有余悸。于是他只好接受丁默邨、李士群的意见，带了陈春圃和几个副官、保镖提前住到了76号。李士群特别殷勤，把自己的卧室装修一新让汪作临时寝宫。汪精卫让陈春圃也睡在房里，而带去的副官、保镖，则一概在房门外的走廊楼梯拦道阻截。可见汪精卫在76号睡的那两晚，够提心吊胆的了。

大会在8月28日上午开幕，参加者有200多人。主席团的成员有汪精卫、褚民谊、周佛海、梅思平、罗君强等人。大会的筹备主任是褚民谊，秘书长为周佛海，秘书为陈春圃、罗君强、汪曼云、卢英，司仪是汪曼云。还有一说，秘书长为梅思平，周佛海是主席团主席。

这罗君强是周佛海死党，在1920年11月加入中国社会主义青年团，与李立三一样是早期的积极分子，任湖南团省委书记，多次脱党入党。与同是脱党分子的周佛海大概同病相怜，两人抱作一团，结成死党。罗君强

后来当过伪安徽省长，在1946年被判处汉奸罪，长期关押在上海提篮桥监狱，罗君强没被判死刑，估计是后来他按戴笠的要求，做过一些保命的事。

那天上午，汪精卫致开幕词并作“筹备委员会工作报告”；下午作“修改国民党党章的报告”。然后选举伪“国民党主席”和伪“中央委员会”，通过大会宣言。对外称三天的会议其实只开了一天就草草收场。

76号的特务除了负责会场外的安全保卫之外，还在会场上充当打手。当汪精卫提出“中央委员”人选时，有些代表发现温宗尧、陈群和任援道等老牌汉奸也在其中，表示羞与为伍，会场当即发生骚动，李士群带领那些腰插快慢机的吴世宝们，挤到他们身边加以“威慑”，迫使会场顿时安静下来。

汪记“六大”草草结束后，在1939年9月5日，又召开了“六届一中全会”，正式成立了汪派国民党中央。陈公博、周佛海、梅思平、林柏生、丁默邨、陶希圣、高宗武、焦莹等为“中央执行委员会常委”；陈璧君、顾忠琛、褚民谊等为“中央监察委员会常委”。褚民谊为“中央党部秘书长”，陈春圃、罗君强副之；梅思平为“组织部长”，戴英夫、周化人副之；陶希圣为“宣传部长”，林柏生、朱朴副之；丁默邨为“社会部长”，汪曼云、顾继武副之。汪精卫投敌集团在乌烟瘴气中敲完了登台的第一场锣鼓。这顾忠琛在辛亥革命时是江苏民军的副总参谋长，早就被梁鸿志拉下水当了汉奸。

“六届一中全会”后，还决定成立“中国国民党中央执行委员会特务委员会”，由周佛海任主任委员，丁默邨任副主任委员，李士群任副主任委员兼秘书长，还有一批中统军统叛徒充当委员。这个委员会下设“特工总部”，丁默邨为主任，李士群、唐惠民为副主任。

成立这个“特务委员会”，是周佛海为了控制这支特务队伍，在原来由汪精卫直接领导的“特工总部”上面架设了一个由自己主管的“特务委员会”，从汪精卫手里夺走了特工领导权。

至此，丁默邨、李士群的特务组织有了正式的名分，伴随着汪精卫组织傀儡政府的活动，势力愈发膨胀。

由于这个日本人扶植而恶性膨胀的特工组织的出现，上海的抗日斗争形势更加残酷和复杂。

第六章　上海滩的大拼杀

一、李士群“捉放曹”

1939年7、8月间，此时76号羽翼丰满，实力增强，李士群雄心勃勃，要干出点成绩来给后台老板影佐祯昭和晴气庆胤看看，给皇军看看。

此时，丁默邨、李士群的76号，不但成功地策反大批CC派的中统特务到76号的门下，还从最危险的军统上海区挖来了林之江和万里浪。当然这林之江和万里浪的入伙有点神神秘秘，至今讲不出个所以然，甚至到最后还被戴笠原封不动地招了回去。但这两煞神，给76号带来的威风和煞气是不言而喻的。

李士群甚至还掌握着留在军统上海区内的卧底。利用这卧底，他终于把握到一个重大机会：

绑架军统大头目王天木。

如果抓捕成功，一定会给皇军一个惊喜。到时，不仅晴气庆胤不敢小看自己，就是影佐祯昭也要对自己另眼相看。

夏末一天，李士群向上海的军统发起决定性的攻击，首要目标便是军统在上海的一号人物王天木。这一天具体日子没人记住，但可以确定是1939年6月30日到8月15日之间。因为那两天有王天木的活动关键性记录。

李士群布置的76号特务们经过多时的秘密侦察，掌握了王天木的活动规律。就在这一天，王天木离开家，走到李士群设伏的某茶室前，被76号的特工秘密地绑架了。

76号主子晴气庆胤批准了李士群绑架王天木的计划。他带李士群事

先躲在离现场不远的一个房间内，透过门窗，看如何实施对王天木的秘密绑架。

战后，日本特务晴气庆胤在日本写的《沪西76号特工总部内幕》一书中就描述了自己目睹那次抓人过程：

> 今天要抓一个王天木，是上海地下工作的最高领导，76号竭尽全力窥测到他们的动静，结果了解到他有一个习惯。每隔三天下午三时左右，总要到那里的一家茶室，同他的部下接头。今天正好是他来接头的日子。就在这个时候，听到李士群尖叫起来，我慌忙地走到窗边一看，只见一个潇洒的绅士正好出现在茶室门前，他头戴灰色呢帽，一身轻便的春装，站在那里环顾四周。他要去什么地方呢？似乎一时拿不定主意。马上又快步朝西走去，不出二十步，一个身材魁伟，穿着中式大袖服装的青年，不声不响地走了过来，靠近他的背部。这时停在旁边的一辆汽车，自然而然地打开车门，顺利地把绅士和青年吞了进去，于是汽车就消失在人群里。

自然，那“潇洒的绅士”就是军统少将王天木。那“身材魁伟的青年”及汽车，就是李士群76号设的埋伏。

这王天木居然没想到对方会混入法租界给他来这一手。

晴气庆胤很注意细节：

一句“李士群尖叫起来”，淋漓尽致地表达了当时李士群兴奋无比的神态。

现在的问题是：76号特工如何认识王天木及如何知道王天木的行止。

此时的76号的确通过金钱引诱和利用军统内部矛盾，先后网罗了万里浪和林之江等原军统特务。万里浪和林之江原是王天木下属，认识王天木是当然的。但对王天木的住处及习惯接头点，则不一定能知道。可能知道的只有王天木副官马河图、军统上海区代理区长赵理君和人事科长陈明楚。因此有一说是：

1939年夏天，军统上海区人事科长陈明楚暗投76号，而王天木随后被出卖。

也就是说陈明楚向 76 号透露了王天木的住址，这就给 76 号秘密盯梢王天木提供了可能。前面讲过，陈明楚、刘戈青与王天木关系密切，经常来往。他们知道王天木的住址。

绑架王天木的汽车开进 76 号之后，王天木并没有受到虐待，更没有受到严刑拷打。李士群对王天木以礼相待，好酒、好菜进行优待，他养尊处优地生活了好多天。

在 76 号当太上皇的日本特务晴气庆胤看着不理解，为何不来皮鞭老虎凳伺候？为何不送交皇军宪兵队？他问李士群：

"费尽心机抓来了个军统大员王天木，难道仅是为了向他敬酒拍马屁不成？"

倒是李士群有心机，他向晴气解释说：

"王天木这样的人，用硬的是不行的，倒不如优待一段时间放出去，动摇对方（按：指戴笠）对他的信任，再通过宣传，扰乱对方，使敌人势力垮台。"

果然，吃喝一段时间后（有的说是两周），王天木被放出来了。虽然王天木是秘密被绑架，但 76 号无须继续替他保密。王天木放出的同时，外界就有人流传王天木被 76 号捕去吃吃喝喝后，又放出来了。

王天木被捕的那个"夏末的一天"是什么日子？王天木在 76 号吃吃喝喝后，又放出来了的那天到底是什么日子？这居然没人说得清楚。这就给后来对一些事件进行分析带来麻烦。

王天木本与戴笠是铁哥们，但自春节在香港因赵理君的事与戴笠发生口角，导致一场剧烈的争吵。一气之下，王天木掴了乌纱帽。戴笠顺水推舟，把军统上海区长的职务给赵理君代理。自此王天木就与戴笠疏远了。此后的王天木，游走于天津和上海之间，与其他军统人员之间的矛盾也在加深。

当时陈恭澍从河内回重庆，任军统第三处代理处长。他也发觉王天木发来的工作电报的内容含骂人的"王八蛋"等字样。陈恭澍推测王天木历经坎坷，与军统同僚不睦。

军统特务乔家才在《戴笠和他的同志们》书中也提到，1939 年 6 月 30 日，戴笠在重庆对乔家才曾言及王天木最近情形不大稳当。表明在王天木被绑架之前，戴笠渐渐也对王天木起了疑心。

王天木在军统内部“不和谐”的状况，估计是已投靠76号的陈明楚、万里浪或林之江等人都知道的事实。

李士群利用这点，给王天木来个“捉放曹”，果然在军统内部掀起轩然大波。

李士群的离间计马上收到了效果。

二、上海追奸，毛万里、王鲁翘刺汪计划夭折

1939年6月1日，戴笠派特务跟踪到上海，继续追杀汪精卫。派出的先行队伍正是年初参与河内刺汪的得力干将毛万里和王鲁翘，及原来刘戈青小组的成员谭宝义、朱山猿、尤品山和平福昌。毛万里原是戴笠秘书，戴笠在香港铜锣湾建立的刺汪调度指挥中心，就是由毛万里实际操作的。此时毛万里被任命为军统上海总督察，由他与王鲁翘一起负责指挥刺汪任务。而谭宝义、朱山猿、尤品山和平福昌就是年初参与刺杀大汉奸陈箓的成员，他们熟悉上海的各种情况，由这些人配合毛万里、王鲁翘行动，算是比较理想的组合。于是，谭宝义四个人搭乘同一艘船，而毛万里和王鲁翘乘另外的船，分批从香港奔赴上海。

到了上海，谭宝义等人在白尔部路霞飞口租了霞飞公寓14号房间。这地方就是如今的重庆北路淮海中路路口，上海妇女用品商店正北面。毛万里、王鲁翘分别住在大中饭店和大方旅社。他们深居简出，等待线人指引目标，然后突袭汪精卫。

1939年七七卢沟桥事变和八一三抗战2周年纪念前夕，是日本宪兵队和租界巡捕房最紧张的日子，他们正加紧进行联合搜查。

1939年6月29日，日本宪兵队得到可靠情报，会同公共租界巡捕房和法租界巡捕房，于当日凌晨在霞飞公寓14号内逮捕了谭宝义和平福昌，并在寓所内搜查出枪支弹药等物。经过法国当局同意，公共租界巡捕房获得了对两人的审判权，但是一直未问出任何口供，两人坚称和重庆国民政府无任何关系。7月3日，日本宪兵队正式行文工部局警务处，要求引

渡两人，起初未获同意。两租界不同意的原因是日本宪兵队滥用刑罚、虐待犯人，是臭名昭著的魔鬼。

霞飞公寓就在今妇女用品商店对面，即照片的右上角

霞飞公寓14号被日本宪兵队破获的事，有人说是日本宪兵队从王钟麒和李济时的口供中得到的消息。但这在时间上有严重的矛盾：

霞飞公寓14号被日本宪兵队破获的事发生在6月29日，而王钟麒是1939年9月后才被林之江捕去，与李济时一起落水。把这两件事硬捏在一起，就因果倒置了。是“结果”发生在原因之前，这显然不对头。有关王钟麒、李济时被捕的事，我们随后另作讨论。要说有什么人出卖谭宝义和平福昌，那只有先于他俩被捕并投靠了76号的原军统成员张劲庐、林之江、万里浪三人。但这也缺乏依据。谭宝义和平福昌是戴笠从香港派来的，这三人也不一定知情。

更可能是谭宝义和平福昌一住进霞飞公寓就引起日本特务和法租界的怀疑。

因为此时是6月底，离七七事变2周年纪念日只剩下一周了。去年七七和八一三上海两次大暴动，给日本人和法国人印象深刻。1938年的暴动使日本人遭受打击而迁怒于租界，英法租界受到日军的巨大压力而屈服，他们不让利用租界为基地重演1938年七七和八一三大暴动。于是日法联合提前行动，搜查新住进法租界霞飞公寓的“生人”。而这次一搜即准，在查住客身份的同时查到了枪支。谭宝义和平福昌被捕是因日本人和法国人的预防措施所致，而不一定是被什么人出卖。

但租界当局拒绝引渡两人的立场，后来发生了动摇。

十天之后，也就是7月13日，工董局警务处同意将两人交给日本宪兵队讯问5天，日本宪兵队担心时间太短，不足以使其位于百老汇大厦（即现在的上海大厦）的刑讯专家获得有价值的口供，因此拒绝了。

两天之后的7月15日，工董局警务处协助日本宪兵搜查了法租界福履理路（即现在的建国西路）317号。那是刘戈青原来的住处，巡捕们查获了未销毁的文件，其中有刘戈青写给上级的报告底稿。上面提到了成功刺杀陈箓，并列出了对此事有功的五个人的名字：谭宝义、平福昌、尤品山、朱山猿和徐国琦。工董局警务处由此认识到手头两名“犯人”真实的军统身份，并渐渐将他们与风闻于上海的军统刺杀汪精卫的行动联系起来。于是，谭宝义和平福昌被移送到日本宪兵队之手，任凭日方进行审问。

王鲁翘和王天木的二女儿王因子关系密切。前面提过，戴藏宜是王天木的大女儿王抗子的男朋友。原来这戴笠的儿子戴藏宜和警卫员王鲁翘分别看上了王天木的两个女儿。

意外的是，王鲁翘在1939年7月14日赴王二小姐的约会途中遭日本宪兵队便衣五人拦截，企图强行绑架。王与之搏击周旋并呼救，后来被法捕房华籍警探发觉，警探将王鲁翘与日便衣五人带至法捕房，日方要求引渡被法方拒绝，不料，第二天即1939年7月15日，公共租界与法租界发动大搜查，军统上海区成员的住所及办公地址达14处之多遭冲击。幸赖军统上海区于法捕房之内线刘俊卿及时向军统上海区书记郑修元通风报信，而军统采取应急措施转移地址，才使军统上海区未被一网打尽。在这事件中，法租界巡捕房政治部华籍督察长程海寿一意孤行，助纣为虐。他不听警告，于7月14日王鲁翘被法租界捕房逮捕后，带着日本宪兵参与搜查上海区多个办公地点。

多名军统特务被法租界巡捕房抓走，14处军统活动地址遭搜查。虽说表面上是租界巡捕房干的，但有人怀疑王天木与此有关。

此时王天木是否已遭76号绑架？是否已经叛变？现在无法讲清，也不知上海的大搜捕及人员被捕是否为王天木出卖。

当然，后来王天木主动投降了76号，导致军统天津站和青岛站跟着投敌，使整个华北的地下力量遭受严重破坏，则是千真万确的事实。

本是冤家对头的军统上海区代区长赵理君，此后有可能产生趁机除掉王天木的念头。说也巧，8 月 15 日这天，从 76 号放出来的王天木遭遇未遂的暗杀。仅因王天木反应敏捷，加上运气好，子弹擦肩而过，并没让他流血。

陈明楚则马上向王天木出示了戴笠指示赵理君制裁王天木的电报。王天木愤怒了，带着副官等人投了 76 号特工总部。

射向王天木的子弹，到底是奉谁的命令？

这是一宗谜案。

陈明楚向王天木出示的戴笠电报究竟是真，还是假？

这又成为一宗谜案。

一种说法是确有戴笠电令除掉王天木的事，原因是戴笠已经怀疑王天木了。王天木被 76 号绑架而秋毫无损地放回来，76 号就那么容易进进出出？

戴笠认为 1939 年 7 月 14 日王鲁翘被法租界巡捕房逮捕，与王天木有关，还怀疑 7 月 15 日发生的两个租界巡捕房对军统地点的搜查也与王天木有关。

另一种说法如戴笠自我表白的那样，绝无此事。陈明楚在王天木被绑架前早已投身 76 号。他此时已是 76 号在军统的卧底。"戴笠的电报"系陈明楚伪造，目的是拖王天木下水。甚至暗杀王天木本人，也是他故意安排的，弄得有惊无险的，以激怒王天木。

原本陈明楚和赵理君，一个是人事组组长，一个是行动组组长，两人平时就互不服气，暗自较劲。王天木担任区长以后，曾提名陈明楚当军统上海区书记长，因赵理君反对而落空。陈明楚更怀恨赵理君。前次，陈明楚就利用王天木与赵理君的矛盾，把刘戈青推荐给王天木，想通过刘戈青做几件大事来巩固王天木的地位，借机压倒赵理君。

刘戈青暗杀陈箓后，日本特务机关和伪特工部大肆搜捕嫌疑人。陈明楚被李士群那伙人在一天夜里抓去，他熬不过酷刑，暗中投靠了 76 号。特务头子李士群交给他的任务是让他设法反间王天木。他组织了几个人，对王天木进行了一次所谓的"暗杀"行动，故意造成未遂的假象。然后伪造了一份戴笠发给赵理君的电报，让王天木看，嫁祸于戴笠和赵理君。

使王天木加深了同赵理君的矛盾和对戴笠的猜忌，不得不找陈明楚商议另谋出路。陈明楚顺水推舟，假意和王天木同时投靠李士群，掩盖自己早已变节的真相。

但不管怎么说，这回合，是小混混李士群玩了一招“捉放曹”的把戏，达到了目的，轻松地战胜了高级特工头子戴笠。

就在事件逐步演绎的同时，另一件事也正进行着。军统高级成员、国民党军事委员会少将参议戴星炳接到汪精卫的亲信陈石生来函，邀约他前去参加“和平运动”。戴星炳想利用此机会打入汪伪上层，寻机刺杀汪精卫，立个大功。于是向上级打报告，军统欣然同意。此时戴星炳正在上海。不过事情并不像事前想象得那么便当，他没有机会得到汪精卫活动的信息，更没有机会接近汪精卫。他甚至不知道此时汪精卫并不在上海，而是先后到日本和中国华北地区活动。没有消息就发急，发急就憋不住。于是戴星炳几次向陈石生打听汪精卫的行踪，这反而招致陈石生的怀疑，于是只好找借口退出上海。

由于戴星炳无法真正接近汪精卫，提供不了汪精卫的活动信息，军统行动小组的枪手们无机可乘。加上枪手谭宝义、平福昌和王鲁翘先后被捕，而且谭宝义、平福昌还落入日本宪兵队之手，于是毛万里和王鲁翘的这次追杀汪精卫计划告吹。

在本书以后讨论的内容中，将不再涉及王鲁翘。为此，对他来个终结性的交代：

后来王鲁翘虽经通过营救，没有落入日本宪兵队之手，但被从上海法租界引渡到法属印度支那的河内，判了刑。抗战胜利后，中国军队接管安南，从河内监狱放出王鲁翘。十多年后他出现在台北警察局长的位子上，据说他屡破大案。1974 年王鲁翘死于车祸。王鲁翘儿子王卓钧子承父业，也当了台北市警察局长。

在军统上海区屡遭挫折之际，中统的情况更糟。

1939 年 7 月，时任中统局苏沪区副区长兼中统局行动总队长的苏成德叛变投敌，自动投了 76 号。

苏成德叛变后向李士群供出了中统局苏沪区的主要线索。因为马啸天与苏过去是同事，李士群就招马啸天来共同商议，决定由马啸天配合苏成德，逮捕国民党中央调查局总干事级调查员胡钧鹤。胡钧鹤在1938年是中统苏沪区副区长兼情报科长，正是苏成德的前任。

胡钧鹤被汪伪特工逮捕后，投靠李士群，出任76号特工总部的第二处处长，同时还兼任特务机构“海社”的书记长。因苏成德和胡钧鹤先后叛国，上海中统的局面惨不忍睹。

胡钧鹤所在的76号第二处的作用是既和国民党的地下人员取得联系，又向中共上海党组织示好。这是因为李士群和胡钧鹤为了给自己留条后路而脚踩几只船。

李士群、丁默邨、苏成德、胡钧鹤同是中共叛徒，又同是国民党叛徒，他们臭味相投、狼狈为奸，在76号魔窟内扭成一团。

三、上海追奸，刘戈青刺汪计划落空

事隔不久，留在香港的刘戈青突然接到王天木的一封急信，上面写着：

兄于15日被赵理君暗杀未果，查获悉老板命令。此乃太无天理是非，遂于翌日开始自由行动。弟见信速返。兄天木。

信中所谓的“老板”，指的是戴笠，“自由行动”则意味着投靠汪伪特工头子李士群。

王天木怎么会叛变投敌呢？这个以暗杀汉奸扬名的人居然自己也当了汉奸！刘戈青看完信后，意识到事态严重，立即要向戴笠汇报。但戴笠此时已到重庆。刘戈青立即将信交给当时香港站的负责人王新衡。王立即转报重庆。

戴笠接报之后，当然说自己并没有下达暗杀王天木的命令。但显然感到事态的严重性。

一个曾经的军统局上海区长和华北区长，掌握着许多特工的情况，这一投敌，整个上海区军统的潜伏人员都将暴露，上海区军统的地下工作将陷于瘫痪，且有被毁灭的可能。况且还危及整个华北地区。

考虑到王天木投敌的后果严重，戴笠命令刘戈青和吴安之立刻到重庆。

到重庆之后，戴笠就安排吴安之去上海劝说王天木回头。刘戈青留在重庆待命。为什么戴笠会想到让吴安之去劝说王天木回头？原来，这吴安之是东北人，原是张学良部属的下级军官，后来是军统天津站的情报组长，相当长一段时间在王天木手下供职，与王天木及副官马河图等都有交情。戴笠还是想以情来打动王天木。

刘戈青认为这中间必有误会，而自己和王天木交情不浅，主动请命去上海劝说王天木。若能说服王天木将计就计，利用投敌后的身份设法接近汪精卫，趁机将其暗杀，以阻止南京敌伪汉奸政府的建立也是可行的。

戴笠觉得刘戈青的话有道理。前不久，河内暗杀汪精卫未遂，现在汪精卫在上海、南京，正在积极筹建汉奸政府。如果能利用打入内部的人将其暗杀，那再好不过了。王天木若能回心转意，自然是最合适的人选。戴笠答应了刘戈青的请求，给王天木写了一封亲笔信，对其好言相劝，希望他能够戴罪立功，自己念在多年情谊上，对他的投敌行为可既往不咎。信中说：

> 余遇君素厚，弟念数年来患难相从，凡事曲予优容，人或为之不平，余则未尝改易颜色，似此无负于汝，而汝何竟至背余事逆耶？……惟念汝现居逆方高位，有机与汪逆接近，正可乘间为我而图之，故特准戈青重履险地，即为我达此意与汝也。若果能出此，则不惟往者不咎，且必能以汝之此项功绩，而要逾格之重奖也。戴罪图功，此其时矣。望毋负余意，余由戈青代达。

戴笠希望王天木能回心转意，配合刘戈青完成刺汪的任务。

刘戈青回到上海，见到王天木，反复重申他和戴笠之间存有误会，戴笠确实没有暗杀他的意思。王天木语气坚定地说：

“我亲眼见过那份电报，上面写得很明白，不会有假。”

“大哥，戴先生对你委以重任，信赖有加，怎么会派人暗杀你呢？这没有道理嘛。”

王天木咬牙切齿道：

“赵理君！肯定是赵理君在背后诽谤我，进我的谗言，戴先生偏听偏信才这么做的。”

刘戈青沉吟了一下，又问道：

“你从陈明楚那里见到的那份电报，他又是从何处得来的呢？”

“是陈明楚在赵理君的办公室见到后偷出来的。”

王天木对陈明楚坚信不疑。

“那陈明楚现在在哪里？”

刘戈青又问。

“他害怕赵理君报复，也和我一起投靠了李士群。”

王天木最后对刘戈青说，他同意给戴笠回个信，以证明刘戈青已完成为他送信的任务。

王天木丝毫不为戴笠的言辞所动。他坚信戴笠确实曾向赵理君下达了暗杀令。他在陈明楚那里看到过那封电令。

王天木回信反击戴笠：

“违仁背义，男盗女娼。”

看来王天木是一点回旋余地也不留了。

由于电报牵扯到赵理君，想查清楚就很难了。刘戈青见扯来扯去也扯不清电报的事，于是转变话题，劝道：

“戴先生说，你打进敌伪组织正合乎他的计划，所以派我回来，让你协助我伺机暗杀汪精卫，阻止汪伪政府成立。对你投敌之事，戴先生绝对不会追究。”

王天木表示自己投敌完全是赵理君所逼，实在是没有办法，寻条活路而已。刘戈青老弟既然回来了，一切可以慢慢商量着来。

自刘戈青到上海，原来刺杀陈箓的小组成员朱山猿和尤品山也先后与刘戈青会合。他们商议好，让王天木、陈明楚为内线，伺机毙杀汪精卫。这便是得到戴笠特批的又一次刺汪计划。

前面提到，7 月 15 日大搜查，巡捕房搜了建国西路刘戈青的原住处。刘戈青在春节后写的刺杀陈箓的上报材料底稿，居然没有销毁而留在住房内。“铁证”被巡捕房查获，刘戈青等成了刺杀陈箓的通缉犯。于是，

刘戈青、朱山猿和尤品山不能再进法租界，只好住在比较容易隐蔽的小沙渡路工人区。小沙渡路就是如今的西康路。白天不敢外出，晚上才出来活动。

那时，汪精卫的住址是愚园路1136弄。由于日本宪兵的便衣和76号特务警卫森严，而此处又是由公共租界意大利的警备队维持治安，考虑到意大利与日本之间狼狈为奸的特殊关系，策划对愚园路1136弄进行袭击而达到刺杀汪精卫的目的，难度很大。同时汪精卫不时到日本或华北及南京活动，如果不知汪精卫的活动日程，即使实施袭击，也会扑空。刘戈青希望王天木能配合，弄出汪精卫的活动日程及行动路线，便于寻找破绽，以提供下手机会。

过了一段时间，大家都预测到汪精卫的伪政府即将成立，为阻止他，得早点下手除掉汪逆才行。而王天木没有任何行动的迹象，刘戈青于是催促王天木。王天木把责任推到一同投敌的陈明楚身上，说他是特务处长，行动需要他答应才行。刘戈青于是提出面见陈明楚。王天木推脱不过，于是安排刘戈青和陈明楚见面。

陈明楚见了刘戈青就表示自己走到这一步完全是赵理君逼迫所致。说自己是戴笠的学生，是决不会背叛戴笠的。目前也并不是真的投靠了伪组织。可是重庆并不调查真相，不研究原因，只听一面之词，居然把陈在湖南的家属全部关了起来。就算自己做了汉奸，父母妻子又何罪之有？

刘戈青表示可以负责将陈明楚的全家接来上海，以证明陈明楚所说的不是事实。陈明楚不相信，他表示：如果刘戈青能做到，一切听刘戈青的。

刘戈青一面给戴笠打电报报告会见陈明楚的经过，一面派朱山猿去长沙接陈明楚的家属。戴笠支持刘戈青的想法，安排朱山猿接上了陈明楚的妹妹陈第燕，转道香港，来到上海。刘戈青当即安排陈明楚兄妹在沧州饭店见面。陈明楚并不相信刘戈青能把他妹妹接来，认为是个圈套，带了一车子警卫，一同来到饭店。

兄妹两人一见面，陈明楚出乎意料。陈的妹妹又拿出了陈父的亲笔信，信中痛责儿子做了汉奸，劝他回头，陈的妹妹陈第燕也长跪不起，劝哥哥不要再做汉奸。

陈明楚只好口是心非地答应不再做汉奸，兄妹抱头痛哭。这事，陈明楚自然非常感激刘戈青。陈明楚本名陈第容，从取名可以看出他兄妹属“第”字辈。

放下刘戈青安排陈明楚兄妹相见的话题不提，再说刘戈青和王天木互相联系的事。他们之间主要通过打电话联系的。几次下来，王天木感到：刘戈青老是给他打电话非常危险，因为76号电话接线员也是特务，而且是李士群和叶吉卿的亲信，老是一个男人来电话找王天木，一定让她起疑心。一旦再派人跟踪下去，大家都会完蛋。不如找个女士帮刘戈青打电话，那样，就不大会引起对王天木的怀疑。此时的76号特务个个有多个异性朋友，电话中女呼男应，才是正常。不过，刘戈青家小都迁到香港了，一时想不出什么人可以替他打电话。王天木倒是想起一个女人来。

王天木与刘戈青刚认识的时候，有一次，王天木、刘戈青等人在一家小舞厅谈事情，为了避免别人注意，都下场跳舞。刘戈青看见一个衣着朴素不像舞女的年轻姑娘，正在和舞厅接洽伴舞事宜。刘戈青好奇，就邀请她伴舞。到了舞场中间，女人就哆嗦起来。刘戈青问她缘由，她说自己原来是大新公司卖毛衣的售货员，第一次来舞厅，心里太紧张。只因为母亲生病，欠了一笔债，又迫近年关，想出来做高收入的舞女还债。由于她是高中毕业，会说英文，米高梅大舞厅已经同意她去伴舞，她想先在这个小舞厅试一下，不想，第一次就遇到刘戈青。刘戈青塞给她一大把钞票，劝她还是不要做舞女为好。姑娘感激万分地走了。第二天，刘戈青和王天木从大新公司路过，就到毛衣部去看，那姑娘果然在，刘戈青知道她没有撒谎，于是问她的名字，叫陆谛。陆谛问起刘戈青的名字，刘戈青谎称自己叫李萍，是工程师。

王天木认为陆谛对刘戈青不错。因为后来王天木几次见到她，她都问起李先生的下落。第二天王天木果然把陆谛带去见了刘戈青。陆谛眼见以前非常阔气的李先生居然落魄到混迹在工人区，非常奇怪。刘戈青推说自己在菲律宾大病一场，工作没法做了，别人欠的钱又讨不回来，现在养病，只好节省一些。陆谛当即表示要照顾李先生。从此以后，陆谛每天下班都来看刘戈青，有时还带点吃的。于是刘戈青要找王天木，自然就托陆谛去打电话。后来把陈明楚的妹妹接到上海，刘戈青也安排

她暂居陆谛处。

自那天，陈明楚带走了妹妹，刘戈青以为陈明楚真的会改过自新，非常高兴，一直等着他提供刺汪精卫的线索。刘戈青已明确告诉王天木和陈明楚，他俩只需当内线，提供确切可对汪精卫动手的时间和地点。而动手执行则完全是刘戈青及他的小组的事，与他俩无关。也就是说，刘戈青承担最危险的部分。

孰知等了很长时间，陈明楚那里却音讯全无。刘戈青到处打听他的住所，亦无结果。他哪里知道，陈明楚已经死心塌地当了汉奸。

同时，王天木原是军统华北区长，因他叛变，天津、青岛的军统机构也相继叛变而造成华北军统全面崩溃。

军统局天津站负责人裴级三是王天木手下亲信，王天木叛变，裴级三跟着叛变投敌。所有抗团活动及联络地点，均被日本宪兵队掌握，军统局天津站全面遭破坏。军统特工兼抗日锄奸团团长曾澈也遭逮捕。

原来，曾澈已发现裴级三表现异常。1939 年 9 月，天津大水泛滥。大水一退，抗团骨干李如鹏接到曾澈提醒：

裴级三不可靠，大家注意。

李如鹏还没有来得及采取防范措施，次日，即 9 月 28 日，日本宪兵队及租界巡捕包围了营口道诚士里他的家。此时已经被捕的张树林、陈肇基、刘清和、华道本，一同被巡捕押着前来，他们分别被两副手铐铐着。当日本宪兵上楼搜查时，租界巡捕故作疏忽，让四个人逃跑了。刘清和、华道本两人跑到诚士里后的益世里一家住户内，他俩砸碎手铐，并请住户大娘将住在益世里对过马路的张杰找来，让她迅速通知所有团员立即转移。李如鹏和他的妻子及姐姐被捕后，没有立即押送到日本宪兵队，先关押在英租界工部局，待办理引渡手续。英租界女警察监督范懿贞同情抗日锄奸团，暗中给予照顾。范懿贞的两个外甥女潘文荣姐妹也是女巡捕，并且是抗日锄奸团成员。因此不久李如鹏的妻子和姐姐都被释放了。

曾澈通知李如鹏之后，自己也隐蔽起来。但他还是被叛徒裴级三率人捕获，押送日本宪兵队。团员丁毓臣在日伪搜捕时曾到北平躲避，住了几天以为没有事了，又回到天津，结果也被捕。日本宪兵队对李如鹏、曾澈、丁毓臣残酷刑讯，三人坚贞不屈，从容就义。

牺牲时，曾澈27岁，李如鹏25岁，丁毓臣21岁。

同时，因王天木的叛变，青岛军统头目傅胜兰也叛变投敌。整个军统华北地区机构均遭破坏。

王天木情知自己已是罪无可赦，所以猜想戴笠表态原谅自己只是策略而已，不敢轻信。他也时常回避刘戈青。

刘戈青和两个同伴朱山猿和尤品山住在一起，为商量行动计划，他曾经用唐姓的化名在沪西大旅社10号房间开过一客房。后来，尤品山不幸被巡捕房逮捕。尤品山为掩盖真实住址，在审问中，胡乱供了自己住在沪西大旅社10号。

哪知道刘戈青和朱山猿见尤品山被捕，认为原来住的小沙渡路不能住了，就紧急搬出来。到哪儿去呢？还是到沪西大旅馆去吧。于是依然用唐姓名字，又租下10号房。你说巧不巧，巡捕按尤品山的供词正好来搜查沪西大旅社10号。

这天，刘戈青他们正好要出门，被巡捕兜住盘查，刘戈青应对得当，迅速离开了旅馆。

王天木与陈明楚对自己的回避，本就使刘戈青产生警惕，而这次巡捕对自己的"贴身紧逼"，刘戈青和朱山猿自然对王天木与陈明楚产生了戒心。

反过来，王天木和陈明楚听说尤品山被捕及刘戈青险遭盘查的事后，也吓了一大跳。他们担心刘戈青被捕后，泄露他们和军统密谋刺杀汪精卫的事情。那他们不仅前功尽弃，而且还会招来杀身之祸。但是他们也知道刘戈青的个性是不达目的不罢休的，既然戴笠让他来刺杀汪精卫，他就会一直干到底，想劝他离开上海是不可能的。一旦刘戈青发现他俩是真心投靠日寇，恐怕也会将他俩列入暗杀的目标。所以，刘戈青的存在对他们来说，是个极大的祸根。

为了保住自己，他们决定杀刘戈青灭口。王天木再次同陈明楚商议，决定由陈明楚带几个人干掉刘戈青。他们谋划了一个暗杀刘戈青的方案，由陈明楚出面打电话约刘戈青晚上8点到凡尔登舞厅见面，趁机下手。

特务们心狠手辣的本性，由此暴露无遗。

听说刘戈青到凡尔登舞厅与陈明楚见面，朱山猿觉得太危险，劝刘

戈青不要去。刘戈青却认为如果不去，关系就断了，所以就算明知是去送死也要去。刘戈青刚要出发，陆谛来了，听说李先生要去跳舞，也要一起去。

刘戈青提前赶到凡尔登舞厅，前后左右观察了一番，没发现可疑的迹象，便在大厅的一个角落坐下。不久，陈明楚驾着汽车来了。陈明楚带着他妹妹，似乎事先已喝了很多酒，醉醺醺的。他看来仿佛有什么重大心事，心里很痛苦。陈明楚来到桌边，刘戈青站起来和他打招呼。这时，一个中年男子向他们桌边走来，边走边伸手到裤兜里掏什么。

他要干什么？莫非是陈明楚派来的杀手？刘戈青不由得狠狠瞪了陈明楚一眼，他发现陈明楚比自己还紧张，双眼惊恐地盯着来人的裤兜，身子不由自主地直往座位下缩。原来陈明楚做贼心虚，以为是刘戈青设下陷阱要杀他呢。

而此时刘戈青以为来人对陈明楚不利，侠义之心又起，毫不犹豫地迎过去，一把将来人摔倒在地。马上去掏他的裤兜，掏出来一看，是一包香烟。刘戈青知道是场误会，连忙向来人道歉，那人敢怒不敢言，瞪了他一眼，气鼓鼓地走了。

虽然只是一场虚惊，但这突如其来的变故使得陈明楚内心惭愧难言，对暗杀刘戈青的念头产生了动摇。自己是来诱杀刘戈青的，而刘戈青却不顾个人生死，挺身保护自己。将心比心，他顿时一阵麻木，不知如何应对。但若不杀刘戈青，自己又有性命之忧，陈明楚觉得左右为难，不由呆呆地坐在那儿，一动不动。

刘戈青心中暗笑，以为陈明楚是被刚才的情景吓着了，还缓不过神来。于是，刘戈青便吩咐服务员上酒，边饮酒，边安慰。

俗话说“酒入愁肠愁更愁”，陈明楚只管一杯接一杯地灌，喝得头昏脑涨，趴在桌上大哭起来。刘戈青当他是喝醉了，就劝他回家休息。其实陈明楚没有醉，只是心中有事，乱了方寸而已。听到刘戈青的劝说，陈明楚索性借坡下驴，装成酒醉的样子，与刘戈青等步出了舞厅。

在舞厅外埋伏已久的杀手见陈明楚和刘戈青四人一起出来，没有开枪，而是看着陈明楚、刘戈青、陆谛和陈明楚妹妹陈第燕一同上了汽车。

杀手为什么没向刘戈青开枪？

有人说是陈明楚良心发现，改变主意，放弃谋害刘戈青的念头，从而没有发暗杀信号。

也有人说是受戴笠派遣的吴安之此时还在上海。他本是暗中帮助刘戈青实施策反王天木计划的。吴安之本就是王天木在华北的旧部，与王天木及副官马河图、岳清江、丁宝龄等私人关系甚笃。吴安之此来已有初步成果，他已暗中促成马河图等副官回归“党国”。当陈明楚、王天木谋划干掉刘戈青时，这些人知情后已告诉吴安之，而吴安之也交代马河图、岳清江、丁宝龄等保护刘戈青。加上陈明楚、王天木的行动是瞒着 76 号进行的，陈明楚带去的杀手不可能是 76 号里面的人，而正可能是从王天木亲信副官马河图等人中选择出来的，这些人自然按吴安之的意见行事。刘戈青无安全之忧。

反正，一场有预谋的暗杀就此流产，刘戈青避过了一次与死神的约会。

上车后，陈明楚说要带他们到家里坐坐，于是自己开车。其实陈明楚不想让刘戈青知道自己的住处，但又不知如何安置刘戈青和陆谛。

内心充满矛盾的陈明楚开着车子胡乱地转着。此时已是深夜，陈明楚还没有想出安置刘戈青的好办法，结果无意中开到了 76 号门口。陈明楚心一横，就开了进去，干脆把刘戈青交给李士群算了。要杀要放，由李士群处理，与我无关。那样做，自己就不用亲手杀刘戈青，良心或许会好受些。同时也没私下把刘戈青放跑，也算是对皇军和丁默邨、李士群有个交代。想到这，他一打方向盘，把车直接开进 76 号停到会客室门前。把刘戈青和陆谛丢在了会客室里，自己带着妹妹开车跑了。离开 76 号大门时，他把刘戈青的身份告诉 76 号警卫总队队长张鲁，让其好生看管，明日交由李士群处理。这张鲁就是“李士群工作室”刚开张时的唯一属员，当时就是看家门的，此时照样管大门，不过升为警卫大队长了。

刘戈青起初还以为那就是陈明楚家的客厅。但自陈明楚离开后迟迟不见回来，刘戈青、陆谛疑惑了，起身就要走。但此时哪还有行动自由？结果被 76 号的警卫挡住了。既来之，则安之，刘戈青情知不妙，但此时无计可施，就安慰着陆谛，一径返回客厅睡下。

到第二天将近 10 点钟，李士群才听说大名鼎鼎的刘戈青光临了 76 号的“寒舍”。

原来，警卫队长张鲁向李士群报告，说陈明楚把暗杀陈箓的主犯刘戈青送来了。李士群简直不敢相信自己的耳朵，这事实在是太离奇了，自己费了九牛二虎之力也没有找到的凶犯，现在居然就在自己的会客室里，这……这可太好笑了！

陈明楚和王天木事先都没有跟自己谈起这事，怎么一下子就把凶犯逮个正着呢？这到底是怎么一回事？李士群百思不得其解，就打电话找陈明楚和王天木，结果都没找着。

原来，陈明楚把刘戈青送到76号以后，回去告诉了王天木。王天木一听，大惊失色，气急败坏地骂：

"笨蛋！蠢材！咱们为什么要干掉刘戈青，不就是怕他落到李士群手里，以防他把咱们扯进去吗？你倒好，把他送上门了！如果刘戈青说咱们是卧底诈降，是来配合他暗杀汪精卫的，咱们还想活命吗？"

陈明楚这时才回过神来，可是已经于事无补，只好眼巴巴地望着王天木，求他拿个主意。

王天木说：

"现在还能有什么好办法？先躲起来，探探风声再说。"

当夜他俩就躲了起来，难怪李士群打电话找不到他们呢。

李士群决定亲自审问刘戈青。当李士群走进审讯室时，顿时觉得眼前一亮，立即对刘戈青刮目相看。刘戈青看似文弱书生，但眉宇之间却有一股刚毅英武之气，在李士群这个人人谈虎色变的特务头子面前，依然镇静自若，毫无惧色。李士群手下的特务无数，可惜没有哪个能赶得上刘戈青，若能让他归降自己，为己所用，岂不美哉？李士群起了这念头。

当李士群问到陈箓被刺一事时，刘戈青很干脆，毫不隐瞒，直言不讳，而且理直气壮地历数陈箓种种该杀的理由。他越是这样镇定、从容，李士群就越是内心称赞，觉得他是个难得的人才，越是想让他投靠在自己的门下。

刘戈青对李士群说，陆谛不是工作人员要求释放。李士群同意释放陆谛。但陆谛到现在才知道眼前所谓的李先生原来是刺杀汉奸陈箓的大英雄，禁不住一股美人爱英雄的激情涌上心头，加上彼此来往了这许多的日子，竟然有些不愿意就此离开。

陆谛提出要李士群答应她一个条件：

什么时候枪毙刘戈青，也赏她一颗子弹。

这使李士群大感意外，就说：

“你既然不愿意走，就留下吧。”

李士群命令手下人摆上一桌丰盛的酒宴，邀请刘戈青、陆谛边吃边聊。刘戈青也饿了，毫不客气，坐下来大吃大喝起来。李士群见此情景，觉得有门儿，就耐心地用他那一套汉奸理论来开导他：

“刘先生，我知道你是个爱国的热血青年，我们又何尝不爱国呢？只不过我们爱国的方式与你们不同罢了。你们爱国，结果怎么样？重庆政府把上海和大部分国土都丢了。我们采取的是一种‘曲线救国’的方式，想在这片被丢掉的土地上为中国人讨回一部分权益罢了……”

刘戈青听后，不慌不忙：

“李先生待我这样好，我心里当然明白。从小家父就教导我，滴水之恩当涌泉相报。如果李先生去做土匪强盗，我刘戈青一定跟着你干，若是给日本人做事，恕我不能。李先生，你是不知道呀，我跟日本人有不共戴天之仇，这些该死的日寇曾经刺过我父亲 6 刀，我父亲险些送命。现在，我落在你们手里，自然是不能再去杀日寇为父报仇了，但我也绝不能去帮日本人。”

李士群讪讪一笑，随即又说：

“你不用去帮日本人，帮我总行吧？”

“这倒可以考虑。”

刘戈青这样回答。这时候的刘戈青显然是既讲原则，也要策略。

李士群又问刘戈青回上海来干什么？

刘戈青说是王天木为了骗戴笠的钱，把他招了回来，现在钱骗到手，陈明楚却把他送进了 76 号，不知道他们鬼鬼祟祟干什么。

尽管对刘戈青的回答李士群不太满意，可见他的回答滴水不漏，样子泰然自若，也不好说什么。

李士群又问刘戈青这次来了几个人。刘戈青说只有自己一个，但是上海认识很多人，只要李士群需要，可以随时介绍。李士群好像很好奇地问怎么介绍？刘戈青回答只要一个电话就可以叫来。

李士群马上拿起电话听筒交给刘戈青，让他叫人来。李士群不相信有什么人敢到76号这个魔窟来自投罗网。

刘戈青打了电话，果然叫来了私人好友记者包天擎和同伴朱山猿。

李士群大出意外，只好也表现得大度一些，让他们自由谈话。

刘戈青告诉朱山猿，此地不可再来第二次，明天赶快离开上海。

第二天只有包天擎一个人来，带了朱山猿的口信，希望刘戈青以保存生命为第一，刘戈青写了一张纸条给包天擎带给朱山猿，表示自己不会以任何条件换取个人安全。纸条由朱山猿带到重庆，交给戴笠。1940年1月10日，戴笠见到朱山猿，下令将刘戈青的字条当作教材来教育各种训练班的学员。刘戈青坚决拒绝投降，朱山猿深入险境看望朋友，戴笠把这种行为称为“我们集体的侠义之举，我们将为之自豪”。

戴笠评论道：

“这是对军统和同志的一片赤胆忠心，这种大义凛然的精神连李士群这等叛逆也为之感动。”

之后，李士群让刘戈青住在汪精卫在76号曾经住过的房子里，每天好酒好菜地招待。此时，原军统上海区的“同志”林之江和万里浪也成为76号的红人，林之江当了特工总部行动总队总队长兼第一行动大队队长，万里浪是第四行动大队队长。李士群也让这两位来陪同喝酒解闷，劝诱他，想假以时日，慢慢软化他。据说这万里浪是戴笠的学生，是受命打入76号的。这林之江是戴笠在黄埔军校六期的同学，进76号比万里浪更早，所以伪职也更高。不知他们见面如何谈？还能谈点什么？刘戈青会不会问林之江当日为何回避不给枪？这些，我们如今不得而知了。

当然，刘戈青绝不会在76号的酒席上打听林之江和万里浪之所以向日本人投降的原因。他们之间即使有话要说，也只是一派酒后胡言。我们听不到，也无话可说。

这刘戈青能在不失人格国格、公开表示不放弃抗日立场的前提下，与汪伪特务周旋，其大智大勇，堪称一流。

日本特务机关听说杀陈箓的主犯被拘捕，几次派人来要人，李士群都没有答应，总以各种理由搪塞过去。

王天木听说刘戈青没有透露任何有关利用他作内应而去谋杀汪精卫

的线索，这才现身和陈明楚一起去看望刘戈青。

就在这时，军统对76号实施报复，由军统特务詹森杀了大汉奸及青帮头子季云卿。季云卿是青帮大佬，李士群、吴世宝及76号内许多人都拜他作老头子。杀季云卿，无疑是狠狠地打击76号的嚣张气焰。刺杀季云卿的事，我们在他处叙述。

刘戈青和陆谛被关进76号之后，住在76号及附近的叶吉卿、杨淑慧、佘爱珍、钮美波、沈耕梅、张劲庐、陆琦等太太团成员们听说一对帅哥靓女自投罗网，都跑来看。胡寿楣也被叶吉卿带了进来。太太团的女人们中有人认出陆谛原来就是著名的大新公司的毛线美女，就不禁感慨：

“连羊毛西施都是重庆的工作人员啊。”

李士群对刘戈青越发佩服了。

这刘戈青神了，既能使这么一个弱女子陆谛主动求同死，还能凭一个电话就叫来朱山猿和包天擎一同探虎穴。

难道，这就是人格魅力吗？

76号太太团的女人们更是困惑不解。

四、76号的女人们

俗语说，三个女人一台戏。76号叶吉卿领衔的太太集团那一窝女人，数不清她们到底在上海滩演出过多少场丑剧。

其中，叶吉卿是大姐大。她是发号施令的人物。建立76号特工总部，她出的力绝不比丁默邨、李士群少。据说她在土肥原心目中的重要性也不低于丁默邨、李士群。

太太团的杨淑慧是周佛海的老婆，既然丈夫周佛海主管76号特工总部，那妻以夫为贵，自然不能小看。

吴世宝老婆佘爱珍是大名赫赫的超级女人。此时已32岁的钮美波既是日本特务头子影佐祯昭一手培养的女特务，更是上海滩著名的交际花、秒杀男人的重磅肉弹。沈耕梅、张劲庐都是76号的艳谍。沈耕梅是佘爱

珍外甥女，她既是丁默邨秘书，更是叶吉卿的心腹。张劲庐是76号三处处长，按如今的说法是公关处，或是交际处。也有一说张劲庐原本是戴笠手下的女特务。就是不知道她以何种身份来到76号，也不知她如何来到76号。汪曼云没公开投靠76号前，听戴笠提到过张劲庐，当时汪曼云不知张劲庐是何方神圣。日本女军谍钮美波据说也有官衔，不过她和徐才立分管两个优待室。钮美波后来被马啸天老婆介绍给了他的妻弟，徐才立当了佘爱珍的弟媳妇。钮美波作为潜伏特务，因涉嫌上海二六大轰炸及谋杀上海领导人而在1955年被判极刑。电影《永不消逝的电波》中的反角女特务柳尼娜，正是钮美波。

这些女人秉性如何？通过以下几段记载，可见一斑。

为捞钞票，叶吉卿常常鼓动佘爱珍，让佘爱珍动员老公搞绑票捞钱。对上海中国化学工业社的大老板兼总经理方液仙实施绑架，就是吴世宝的杰作。方液仙是中国著名的化学家之一，他以经营三星蚊香、三星牙膏发了财。吴世宝在绑架过程中开枪击伤方液仙，还严刑折磨拷打，导致其死亡。于是强行把尸体塞进一家殡仪馆。

然后，佘爱珍通过自己的相好、盐业银行经理李祖莱去向方液仙家属诈钱。方液仙夫人以为花了钱就能通过李士群、吴世宝救得丈夫的性命，便拿十万元让李祖莱去通路子。结果这十万被叶吉卿拿走六万，余下由佘爱珍和李祖莱按三万、一万瓜分完毕。从吴世宝口中得到的回话是他帮助方家多方侦查，结果发现方液仙尸体在某殡仪馆，要方家自己去领取。方家付了赎金，却只拿到尸体。

堂堂的银行大班李祖莱，既是偷人家女人的好手，又是当绑架勒索的马崽。什么是男盗女娼？看看这些人就知道了。

吴世宝虽然对自己的美女老婆恭敬到极点，但也要刀弄枪，欺男霸女。这年，扬子舞厅的当红舞女马三媛，被吴世宝看中，便诬马三媛与中统特务有关，掠来霸王硬上弓，事后养在76号对过马路的55号一所房屋里。吴世宝的这段“风流艳史”被叶吉卿的干女儿告诉了佘爱珍，佘醋性大发，率领男女众人，打上门来。破口大骂马三媛是“狐狸精”、“小妖怪”，并走上前去一把揪住马的头发，痛打了一阵。马三媛受了这样一顿毒打，乘机逃出了虎口。

佘爱珍把马三媛痛打了一顿，但她自己的头发也被马三媛抓得凌乱不堪，就开车到百乐门理发厅做了头发，顺路在百乐门商场买了东西要返回 76 号。静安寺巡捕房巡捕怀疑她带枪，拦住了她的汽车，强行搜查。佘当即拒绝，并威胁地说：

“我们车里就是有枪！”

那被巡捕房雇用的白俄巡捕听说对方有枪，便拔出枪叫道：

“不要动！”

佘急忙将车门拉上要逃。白俄巡捕便开枪，佘的保镖也开枪还击。

于是，由英国籍警官指挥数十名租界巡捕与之进行枪战。佘爱珍的两个保镖被巡捕房抓去，她本人却奇迹般毫发未损地逃回。76 号警务总队长吴世宝闻讯大怒，带一批全副武装的特务出动两辆卡车要找静安寺巡警出气，与公共租界巡捕发生大规模枪战。由于公开对打没捞到太多便宜，吴世宝就下毒手，找机会一个一个地暗中算账。接下来发生多起 76 号特工总部针对公共租界巡捕的暗杀事件，把那天当事的英国籍警官吓得回国避祸。此后，工部局巡捕也睁只眼闭只眼地任凭 76 号人员带枪进出租界。

钮美波是华俄混血人种，出生于哈尔滨而在上海长大。她受过高等教育，外表冷艳高傲却心甘为妓。她艺名“柳尼娜”又称“赛贵妃”，是十里洋场的名妓。她有着东方美女的面孔和西洋人高大丰满的体形：两腿长长天门高，双曲蛇腰过渡着丰乳圆臀，身材凹凸有致，显山露水。加上她天生丽质，皮肤白嫩，妖冶惑人。1939 年，她就是汪伪 76 号特务机关的一名主要干将。她与张劲庐同在交际处，主管优待室。在 76 号内的两间优待室内，从事色相色诱被捕的抗战要员。那些下水的汉奸都经她们的调教转而效忠日本帝国。

钮美波、张劲庐还有徐才立和孙国英有时也矫装外出诱捕和刺杀抗日人员。

1939 年夏天，钮美波化装欺骗西南职业妇女俱乐部主席茅丽瑛，并配合 76 号特务枪杀茅丽瑛。28 岁的茅丽瑛当时从事义卖义捐，为抗日第一线的新四军募集军需。

西南职业妇女俱乐部主席茅丽瑛

1939年7月的一天，一个赌徒丈夫在茅丽瑛机构的门口虐待贫困民女，没人看得出那是一场表演。茅丽瑛喝住了赌徒，救下贫困民女。查问得知，此女名刘丽楣，表示宁愿流落街头，也不愿回家再受赌徒虐待。茅丽瑛收留了她。

次日，这“刘丽楣”就到了职业妇女俱乐部上班。茅丽瑛非常同情这个和自己一样有着贫困遭遇的女人，不但给她钱买了衣服，还收留无家可归的她住在自己的家里。

由于“刘丽楣”人聪明，又有文化，而且各方面都很积极，很快就赢得了茅丽瑛的信任，俱乐部有些重要的事情也开始让她去办理，特别是募捐方面的点数等。但“刘丽楣”那微胖丰满的身材与美丽面孔的背后却总让人感到她有秘密，因为那不是贫穷人家能保养出来的。

晚7点了，“刘丽楣”劝茅丽瑛先回家。眼见四下无人，便打开保险箱偷看着里边的一本文件。

茅丽瑛的突然返回使她险些暴露。

但事实上，这并没有造成“刘丽楣”的暴露。她灵机一动，连忙塞回文件并顺手从保险箱里抓出了一把捐款。

茅丽瑛于是指责“刘丽楣”不该偷捐款。

茅丽瑛收回捐款，从身上掏出仅剩下的一点钱塞给“刘丽楣”，说：

“我们再穷，再有问题，也不能动这些募捐来的钱，这些可是前方将士的救命钱啊！”

“刘丽楣”好像觉得自己亏心，扭身跑开了。

这个假扮“刘嫂刘丽楣”的人就是钮美波。她的目的就是为了调查茅丽瑛的政治背景。她偷开保险箱查清了茅丽瑛原来是搞抗日活动的，而不是简单的慈善活动或经济活动。茅丽瑛在租界组织义卖、义演，目的是为了向抗日军队提供资金支援。

向日军特务机构和76号汇报后，钮美波决定厚着脸皮出面要求茅丽瑛不要再为抗日的新四军服务。

几天后，西南职业妇女俱乐部，茅丽瑛正在忙碌着，一个穿着绿色镂空大花紧身旗袍的妖艳的女人出现在她的面前。

茅丽瑛一下子认出这女人原来就是装扮成“刘丽楣”的“长三堂子”柳尼娜小姐，钮美波。

钮美波劝茅丽瑛，不要再为抗日募捐了。

这遭到茅丽瑛义正辞严的拒绝。恼羞成怒的钮美波从牙缝中挤出一句话：

“姓茅的，你可不要后悔哇！”

果然，76号特务出面破坏。

1939年7月15日，南京路120号三楼正在举行中国职业妇女俱乐部征募难胞卫生经费之慈善义卖。下午2点，受76号差使的暴徒蒋堂清和朱木金冲进商场，肇事破坏，推倒全部柜台，损坏大量物品。但被总巡捕房当场逮捕。

被76号杀害的茅丽瑛烈士遗体

次日，1939年7月16日，《申报》详细报道了蒋堂清和朱木金破坏慈善义卖的行径。《申报》原文如下：

职妇俱乐部义卖，突遭暴徒捣毁

中国职业妇女俱乐部征募难胞卫生经费之慈善义卖，已于昨日假座南京路一百二十号三楼举行，不料至下午二时许，参观者正在拥挤之时，突有西装青年二人，步入第二商场，不问情由，将临时搭成柜台全部推倒，致有各种玩具以及玻璃瓷器，损毁不少，察之来状似系有组织者。当经该管总巡捕房得报，当饬华探长杨培生，探目冯起山，往将该两青年拘入捕房，诘悉一名蒋堂清，家住极司非而路七十六号，一名朱木金，年约十九，籍隶上海，饬令收押，昨晨解送第一特区法院刑四庭，捕房律师张师竹依照刑法三百零四条妨害自由及同法三百五十七条毁弃损坏罪，提起公诉，并陈述以上情形请究诘之。被告等供认系奉某某之嘱托，前往捣乱，惟系一时受愚云云，并延律师到庭代辩。钟推事以此种义卖全属慈善性质，被告等不应有此行动，乃当庭判决蒋堂清、朱木金，共同以强暴妨害人行使权利，各处徒刑七月……

茅丽瑛不为所动，始终不懈地为自己的事业操劳着。

到这年年底，12月12日晚7时，刚结束一次义卖的茅丽瑛下班了。她刚走到南京路，黑暗中一辆轿车内身着裘皮大衣的妖艳女人指点着茅丽瑛给另外一个男人看。这女人就是钮美波。

两人下车悄悄逼近茅丽瑛。

随着三声枪响，三颗子弹射向了茅丽瑛。凶手迅速逃离现场。这开枪行凶的就是钮美波的同伙林之江。

三天之后，茅丽瑛在医院不治而亡，年仅28岁。

茅丽瑛死后安葬于杭州南山陵园。

她生前在上海启秀中学就读和任教。为纪念她，1990年12月12日上海海关、上海市卢湾区人民政府在启秀实验中学为茅丽瑛立了塑像，并在此设立茅丽瑛烈士教育基地。

不久，钮美波、张劲庐还有沈耕梅利用荡女的形象，诱捕了国民党江苏省党部主任马元放等三人，使地下抗战机构遭破坏。

马元放 1939 年任国民党江苏省党部主任，在上海公共租界设立地下抗日机构。他不知道，原来南通县长张北生改任嘉定地下县长后，就秘密勾结了 76 号的警卫总队长吴世宝，出卖了他们。

悼我們的麗瑛

报刊登载的纪念茅丽瑛的文章

张北生第一次向 76 号告密的事是：上海市党部主任吴绍澍、江苏省党部主任马元放等苏沪地下头目在法租界白来尼蒙马浪路 (Rue Brenierde Montmorand，即如今卢家湾马当路) 新民邨 9 号开会，张北生知道这一消息，马上向 76 号告密。76 号企图一举逮捕吴绍澍、马元放，却扑了空，会场上人已走，但茶未凉，显然是匆忙离去，来不及收拾。这吴绍澍原本是朱家骅“团派”核心人物，是“三青团”首要分子，此时兼上海市党部主任。

不久张北生又向76号告密：马元放和江苏省党部委员石顺渊、崔步武、常牧民等秘密聚在上海福州路西藏路口的大中华饭店。由于这是公共租界地面，日本宪兵和 76 号要便衣秘密潜入才能抓人。为确保抓捕前能预先控制目标，他们必须先派人潜入。从张北生口中知道，马元放等四人都贪恋女色，每次聚会上海，都会从“向导社”召小姐搞三陪。这正中 76 号的下怀。于是决定预先派出美艳的女特务冒充妓女，缠住马元放四人。即使日本宪兵队及 76 号特务与租界巡捕房交涉过程中造成消息泄露，也

因女特务事先有准备而不至于出意外。

第二天，马元放在大中华饭店附近闲逛，正巧有一身着高开衩旗袍，身材异常惹火的妖艳少妇耸动着屁股从旁擦肩而过。马元放惊为天人，竟鬼使神差地跟着这个妖艳女人身后，直到坐落在福州路的一家“向导社”的门口，女人似乎就是这家“向导社”的应召小姐。便装的76号特务经张北生暗中指点，认识了女人身后的这位省党部马主任。

这“向导社”是钟点小姐出租机构。

那位走进“向导社”的美艳小姐就是76号的女特务钮美波。原来，李士群核实张北生情报后，就指使钮美波在饭店附近的一个“向导社”上了班。钮美波本是福州路“长三堂子”出身，对拉客钓鱼之类的勾当可谓轻车熟路。于是，她故意在大中华饭店附近游荡，施展风骚，撒饵钓鱼，果然一举钓住了马元放。见此状，76号另外两名女特务张劲庐、孙国英也化装成“向导社”的妓女，随时候命。

76号抓捕行动由马啸天为行动总负责人。马啸天本就是原江苏党部下的一名中统头目，与抓捕对象个个熟悉。第三处处长张劲庐亲自化装配合马啸天。而张北生按指示先回大中华，撺掇马元放等兜好麻将搭子，入局赌钱。而后由张打电话给马啸天，假称是打给向导社叫小姐的。

心头被钮美波诱得痒痒的马元放回到住所后，与一行同僚闲谈刚才的“艳遇”。而张北生正按李士群的授意，向“省领导”建议第二天大家小聚聚，打打麻将，欢乐一下，并招几个向导来，大家玩一个痛快后再回苏北。这正中马元放下怀，于是同意。

化装成妓女的张劲庐、孙国英等女特务，也打扮得花枝招展，与钮美波一道前去应征当三陪小姐。马元放等人此时忘乎所以，打完了牌犹余兴未尽，带了这些特务小姐，到馆子里大吃大喝一阵后，再带回到旅馆准备受用。不想坐犹未定，敲门声响。原来此时日本宪兵队已与巡捕房交涉妥当，与76号第二处所派的侦察特务，会同巡捕房人员守候在邻室，见马元放等一批人回到房里，便也一起硬闯了进去，不容分说便把马元放等人，连同张北生与三陪小姐全带到了四马路中央巡捕房（现上海市公安局所在地）。

起初，马元放等人连同张北生在内，当场一致否认自己的真实姓名与职务，巡捕房以姓名不符，拒绝日本人引渡。于是由日本宪兵打电话给76号，派马啸天去指认。

马啸天一到巡捕房，被捕者个个是熟人，所有化名自然不点自穿，无法再行抵赖了。张北生首先承认。马元放、常牧民、石顺渊以及周孝伯等都只好跟着一一承认。只有崔步武与马啸天不相识，还想凭这一点坚持下去，但已起不了作用。可是为了手续关系，当晚不及引渡，由巡捕房把各人分别关押，张北生及三个假向导，则由马啸天带回76号。

第二天，日本宪兵把马元放等分别引渡了出去，在四川北路日本上海宪兵队本部关了一夜，才解到76号。

马元放等的职务与活动，都用不着多问，不久由76号分别作了处理。马元放由李士群带着同去见周佛海，他表示不愿投伪，自甘坐牢。于是马元放被监禁在76号的南京区宁海路的看守所里，直到1943年，始允其回重庆。

要是这马主任有毅力自觉抵制钮美波的诱惑，或许可省去三年的汪伪牢狱之灾，也就不会招来旁人的闲话。

但，人无完人啊。马元放虽因小节不拘而被捕，但终究能在生死关头保住大节，自甘坐牢而不投伪。这点，后人原谅了他。

这批76号的女人们，千万不要放松对她们的警惕。

不过，与这批女人打交道的还有另一位女子。她与那批人不一样。她是奉中共地下党的派遣打进76号的。那人叫胡寿楣，是胡绣枫的姐姐。

胡绣枫夫妻有恩于李士群、叶吉卿夫妇，胡寿楣利用这点以找工作为名打入76号，探测情报，了解李士群的动态，甚至试图策反李士群。因为胡寿楣的工作，促成了李与地下工作领导人的会面，让李士群和胡钧鹤暗中为新四军做了一些事。在李士群兼伪江苏省长之际，有过上海地下党领导经他们护送而安全过境等事。胡寿楣在76号的工作一直坚持到1942年底，其间一直是和李士群单线联系。胡寿楣还打入日本大使馆与皇军海军报道部合办的《女声》月刊任编辑，还因此到东京参加文化交流会议。

由于胡寿楣和李士群、叶吉卿夫妇及太太团来来往往、应酬不断，还传说她定期接受叶吉卿供给的钱财，许多原先的朋友都远远避开了她。

又由于她进一步当以日军为背景的期刊编辑，并到日本参加会议，社会上议论纷纷，指斥她为汉奸。

对于她，这些是非曲直，只有历史才能给予公断。

五、吴赓恕被出卖

刘戈青不幸被捕，王天木死心为虎作伥，刺汪计划再次落空。

不过，刺杀汪精卫的计划还在不断地进行。就在刘戈青被捕之际，另一计划又开始了。只是很可惜，那一系列的刺杀汪精卫的计划最终都是失败的。

这次计划的执行人是吴赓恕和戴星炳，他们先后被派到上海。吴赓恕也是军统高级成员，1935 年至 1936 年间，曾接替陈恭澍担任“军统”天津站站长；抗战爆发后曾出任“军统”河南站站长、“军统”广州站站长及衡阳办事处主任等高级职位。

前面说过，戴星炳为刺汪的事早已来过一次上海。

1939 年 9 月，因为德国入侵波兰，第二次世界大战爆发，中国与英法对待德意日法西斯的立场已趋一致。军统方面再次派少将特派员戴星炳到上海来，协调军统上海区与英法两租界巡捕房的关系，同时也配合吴赓恕的行动。他们取道香港往上海。在香港，吴赓恕电邀开滦煤矿公司驻上海办事处经理许天民到港商洽，请许天民在上海作掩护并协助工作。许天民是广东番禺人，他虽不是军统特务，但却是吴赓恕父亲的朋友。许天民在上海、天津、大连等处经商多年，和上海伪市长傅筱庵有私交。

于是，戴星炳又一次来到上海。

吴赓恕他们这次执行任务是秘密而来的。由于汪精卫戒备森严，吴赓恕他们无法下手。于是吴赓恕、戴星炳找许天民商量。

但事情还没有头绪，许天民和戴星炳却先后被日伪特务逮捕。

关于戴星炳被逮捕，有多种说法。

一位名叫魏桂龙的军统特工，曾在后来写过一篇回忆。他称：

当年他奉命到上海准备参加刺杀汪精卫的行动，可没多久就听到了戴星炳被捕、计划失败的消息。而出卖戴星炳的，正是他的一个姘头。

魏桂龙回忆说：戴星炳取得汪精卫的信任后，军统付给他一大笔酬金，并许诺无论刺杀成功与否，如果戴星炳遇难，军统将付给他的亲属优厚的抚恤金。这件性命攸关的大事，却被戴星炳在上海的姘头知道了。因为戴星炳准备将所有的薪酬和死亡的抚恤金全部由老家的妻子儿子领取，只给他的姘头 50 两黄金，引起了这个女人的不满。于是，她向汪伪告密，得到了 500 两黄金的赏金。

这显然不可信：单拿军统付给戴星炳一大笔酬金是黄金这点，就不可能。特务活动经费总是最适合流通的纸币，而不可能是兑换起来十分麻烦的黄金。再说 50 两黄金已是极大的数字。至于 76 号能给出 500 两黄金的赏金更是胡扯。日本人每月盗窃上海海关关银 30 万元给 76 号开销，无论如何也拿不出 500 两黄金当赏金。76 号给国民党最高一级特工的见面礼（安家费）是 500 元，发过最高奖金是 1000 元，而且只发过两次，是分别奖给汪曼云和熊剑东老婆的。熊剑东老婆抓了中统上海区区长要换回老公，结果没换到老公，76 号有愧于她，才加倍发奖金安慰。叶吉卿掌管 76 号钱柜里的可流动资金决不会达到 500 两黄金。至于戴星炳这种特务头子是决不会把自己的秘密告诉露水夫妻而自找麻烦的。

傅筱庵当上了第二任伪“上海特别市政府”的傀儡市长

说戴星炳的被捕与伪上海市市长傅筱庵有关，这倒是可信的。

汪精卫逃到上海后，戴星炳曾成功打入汪伪的活动圈，但汪精卫的最后一道防线总无法绕过，戴星炳第一次刺汪无功而返。这次，戴星炳注意到要物色汪伪内部人物，以便进行策反，寻找更接近汪精卫的途径。于是，时任伪上海市长的傅筱庵就进入了军统戴星炳和吴赓恕的视线。

傅筱庵原是盛宣怀的“家臣”，因而他当上了招商局的总办和上海总商会

会长。后来因支持孙传芳对抗北伐军，傅筱庵被蒋介石下令通缉。1931年，为了抗日，蒋取消了一批通缉令，傅筱庵得以回到上海。由于他是有“前科”的，蒋政府并不信任他。虽说傅筱庵是银行的行长还是许多企业的老板，但是仕途不通，他对政府不满意。于是八一三后，日本人拉拢他，他就留下不走了。

1938年10月，傅筱庵当上了第二任伪“上海特别市政府”的傀儡市长。但是傅筱庵很快发现自己做了亏本生意。伪市政府财政上入不敷出，需要他自掏腰包维持局面，加上锄奸的枪声在上海响个不停，他日夜担惊受怕，提防爱国志士把他杀掉。

于是在私下里，傅筱庵后悔了，经常在朋友面前唉声叹气，大发牢骚，说自己悔不该投靠了日本人，如今骑虎难下。

开滦煤矿公司上海办事处的经理许天民，是傅筱庵家的常客，与傅筱庵也谈得来。傅筱庵的牢骚话也在他面前发过。

前面说过，许天民答应帮助军统特工在上海活动。所以，许天民把傅筱庵在背地里发的牢骚告诉了吴赓恕与戴星炳。在军统看来，如果能够策反汪伪政府内部的高层人物，刺杀汪精卫就有更大的把握。傅筱庵这个人唯利是图，又满腹怨言，正是一个合适的人选。

有一天，许天民在与傅筱庵的会面中，就试探地提出：

“既然你对投靠日伪心生悔恨，那为什么不尽早弃暗投明呢？”

言语背后透出重庆方面对傅筱庵的谅解和厚望。许天民通过彼此交往，慢慢透出军统希望与傅筱庵合作的意图。

军统的计划是，希望傅筱庵利用伪市长的身份，以设宴招待为名，把去日本访问回国的汪精卫请来赴宴，让军统特工在宴席前后伺机下手。

傅筱庵满口答应，据说还发出豪言壮语，发誓帮军统顺利完成严惩国贼的任务。

但是，事后傅筱庵犹豫了。他权衡再三，认为日本人在中国势不可当，与其信任老蒋，更现实的还是服从汪精卫。

76号的特务头子李士群接到傅筱庵发来的密报，立即驱车到傅公馆与傅筱庵见面。他叮嘱傅筱庵切不可打草惊蛇，而是继续与军统接触，以掌握具体的刺杀计划和所有参与行动的军统人员名单。傅筱庵招待李士群及同去的黄敬斋喝酒。他出卖了军统，但还照样发他的牢骚。他明白：给日本人干没有什么好下场。日本人是利用他，并不真正地信任他。

可是，傅筱庵却边后悔边干恶事。汉奸当到死。

76号根据傅筱庵提供的线索，发现了军统特工的行踪。于是许天民被逮捕。吴赓恕知道后，即和戴星炳分别匿居法租界不同两个地点，并电告戴笠。敌伪76号特务到处搜查吴赓恕、戴星炳。

接着76号得到一个确切消息，马上派特务林之江根据情报，逮捕了戴星炳。

戴星炳被关在76号高洋房三楼的优待室里。房间既称作优待室，招待当然与一般关押在看守所里的人不同，每日供应大鱼大肉，甚至还有水果、点心。这是76号特务头子丁默邨与李士群一贯的行为规则：

对军统上层以优待为主，不轻易虐待动刑。同时对戴星炳寄有一种希望。他们想通过戴星炳的关系，与军统特务暗中沟通合作，为将来留后路。

此时，戴星炳已是阶下囚，只要于己有利，当然同意。只是表示要联系戴笠，求他同意才行。丁默邨、李士群同意戴星炳给戴笠发电报请示，很快得到了复信。戴笠的回信一到，丁默邨、李士群开头颇有些喜出望外，丁默邨甚至迫不及待地要去汪精卫面前邀功。李士群把这封信给戴星炳看过后，当场又把信收了回去。因为他发觉信里有异常，戴笠的答复太爽快，同时里面有几个字的笔迹，写得似乎与其他的不同，因此起了疑窦，觉得有细加研究的必要。

回信的全部文字如下：

> 电悉。请示校长同意后，同意所请，渝沪可互相谅解。目前时局更加艰难，战事日益紧张。敌我双方，互有消长。唯日人灭我之心不死，后患无穷，望好自为之，与汪共处。前所计划之事，一切作罢。以后可保持电讯联系……

表面看起来，这封信的意思就是同意与76号讲和，并告诉戴星炳放弃刺汪计划，与汪好好“共处”。可是，李士群却从信中看出了别的意思。

经过反复研究，才发现有几个粗笔迹的字，虽非写在一起，而是夹杂在全篇的文字里，可是把所有粗笔迹的字，连贯起来，则与全篇语意恰恰相反。这封信内隐藏的内容，竟是指示戴星炳伪装合作，伺机暗杀！将信中所有粗笔迹的字连贯起来，就是一个命令：

加紧消灭汪

于是，特务们对戴作了进一步搜查，又在戴星炳的衣服夹层里，搜出了暗藏的秘密文件。特务们当即要他交出军统上海区的组织人事。戴星炳却推说，因本人到沪不久，还未联系上即已被捕，所以无法交出。

丁、李视之为抗拒。恼羞成怒的丁默邨、李士群，当即将此案签请周佛海报汪精卫。汪精卫对特务本就极为痛恨，特别是这种要自己命的军统特工，批示立予枪决。于年底，戴星炳被绳索捆绑，押到麦根路中山北路小丛林里枪毙。这麦根路中山北路小丛林以后都是 76 号杀害抗日志士的地方，具体位置就在苏州河畔的上海铁路东站（现新客站）。

这信被李士群看破是有原因的。因为李士群在东方大学由苏联契卡高师培养。国民党特务那些密写之类的“花样镜”，还不是顾顺章批发的？顾顺章也是苏俄东方大学培养的。故这类密写方式，瞒不过李士群。

戴星炳成了第一个被汪伪特务处死的少将级的军统大特务。因戴星炳被杀，戴笠电令此时主持军统上海局的陈恭澍，拿傅筱庵偿命。

当然，此事颇费周折。

吴赓恕继续寻机刺汪，但吴赓恕马上又被出卖了。

1939 年 11 月，上海愚园路 1136 弄汪精卫的伪官邸前来了两个不速之客。

这两个不速之客，一个是在南京“维新政府”内政部警务司当小科员的陈承伦，另一个是在“维新政府”警官学校当教官的钟剑魂。他们曾以“广东农民运动讲习所”毕业学员的身份谋到南京伪“维新政府”的职务。他们这次来到愚园路 1136 弄，自然不是来行刺汪主席的。哪怕自己曾在背后不知多少次骂过汪精卫是贼，但还是崇拜那些作贼的，特别是那贼首汪主席。陈、钟两人这次来见汪精卫，并不完全是因为在“维新政府”里做个小汉奸，嫌官太小，而来跑官的。就是说，他们是有紧急的事要向汪精卫当面讲，此来的目的就是要检举揭发一个“罪恶的”军统分子。就是这个特务分子要他们参与刺杀汪主席。他们不敢这样做，也觉得没必要为那蠢事而送掉自己的小命。为摆脱这个可恶的军统分子，他们想到汪主席，亲自向汪主席坦白自己，决心与军统特务划清界限，保住自己的性命。

那时，汪精卫虽有“皇军”的全力警卫，并且他的76号特务们也已羽毛丰满，但还是处于风声鹤唳、草木皆兵状态中。所以他的官邸，肯定不是随便什么阿猫阿狗都可来走动走动的。否则，王鲁翘不会铩羽而归，刘戈青不至于被困在76号内。为此，陈承伦和钟剑魂当然连连碰壁。

但工夫不负有心人。

门卫终于查清这两位“农讲所”的高材生“良民大大的是”。也算陈、钟两人事先想得周到，生怕时隔太久，汪校长想不起他们两位“广东农民运动讲习所”的高足，于是把当时的同学录、团体照片，一起带了去，以示自己是响当当、货真价实、绝对正宗的“农讲所”高材生。门卫查清身份后，传递给汪主席。汪精卫抽空也看了佐证材料，于是破格召见。汪主席精卫亲切地接见了他们。这是汪主席叛变投日以来，首次有良民拜见。这也给汪主席树立了“亲民”的光辉形象。

因为汪主席在大革命时期就是这个“农民运动讲习所”的一号长官，他与陈承伦和钟剑魂确实有师生关系。当然，陈承伦和钟剑魂的老师不止一位。

原来，吴赓恕也是那两人在广东农民运动讲习所的同学，只是后来做了军统特务。吴赓恕知道陈承伦与钟剑魂两个人已在“维新政府”公开做了汉奸，便把他们邀到上海，胁迫他们参与谋杀汪精卫以自赎，否则将对他们不利。

按陈承伦与钟剑魂所言，吴赓恕在广东农民运动讲习所读书的时候，便以凶横著称，同学们都很怕他。虽时隔多年，当年吴赓恕的余威犹在，何况吴赓恕已是军统高级特务，而他们两人又是公开的小汉奸。这种鲜明的身份反差，陈承伦和钟剑魂显然处于极不利的位置上。两人暗自思忖，如不接受吴的要求，则于己不利；接受吧，又没有这股勇气去干，进退维谷，实感两难。这有点像此前王天木和陈明楚与刘戈青之间的状况。

于是，两人商量之后，觉得最好的办法，莫如向汪精卫告密，让汪精卫去对付吴赓恕。这样，自己便可置身事外。况且汪精卫马上就要组成伪政府，自己有告密之功，说不定还可以因此升官发财。

于是两颗削尖的脑袋，就这样地凑到汪精卫主席的跟前。

见到了汪精卫，他们便一五一十地把受到吴赓恕威胁的经过讲了出来。

因钟剑魂在南京警官学校要上课，不便久离，汪精卫让钟先回南京，留下陈承伦，并让他去看汪伪国民党中央党部副秘书长陈春圃。陈春圃接受了汪精卫的指示，又介绍陈承伦去看 76 号的特务头子丁默邨。

陈承伦见到了丁默邨，便将吴赓恕的一切和盘托出：

吴赓恕强令他与钟剑魂以广东农民运动讲习所的关系，投靠汪精卫，骗取信任。不仅要求他们做到能接近汪，甚至要求他们做到在汪精卫家里可以穿房入户。这样他们到时就有机会替吴赓恕安放定时炸弹或乘机下毒，搞死汪精卫。

丁默邨便打听吴赓恕的落脚点。

陈承伦不知道吴赓恕的住处，但有一个可以间接接通吴赓恕的电话号码。随即陈承伦把电话号码抄给了丁默邨。丁默邨有了主意。

丁默邨于是指示陈承伦：

第一步是去向汪精卫讨一封亲笔信来，信中内容是约陈做汪精卫的秘书。

第二步是拿这封信去给吴赓恕看。

然后再看吴赓恕如何把这件事发展下去。

陈承伦便把与丁默邨商量的经过，向陈春圃做了汇报。陈春圃随即将陈承伦与丁默邨会见的情况，报告了汪精卫。

汪精卫批准了丁默邨、陈春圃的意见，并写了一封亲笔信给陈承伦。

陈承伦拿到这封信后，依照丁默邨的安排，隔了两天，才打电话给吴赓恕。吴当即就约陈马上到一家旅馆见面。

陈承伦径到约定地点与吴赓恕相会。

陈承伦见到吴赓恕，就编造见汪精卫的经过，并说钟剑魂因学校有课，已先回南京。

陈承伦把汪精卫的信拿给吴赓恕看。吴赓恕也是广东农民运动讲习所时汪精卫的学生，自然能确认那是汪精卫的笔迹，看完信十分满意，称赞陈的“工作”做得非常“成功”。

陈于是表示，自己要回南京，把事情交割完毕，再来上海当汪精卫的秘书。

吴赓恕立即同意，并吩咐早去早回。

陈承伦到了南京没几天，吴赓恕就去信相催。

陈承伦回到上海后，先去看丁默邨，然后再打电话给吴赓恕。

吴赓恕这次已把陈承伦当作同党了，不再约到旅馆见面，而给出他的地址。陈承伦通知了丁默邨。

果然按照约定的时间地点遇到了吴赓恕。见面没谈多久，吴赓恕便被日本宪兵与冒充巡捕的76号特务抓住了。

这次抓捕吴赓恕，丁默邨是动过一番脑筋的。

丁默邨是个中统老特务，又是一贯在上海进行活动的。因此他对两个租界里的情况，知道得特别清楚。他知道，国民党特务每月都有津贴发给英法两租界巡捕房里面几个重要的中西捕头。这种津贴费在抗战中还是继续给，不过作用不同。战前是为了让巡捕房共同对付共产党；战中，则是为了在日本侵略军会同巡捕房逮捕他们时，由那些人作内线，提前通风报信，以便及时脱逃。

现在这个吴赓恕，就是要谋杀汪精卫的主犯。又经汪精卫亲自交办，万一被巡捕房临时通风报信，让吴赓恕溜掉，那就无法交代。

76号有个名叫耿绩之的，是留法海归，抗战前是上海市政府的外事秘书，专门同法租界打交道。法租界巡捕房的法勒而、乔办士等大捕头，都是耿绩之的法国同学。

于是，丁默邨事先让耿绩之向法租界通报，然后由76号派了第四处的潘达等人，随同日本宪兵，会同法捕房人员，去捉吴赓恕与陈承伦。不过丁默邨故意给了一个错地址，让他们瞎忙一阵。

这是76号与日本宪兵玩弄的花招，故意把地址弄错。因为，假使吴赓恕事前与捕房有联络，但因为地址不符，捕房也不会去放笼。

法巡捕在扑一个空后，就回去了。等巡捕房人员刚离开，潘达与日本宪兵立刻回头，闯到吴赓恕约陈见面的地方，一起把他们抓住了，并

立刻架进 76 号。

事后法捕房知道了，曾向耿绩之表示不满，认为不应该不会同捕房一起行动。丁默邨却回答说，并非没会同巡捕房，只因弄错了地址，临时发觉，恐怕再会同前去时间来不及，所以只好越权了。好在事先已“会同”合捕过，就与不“会同”行事有别。现人已被 76 号抓住，即使再表示不满，也已无济于事了。

吴赓恕与陈承伦一起被捕，用汽车押送 76 号。在汽车里陈承伦不敢正视吴赓恕一眼，一颗心几乎像要从嘴里跳出来。

到了 76 号，陈承伦立刻被放。陈承伦随即向陈春圃交差，但是在精神上还是万分紧张，举止失措。

陈春圃问他：

“人已给抓住了，何必还吓得这样？”

陈承伦带着颤动的声调说：

“你不知道这家伙的凶横哩，只要他活着，我也从此不能安心了。”

于是慌慌张张，当晚逃回南京去。

吴赓恕经 76 号严刑拷讯后，知道陈承伦已出卖了他，无法再隐瞒，徒使自己多吃苦头，于是便一一承认了刺杀汪精卫的事。

吴赓恕明知必死，在狱中曾秘密托人带给戴笠一封信，信中痛切申述了行动失败未能履命的歉疚情怀，表达了视死如归的决心。

丁默邨便将吴的口供及行动经过汇报了汪精卫。汪批了“枪决”两字。

杀人魔头林之江持枪执行。林之江每杀一人，就多得 500 元钱“喜金”。

吴赓恕奉命到上海组织刺杀汪精卫，被捕后不屈而死，是军统的硬汉之一。大汉奸傅筱庵由于出卖吴赓恕和戴星炳，使军统不但刺汪计划失败，还损失了两名少将特务，于是傅筱庵被列为必须给予严厉制裁的目标。

汪精卫进入日本人防卫网，消灭他的难度太大了。

六、万里浪拐骗萧少将

1939 年自王天木、赵理君闹别扭开始到王天木落水 76 号，军统上海区被搞得乌烟瘴气。赵理君代理区长不但不能完成任务，反而被敌伪整得机构全部瘫痪，他自己也被搞得无法在上海立足。戴笠只得将赵理君调往重庆军统局任本部行动处上校科长。

顺便几句话把赵理君这个人提前交代了吧，省得读者继续为他费神。

1941 年冬天，赵理君被任命为华北战地督导团副主任、少将衔，驻地在河南洛阳。不久，因贪赃枉法，被批捕。1942 年冬，他在洛阳被执行枪决。

赵理君这个人，除戴笠对他有点好感外，别的人都认为他是块坏料。

1939 年 8 月初，戴笠派陈恭澍和毕高奎到上海接替赵理君。8 月 12 日陈恭澍正式被戴笠任命为军统上海区区长。原本，陈恭澍是奉命劝王天木回头的，但形势的变化，这已不可能。上海机构遭受租界巡捕房的大搜查，各机关只能一一迁移地址。陈恭澍及时对人事组织进行调整，逐步恢复了军统上海区职能。

整顿后，军统上海区对日伪发起攻击。就在李士群紧锣密鼓地组织队伍对付军统的地下组织之时，军统却给了李士群当头一棒，暗杀了季云卿。

1939 年 9 月 17 日下午，李士群的青帮老头子季云卿在住宅附近的威海卫路上被军统特务詹森枪杀。

季云卿，江苏无锡人，是“通”字辈的上海青帮头目。因为李士群是季的徒弟，季又推荐了吴世宝、张国震等一大批手下青帮喽啰参加了李士群的特工总部，充当打手。由此可见，季云卿与 76 号的关系非同一般。

季云卿虽然和 76 号关系密切，但他只是暗地里当顾问，对外身份依然上海青帮大佬。加上他自恃青帮大亨身份，不赶时髦，不谙特工们的暗杀之道，日常出行总是习惯于以洋人力车代步，让车夫拉着满街跑，并不像其他汉奸那样使用防弹汽车。

与季云卿被杀事件有关联的卢文英是上海著名的女流氓，她在上海流氓十姐妹里排行第七，人称卢老七。她的干爹正是这个季云卿。卢老七是当时著名的“花会大王”。所谓“花会”，是赌博的一种，方法是赌徒写上 36 个古人名中的一个押宝，由庄家从柜中开出一个古人画卷，押中者可得 30 倍本金。“花会”这种赌博方式早在清朝就曾盛行于广东、浙江

一带，后来流入上海，在1924—1930年间盛行，均被流氓帮会把持。因这种赌博活动遭官府取缔，所以活动极为隐密，需要大量的流氓来做推销，拉人参赌，并设局骗人。还由于参赌的人员一半以上是中下层妇女，所以女流氓卢老七得以大显身手。上海开“花会”的头目张咸生双目失明之后，卢老七就协助张开“花会”。卢老七发了点财之后，又开起了妓院。

军统特工詹森，真名叫尹志扬，外号哈特。上海沦陷之后，詹森奉命调到上海，任务是收集情报，刺杀汉奸。詹森到了上海之后，整日在上海一些声色场所鬼混，想从这些地方找到一些线索。詹森与卢老七认识之后，成了卢的相好，由此有机会到过季云卿的家。詹森了解到季云卿和76号李士群等人的关系之后，觉得能够刺杀季云卿。

1939年9月17日下午，詹森等守在季云卿威海卫路的住宅附近。就在季云卿出现在宅门口那一刻，詹森趁着人多，挨近季云卿，用号称“掌心雷”小型手枪，顶着季云卿背部开枪，随即混入人群逃走。季云卿被送到医院急救，不久即不治身亡。

第二天，季云卿的老婆金宝师娘要求李士群立刻破案。

这金宝师娘面子大，李士群哪敢怠慢？金宝师娘曾是巡捕房高级探长，老公季云卿是李士群的老头子。当年的地下党员李士群曾几次被租界巡捕房逮捕，最后都化险为夷，那还不全靠季云卿这老头子和金宝师娘的周旋？他们都是李士群救命恩人，如今更是万万得罪不得的。

李士群从作案手法上推测出大致是军统的职业杀手所为。但是他更担心军统特务要杀的目标正是他李士群本人，而不只是季云卿。他以为，杀季云卿不过是军统特务引蛇出洞的花招，要引出的大鱼正是李士群。由于心存恐惧，一开头，李士群只在电话里安慰金宝师娘，不敢去殡仪馆吊唁，免得途中出事。但是李士群又不能不面对这个案子。

李士群知道，他的同门师兄弟们、上海的青帮头面人物们，都在看着李士群如何处理此事。再说，季云卿的毙命完全是因为和76号关系紧密所致。若不破案，他李士群的颜面和76号的威严，都要受到严重影响。

经过严密布控，李士群还是到了殡仪馆，而且带来了辅仁医院的医生来验尸。他们发现子弹是从后背射入，打中了心脏，留在胸腔内。他们把子弹取了出来，小心辨认，看出是掌心雷的子弹。

但这案如何才能破得？

案子破不了，开枪人抓不到，报仇的话就兑现不了。但场面上的事情还不得不做，李士群告诉金宝师娘：

76号为季云卿已经成立了治丧委员会，丁默邨和李士群分任正副主任，并于9月20日在76号举行大殓仪式。

当日，76号挂出了“和运遇难烈士追悼会”的横幅，不光是季云卿，还追悼其他20多名因为做了卖国贼而被国民党特工暗杀的汉奸。周佛海主持了追悼会。李士群在会上表示要为老头子报仇雪恨。追悼会结束，金宝师娘又领着一帮披麻戴孝的死者家属，在周佛海面前哭诉一通，直到周佛海答应尽快破案才离去。

只有子弹头一个物证，要破案谈何容易。一拖就过去了两个月。

詹森杀了季云卿之后，自认为行事缜密，并未暴露，于是继续放心大胆与卢老七姘居。有一天，卢老七发现了詹森的掌心雷，爱不释手。詹森见情妇喜欢，便送给了卢老七。没几天，卢老七的“过房爷”张德钦到卢老七处闲聊。张德卿是个律师，曾假冒青帮“大”字辈，还曾经在“黄道会”做过头目，很显然是个极端的汉奸亲日分子。张德卿后来出任汪伪浙江省财政厅厅长。卢老七向他炫耀手中的掌心雷。张德钦接过来玩玩，发现其中少了一颗子弹，就打听是从何处弄来的。卢老七不知顾忌，信口说是詹森送的。张德钦装着无意，随口问些詹森的情况。在过房爷面前，卢老七也并不保留，想说的，也都说了。张德钦听后，当即不动声色告辞出门。随后张德钦就转道去76号告密。

从完成任务后对武器的处理上，看得出詹森与刘戈青的差距。詹森把杀人的物证留在自己身上，甚至还拿来向情妇炫耀，而刘戈青是本人迅速转移他处，及时将武器全部丢弃于掩蔽处。

李士群立刻派人逮捕了詹森，一顿酷刑之下，詹森全盘交代。

卢老七没想到自己无心之失，害了情郎的性命，心里痛悔不已，哭哭啼啼向金宝师娘求情。金宝师娘觉得卢老七奇怪，再怎么说，季云卿也是卢老七的干爹，哪能不为干爹报仇呢？她哪里知道，这个卢老七已经对詹森一往情深，心中自许为詹森的妻子，自然要为丈夫求情。

虽然詹森已经招供，但李士群立志为老头子报仇，加上金宝师娘不

断催促，于是一改“坦白从宽”的惯例，在1939年底，指示林之江把詹森带到中山北路的76号刑场，执行枪决。

这詹森本名尹志扬，他的父亲叫尹定一。尹定一是汉奸。汉奸的父亲却有一个抗日的儿子，抗日的儿子却死在汉奸父亲的同伙的手中。

儿子死后，汉奸尹定一到上海与丁默邨、李士群勾搭。当天，冷不隆咚，一个身披重孝的大块头女人，一上门就扑通跪下，口称“公公”，号啕大哭。

不知所措的尹定一许久才弄清，飞来的这个有情有义的“儿媳妇”原来就是大名鼎鼎的女流氓卢老七。尹定一此时才知道儿子尹志扬已经死在76号之手。尹定一一声不响，他是咬断舌头肚里吞，汉奸还是要当下去的。

尹定一在抗战胜利后，才公开烈士儿子的身份，以减轻自己该受的惩罚。

1939年10月18日，法租界工董局警务处在日方的要求下将谭宝义和平福昌两人引渡给日本宪兵队审问。

在这之前，上海军统一再活动，要营救谭宝义和平福昌两人。他们告诫巡捕房政治部华籍督察长程海寿不要屈从于日本人的压力，拒绝向日方引渡谭宝义和平福昌。

谭、平二人在法租界工董局警务处关押了四个月，没有交代任何内容，却不幸落入日本宪兵队之手。6天之后，在日军的酷刑之下，两人吐露了情节。

日本人最感兴趣的是他们刺杀汪精卫的计划。对此，他们承认那只是处于设想阶段，并没有具体的实施计划，因为连汪精卫的住址都不知道。谭、平二人倒爽快承认了参与刺杀陈箓，并叙述了全部经过。

通过媒体广泛报道谭、平二人的供词，大汉奸陈箓被杀的神秘案件从此真相大白。

由于谭、平二人落入日本宪兵队之手，10月18日，陈恭澍当即下令，枪杀租界巡捕房政治部的华籍督察长程海寿。

程海寿长期按月接受军统方面的经济补贴，本应按军统指示办事，结果他却一再助纣为虐。在7月14日王鲁翘被法租界捕房逮捕后，15日这天他就带着日本宪兵搜查了军统上海区 14 个办公地点。这次，他不听军统上海区的多次警告，在未掌握任何对谭宝义和平福昌两人不利证据的情况下，公然把两人交给日本宪兵队审问，是他被清除的主因。于是程海寿被一枪毙命。

针锋相对，日本人指使汉奸报复。

76 号在日本侵略军的支持下，对军统上海区毫不手软地进行了反攻。仅是 76 号的第四行动大队大队长万里浪就连连攻击得手。

在伪国民党中央执行委员会特工总部 76 号中，万里浪是个狠角色。与林之江、吴世宝一样，是个令人闻风丧胆的牛头马面式的魔鬼。

但有人说，他是为掌握汪伪集团的动向，奉戴笠之命打入汪伪集团特务组织的军统“卧底”，这种说法，使人将信将疑。在那个年代里，在那种环境下，什么情况都可能发生，但又是什么话都不能轻信。

据说，万里浪在 1939 年夏初一次行动中被 76 号特工总部抓获。如何被捕，是否故意“露个破绽”才被捕，这些不得而知。因为比万里浪更老辣的特务头子周伟龙和王天木都先后在自认为天衣无缝的状态下被捕。任何特务杀手，总是在刀锋上过日子，随时要付出生命的代价。万里浪被 76 号逮捕的事，没有必要加上一个“露个破绽”的修饰。

据说，李士群、丁默邨对能抓获军统上海区的万里浪当然高兴，联名上报请功，并极力劝说万里浪归顺。万里浪将计就计，向 76 号提供了在上海的部分军统人员名单，故被 76 号重用。同样，这说法的真实性有待释疑。76 号逮捕过王天木及若干少将级的高级特务，也没提及联名上报请功的事，为何独厚营级军统人员万里浪？这经不起推敲。但不妨按此思路继续分析下去。

按这个说法，军统上海区 14 个窝点在同一天遭搜查，可能就与万里浪有关。虽说窝点暴露了，但因全部军统人员事先转移，搜查结果没造成人员损失。这有可能是“故意”让万里浪把这个作为献给 76 号的重礼，而又不至于造成直接损失。

但是，万里浪后来的表现却完全背道而驰了。

他在 76 号里“假戏真做”了。

“假戏真做”的结果是真的坏事干得太多了，万里浪最终无法洗刷

自己的罪行。战后他逃到皖北蚌埠，结果还是逃不出军统之手，被当作汉奸卖国贼送上了军事法庭。

没有人帮他说话。他罪有应得，无愧于“汉奸卖国贼”的称号。

“奉命当卧底”不是任何汉奸可免罪的护身符。死了，不要不甘心，活着，不要拿出来作为炫耀的资本。当卧底算不算汉奸的关键是有没有违背良心去犯罪。

万里浪在1928年3月，考取国民党军统局设在浙江金华县的青年特种技术训练班。在训练班里，万里浪系统学习了汽车驾驶、枪械、侦缉、暗杀等特工技术，三年后以优秀的成绩顺利毕业，受到军统局局长戴笠的赏识，万里浪即加入国民党军统组织，长期在军统局上海区从事收集日本人的情报并组织伏击日本特务。这就是说万里浪原本也算是个好青年。

万里浪在军统基层，一直干到1939年。

进76号后，万里浪为了能在贼窝落得住脚，就必须学会演戏，要演好戏，就必须进入角色，要进入角色，就要来真的。可这一旦“来真的”就要注意是否要犯罪了，倘若这“来真的”不至于达到祸国殃民的地步，不牵涉到无辜的人命，或许还能被默许。

万里浪很快就在1939年10月，上演了一场真戏。戏的另一角色是军统少将高参萧家驹。这个出身于保定军校的军统少将到上海郊区布置游击工作。万里浪得到萧少将已到上海的消息后，便向丁默邨报告。丁默邨认为既然万里浪与萧家驹同是军统的熟人，便要利用这关系把萧骗进76号来，令他投降，于是面授机宜。

万里浪拐弯辗转，探得了萧家驹的住址，就托人婉转致意，推说是希望萧能出来与己会面，要当面解释自己投靠76号的苦衷，借此俾求上峰对他谅解。万里浪似乎有回心转意，凭此重回军统的意愿。

萧家驹得信十分欢喜，产生了利用万里浪此时的思想动态把他拉回来的念头，因为那样做，可显示自己的能耐。于是萧家驹与万里浪相约在静安寺路皇后咖啡馆见面。前文指出过，这静安寺路就是如今南京西路。

万里浪与萧家驹终于在约定的日子里，到皇后咖啡馆见面了。彼此原属上下级的同事和老友，又是久别重逢，加上各人心里都有自己的打算，所以见了面装作分外亲热。但皇后咖啡馆没有小房间，仅有的两排背靠背的皮垫座位，就像火车的硬座车厢。萧、万两人虽也独占了一个台子，但各人背后都与别人背靠背，说话声彼此干扰。加上这两人的特殊职业性，谈话多有不便。

万里浪于是向萧提议，到自己家里去坐坐。

萧也正想知道万里浪住在哪里，以便今后可以常去找他做做工作，再说过去两人感情不错，亦不疑有假，随即坐上了万的汽车，疾驶而去，一下子就开进了 76 号。

当汽车开进 76 号时，萧发觉苗头不对，不由得心里发慌：

“里浪，你这算什么？”

万里浪从从容容：

“老哥放心，我绝没有恶意，到处还不一样？随便谈谈吧。”

这使萧家驹感到十分不自在，但也只好随之下车。

萧家驹被带到高洋房的会客室。万里浪先向萧表示歉意，接着说：

“咱们哥俩，还能唱对台戏不成？所以我请你来，一起在总部工作吧。”

萧家驹此时感到，人已经被他骗进了 76 号，不参加也得参加。便也顺水推舟：

“你何必呢？即便在外面，凭咱们的交情，你要我来，还不是只要你老弟一句话？”

萧家驹的这句话，使当时的尴尬气氛一扫而空。万里浪马上引见了丁默邨与李士群，为其办入伙手续。当天，丁、李就让万送给萧家驹一笔钱。收下这笔钱，算是人钱两讫了。又一个堂堂国军军统少将落入贼窝。

汪伪肃清委员会成立后，萧家驹担任了这个委员会所属的“和平救国军”参谋长，还兼了伪“警官训练班”亦即特务训练班的教官。伪“警官训练班”对外称“聚川学院”。

用同样的手法，万里浪还把企图让他反正的军统驻上海特派员罗梦芗倒拉下水，落进贼窝。

同在 1939 年 10 月，时任特工总部第一处处长的陈明楚，出卖了军统另一位少将特派员王钟麒。

李士群派林之江去法租界自来火街一个小旅馆里，绑架了王钟麒。

为了抓另一个军统特务李济时，第二天李士群在吴世宝办公室，亲自提审王钟麒，要他供出李济时住所。王钟麒先是百般推托。李于是叫吴世宝剥去王的上衣，仅留一件汗衫，然后由吴世宝等人轮流用特地加厚的牛皮带，狠命地抽打，打得惨叫声阵阵。连住在76号外华邨的居民，都听得心惊肉跳。汉奸汪曼云、蔡洪田、黄香谷等原上海市党部成员，都闻声跑到墙外隔窗看热闹。

王钟麒被打得血水淋漓，实在熬不住酷刑，交代了他与李济时的联系。

但是事情还没有了结。

李士群问他，你去看李济时在什么地方？王说在李济时家里的亭子间，李接着问：

"在楼上还是楼下？"

王说是楼下。

李接着叫人再打，如此往复地问了四次，也连打了四次，打得王钟麒死去活来。但是，王想不出一再挨打的道理，直到第五次李又叫再打时，王钟麒才高声抗议说：

"李先生，你打得我不服帖，我对你说了真话，为什么还要打我？"

李说：

"我就是打你不说实话。"

接着李又照样问了一遍，王又照说一次，李叫人再打时，王急忙跪下求饶，并请求李士群指出他不老实的地方，以便把事情说得更清楚些。

李士群说：

"凡属上海的石库门房子，厢房后间，在楼下的叫灶披间，楼上的才叫亭子间，你现在每次都说亭子间，在楼下，显然你供得不老实，不打你打谁？"

王钟麒才恍然大悟，乃说：

"我去看他的地方，确在楼下，可是我不知道楼下的不能叫亭子间，只能叫灶披间。这么说，我没搞清楚。"

事情虽是说明了，可是王钟麒因上下一字之错，却多挨了一二百记皮鞭。而李士群故意打王钟麒，有些人觉得可能是李士群要在一班喽啰面前卖弄自己审讯精细而已，然而这却苦了王钟麒的皮肉。

根据王钟麒的供词，马啸天的确在王所指供的楼下“亭子间”里，捉到了军统派在上海的专员李济时，李被抓到了 76 号，不待用刑，便都一一招认，与王钟麒一起，投了 76 号。

看着军统特务一个个落水，李士群满怀信心，要凭自己的软实力让刘戈青心甘情愿地归顺。

七、平安夜马河图杀贼

刘戈青被捕的消息令戴笠震怒不已。

几乎与刘戈青同时到上海的吴安之决心要除掉陈明楚和何天凤等人，以此报复。此时，陈恭澍在上海刚刚站稳脚跟。戴笠不愿让其过分暴露而影响军统上海机构的重建，便把刘戈青、吴安之针对王天木的任务直接归自己负责。

吴安之与王天木及其部属马河图、岳清江、丁宝龄等都是原军统华北区的成员，彼此私交甚笃。原本刘戈青、吴安之是要做工作让王天木回心转意的，但不论是刘戈青还是吴安之，劝说王天木没有达到什么效果。但吴安之对王天木的副官们的策反工作却颇有进展。这主要是因为吴安之与他们本来就有良好的同事关系，加之这些副官本来就不愿意投敌，所以他们答应反正。为了不至于空手而归，他们准备相机行事，届时挟持王天木归队。前次，王天木、陈明楚准备暗害刘戈青，吴安之已经从马河图处获悉情报，并安排好，由马河图等人暗中对刘戈青加以保护。

刘戈青被捕后，马河图又将刘戈青被诱捕情形告知吴安之。吴安之认为陈明楚等人已经无可救药，于是指示马河图等人制裁叛徒之后再反正。

12 月 24 日平安夜，公共租界内依然热闹。

这天晚上，极司非而路 76 号汪伪特工总部的礼堂灯火通明，热闹异常。汪伪所谓的“上海五中委”：汪曼云、蔡洪田、顾继武、凌宪文、黄香谷在此举办圣诞大餐，迎接从广东来会合的大汉奸陈公博，并乘机大吃

大喝一通。反水投靠了76号的王天木、何天凤、陈明楚、冯国桢等人也参加。

此时王天木、何天凤是汪伪“肃清委员会”的“和平救国军”正、副总指挥，还是伪中执委特务委员会委员。陈公博初期与汪精卫、周佛海在处理对蒋关系上略有分歧，所以在公开投日前，观望了一些时间。但最终他们还是实现了“汉奸一家亲”。

席间王天木、何天凤、陈明楚等人边喝酒边谈论，觉得此时正是圣诞夜，外面的整个租界地面一定是花花绿绿，热闹异常，闷在76号喝这酒一点也不过瘾。于是，他们商量去别的地方玩个通宵，特别是几个著名的夜总会，到那里面去跳舞最是销魂。

于是，何天凤与王天木悄悄招呼汪曼云：

“走，阿拉到外头去‘白相’个痛快！”

“不行，不行，我今晚是主人，不能客人没走，我就和你们先溜啊！”

汪曼云不住地摆手。

何天凤与王天木认为汪曼云胆子小，便说：

“你放心好了，我们扛十支枪去，怕什么？”

汪回答：

“我不是怕，就是这里拖住了脚。”

何天凤说：

“那这样，我们先到百乐门等你吧！不见不散，等你来了，我们再换场子。”

换场子是沪语，意思是换地方。

事情算是这样约定了。

在这里，我们第一次提到何天凤。

何天凤也是老牌军统特务，黄埔军校第二期的。何天凤的黄埔军校二期身份是同为军统特务的文强披露的。八一三事变后，奉蒋介石之命，杜月笙和戴笠建立名为“苏浙行动委员会上海别动总队”的对日游击队，一万名队员都来自帮会。总队司令是刘志陆，参谋长为杨仲华。总队之下，分三个支队。第一支队司令就是何天凤。后来上海别动总队改组为军事委员会忠义救国军淞沪指挥部时，何天凤任过总指挥。接着又改任副指挥兼第一纵队司令，指挥土匪出身的丁锡三部众。但因受新来的总指挥杨伟与参谋长徐志道的上下倾轧，失欢于戴笠，于 1939 年 11 月带了丁锡三手下部众，投降汪伪，任 76 号的第三厅厅长兼汪伪肃清委员会“和平救国军”副总指挥兼第一路司令。在 76 号内，何天凤与王天木、陈明楚等，因过去都系军统特务，相处较密，与汪伪社会部副部长汪曼云也来往较多。因为这汪伪肃清委员会由周佛海和丁默邨为正、副主任，实际事务归丁默邨主管，而丁默邨又是社会部部长，所以这些人在丁默邨与李士群之间，往往被看作丁默邨的班底。

等到席散，汪曼云回到华邨家里去换衣服。

老婆问：

“换衣服，想到哪里去？”

汪如实以告。

老婆便说：

“这几天外面打来打去，打得个闹猛得不得了，你就在家里蹲蹲吧！别去轧闹猛。”

汪无奈，便去向何、王当面婉辞了。

这闹猛沪语意思等于热闹，轧闹猛就是指凑热闹。

这晚一起出去玩的，除王天木、何天凤外，还有陈明楚与冯国桢。都带上保镖，分乘几辆汽车，招摇过市而去。这冯国桢是南汇人，原也是忠义救国军的，随何天凤、丁锡三一起投了汪伪。

这晚，汪因为给老婆拦住了，且也有些醉意，就很早入睡了。

第二天还没亮透，汪曼云一觉醒来，听到门外的叩门声，一看原来是同住在华邨的 76 号特务冯一先。

冯一先一见到汪曼云，便拱手：

“恭喜恭喜！”

汪曼云惊讶：

“什么喜？”

“昨天晚上你没和他们一起去，得免大难，真是运气，不该道喜吗？”

汪曼云想，王天木他们一定是出了岔子了，可就不知是出了什么事。

冯不待汪再问，便接着说下去。

原来，何天凤他们昨夜先到百乐门，后来又去了兆丰总会。他们先在外面的舞池里跳了几场，直到凌晨3点。此时已是夜深人静，意兴阑珊，但这班子人意犹未尽，便一起踱到后面赌台的优待室，准备抽几筒鸦片烟接接力，养养神，再回舞厅“白相”到天亮。

当四个人离开舞厅时，冯国桢走在最前面，何天凤和陈明楚居中，王天木殿后。他们的保镖也都簇拥随出。就在何天凤与陈明楚走出舞厅没多远，王天木的保镖马河图、岳清江、丁宝龄即拔枪向何天凤、陈明楚连连射击，何、陈应声倒地。冯国桢反应敏捷，看到那两同伙中枪，马上卧地装死。

何天凤的保镖及时响应，迅速掏枪回击。据传这保镖枪法极佳，马河图、岳清江、丁宝龄等早有所闻，因此不敢马虎迟疑，在一阵乱哄哄的喧闹声中逃出了兆丰总会，跳上原来的汽车迅速逃逸，而不再开枪射杀其他汉奸。

至于王天木，因走在最后，听到枪声，立即缩步，逃回舞厅，躲在沙发背后。直到日本宪兵闻讯赶到，才把他找出来。这时76号的人也赶到了，于是将王天木、冯国桢以及留下的那些保镖一起带到了76号。

现在76号里面正为此闹成一团。

汪曼云夫妇听了冯一先的一席话，都出了一身冷汗。

历史上静安寺的老百乐门舞厅，是经常出现在电影、电视镜头中的场所，我们不必多作介绍。而这兆丰总会，当时十分有名。但后来有人顾名思义而将它想错了地址，一听到兆丰总会，有人就想到兆丰公园，也就是如今的中山公园，把兆丰总会想象成兆丰公园的一部分。但其实并不是一回事。兆丰总会在开纳路上，也就是如今武定西路上，虽说离兆丰公园不是太远，但彼此不相邻。取名兆丰总会，不是因为面对兆丰公园缘故，而只是因为“兆丰”两字与丰收发财的征兆有关。兆丰总会老板就是臭名昭著的经济汉奸潘三省。

潘三省先勾结日本兴亚院华中联络部经济局佐佐木康五郎少佐和汪伪76号的沪西警察局长潘达（这潘达，也是76号的一个处长），取得在白利南路（今长宁路）上开赌场的特许。1939年夏，又买下开纳路上一幢大花园洋房，在他的露水太太王吉的襄助下，办起了这个臭名昭著的“兆丰总会”。王吉是个花枝招展的女人，善于经营这种集烟赌娼舞于一体的销金窟。兆丰总会也起着联络各方“汉奸诸侯”感情的作用，所以王天木、何天风等汉奸常来活动。总会开张不满两年，潘三省就捞进了大把银两，凭这笔钱买下了巨泼来斯路 201 号洋房，作为他与王吉的私宅。潘三省能买下这巨泼来斯路 201 号洋房，纯因他乘机发了国难财。因日本占领上海，大批老上海名人逃离，许多豪宅别墅低价抛售，诸如李士群、潘三省、吴世宝、岑德广之类汉奸及亲日分子纷纷得手。潘三省后来勾结周佛海，当上了伪中央储备银行行长。

巨泼来斯路就是如今的安福路。唐绍仪故居门前的武康路向南第一条交叉的路就是巨泼来斯路。巨泼来斯路 201 号后来是上海市长吴国桢的官邸。

这起平安夜马河图刺杀汉奸案的前四天，76 号大头目丁默邨和中统美女郑苹如就在巨泼来斯路 201 号的潘三省家喝酒。酒后，他们的车子就从这潘公馆开出，在静安寺路的西皮利亚皮草行前遭到伏击。由于故事是分两路进行的，我们把中统女谍郑苹如在西皮利亚皮草行诱杀丁默邨的事，留到下一章再讲。

四天前才从刺客枪下逃出命来的丁默邨，这时也给汪曼云打来了电话。他要汪曼云起身后，邀同顾继武、蔡洪田、凌宪文、黄香谷马上到 76 号里面去。

汪曼云等人来到高洋房会客室对面的大菜间时，里面已坐满了人，丁默邨、李士群、茅子明、马啸天、林之江、冯国桢、杨杰、裘君牧、吴世宝、王天木等已经先在。

这时，丁默邨可能已经感到，李士群要乘机把王天木打倒，

老开纳路风情（兆丰总会离此处不远吧？）

借以削弱自己的力量，所以丁默邨要汪曼云进来和他一起支持王天木，勿使王天木陷于绝境。在许多人中间，发言最激烈的，首推林之江，林几度拔枪要杀王天木，说是替何天凤、陈明楚“报仇”，都被人劝住了。当时开枪杀何天凤、陈明楚的人，确实是王天木的副官，这是无法否认的事实。

王天木虽一再说是他副官开的枪，自己并不知道，甚至连自己也是被杀的目标。但在这种场合下，谁也不敢对王表示信任或支持。再说，就是王天木鼓动众人外出“白相”的，差点把汪曼云也搭上。这王天木带头鼓动众人外出“白相”，这事本身就很可疑啊，要是这些人不外出到控制不了的地方，刺杀就无法得逞，所以鼓动外出本身会不会正是“刺杀阴谋”的一部分呢？

这里，林之江的“义愤”值得怀疑。如果林之江是军统卧底的话，他此时可以“义愤”地一枪夺命，乘机搞掉王天木。因为此时的戴笠、陈恭澍估计也正有此意。

而如果林之江不是军统卧底，那他只是因先前在军统时受过王天木的气而对王天木不满。

在 76 号内部，林之江一度被看作站在丁默邨一边的。因为那时，丁默邨是 76 号前台老板。但后来，晴气庆胤明显地偏袒李士群，76 号内部事务是李士群、叶吉卿夫妻说了算。他夫妻俩的话也更受晴气庆胤重视，而丁默邨的种种“改革方案”都被后台老板日本人搁置。林之江要表明自己是站在李士群立场上的。再说，进 76 号以来，李士群就没少在钞票上关照林之江，76 号钱柜的钥匙从来就掌握在老板娘叶吉卿之手。林之江好财这点，是众所周知的。林之江下水落入 76 号，吃进的第一发“糖衣炮弹”，估计正是李士群提供的。

一段时间以来，丁默邨被中统女谍郑苹如迷得死去活来，肆无忌惮地把“美女蛇”带进 76 号。为此，76 号内李士群的班底无不乘机在背后说上几句，林之江也听在耳中。四天前，丁默邨在西皮里亚皮货店出洋相，差点死在女谍郑苹如手下。就是昨天，林之江奉李士群之命，扣押了郑苹如。很明显，丁默邨此时正处于颓势，而扳掉丁默邨由李士群主持 76 号，并不危及林之江的地位，李士群也依然需要林之江站在自己一边。当然，李士群也不是不知道林之江是反复无常的小人。其实，在这汉奸成堆的76号魔窟中，又会有几个人具备正常人格？

不想天助人愿，丁默邨正因西皮里亚皮货店的洋相而抬不起头之际，这何天风、陈明楚又被军统特务杀了。前面说过王天木和何天凤是汪伪肃清委员会的“和平救国军”正、副总指挥，正是丁默邨的台柱子。眼下王天木又陷入不可自拔的疑案中，乘机拔掉王天木，就使丁默邨失去最后的支柱，这是李士群、叶吉卿的如意算盘。所以当人们议论纷纷之际，林之江就想乘乱一枪撂倒王天木，以划清自己与丁默邨的界线。虽举枪被阻，自己不是还有手铐吗？

看着一群人议论不息，无法得出结论，林之江倒有主意了。此时他决定先斩后奏，先把王天木铐起来，看有谁提出异议？

忽地，林之江从裤袋里掏出了一副手铐，猛地向前一把铐住王天木。众人惊愕之下，鸦雀无声。无声就是同意。林之江将王关押在顶楼优待室，这还算是十分照顾的。

76号内的丁默邨、李士群互相利用而又互相争斗的局面十分微妙。

初创时期，李士群夫妻的确是费尽心机，拉汉奸集团为日本人服务，花了大气力。李士群主动请来丁默邨，并让出第一把交椅，是情愿的。那时李士群想的只是抓山头内部的实权。但后来丁默邨利用76号第一把交椅的位置，拉上周佛海，利用周佛海拉山头的野心，彼此勾结，互相利用，很快，他俩都得到好处。李士群处处都只是丁默邨的副手，心里又十分不甘，但李士群在76号内部的班底还有一定实力。日本人看到了李士群与丁默邨之间的微妙关系。要让走狗听话，有效的手段就是让走狗互相争风吃醋，钩心斗角。影佐、犬养、晴气及以下的宪兵队分队长、小队长时常偏向李士群。汪精卫也不满周佛海抓权，不愿意周佛海独霸76号，从而也拉拢李士群。这几方面因素就使李士群不知不觉之间，恢复了对丁默邨的优势。

不知为何，丁默邨形象在日本人眼中感觉不好。汪伪特工的后台老板晴气把丁默邨说成：身材矮小，骨瘦如柴，蟹壳脸，蛇一样的眼睛里发出幽光，使人一看就觉得他是阴险冷酷的人。

日本特务驻沪最高机构“梅机关”的犬养健也形容丁默邨是他接触过的人中容貌最难看的一个：

“此人身量五尺上下（也就是说丁默邨只有一米六五左右），也许是发育不全吧，不光是身量低矮，脸和手脚也都抽缩着。加之丁默邨患有肺病，多年未愈，时常低声咳嗽。而且，他脸色总是苍白，眼睛就像由于睡眠不足引起浮肿似的。他的体力好像受不了穿西服时的拘谨，他平时总是穿着舒服的中国式服装，爱低着头，自然少言寡语。我也一直没有看到过他的笑脸。”

由于日本人及汪精卫的偏心，加上接连发生的丁默邨绯闻及何天凤被杀，使李士群居于大为有利的地位。如今再把“和平军总指挥”王天木扳掉，丁默邨的桩基又少了一批。

王天木被押后，李士群便出面宣布将这件案子交给马啸天处理。

这下丁默邨哑口无言了。他知道自己在76号内的地位正一步步地被削弱。

马啸天在审理时，发觉王天木的小老婆似有嫌疑，于是也把她抓进了76号。

在王天木家里一番搜查，并且还在上海的中国银行查到王天木小老婆的保险箱。在里面，抄出了一根金链条和金鸡心，揭开鸡心里面，嵌有王天木的一张照片，足见王的小老婆对王是一往情深的。于是又把王的照片挖出来，不意在王的照片下面，还有一张照片。这张照片，却是一男一女两个人合拍的，女的固然是王天木的爱妾，而男的却是王的副官马河图，正是枪击何天凤、陈明楚后逃逸的那个军统特务。

当王天木、冯国桢以及跟他们一起去的其他保镖，由76号派人把他们从兆丰总会带回时，何天凤与陈明楚的两具尸首，也同时带回放在后门外的空地上。经过更衣打扮，洗净血渍，一一收拾后，送到了康脑脱路（按：康定路）的“世界殡仪馆”里。

大殓的那一天，何、陈尸体并排在灵堂前。因为死人中的是左轮开花铅弹，虽经化妆，但中弹的脸部，仍呈青紫色。灵堂前穿孝服的人倒也不少，连何的手下土匪司令丁锡三、李燮宇也都在内，其余大概都是何天凤的徒子徒孙。这些人中的每一个都在怀里插上一支快慢机，好像进了强盗窝一样。这种杀气腾腾的景象是上海自有殡仪馆以来从来没有过的。

汪曼云算是代表汪伪国民党中央去吊唁的，这时何天凤的老婆与丁锡三、李燮宇等一伙人，都七嘴八舌地要汪向丁默邨传话，要把王天木解来，向死者磕几个头，以消消何、陈家属及众弟兄的怨气。汪曼云觉得自己没法劝住众人，于是把何天凤青帮的徒弟丁锡三、李燮宇两个拉到边角处，暗暗地对他俩说：

“弟兄们都是感情冲动，我们应该理解。天凤死后，你们两位就是全军的首长，怎能不顾大局，和他们一般见识？即或能做到让王天木到灵前来磕几个头，但有谁敢保证不会有人动手拔枪？到那时，你们二位即要拦也拦不住了。”

汪曼云还说：

“再说这件事，王天木究竟是否事先知情还没搞清。何、陈二人已为军统算计，别再中它的反间计，借我们之手来杀王天木。所以这件事，千万不能起哄。也只有你们两位才能把这件事消弭于无形。纵然他们感情十分冲动，只要你们两位发命令，他们必然要服从的。”

这两个人被汪曼云几顶高帽子一戴，果然把这事压了下去。

王天木被拘，何天凤和陈明楚被杀，原来跟随何天凤投敌的丁锡三当了伪“和平军”的总指挥。

原军统人员、投敌分子谭文治取代了陈明楚的位子。谭文治是丁默邨的湖南老乡，1939 年底刚投奔 76 号，原先任 76 号第一处副处长。自从投靠 76 号后，谭文治所熟悉的军统在上海的特务，或为谭出卖被抓进了 76 号，或为谭收买，做了 76 号的爪牙。

为除掉谭文治，军统上海区第二行动大队收买了谭的副官作为内线，并派遣人员，寻找谭的踪迹，终于侦得谭文治投敌后的家住大西路地丰路口附近（也就是如今延安路与乌鲁木齐北路交叉处）。

1940 年初的一个中午，军统上海区第二行动大队的陈默、赵圣带着几个军统分子，突然来到谭家。谭的副官，不经通报，便直接把他们带进楼内。一部分刺客把谭家佣人关进一间空房，在外面监视。在楼上与老婆一起吃中饭的谭文治忽然见到陌生人涌来，放下饭碗想问个究竟，

来人即拔出无声手枪，开枪击毙谭文治。谭妻见状，忙拉住枪手不放，并大声哭喊。另一特务便抽出匕首，向谭妻刺去。谭妻中刀倒地而亡。

事发后，76号特务为了报复，竟在牢中把被捕的军统特工周锡良、徐寿新、余延智三人拉出去枪毙。

就在76号枪毙军统特工周锡良、徐寿新、余延智三人后的一天，仙乐斯舞厅大门口一声枪响，特工总部76号的第四处副处长钱人龙被仙乐斯舞厅大班枪杀。

钱人龙一脸大麻子，人们都习惯叫他钱麻子，反而把真名失传了。他父亲是法商电车公司的司机。他姑母是法租界“白相人”，众人喊她“卢家湾小娘娘”，可见她在卢家湾一带是个名角。“卢家湾小娘娘”本是开茶馆的茶壶嫂，后来嫁给总巡捕房的法籍捕头RAUSSE。凭借丈夫的势力，“卢家湾小娘娘”飞扬跋扈一方。

顺便提一下：这“白相人”是指旧上海滩一种不务正业，整日无所事事的闲人。上海话“白相”是指玩，“白相人”是指以玩为职业的人。

钱人龙因姑母的关系，进了法国人办的中法学堂。毕业后，便通过他姑丈RAUSSE，进了法巡捕房充当翻译。他虽已披上了一张老虎皮，还觉得在“白相人地界”兜不转，于是又拜杜月笙做先生。他利用这些势力为靠山，在法租界为所欲为，无恶不作。不久他又升任强盗班的督察长。这样一来，钱人龙更肆无忌惮了。但终于因为作恶太多，连他的法国姑丈也无法再为他庇护，结果被撤了职。这时，钱人龙就找76号，勾搭上了关系，充任76号第四处副处长。

76号第四处的工作对象，原本是英法两租界。处长潘达，以及潘手下的戴昌龄、宋源、孙绍北等，原都是英租界的特别巡捕。钱人龙来了，正好补上法租界的空白，于是便让钱人龙专门负责法租界捕房方面的联络，借以刺探在法租界内的抗日人士的活动，及中统、军统特务的情报，以便76号阴谋对付。所以，法租界内所发生的几件特务凶杀案子，都与钱有关。

钱人龙游手好闲成习惯，手里有的是平日里敲诈勒索来的钱，所以在上海租界里，各种白相场所，都有他的踪迹。每晚不是歌场，便是舞厅。1939年冬这一晚，钱人龙与他的第四处处长潘达一起从静安寺路仙乐斯舞厅玩够了出来时，就被人开枪打死了。

原来开枪的就是这个舞厅的大班盛昌富。盛和他的老婆陈清，都是军统人员。盛利用舞厅大班的公开身份，盯上了常来的几个汉奸舞客，并在暗中做了准备，把枪支预先携入舞厅，藏于隐蔽之处。这天，他看到钱人龙与潘达舞兴阑珊，踉跄出去，便持枪蹑踪其后。一见到他俩走到舞场门外的台阶，盛昌富便举枪射击，钱人龙即应声倒毙。

当枪声响时，在台阶前守候各自主人的汽车司机，闻声把视线集中到枪声响处，看到开枪的是这舞厅的大班盛昌富。这些司机都认识他。因此司机们不约而同地喊着：

“小盛！小盛！”

此时，盛昌富离开仙乐斯大门已有一段距离，开枪后既然已被人发觉，生怕脱不了身，便不及再开第二枪去打潘达。盛昌富与潘达各自仓皇逃命。盛昌富怀枪逃出了仙乐斯后不敢回到家，夫妻俩连夜外逃，第二天逃到敌后的皖南屯溪，再转回重庆。

钱人龙被击毙后，尸体当晚由捕房送斐伦路（Fearon Road，如今九龙路）验尸所，经验尸后，由家属领回草草入殓。

这几天，上海枪声连连，到处杀声一片。

几天后，王天木被押往南京监狱。

这次王天木没有死，表面是说，因为王天木落在后面，听到枪响就躲起来，从而逃得一命。但更可能是副官马河图等人不忍下手而有意放过他。岂止是马河图，就连幕后策划的吴安之也是如此，他原本是布置马河图等人挟持王天木反正的。

王天木被关一年多之后，又因出卖国民党组织部副部长吴开先而被汪伪释放，重新到华北地区当伪特头目。1945 年抗战胜利后，军统局派吴安之、白世维去北平、天津进行接收。这吴安之、白世维悄悄助王天木外逃，王天木逃脱了军统的处罚。

白世维与吴安之、马河图、岳清江、丁宝龄一样，原来都是王天木的属下，白世维就是当年按王天木指点，一枪毙杀军阀张敬尧的那位枪手。

由此可见，平安夜这天王天木之所以没有吃子弹，绝非他机智或运气好，也不仅是马河图枪下留情，而是吴安之故意放水。军统的特务们搞阳奉阴违那套，看来也是家常便饭。

八、刘戈青逃出虎口

1940年3月30日，南京汪伪政府成立，李士群将刘戈青转到了南京宁海路25号敌伪特工总部的看守所，想关他一段时间，以观后效。

李士群认为军统之所以杀何天凤和陈明楚二人，全因军统同伙要替刘戈青报仇而采取的报复行动。死一个陈明楚他不心疼，如果刘戈青被救出去，那就前功尽弃了。于是，他想把刘戈青送到日本去，还可以造舆论说是刘戈青已经投靠了日本人，让戴笠死心。说不定，刘戈青到日本参观受训后，还真能投到自己手下呢。

拿定主意，李士群准备去看守所说服刘戈青赴日，突然传来刘戈青险些在狱中被打死的消息。

南京看守所的敌伪特务们并不知道李士群已对刘戈青另眼相看。他们将他作为普通犯人对待，开口就骂，动手就打。

一天中午放风时，刘戈青随着其他犯人往外走，因为人多门窄，走得很慢，正巧看守所所长急着出去，就狠狠地推了一把前面的刘戈青，并骂骂咧咧地催促：

“快走，怎么慢得像死猪似的。”

刘戈青向来看他不顺眼，瞪了这肥猪似的看守所所长一眼：

“咱俩到底谁像死猪？前面走不快，我怎么能走快？”

这句话正戳到看守所所长的痛处，他大怒：

“嘿！你小子还敢顶嘴？来人，把他带到办公室去。”

两名看守把刘戈青带进办公室，刚刚进门，看守所所长就抡胳膊、挽袖子走了过来：

“你这个重庆政府的走狗！老子今天让你知道这是什么地方！”

刘戈青当然清楚他要干什么，等他一走近，还未来得及出手，就照准所长的面门猛地一拳打去，还破口大骂：

“打你这个日本走狗，汉奸王八蛋！”

看守所所长万万没料到，一个死囚犯竟然敢对自己动手，猝不及防，被打得鼻血直流，门牙飞落，趔趄着往后退了好几步还是停不住，身子重重地摔倒在地。看守所所长哪吞得下这股恶气？忍痛爬起来，咆哮如雷地跺着脚。其他的看守一拥而上，拳打脚踢，把刘戈青打得遍体鳞伤。

李士群听到这个消息后，马上驱车赶到看守所，对看守所所长大发雷霆，责骂他不懂得配合他做感化工作，险些坏了他的计划。命令马上将刘戈青送进优待监房，请医生为其治疗。

等刘戈青伤势稍有好转，李士群便到病房探视：

“刘先生，听到你被打的消息，我很气愤，已经教训过他们，替你出了口气。不过，总待在这种地方，难免会有类似的事情再次发生。我远在上海，也鞭长莫及啊。不如这样，我送你去日本看看，散散心，这对你会有好处的，你意下如何？”

刘戈青知道，关在看守所里绝无逃走的可能，若借机答应去日本，说不定倒有机会。于是，他假装懊悔：

“李先生对我好，我当然知道。这地方也真不是人待的地方，我一天也不愿意待了。我愿意听从李先生的安排，去日本看看。”

不过，刘戈青提出要求，立即释放陆谛。

听到刘戈青的允诺，李士群很高兴，同意释放陆谛，同时亲自交代看守所所长，要好生对待刘先生，不可有丝毫怠慢。他还给了刘戈青一笔钱，让刘戈青缺啥买啥，别委屈自己。李士群迅速返回上海，为刘戈青办理去日本的手续。

刘戈青要去日本“镀金”的消息在看守所中不胫而走。整个看守所上自所长、下至伙夫都知道了，还清清楚楚地知道这个刘戈青是李士群赏识的人。要是他从日本“镀金”回来，说不定会成为李士群的红人。看守所的那些人都一反过去凶神恶煞的样子，拍马溜须唯恐不及，谁还敢得罪他呢？

看守所把刘戈青的监禁点从牢房转到了福利社，还常常邀他一起外出洗澡、下馆子、上舞厅。每次外出，刘戈青都主动掏钱付账，看守们更是乐得沾光。后来看守们放松了戒备，索性将刘戈青邀出去后，就各

玩各的，最后约定一个地方会合，对他毫无防范之心。

尽管如此，刘戈青还是觉得逃走的胜算不大。他觉得，万一半路上有巡警、宪兵盘查，会有麻烦的，想要顺利地逃离，就得弄一张良民证来。

但怎么才能弄到良民证呢？

一天，刘戈青和看守们去逛街。等看守们都进了舞厅，刘戈青就借口说要去理发，独自一人离开了。看到两个伪警迎面而来，刘戈青故意似躲非躲，装出一副鬼鬼祟祟的样子。伪巡警觉得他形迹可疑，就拦住盘查：

“喂！站住，你的良民证呢？”

刘戈青低声嗫嚅道：

“我……我没有良民证。”

“没有良民证？你是干什么的？”

巡警追问。

“我……”

“快说，你是干什么的？”

“我……我在监狱……”

“监狱？逃犯？你是逃犯！”

巡警一下将他抓了起来。刘戈青故意不反抗，也不申辩，任由巡警将他押回警察局。经审讯，警察局给看守所打电话。看守所所长说明刘戈青的来头后，他马上被巡警恭恭敬敬地送回看守所。

打那次以后，再有看守带他出去，他总是说不敢去，怕再遇上麻烦。后来，看守们竟然主动给他弄了张良民证，只叮嘱了一句：

“这张良民证只在城里有效，出了城就不管用了。”

刘戈青有了这张良民证，从此就开始盘算如何逃离。但他不清楚下关火车站是个什么情形。正好有一天，一位科长的太太从上海过来，刘戈青参加宴会，还顺道到下关火车站去欢送。于是他摸清了，出城到下关，并无障碍，同时还将火车时刻表和关卡检查情况摸了个一清二楚。

1940 年 6 月 20 日，他觉得逃走的机会已经成熟，利用和看守们一起外出洗澡的机会，借口买东西，登上了开往上海的火车。看守们洗完澡在约定的地点没等到人，才开始追查，此时他已经到了上海。到上海后，刘戈青未敢耽搁，第二天坐船去香港，再飞往重庆。

戴笠见刘戈青脱险，非常高兴，就在曾家岩公馆请他吃饭，亲自听取刘戈青的汇报。汇报完毕，刘戈青表示要给李士群写封信。戴笠同意了。刘戈青当场给李士群去信一封：

士群先生大鉴：

天涯知遇，至感平生。此次匆匆南下，未克趋辕叩辞，至今引以为憾。此举无他，盖大丈夫言必有信，行必有果，是乃南归请罪，静候上级处分。先生爱我，伺国事安宁后，自当图报于他日，盖此并候俪安！

亡友明楚兄遗族，当设法照料，免介。

刘戈青后来被派到缅甸、印度工作。太平洋战争爆发后，日军南进，刘戈青又被派到新加坡等地。陆谛被释放后，辗转到重庆，被吸收入军统，到息烽训练班训练，之后被派到新加坡协助刘戈青工作。1958 年，厦门市还住着一位名叫刘建寅的老先生，老刘是统战对象，台盟厦门支部领导成员。老先生是否仅仅是与刘戈青的父亲同名同姓，还是有相同的从台湾回厦门的经历？不得而知。

队友谭宝义和平福昌两人在 1939 年 11 月 8 日，再次被法租界工董局警务处送交日本宪兵队关押。就在刘戈青安全脱险的九天前，两人被日本宪兵队枪杀。

第七章　中统的女特工们

一、中统苏沪区特务纷纷落水

1940年1月15日，大汉奸俞叶封被击毙。

俞叶封原籍浙江杭州，他在上海帮派的地位仅次于杜、黄、张三大亨。八一三抗战后，俞叶封跟随张啸林投靠日本，为日军收购军需物资，是一个犯有资敌罪的经济汉奸，军统的生死簿上登录着他的名字。1938年6月24日，军统策划了对他的第一次暗杀，但没能成功。特工们不放弃努力，在继续跟踪追击中发现俞叶封有一爱好：听戏。于是，特工们针对这一特点，策划了对他的新的暗杀计划。1940年1月15日晚上8时，在公共租界牛庄路更新舞台的花楼，一位军统特工化装成观众，挨近俞叶封并从腋下伸出手枪，一枪将俞叶封击倒。

俞叶封被送至仁济医院后不治身亡。

虽说地下抗日武装针对张啸林的行动计划屡告失败，但能解决掉俞叶封，也总算是有个交代。

针锋相对，76号特务马上实施报复。

1940年2月，沪西中山路边的荒地上，一阵枪响，76号特务林之江又开枪杀了一个人。不过，这次死的是个女人，而且还是个美女。死者叫郑苹如，年仅22岁。

都说郑苹如是中统特务。郑苹如死后本应得到中统方面的高度回应，本应得到赞誉，但结果得到的却是一片沉默。

一个为消灭76号魔鬼而英勇献身的女性，就这样默默地死去了。

这事引发了人们对中统的疑问。

我们回头追述一下上海和江苏的中统机构及国民党上海市党部被日

伪汉奸破坏的情况。

作为国民党最大的谍报机构，中统在抗日战争中的作用，实不足令人恭维。难怪老蒋越来越重视戴笠而渐渐疏远了徐恩曾。

两个特务机构的差异，取决于它们面临抗日战争的爆发而采取的对策的差异。军统利用全国人民抗战的激情，大量吸收年轻人，到处办训练班，灌输仁智礼信义一套，让这批年轻人以为为国民党牺牲就是爱国，虽然其中不乏狡诈的野心家，但他们之中的确有一批敢冒险敢牺牲的有为青年。他们是一支生力军。

而中统却是一个臃肿的特务机构。这批特务老辣阴险，组织涣散，机构松懈，彼此钩心斗角，毫无爱国激情。许多人贪生怕死，甚至率先走上卖国求荣的道路。只有几个年轻的成员替他们挽回一些面子。

在1939年，76号的首要分子李士群、丁默邨、唐惠民、茅子明、马啸天、杨杰、苏成德、翦建午和最早与李士群勾结的汪曼云、章正范等等无一不是CC派的特务。也就是说，他们就是来自中统，本就是中统内部离心离德的野心家和阴谋家，其中绝大多数甚至是“主动汉奸”。这里讲的“主动汉奸”是指那些不受任何外来威吓的情况下主动进行危害国家、民族的犯罪勾当的汉奸。相对于“主动汉奸”的“被动汉奸”是指意志不坚定者，他们受不住折磨而屈服当了汉奸。汉奸同样是可恶的，“主动汉奸”尤其可恨。

我们前面指出过，李士群在1938年秋开始，就陆续把原中统分子唐惠民、茅子明、马啸天、杨杰、翦建午、章正范及丁默邨拉进了大西路67号的间谍窝，形成76号的最初班底。此后，由于上海市党部因窃居委员高位的汉奸分子汪曼云、蔡洪田、黄香谷的叛变而瘫痪，中统上海和江苏的机构遭严重破坏。

1939年夏天，国民党中央组织部调查科行动总队队长及中统局苏沪区副区长苏成德又带着手下的三员大将童国忠、潘元恺、刘炳元叛变投敌，进了汉奸特务组织76号，一起做了汉奸。苏成德与李士群都是苏联东方大学的“同志”，他与丁默邨、李士群、叶吉卿一样都是中共叛徒，彼此狼狈为奸也就不稀奇了。再说，苏成德可算是李士群的救命恩人，他们自然是“一家亲”。

苏成德向李士群交代了中统局苏沪区的重要线索。76 号的马啸天过去也是苏成德的同事，所以李士群招来马啸天，在 76 号的高洋房会客室共同商议，决定由马啸天配合苏成德，逮捕了苏成德的前任，中统苏沪区副区长胡钧鹤。胡钧鹤，这位原来的共青团中央书记再次叛变当了汉奸，后来一直是李士群的主要帮手。

就这样，原中统苏沪区前后两任掌有实权的副区长胡钧鹤和苏成德联手，加上中统老特务马啸天，根据各自熟悉的关系，发起进攻，很快就破坏了上海和江苏的中统机构。

1939 年 9 月，中统苏沪区特务姚筠伯、石林森、王阆仙、闵春华等在 76 号的攻势下，先后投降。

闵春华的投降，又使一批中统局苏沪区的中层骨干被捕落水。

中统局苏沪区总务科科长陈鋆寄住在法租界自来大街一爿叫仁记的小客栈里。闵春华向 76 号招供了这一消息。得此消息，76 号指示马啸天负责逮捕陈鋆。

以下根据马啸天的回忆，勾勒出当时抓陈鋆进 76 号的过程：

马啸天与陈鋆是老相识，而且同为洪帮弟兄。出发诱捕陈鋆时，马啸天带了陈中芳、耿剑青、邬培尧三个人，按地址找到了化名为苏鉴吾的陈鋆。

马啸天便叫余人等在外面守候，自己单身去看陈鋆。

当马啸天敲开房门时，陈鋆的老婆正在房里烧饭。她见是来了熟人，便招呼坐下谈话。她以为马啸天还是中统同僚，全然不知他已是汉奸。

马啸天说是要约陈鋆到外面说话，陈鋆夫妇又殷勤邀马吃了饭再去。

马啸天说：

“外面去吃不是一样吗？”

于是陈鋆随马啸天出小客栈，坐上了等在门外的汽车。而同来的陈中芳等三人则坐上另一辆汽车，跟在后面，一起开进了 76 号。

车子一停，陈鋆一看苗头不对，便问：

“马大哥，这是怎么一回事？”

马说：

“说说谈谈嘛，没事的，一切由我负责任。”

于是陈鋆便不作一声，跟着马进了高洋房的会客室。

马啸天说：

“老弟，大家都来了，咱们老弟兄，我不能看你单个儿在外面啊！”

这分明是绑架，却还说成是一番好意。

此时陈鋆啼笑皆非。但也意识到，既然到了这里，非落水不可了，于是回答了“好！好！好！”三个好字。似是满肚子的委屈，却又无可奈何。

马啸天不管他的含义怎样，便抢着道：

“老弟这样很爽快，那我就请李先生来和你见面。”

也不管陈鋆是否同意，就把李士群邀进了会客室，与陈鋆见了面。

在这个环境与气氛下，陈鋆表示愿意参加76号组织。于是丁默邨也来见了面。接着就在大餐厅里，由马啸天招待着胡乱吃了一顿中饭，时间已经下午1点多了。

饭后，李士群送了500块钱给陈鋆，并说为了陈的安全，他必须马上搬出客栈。

仍由马啸天陪着陈鋆在湖北路大新街梁溪旅馆化名陈吾开了一个房间，把家眷安置进去。最后把陈安置到极司非而路38号的大洋房里。这区区500元，就是投身76号的卖身钱。

于是，他们之间的事就这样“圆满”解决了。

闵春华投降76号的事，中统局苏沪区的总交通庄鹤一直不知道。

庄鹤真名陈一帆，是杭州人，出任中统局苏沪区的总交通之前，一直是中统上海区的交通。

对于特务机构来说，这“交通”的重要性是不言而喻的，尤其是处于地下工作状态。而总交通的重要性则更不用说了。于是76号就叫闵春华去做庄鹤的工作。

闵春华隐瞒已叛变的事实，依然按原中统的联络方式，约庄鹤在下午5时到六马路格致中学对面等候。约定庄鹤以头戴呢帽、手持报纸为标志。说是这样一来，便会有人和他联系。

这约定地点六马路在什么地方呢？一般上海人知道旧上海的大马路指南京东路，而四马路指福州路，但其余各条就弄不清了。其实，这几

条编号马路就是南京路以南与其平行的街道。其中六马路就是如今黄浦区的北海路。其余的二马路、三马路和五马路分别指九江路、汉口路和广东路。

庄鹤见是老搭档闵春华来联络的，没有怀疑，依约前往。

76号派出周元龙、耿剑青两个人，由闵春华带领，到达了上述地点。这时正是下午5时，冬季日短夜长，天色昏暗，路灯也亮了，远远望见庄鹤已等候在那里。闵春华在暗中向周、耿指点交代后，便独自退去，由周元龙、耿剑青二人上去答话，把庄鹤骗上汽车，直接开到了极司非而路38号钱家巷，那地方是76号的近邻。新近投降76号的陈鋆，就被安置在此。

汽车开进38号时，苏成德已等候在那里。庄鹤蓦地看到苏成德，不由得为之一怔。老上司苏成德投76号当汉奸的事，庄鹤是知道的。现在突然出现在跟前，知道自己上了大当。

好在两人原系熟人，彼此并不陌生，一时惊慌过后，马上便镇定下来。等到苏成德招呼坐下来谈话时，庄鹤已恢复平静。苏成德与他谈话还没有结束，早已等在陈鋆房里的李士群、马啸天以及陈鋆也都走过来，庄鹤一看不仅都是熟人，而且都是他的"上司"，倒反而有些他乡遇故知之感。

等苏成德把话讲完，也不等马啸天等开口，庄鹤便说：

"既然几位老上司已经先来了，我还有什么说的？你们咋说，我就咋办好了。"

众奸听了便异口同声地说：

"老庄爽快！老庄爽快！"

这一句被重复两遍的话，不知是对庄鹤表示恭维呢，还是自家解嘲？没人猜懂汉奸们此时的心情。

这里讲的仅是中统分子被出卖而遭逮捕最后落水的两起例子而已。

有关日伪利用汉奸作内线，大肆逮捕抗日人士的情况，当时层出不穷，屡见报端。1939年5月11日的《申报》就有一则引述《大美晚报》的实况报道。

《申报》的报道如下：

福来饭店内，日人架走五华人，五人中有姜豪、苏亮如等，显系亲日分子出卖其友，警务处得讯派员往查时已经不及

英文《大美晚报》云：据今日透露，昨日午后未几，有持械日人约十名，由两华人导之，分乘悬有上海防军照会之汽车三辆，至广西路一五九号福来犹太咖喱鸡饭店，架走华人五名，大约被架往虹口日军总司令部。闻诸可靠方面，此五华人中有（一）上海新生活运动指导员姜豪；（二）浦东游击队总参谋苏亮如；（三）宝山县长陈家谟，系江苏省府委任，暗图消灭仅在该小城内办事之日方宝山县长及在主要公路上巡逻之日军；（四）前江湾商团团长吴垂莹。其他两华人之名，未能确知。

惟一般人均疑其中之一为亲日者流，以其四友人出卖与日当局。日方设计逮捕，并未通知公共租界警务处，迨日人将五华人分两次架走后，警务处始得实系持械绑架之消息。被绑架中之四人，于十二时前不久，赴该饭店，入隔日电话预定之四号房间，众信此四人中之一，即系亲日分子，诱其友人入彀，彼等方进咖喱鸡饭店时，即有日人约十名，分乘悬有蛋形上海防军照会之汽车三辆，驶抵该地，西崽欲导彼等入空餐室时，诸日人不发一语，径登楼上，隔门帘向各室窥视。西崽以为彼等探望友人，故不起疑窦，数分钟后，即有两华人与彼等交谈，并导入第四号房间，闻日人入室时，均执手枪，然后将室中诸人加以手铐而出，但西仔〔崽〕犹未知彼等乃被架走，盖手铐为长袖所遮，而日人亦已藏枪袋中也。被架华人，未加反抗，随戴黑眼镜之华人一名而行，拥入汽车，运行驶走。但有二日人，仍返四号房间，约二十分钟后，即午后一时三十分许，另一华人，入该饭店，不知二十分钟前发生之事，而投入罗网，遂亦被捕，两日人当饭店雇员之前，将该华人拽出。迨立即报告警务处，但警卫人员到达过迟，该第五华人大约亦被架往虹口矣。

登在20世纪30年代末报纸上的这段“白话文”，显得有点生涩，如今读起来还是相当吃力。

不过，当时原汁原味的实况报道，远比如今充斥电视屏幕的恐怖镜头更逼真。

注意，报道中提到的宝山县长陈家谟是江苏抗日政府委任的。按其中的叙述，陈家谟是计划消灭伪宝山县长和路上招摇过市的日军，不意先遭毒手。文中的“西崽”，系指饭店中的西式装束的服务员。

自苏成德将中统苏沪区全部组织人员名单交给76号后，苏成德与马啸天、石林森等一道，将胡钧鹤、陈鋆、童国忠、庄鹤、姜志豪、邓达谧、宋建中、刘慧（女）、黄有成、方新吾、费克光等40余中统特务全部捕获，其中仅中统苏沪区区长徐兆麟和财务蔡均平二人逃脱。上海和江苏的中统机构就这样被76号蚕食瓦解，造成中统苏沪区全面瘫痪。区长徐兆麟只身逃到重庆后，就被中统局投入监狱，关押起来。

如果从《三国演义》中诸葛亮处理“失街亭”事件的角度来看，徐兆麟受的处分或许还算是轻的了。当年马谡仅因丢了街亭那样一个渺无人烟的区区山口，就被砍了脑袋。而徐兆麟丢失的是上海和江苏的基地！坐五年牢，并不冤他。

当然，徐兆麟1945年出狱后，不屈不挠地为牺牲的“同志”讨公道。这点，历史也不忘对他做了记录。

二、国民党上海市党部的重建

中统苏沪区全面瘫痪之际，国民党上海市党部也在瓦解中。

原先，吴开先是国民党中委及组织部副部长兼任上海市党部书记。八一三后，吴开先离开上海到了重庆。而由吴开先提名的市党部主任委员童行白和到上海指导党务的中央委员郑亦同经不起76号的恐吓，先后开溜了。于是，1939年5月汪精卫到上海后，市党部委员汪曼云、蔡洪田、凌宪文、黄香谷等人踢开市党部，既勾结汪精卫、周佛海，又与丁默邨、李士群狼狈为奸。

这汪曼云，我们前面已说过，他上蹿下跳，最早串通了李士群和丁默邨，也是他最早勾结了周佛海，并两头填表参加汪伪政府和特务机构。

蔡洪田在八一三淞沪抗战后，曾经主持上海市党部的党务工作。1939年就暗中投靠汪精卫。

黄香谷原为国民党上海市党部宣传科主任。1939年夏，他也暗中投靠了汪精卫。

黄香谷父亲黄浚原本就是汪精卫亲信。1932年汪精卫任国民政府行政院长，黄浚任行政院秘书。1937年抗战爆发后，因向日本特务机关出卖了多起严重危害国家安全的情报，造成战争局面的严重危机，黄浚和他的另一个儿子黄晟以通敌罪被处决。破获汉奸分子黄浚间谍案的过程，我们留到后面介绍消灭日本女谍“帝国之花”那一节再做详细讨论。

凌宪文原是国民党中央党部社会部副部长，国民党上海特别市执行委员会主任委员。他也是主动勾结汪集团而叛变的。

顾继武是潘公展的助手，老牌特务，与76号的头子丁默邨早有勾结。

在这些人的带头破坏下，上海市党部全面瘫痪，许多人进了汪伪集团或76号。

汪曼云、蔡洪田、顾继武、凌宪文、黄香谷五人不久后都当上了汪党中央委员。

国民党上海市党部和江苏省党部及中统苏沪区分崩离析，各党部委员及中统骨干纷纷投入汉奸队伍，不投靠的也多数被出卖而招逮捕遇害。接着军统上海区也遭破坏。

这种情况下，上海的舆论纷纷谴责国民党上海市党部和江苏省党部及中统苏沪区的腐败无能，同时也向蒋介石施加巨大的舆论压力。

蒋介石为了摆脱这种压力，同时也不甘心上海的地盘被汪精卫抢去，便找来陈立夫，责成他务必重建国民党在上海的机构。陈立夫当场请准，授予中央组织部副部长吴开先以国民党“中央代表”名义，潜赴上海，收拾残局。吴开先此时还兼有国民政府军事委员会第六部主任的职务。由于他先前是上海的党部书记，上海市党部如此不堪一击，他当然责任重大。

此时，上海虽已沦陷，但公共租界和法租界还掌握在英美法等国手中，形成了“孤岛”。英美法依然承认蒋介石政府，而蒋介石抗战政府在“孤岛”还有巨大经济和金融利益，也控制着“孤岛”的民心和舆论。吴开

先就是要到这个“孤岛”落户。

吴开先随身携带蒋介石致虞洽卿等五人的问候函件及行政院长孔祥熙写给上海银行界领袖李馥荪、秦润卿等的私函十余封，单枪匹马，悄然出发。

吴开先去上海只能走控制在英法手里的通道：

从重庆经昆明、河内，抵香港，再从香港到上海。

吴开先一到香港，便专程拜访杜月笙。

此时，杜月笙坐镇香港。他通过香港与上海间专设的电台，时刻掌握上海的情况。因此他对上海了如指掌。

同时，这杜大官人在香港世面也一步步做大。香港杜公馆设在九龙，而香港的经济信息中心却在港岛上，因而每次来往港岛要过维多利亚海湾，十分不便。为此，杜月笙在香港告罗士打饭店租下了705号房间，由秘书翁左青、胡叙五常驻。他自己则每天午后，来这里晤客会友。军统局香港区区长王新衡等人就是其座上常客。因为来往客人多，705号房间不够用，告罗士打饭店八楼咖啡座实际上变成了他的大会客厅。在这里，杜月笙通过各种关系，又编织起了一张无形的网。这张网成为国民党政府与上海等沦陷区联系的重要渠道之一。

杜月笙杜大官人在此接待了老朋友吴开先。他爽气地包下吴开先的行程：

“你所携带的文件和密码，统统交给我，由我指派妥人代你秘密运进上海。另外，我再写信给黄老板和金廷荪，你到上海后，请他们两位出面，把你所需要探望的人，全部请到金廷荪的公馆，一顿饭吃下来，事体也谈成功了。”

杜月笙话中提到的黄老板自然是指黄金荣。而金廷荪就是著名的“金牙齿阿三”，他是上海闻人，黄金大戏院老板。金廷荪产业还涉及医院、纺织、金融、五金等。

杜月笙又代吴开先安排好去上海的路线，避过日本军警盘查和日伪特务的跟踪。当吴开先乘坐的英国客轮驶抵黄浦江时，一艘汽艇趁着浓黑夜色的掩护，悄悄靠了上来。原来杜公馆管家万墨林早已接到杜月笙的通知，带着若干保镖来接吴开先了。通过万墨林汽艇的驳接，可以避免在码头上下船时遭遇日本便衣宪兵和 76 号特务的突然绑架。

万墨林将吴开先接到预先给他安排好的住处，并给他提供了自备汽车。

吴开先在上海待了一段时间后，工作没有进展。国民党上海市党部原来在上海的一批重要骨干，逃走的逃走，投敌的投敌，更有被抓被杀的，其余也大多数当了缩头乌龟，整个组织基本垮台了。而其他系统的人员，如军统特务和帮会势力又不买吴开先的账。为此，吴开先只好回重庆请示。

回重庆同样要走英法控制的通道：上海—香港—河内—重庆。

途中，吴开先再次拜会杜月笙，倾诉上述苦恼。

杜月笙正想参照 1937 年八一三的情形，让重庆方面同意，再次把上海的各种势力统一于自己名下。因此乘机建议：

“上海孤岛很重要，它是日本人嘴边的一块肥肉，我们不拿在手里，就要被日本人吞掉。开先兄独来独往，责任重大，很难保证安全。我认为上海应该有个由蒋委员长直接领导的组织，这样一来，上层有力，上海有底，就能开花结果。”

杜月笙还提议：

“中央各部院经常派人去上海，但各有各的任务，各做各的事，见面可能都不认识。这种做法，用人多、用钱多、用气力多，却收不到互相配合和互相支援的效果。开兄回重庆，可以建议中央，设一个总的机构，全盘负责上海的工作。人员不妨大家都派，有了事情大家一道做。”

这个从社会底层磨炼出来的大亨，看问题的目光果然比政客党棍们远大。

吴开先明白杜月笙的心思，也清楚要去上海活动离不开这位大亨。于是一回重庆，首先把杜月笙的意见面禀蒋介石，蒋介石立即决定成立“上海工作统一委员会”，工作要点是劝导金融工商界、技术工人、学生、青年到后方来，增加抗战力量；告诫留沪者勿与敌伪合作，并应在经济上对后方大力支持等。

陈立夫、吴开先分别出面征求了吴铁城及时任国民党中央组织部部长朱家骅等人的意见，提出了“上海工作统一委员会”的初步名单。其中包括前上海市市长、时任国民党财政部次长的俞鸿钧，军统局头子戴笠，曾任国民党陆海空军总司令部总参议的蒋伯诚，上海商会会长王晓籁，

朱家骅系统的三青团骨干吴绍澍，以及吴开先、杜月笙。这名单，基本参照了 1937 年“苏浙行动委员会”的委员所代表的身份。

吴开先不满意这一名单，很明显，他担心前市长俞鸿钧被指定为主任委员，将给他带来诸多不便。因此，他找理由：沦陷区地下组织与公开组织性质不同，人数宜少不宜多；而俞鸿钧、王晓籁又不能离开重庆，以不参加为宜。

最后，吴开先如愿以偿，去掉了俞鸿钧、王晓籁两人，剩下五人：杜月笙、戴笠、吴开先、蒋伯诚、吴绍澍。五人中，杜月笙在香港，戴笠在重庆，吴绍澍则在上海秘密筹组三青团，吴开先来往于重庆、上海之间。蒋伯诚原在重庆，有一娇妾留在上海，便乘吴开先告假回渝之际，请命去沪。因此，吴开先在重庆期间，蒋伯诚便动身去沪，与吴开先轮转交替。

“上海统一委员会”的五个委员中，其余四个委员与杜月笙都有些特殊关系。戴笠是杜月笙的拜把兄弟，蒋伯诚是杜月笙的玩场知己，吴绍澍是杜月笙的“学生”。吴开先考虑国民党上海市党部在上海工商界的影响比不上杜月笙。他的个人信用，也远不及杜月笙，就是在国民党内各派系间他也不如杜月笙兜得转。同时，他明了杜月笙是个领袖欲很强的人，不甘居人之下。因此，力主五人中由杜月笙任主任委员。这一意见得到戴笠支持，陈立夫也表同意，最后经蒋介石批准，决定派杜月笙担任这个由国民党、三青团、中统、军统、帮会势力凑合而成的“上海统一委员会”的主任委员。

为此，吴开先专程去香港，向杜月笙传达了蒋介石的口信：

“上海的阵地是不能丢失的，以后请月笙先生多偏劳了。”

杜月笙听到要他担任主任委员的决定后，曾问蒋伯诚：

“主任委员是什么级的官？”

蒋伯诚说得很有意思：

“要论级么，比所有委员高一级，因为主任委员是委员的头子。要问有多大么，比上海市长更大，因为市长要听你的。再者市长管不了当地的党部和三青团，而你下面有这两个头。要讲威风嘛，比行政院各部部长还威风，因为部长最怕的是特工，而你则在特工首脑之上。”

杜月笙听后欣然大笑。

于是，杜月笙把上海的杜家班底向吴开先敞开。

徐采丞，杜月笙对外联络的掌门人。杜的对外联络，此时主要针对日本方面。徐采丞这人，本书显然不是首次提及，我们一开头就提到徐采丞劝告唐绍仪离开上海，摆脱日伪包围的事。徐采丞原来是跟随《申报》老板史量才的。史量才被刺身亡，他便周旋于杜月笙与钱新之之间。他开办过一家“民生纱厂”，时运不好，一度濒于倒闭。他求援于杜月笙，居然起死回生，非但没有倒闭，反而发了财。因此，他对杜月笙十分感激，于是投桃报李，报答朋友。上海沦陷后，上海地方协会主要人物大多离开上海，徐采丞接任总干事职务，留在上海，并设法和日本“兴亚院”拉上了关系。“兴亚院”是日本在华的汉奸事务总管，宗旨是“加强管理中国事务”，下设政治、经济、联络等部，分支机构遍布当时的华北、华中、华南等沦陷区。所有的汉奸组织，都要接受“兴亚院”和日本军部的双层监督。就是说，是日本在华最上一层的特务机构。日本认为徐采丞有杜月笙的背景，是与国民党政府联系的重要桥梁，对他颇感兴趣。所以徐采丞不但不会受皇军虐待，反而被“兴亚院”视为 VIP，并介绍他结识了日本海军、陆军、宪兵队及特务机关的重要人物。正由于这些关系，徐采丞才能安然留在上海，并成为杜月笙对外联系的负责人。

杜月笙在上海的“总交通”是万墨林。万墨林是杜府总管家。总交通负责对内联系，与军统特务、各游杂部队驻沪人员、杜门弟子及租界巡捕警探等联络。

把徐采丞、万墨林两人交代给吴开先后，杜月笙还派人去上海关照徐采丞、万墨林两人，今后要对吴开先的工作尽力支持，并通知张季先为吴开先的工作提供便利。张季先本是杜公馆的清客，与法国驻沪总领事交情甚好，此时任法国哈瓦斯通讯社上海分社社长。要想在法租界生存，此人不可少。

如此这番，吴开先与蒋伯诚一起到了上海。他们向在沪的吴绍澍、徐采丞、万墨林等传达了“上海统一委员会”的组织经过，并指定万墨林任总交通，国民党中央通讯社上海分社主任冯有真、中统驻沪代表陆鸿勋、吴开先的表兄龚仰之为“上海统一委员会”专员。从此，“上海统一委员会”正式开张。

原先，这吴开先也曾是中共党员，而且还与陈云是同乡并一起参加革命工作。吴开先女婿即近代史专家唐德刚。

为解决“统一委员会”实际负责人吴开先指挥不了军统上海区的问题，重庆方面同时派军统陈恭澍以及毕高奎等赴上海，恢复遭破坏的上海军统组织。这事我们前面已讲了。

吴开先回到上海后，提名原主管三青团的吴绍澍当国民党上海市党部主任委员，从此总算稍微稳住了局面。同时反复工作，把在边沿动摇的原市党部委员、调查统计室主任张小通留在抗日阵营内。同时以张小通、张瑞京、陈宝骅、嵇希琮等为班底，重新建立中统上海特区机构。

张瑞京毕业于国民党中央军校第六期，他有军事经验，这时是中统局驻上海特派员。

陈宝骅是浙江吴兴人，陈立夫的堂兄弟，此时是国民党上海市党部常任委员，中统上海特区情报股长、中央党部驻沪调查专员。

嵇希琮也是浙江吴兴人，陈立夫、陈果夫的表弟，上海法政大学大二学生，是中统上海特区情报股外勤。

这三青团大头目吴绍澍在抗战胜利后成了大名人。他之所以出名，不是因为坚持抗战有多少的劳苦功高，而是胜利后在上海当接收大员时得到的“五子登科”雅号。

早在1938年，吴绍澍就被提名为上海区党部的主任委员。开始时，他对此尚无异议。但是，吴绍澍还未上任就提出，上海市党部的委员应通过主任委员向中央介绍，想垄断人事大权，并表示不要张小通参加市党部。这就激起市党部其他委员如汪曼云、蔡洪田等人的不满。张小通对吴绍澍更是不满。

当时，汪、蔡等人就向吴开先表示，如果由吴绍澍来当主任委员，他们就不干了。

吴开先怕把自己的老巢砸锅，只得把改组的事暂时搁置起来。以后提拔童行白为党部主任委员，并派中委郑亦同到上海指导党务。

但随后，郑、童都经不起76号的恐吓，先后溜走了。汪曼云、蔡洪田等人当了汉奸，吴绍澍自然而然又成了上海市党部主任委员。张小通与吴绍澍本是同乡，为何闹得如此别扭？

原来，两个人的矛盾，早在抗战前就发生了。那时蒋介石正预备召开“国民会议”，制定宪法。于是许多人想参选国民会议代表，一旦当上“民意代表”，腰杆子就会更硬。吴绍澍当时是国民党中央党部的总干事，在国民党内，从地位来看，他是个不上不下的人。他想更有发言权，就要到他的本乡松江去竞选代表。但吴绍澍离开松江为时已久，没有根基了，因此便想到他的松江同乡张小通，请他帮忙。

张小通在表面上不好拒绝，但暗地里却在为别人奔走。这事被吴绍澍听到，对张大为不满。所以，那时吴绍澍排斥张小通，是怀着报复动机的。

这次好不容易，吴开先稳住了局面。

但重建的上海市党部马上面临危机，伪特 76 号又开始挖墙脚，主要成员落入敌手惨遭不幸。

我们刚说到张小通与吴绍澍之间的纠葛，76 号马上就瞄上这两人，要对他们动手了。

76 号认为，张小通是上海市党部专搞特务的人，非把他拉进 76 号不可。由于黄香谷当汉奸前与张小通还算说得来，所以，在 1939 年冬天的一个晚上，丁默邨、李士群等利用黄香谷这层关系诱出张小通，由苏成德带人在慕尔鸣路（茂名北路）把张小通绑架。

当晚，苏成德、马啸天就在警卫大队长吴世宝的办公室里审讯张小通，要张供出这时国民党上海市党部的主任委员吴绍澍的住址。

张小通说自己真的不知道，讲不出来。苏成德与马啸天认为张是故意隐瞒，就要逼口供，还要张小通自己将身上的狐皮袍子脱掉，准备招待他一顿“皮鞭生活”。

听说张小通被弄进 76 号，原上海市党部的蔡洪田与汪曼云，立即往见丁默邨与李士群，并拿了丁默邨的批条赶到审讯室来看张小通。

苏成德和马啸天与张小通也算是中统的同事，知道蔡洪田、汪曼云与张小通的关系，看到蔡、汪如此关心张小通，而自己却翻脸无情，相形之下，感到太不是味道。接过了丁默邨的条子后，他俩便顺水推舟：

“你们聊聊吧。”

于是退了出去，随手拉上了门。

在这刻不容缓之际，张小通居然得以免遭一顿刑罚，这成了 76 号唯

一的例外。

苏成德、马啸天走出房门后，张小通对故人蔡洪田与汪曼云的到来，有说不出的高兴。即向他俩诉苦衷：

“方才他们向我要绍澍的地址，你们也知道绍澍和我，虽非冤家对头，但也是面和心不和的，在现在的环境下，他怎会把住的地址告诉我呢？我回说不晓得，他们又不相信，这叫我还有什么办法？所以叫我剥下衣服，预备开我的鞭，要不是你们赶进来，我就要吃着‘生活’了。”

上海本地话中，这“吃生活”就是指挨打吃苦头的意思。

此时，上海形势险恶，吴绍澍自己的住处不轻易让人知道，也是事实。苏成德与马啸天拷问吴绍澍的住址，张小通答不上来，可能就是实情。

汪曼云与蔡洪田是了解这段历史恩怨的。经他这么一说，也觉得无话可讲，只好安慰一通，要他不用着急，既来之，则安之，事情我们总会慢慢地代你疏通的。于是汪曼云、蔡洪田便退了出来，重又回见丁默邨与李士群，把吴绍澍与张小通的关系经过，解释了一遍。

当时，李士群正在打牌，听完他们的讲话，便说：

“两位老兄怎么说，就怎么办吧！”

李还传话，允许张小通亲自打电话给他妻子，叫她放心，明天送些衣服到76号。

汪曼云、蔡洪田满以为张小通的问题，不久便可解决。

谁知过了三天，李士群亲自写了张条子，交给吴世宝，上面写明：

张小通非经本人亲自“批准”，任何人不得接见。

两张条子，第一张是丁默邨的条子，让张小通免受了一顿拷打。第二张是李士群的条子，这张条子让张小通上了西天。其实第二张是受了第一张条子的启发，才成了张小通的夺命条。

三天前李士群还讲得好好的，怎么会突然变了腔？

张小通死后大家才知道，问题的关键，倒不在张小通本人，而在丁默邨。因为那时，汪伪内部凡来自上海的党棍子，都与丁默邨比较接近。张小通虽尚未投伪，但他不仅是党棍，而且也是个老牌的中统特务。正由于他兼具这两重资格，才招致了杀身之祸。

因为李士群认为：

如果张小通事后通过汪、蔡的关系而投降76号，那他此后势必会跟着丁默邨跑。

这时的丁默邨虽说是76号的台面经理，但其手下除唐惠民外，真正是特务出身的人，还没有第二个。假使来了这个张小通，对丁来说，如虎添翼，而李士群今后对付丁默邨又要多费劲了。为了省去今后夺权的麻烦，只能先让张小通去死。

可是，张小通虽然是国民党上海市党部的中统头领，但他当时并不欠76号血债。李士群要公开把张小通处死，也还难找借口。

于是，李士群只得动脑筋，要秘密地将他处死。

张小通后来的确死了。但他什么时候被杀害，是怎样被杀害的？一直不为外人知道。我们不想把所有的谜底都摆到最后才揭开，因为到那时，一定忙不过来。不妨提前说了吧。

1941年李士群当了伪“清乡委员会”秘书长，汪曼云为副秘书长。汪曼云与李士群本人及伪特工总部南京区区长苏成德之间关系更加密切了，汪曼云也从苏成德口中知道了其中一些详情。

据苏成德讲，李士群下禁令后，苏成德暗下砒霜，张小通中毒。但由于砒霜量少，张中毒后剧痛却死不了，就在地上乱滚，拼命挣扎。最后，被人用绳子勒死。尸体被剁成若干块，放进瓮内，再倾入硝酸，连骨带肉被化成了一坛浓浆，再被埋到南京的中央路大树根76号。中央路大树根76号不是别的地方，正是当年李士群与叶吉卿在南京当中统小特务时的住处。只是，如今南京已找不到这个中央路大树根76号。现存最大的门牌号，也不过60号。

1945年秋，日本投降后，苏成德以汉奸罪被军统逮捕，监禁在上海提篮桥监狱。苏成德惊恐万状。

此时张小通的家属正向法院紧追凶手。张小通和苏成德的原中统上司徐兆麟也收集到对苏成德不利的证据。

徐兆麟和苏成德在上海沦陷后分别是中统苏沪区区长和副区长。自苏成德叛投76号后，整个苏沪区组织被破坏，徐兆麟仅以身免，但因责任重大而进了重庆的监狱。抗战胜利后，有人出面为他求情，同时也时过境迁，徐兆麟被释放。徐兆麟知道张小通之死与苏成德有关，于是决

定对此案进行追查，搜集证据。

苏成德手下两员“大将”童国忠和郭梦龄，他们原也是中统人员随苏成德一起投敌的。徐兆麟认为这两人必定是张小通案的主要帮凶。于是他先赶到南京，把这两人抓住，要他们戴罪立功，把张小通的死与苏成德的关系说清楚。这两人怕受严处，于是争取坦白从宽。

徐兆麟到此还不放心，生怕童、郭到了上海提篮桥见了苏成德后会串通改口。所以，他通过法官与检察官，在童、郭解到提篮桥前，不按照常例先由监狱收押，而是由检察处先行开庭，制成口供笔记后，再行送监。这样，即使童国忠和郭梦龄要翻供，也不用愁了。

最后，苏成德因杀害张小通一案被判死刑，于1947年在上海提篮桥监狱执行枪决，结束了罪恶的一生。

三、谋杀马啸天失败

特工总部76号成立以来，马啸天频繁出动，绑架逮捕了许多中统分子。

上海中统机构一个接一个地被端，马啸天起的破坏作用最大。马啸天原是中统派在财政部的税务警察，也曾是李士群在南京当中统情报员时的顶头上司。受李士群拉拢进入特工总部76号后，马啸天成了李士群的重要助手。

原盛恩颐公寓。1939年中统特工就在门前对面不远的路上伏击76号骨干马啸天

1939年11月的一个傍晚，中统上海特区决定对马啸天实施报复。他们派出行动组，一批武装的行动人员冒险埋伏在与特工总部76号近在咫尺的极司非而路与梅郎弄堂口附近（就在盛宣怀四子盛恩颐的公寓对面），准

备伏杀马啸天。这新组的中统上海特区是中统苏沪区整顿恢复后的机构名称。

马啸天家在梅邨。埋伏在外面的中统行动组看到马啸天的汽车从梅邨开出，透过车窗，还看到后排坐着一人，他们以为那人就是马啸天，于是要开枪射杀。由于76号的这些司机，是经常参与恐怖活动的，面对复杂情况往往能见惯不惊，沉着应对。对于应付袭击这类事，他们时有警惕。在听到枪响之际，司机踩足油门往前疾驶，迅速躲进了76号。

由于伏击点离76号不过百十米路程，住在76号内的警卫总队长吴世宝得讯，马上派武装特务出来还击，于是就在梅邨附近，双方发生枪战。

为76号提供安全保卫的日本宪兵分队就驻在临近的开纳路口（Kinnear Road，即如今武定西路），也马上来增援。公共租界静安寺巡捕房，也接警派人赶到。结果在枪战中，一名中统特工和一个过路老婆婆被打死，另外两个行人受伤。其他的中统特工，在双方互射时分别向就近的里弄躲避逃逸，很快就消失得无影无踪。

这次伏击失败了。

当时，马啸天根本就不在车上。

原本，马啸天一贯是按时回家的。偏偏这一天，吴世宝约他吃晚饭。马啸天就提早回家换衣服，让空车先回76号，回头再来接。同时马啸天保镖不知在76号忘记了什么东西，要去拿一拿，于是就坐在司机后面，昂然而去。预伏在弄口的中统行动组成员，以为在汽车里的就是马啸天，便对之开枪。结果不但没射到人，反而因枪响，把76号的警卫队、日本宪兵队及巡捕房都调动过来，发生意外枪战。与此同时，丁默邨派出了76号内部的日本宪兵专用的保险汽车，把躲在梅邨家里的马啸天接进了76号。中统进梅邨追杀的可能性也没有了。

马啸天有惊无险地躲过一劫。

中统的这次伏击，投入了不少力量，可是却准备得非常粗糙。事前没有周密研究情况，却在贼窝附近贸然行事。倘若想伏击敌方的汽车，本该人为地制造交通故障，不让它正常行驶。比如用人力车突然挡道，或制造别的事故。最原始的手法是撒碎玻璃片，扔铁蒺篱，即使不造成敌方汽车爆胎，也会迫使司机因绕道或减速而增加伏击成功率。这些中

统特务却一点也没考虑到。

中统这次伏击失败了，其本身还出了内奸，把中统潜伏在 76 号的女卧底刘慧给暴露了。

76 号追查伏击马啸天事件的起因，还追查中统是如何掌握到马啸天的活动规律的，于是起用了留在中统内部的卧底。从卧底得到情报说是刘慧把马啸天的住址梅邨、车辆特征和行动规律密报回中统的。于是刘慧遭 76 号逮捕审讯，最后被送南京坐牢。

刘慧是什么人？她如何进入 76 号呢？我们从邓达谧被捕谈起。

刘慧是中统局上海调统室主任邓达谧的老婆，原任中统局苏沪区出纳。邓达谧因陈鋆出卖而被捕。那个苏成德出卖了闵春华，闵春华出卖了陈鋆，陈鋆出卖了邓达谧，邓达谧连累了刘慧。76 号就这样从上往下，顺藤摸瓜，一抓就是一串的中统特工。

根据陈鋆所提供的线索，76 号派陈中芳、耿剑青、邬培尧、蒋晓光四个特务，到福煦路（即如今的延安中路）潜进邓达谧的家里，用绑架的方式，把他绑上了汽车。

邓达谧被押上车后大声呼救，希望租界巡捕听到呼救能来解救他。陈中芳等四人怕暴露，就堵住邓达谧的嘴，硬是连拉带拖地把他弄进了 76 号。

邓达谧一进 76 号，汉奸们问什么，他都一声不吭。但他在这个魔窟里装死能混过去吗？

吴世宝见状就野性大爆发，决定给邓达谧来点颜色，捏开邓达谧的嘴朝上，把一桶冷水从头上往下浇，直灌得邓达谧面孔煞白，两眼发绿，嘴角呛出血来。再把邓达谧绑在老虎凳上，把小腿下放着的木棍往上一抬，从脚跟下塞进几块砖头。邓达谧咬紧牙关，脸上比黄豆还要大的汗珠直淌下来，终于一声尖叫，昏了过去。

吴世宝把砖头抽了出来。也不管他是死是活，叫人硬把他搀扶起来，拖着他在办公室外的走廊里来回奔。再把他重新搀进房间，邓达谧看到老虎凳，怕了：

“我说，我说。”

终于交代了线索，投降了 76 号。

邓达谧投降了，把老婆刘慧也拉下水。

刘慧心里不甘，虽明里进了76号，暗中仍与中统上海特区联系，主动提供了76号内部情况。为配合伏击马啸天，她注意收集了马啸天的活动规律。

但，刘慧马上就被中统内部奸细出卖了。

在后来的审问中，丁默邨、李士群没从刘慧口里问出个所以然来，便把她押送到南京监狱。

刘慧没有更多的内容好说了。中统并没有因刘慧被出卖而认真调查惩处内奸，也没有因刘慧下狱而给予更多的正面评价。

与以上提到过的诸多原中统分子相比，刘慧还算是中统中教育得较成功的一个。不论怎么说，她是不忘把斗争矛头指向汉奸特务的。她老公受不起76号的酷刑，把老婆也出卖了。可这刘慧，即使身份暴露，也不乱出口供，不出卖自己人。这点，她比诸多男特务强多了。

看来看去，中统中的众多男特务缺乏刘慧那样的信念与勇气，而且中统的正面教育，对女特务反而更有效些。

四、王阆仙之死

1939年9月，随着中统苏沪区的崩溃，姚筠伯、石林森投降了76号。原中统总务科会计王阆仙也跟着当了汉奸。

王阆仙是浙江吴兴人，是中统总头目徐恩曾的乡邻，而且还沾亲带故，被徐恩曾看成心腹。靠徐恩曾关系，王阆仙任中统总务科会计。

上海、南京沦陷后，1939年在上海成立中统局苏沪区，王阆仙被调进上海，掌握苏沪区的会计、出纳。

不想，这年9月，王阆仙却随中统特务姚筠伯、石林森一起投降了76号。中统特务叛逃十分普遍，但王阆仙的叛逃，却使徐恩曾焦急万分。于是徐恩曾电令中统苏沪区余部，要把王阆仙从速干掉。但，王阆仙被控制在76号内部，除掉他又谈何容易？

中统苏沪区于是动脑筋，派人出面把石林森收买回来，作为内线。

让他跟踪王阆仙。

王阆仙投76号后，李士群安排他去南京区任会计主任。石林森听到了这个消息，便到愚园路口赫德路（今常德路）某里弄王阆仙的家里，问王何时动身？

王阆仙没有怀疑。

他认为石林森是多年的同事，又是一起投靠汪伪76号的，就爽快地把行期和火车班次都说了，石林森于是将这情况密告中统局苏沪区。中统根据这个线索，在王阆仙动身的清晨，派遣特务潜伏在他居住的弄堂口。当王阆仙搭黄包车刚出弄堂口时，中统特务便冲将上去，对准王阆仙连发数枪，王阆仙当即中弹倒在车上。

不等静安寺巡捕房的捕快们赶来，凶手早已逃得无影无踪了。

事后，李士群从中统内线得到情报，知道王阆仙之死，全因石林森出卖。于是下令扣留石林森，关到忆定盘路35号杨杰的第三行动大队里。中统又是内部出问题了。显然，76号在中统的卧底曝料石林森，又出卖刘慧，足见其反应快捷，消息灵通。中统局上海特区不解决这内奸问题，以后事情还要更多。

石林森被关在杨杰的第三行动大队部。由于杨杰、马啸天与石林森都是拜把子弟兄，对石林森防范松懈。不到两三天，石林森便找到机会，拆掉了关押处周边篱笆的几根竹子，开了个墙洞逃了出去。李士群闻讯大怒，立即派人四出寻找，务必要将石林森抓回。还下令，万一遇到意外抓不回来，就干脆把他干掉。

姚筠伯一看苗头不对，不仅替石林森担忧，也觉得自己处境尴尬，就找马啸天商量，表示愿意去找石林森回来。他还说如能找到，就要拜托马啸天在李士群跟前多说好话，让石林森戴罪立功。马啸天答应了下来。

李士群与石林森过去曾一起被安排在南京潜伏，结拜为生死兄弟。石林森来投，他本想把他拉作心腹。不想石林森却身在曹营心在汉，出卖了王阆仙。李士群为此感到咽不下这口气。同时，李士群为了镇住山头里面的各色人物，就想拿石林森大做文章，声色俱厉地来一次纪律整肃，也顺带树立起自己的威风。现在既有人愿意把石找回来，李乐得卖个人情。而且想，只要石林森能真心向自己，仍可借此事恩威并施，引为心腹，而且还卖个人情给姚筠伯和马啸天。再说马啸天自从投奔76号以来，还算是第一次讨人情，更没有必要拒绝他。而那个王阆仙与自己，过去本没有什么深交，况且人已死了，即便将石林森抵命，王阆仙也不能复活。最终李士群顺水推舟，点了头。

马啸天便转告了姚筠伯。

果然不出一星期，姚筠伯竟陪同石林森来到76号，先在高洋房的会客室里，与马啸天见了面。于是马啸天谆谆相告一番，要石林森今后忠忠实实地做工作，不能再连累保人了。石林森一一接受。于是马啸天上楼去见李士群，并求李履行诺言。李先点了点头，便一起下楼。李士群一见到石林森，忽然脸色剧变，拔枪扬言要杀石林森。马啸天与姚筠伯见了，也以为李士群临时变卦。石林森毕竟是个老特务，似乎早料到李士群要来这么一手，一见李拔枪，便迅速地躲到姚筠伯的身后。马啸天与姚筠伯乘机拦劝，将李士群的枪取了下来，劝他息怒坐下。

李士群随后将石林森狠狠地责骂了一顿。马、姚二人，向李士群好说歹说劝解一通，并由马啸天亲笔立下担保书，签名盖章后当场交给了李士群。

此后不久，李士群将石林森派在马啸天的第二处当副处长，要马啸天对他“督促工作”。

自此，苏成德当了76号特工总部第四厅厅长，马啸天后来转任日伪政治保卫部政治警察署署长，胡钧鹤任76号特工总部第二处处长兼76号的外围组织“海社”的书记长。他们都成为丁默邨、李士群的主要助手。

而这时，刚调整建立的中统上海特区也因上海调统室主任邓达谧的落水而岌岌可危。果然不久，中统上海特区区长张瑞京也落水了。

五、营救熊剑东

有关中统局特派员兼上海特区区长张瑞京是如何落入76号罗网的，要从他手下的一个女特务说起。那女特务就是后来小有名气的唐逸君。据军统在汪伪核心区的卧底唐生明说，在日本宪兵队特课冈村的宴会上

让李士群送命的牛肉饼就出自唐逸君之手。这事是否确实，我们暂时不讨论。我们想说的是，张瑞京落水怎么会与唐逸君有关。

唐逸君是张瑞京手下的女特务，但还有一个身份，她是熊剑东的老婆。

那熊剑东又是谁呢？

我们从《苏州地方志》的乡镇村志查到常熟市的《徐市镇志》第十编《抗日纪事》中有关新四军烈士陈震寰建立新四军新六梯团的记载。原文如下：

> 1937 年底，陈震寰在徐市一带拉起一支抗日保家乡的游击队。部队初建时，徐市皇甫恒泰、叶永茂等工商界老板，都出巨款资助。南港桥吴宗馨变卖粮田 15 亩携资投身抗日。此时，国民党松沪特遣支队司令熊剑东，以抗日名义收编地方部队。为了抗日，陈震寰部受编为熊剑东所属第六梯团，陈震寰任团长，吴善述任副团长，下设四个大队，兵力近千人。六梯团是当时常熟境内人数最多，装备最精良的一支抗日游击队。
>
> 1938 年 7 月，周文在从上海到六梯团，被陈震寰委任为政治主任。11 月初，六梯团在先生桥（赵市沿江）一带被日伪军打散，后由共产党员周文在收集失散的部队，以原三大队为主组成新六梯团，仍由陈震寰任团长，成为继民抗部队之后中共常熟县委直接领导的又一支人民抗日武装。

这里提到的国民党松沪特遣支队司令熊剑东就是唐逸君的老公。熊剑东曾留学日本军校，精通日语。他的官名是“忠义救国军别动总队淞沪特遣支队司令”。熊剑东手下有个名叫胡肇汉的，就活动在常熟阳澄湖一带，或许他就是《沙家浜》里的胡司令胡传魁的原型人物。

熊剑东后来改称“常熟、嘉定、太仓、昆山、青浦、松江六县游击司令”，在上海周边到苏南一带抗击日军。

1938年夏，熊剑东部在江苏常熟荡口曾夜袭日军营地，击毙日军30余人。

熊剑东部所属第六梯团（该团属新四军）曾拦截过一个名叫姚民哀的汉奸。姚民哀本是“老革命”，是南社成员。据《常熟掌故·人物轶事》中记载，1937 年日军入侵，姚在常熟沦陷后不久投敌变节，任伪绥靖队徐凤藻部秘书。1938 年 9、10 月间，姚携伪绥靖队公文去上海，在常熟境内支塘、白茆间，被游击司令熊剑东所属第六梯团第二大队杨义山部截获，解至司令部军法处。几天后，在常熟东张乡法灯庵广场，熊剑东主持了白茆军校阵亡学员的追悼会。会上，姚民哀被当场处决，以祭奠烈士。

国民党元老叶楚伧在南社时期就认识姚民哀。听到姚民哀被处决的消息，还特地为姚民哀当汉奸而死感慨一番：

早识聪明味，难知天地心。

同年 11 月中旬，别动总队淞沪特遣支队十二梯团王士兰部设下鸿门宴，捕获日伪太仓县知事黄颂声，并送淞沪别动队熊剑东处枪毙。

1939 年，针对 76 号对中统、军统的一系列进攻，国民党特务也决定制裁丁默邨和李士群。中统上海特区方面决定用特务接近丁默邨和李士群，相机实行制裁。

正在这时候，熊剑东渗透到上海市内搞“地下活动”，不慎被日本上海宪兵队逮捕。熊剑东这次“地下活动”不知是否就是谋划让老特务曹子白、曹炳生父子进 76 号施行反间计的事？因为熊剑东被捕后，一直被日本上海宪兵队关押到 1941 年夏秋之际。熊剑东被捕后不论是坐牢还是出狱后当伪军司令，都不可能有继续派遣国民党特务曹子白、曹炳生的机会和资格了，所以让老牌特务曹子白、曹炳生轮流进 76 号去挑拨离间丁默邨、李士群，应该是熊剑东未被捕之前安排的。曹子白、曹炳生之事，与丁默邨、李士群内部互相倾轧有关，留到本章第八节“76 号的年夜饭”再叙述。

中统方面获悉熊剑东被捕的消息后，决定组织营救。熊剑东本是康泽系的老特务，可能此时他与中统上海特区而不是与军统联系更多，所以决定组织营救他的首先是中统而非军统。当然熊剑东老婆唐逸君在中统，也是一个因素。

中统派出了年轻漂亮的女特工郑苹如和熊剑东老婆唐逸君一起去找 76 号的头子丁默邨，想通过丁默邨营救熊剑东。

由于郑苹如的母亲是日本人，她本人精通日语，是驻上海日本海军广播局的播音员。有时，她身边还有日本宪兵队的朋友陪她行走。郑苹如这种身份不容易招致日伪的怀疑。同时，郑苹如在民光中学上过学，而丁默邨曾担任过民光中学的校董。以这个由头，郑苹如和丁默邨攀上了师生关系。

据说，丁默邨听了郑苹如和唐逸君的诉求后表示：

“我尽力而为吧。我真是没法拒绝你这个大美人的请求哟！”

熊剑东是老牌特务，不肯轻易就范，没有爽快地投降日伪去当汉奸。他是游击司令，既有军事经验也有地域根基，加上又是留日的士官生，有拉下水当汉奸的条件。据说周佛海就看上了熊剑东，为了软化熊剑东将来为自己所用，一直让日本宪兵队将熊剑东关着，不放不杀。

其实，当时担任上海日本宪兵司令部特高课长官的冈村，就是熊剑东在日本军校的同学，有这层关系罩着，日本宪兵队特高课不但没给熊剑东吃多少苦头，反而时时有所关照。一年后，熊剑东屈服当了伪司令后，也凭借这层关系，与冈村勾得很紧。凭熊剑东与冈村的特殊关系，四人同席，冈村让李士群吃下了致命的牛肉饼。这自然是后话。

对熊剑东实施的“营救”，恐怕有多种理解。

一是完璧归赵，什么地方抓去就送回什么地方，当然不一定要求日本宪兵队赔礼道歉。

二是等价交换，你还我一个游击司令，我还你一个俘虏的日军军官。

三是用钱贿赂，就像军统向法租界巡捕房买被捕的周伟龙、刘方雄、王方南一样。

四是日本宪兵队同意留活命不杀，但要长期监禁。

五是向对方投降，投降后为敌方卖命，当汉奸。

中统希望的当然是第一条和第三条。第三条行不通，多数租界巡捕房对抗日的中国人是眼开眼闭的，捞点钱放人他们自然愿意，但日本宪兵队绝不是巡捕房。若第二条，到哪儿去找被俘虏的日本军官?

至于第四、第五两条，那本就是日本人想怎么做就怎么做的问题，与营救或不营救无多大关系。于是只有第一条了。

所以，找丁默邨营救熊剑东，没有任何意义。不论熊剑东被继续关押还是出来当汉奸，丁默邨都可以说，我营救成功了，熊剑东不是没被皇军杀头吗？

中统上海特区的特务们当然不是一点头脑都没有，看不出这层关系。不久，中统上海特区的张瑞京、陈宝骅等人改变主意，想利用郑苹如与丁默邨的关系深入来往，找机会除掉丁默邨，打击76号的嚣张气焰。至于如何救熊剑东，只得等待机会。

刺杀丁默邨的计划由陈宝骅指挥，具体执行人为嵇希宗、刘彬、郑苹如等。经商议，准备由郑苹如出面邀请丁默邨去吕班路万宜坊自己家，然后在郑家动手。那时重庆路称为吕班路。

12月10日傍晚，丁默邨应邀前往郑家。但车到郑家的万宜坊弄堂口，丁默邨却不知是出于警惕，还是真的临时有事，没有下车便离去了。此次行动计划落空。这弄堂只有这么一个出口，估计丁默邨担心车辆进去后，遇事想调头逃出来不容易，就借口不进去。

第一次刺丁计划落空。但没发现失败原因，也不牵涉泄露机密的问题，所以再订下一次行动计划：地点选在静安寺路与戈登路交叉口的第一西皮利亚皮货店，由郑苹如以让丁默邨买圣诞礼物——皮大衣为借口，将丁诱至该店。制裁行动执行者由嵇希宗负责安排。具体时间由郑苹如根据与丁默邨的约定再通知。

但事情忽然发生了变化，原来是熊剑东老婆唐逸君急了。唐逸君要救熊剑东。她的目的很简单，只要熊剑东活着出来与她团聚就行，管他是汉奸还是其他什么。既然与郑苹如一起去76号找丁默邨没结果，自己为何就不能再进76号直接找李士群？

于是，就在继续谋划刺杀丁默邨时，这个女人独自进了76号找到李士群。李士群何等人？中统女特务唐逸君既然自己送上门来了，能白白放她走吗？既然周佛海无法使熊剑东服软，如今这个唐逸君送上门，拿住唐逸君，还怕你熊剑东能硬到几时？

还别忙，这里还有油水可捞。

为何不能利用这女人再捞一票？

李士群拍胸脯保证，只要唐逸君能配合把顶头上司张瑞京弄到76号来，就算唐逸君立大功了。那时一定保证完璧归赵，劝皇军把完完整整的熊剑东交还。

李士群还向唐逸君保证说，张瑞京以往有恩于自己，绝不会委屈他。

于是，唐逸君答应了李士群，她保证能把张瑞京弄到76号来。看来，她信心十足，就好像这张瑞京是拴在她裤腰带上似的。事实证明，这位熊司令的夫人的确不是等闲之辈。看随后发生的情况就清楚了。此时，唐逸君一定是权衡再三，才下决心的。在唐逸君心目中，老公当然是第一位的，为了救出老公，可以牺牲别的。如今既然李士群表态善待张瑞京，唐逸君就没有什么好顾虑的了，就算是委屈了张瑞京，心中也不至于太过意不去。

不过这李士群确实心细，让一个女子去绑架一个大男人，必须考虑周全些。他与唐逸君进行了一番周密的策划，提出一个稳妥的方案。李士群叫76号的化验室主任姚任年配了一剂哥罗芳（即三氯甲烷或称氯仿）麻醉药给唐逸君，并派两个便衣特务丁金海、刘振才跟着她去，以便协助。

1939年12月12日，就是在万宜坊中统谋杀丁默邨未成两天后，发生了许多事情。其中，就有两件与76号特务的阴谋有关。

第一件事是我们前面讲过的茅丽瑛遇刺案。汪伪特务林之江受丁默邨指派，开枪暗杀了抗日女志士茅丽瑛。

第二件事是变节女特务唐逸君使用麻醉药绑架了中统上海特区负责人张瑞京。

这天，唐逸君约张瑞京到锦江饭店相会。没多久，张瑞京就被唐逸君用哥罗芳醉翻了。随即，76号特务丁金海、刘振才应约上楼帮助，架着张瑞京上了唐逸君的亚皮尔小汽车，像送病人上医院似的，唐逸君亲自驾车将张瑞京弄进了76号。那时一般小特务是不可能拥有私家车的，司令太太唐逸君才例外。

因药性配得太厉害，张瑞京一时醒不过来。他们将张瑞京安放在吴世宝办公室东隔壁的一间房间里。李士群知道马啸天是张瑞京的军校校友，又曾同是中统的同事，就几次让马啸天去看他醒了没有。等到张瑞京醒来，马啸天就派人在房里陪着他。只因唐逸君太狠，用药量过度，张瑞京纵然醒了，也依然精神疲惫不堪，恢复不过来。

清醒过来的张瑞京发觉不对了，自己已被关押着。但此时他已无可奈何。他眯着眼继续装糊涂，内心好生懊恼：

怎么就这样糊里糊涂地栽倒在一个女人手里？

他更为下一步而烦躁，反复地琢磨着：

今后该选择何种出路？

第三天，马啸天再去看他时，张瑞京便自动表示：

愿意参加 76 号。

张瑞京之所以自动参加，是经过一番盘算的。

一是，他感到自己既然落到了这种地步，不下水就得吃眼前亏，结果是吃了亏还得下水，否则不是坐牢就是送命。他认为自己的生命价值此时已经发生变化，与其受苦或送命，还不如自动贬值当汉奸。送命的选择是万万不可取的，因为那与活命哲学是相悖的，他犯不着。

二是，他自己是粤籍人士，现在的汉奸大头子汪精卫，也是广东人。广东人本土观念极重，汪精卫也不例外。阿汪这次来上海，跟他来的广东老乡不多。现在自己投了 76 号，今后少不得有机会接近汪先生。就凭自己是广东人的先天条件，就比别人更易于进一步靠拢。于是决定干脆到底，不待有人来说服，自己采取了主动。

同时他向李士群道出中统内定刺杀丁默邨的计划。

孰料，李士群此时正因和丁默邨在 76 号内部争权夺利而忙得不可开交。由中统来刺杀丁默邨，这正中李士群夫妇的下怀。除掉丁默邨正是夫妻俩求之不得的好事啊。有如此好事可利用，还不是天遂人愿？要是中统刺杀丁默邨成功，李士群自然乐享其成。不但可以除去一个对手，还可以来个螳螂捕蝉黄雀在后，通过暗中观战，顺手将中统的人一网打尽。倘若丁默邨侥幸不死，李士群也可以借这件事情加点佐料，说些风凉话，搞臭丁默邨。

于是李士群与叶吉卿一起进行了缜密的商量。为避免此事被泄露，他们把张瑞京送到特工总部南京区苏成德处关押起来，也不主动去袭击中统的人员和机构，造成张瑞京没有出卖组织的假象。虽说张瑞京被关押了，实质是监护封口。临走叶吉卿还塞给张瑞京 500 元，说是添置衣物行李费用，其实，此乃 76 号的“号规钱”，也就是汉奸的卖身费。叶吉卿还派人监控郑苹如，监听郑苹如与丁默邨通话。前面提过，76 号优待室两名女特工也兼接线员，这些女人都掌控在叶吉卿手里。

而熊剑东的老婆唐逸君，拿到手的是叶吉卿发的千元奖金，而不是完璧归赵收回老公。放不放熊剑东，还得皇军发话才算数。千元奖金这在当时的76号还是极罕见的大金额。不过，这算是安慰还是奖励？熊剑东此时还关押在日本宪兵队，需要唐逸君参与劝降。只要将来熊剑东能归降皇军，对唐逸君来说，当然算是“完璧归赵”。相反，把熊剑东送归抗日方面，那唐逸君就又与老公天各一方了。反正进了贼窝，想离开也不行。就算此时再放唐逸君回中统，她能保住活命吗？她只能安心留下当汉奸。

大约继续关押一年多，1941年，宪兵队放了熊剑东，条件是替皇军统领伪军，为皇军服务。不管熊剑东后来又如何重新归正重庆，算是军统的地下人员，但，熊剑东当过伪军司令是铁打的事实。伪军司令能不算汉奸？

张瑞京在南京随后果然被汪精卫、陈璧君视为心腹。又因是搞军事出身，汪精卫把张瑞京管的特务行动大队，改编为伪陆军独立第七旅，张瑞京成了伪少将旅长。后来又升任伪中将参议。多数汉奸是当得越荣耀，后果也越惨。但张瑞京例外，1946年后，他不但没受惩处，还因最后时刻有功于“老大”，反而担任了战后南京市的敌产管理处长。那是大肥缺。

六、女特工郑苹如（一）

被中统上海特区物色来诱杀丁默邨的郑苹如，如今是个家喻户晓的名人。我们在这里花再多的笔墨去叙述她，总归是徒劳的。就像有许多人徒劳地想用《三国志》的记载去纠正《三国演义》的故事情节一样，越说，就有越多的人相信《三国演义》而疏远《三国志》。谁让人家那个时代的张爱玲是名作家？谁让如今把张爱玲的《色·戒》搬上银幕的李安又是名导演呢？

在进入本章之前，笔者已在“昆明迷雾”那一节提过郑苹如在与今井武夫、早水亲重、近卫忠麿交往中，两次听到“阿汪”异动的消息。这近卫忠麿是当时日本首相近卫文麿的弟弟，是日本驻上海一家特务机构的头目。

她就是郑苹如吗？《良友》画报1937年7月第130期

我们还在“平安夜马河图杀贼”一节中也讲到四天前，丁默邨在第一西皮利亚皮货店出洋相，差点死在女谍郑苹如手下。

本节，只是想把这些零碎的情节连贯起来，而不想改变读者原先对郑苹如的印象。

郑苹如的籍贯应该算是浙江。如果凭母亲木村花子的血统，她还算是半个日本人。她父亲郑钺是留学日本的，攻读法律，就在这时，娶了日本的姑娘。郑钺比较正直，而这日本姑娘也比较正派，他们的婚姻十分成功。

20世纪初，中国在日本的留学生与日本女孩产生感情十分普遍，生了孩子的也不少，但能真正结合成家庭的极少。因为，那年代，日本人生活条件比中国还不如，许多日本女孩就是靠充当中国留学生的女佣来谋生的。或许，按传说，木村花子出身于一个武士家庭，但那只是传说，即使祖上曾是武士，但显然已破落了，当时应该也是贫穷人家。中国也一样，目前中国城乡的任何一个人，探其家谱，祖上都是名门大族，大富大贵出身。历朝历代曾经的穷人，或是早死或是没结婚成家而早早断了风水。但不管怎么说，反正郑钺与木村花子的婚姻是成功的。按日本规矩，木村花子出嫁后，改姓夫家的姓，所以改名为郑华君。

郑钺1916年结束学业，1917年回国。回国第二年即1918年，郑苹如出生。此时，郑苹如一家人并不在上海。

到了1931年，郑钺出任上海第二特区地方法院检察官，全家才迁居上海。1935年初，郑钺一家搬进吕班路万宜坊88号。他任职的上海第二特区地方法院是1927年由法租界会审公廨改制而来的。因为1927年1月1日，经过上海人民几十年奋斗，终于废除了领事裁判权，由上海商会会长赵晋卿出面，代表中国人收回了上海会审公廨。公共租界和法租

界会审公廨分别改成上海第一、二特区地方法院。郑钺就职的就是位于法租界的那个法院。1938年国民党政府退到武汉，为方便处理上海“孤岛”的法律事务，添设一个高等法院上海分庭，形成上海的“三审制”。租界民、刑案件就近解决，而不需到武汉终审。

吕班路万宜坊即现在的重庆南路205弄，弄堂口挂有“韬奋故居”的横匾。韬奋是中国著名新闻工作者。弄堂内还有著名数学家和教育家胡敦复故居。胡敦复是中国数学学会创始人和首任会长，大同大学创办者和校长，也是清华大学首任教务长。竺可桢、胡适、梅贻琦、胡刚复、胡明复等大学者都通过他选拔培养后出国留学。当时居住万宜坊的居民文化素质较高。

郑苹如性格开朗活泼，模样出众，颇有些明星样。1937年7月，她成为沪上最著名的画报《良友》的封面女郎。受父亲影响，郑苹如此时选择法学专业，在上海法政大学求学。

八一三淞沪抗战期间，中统上海区的陈宝骅在社交场合遇郑苹如，就发展她为中统服务。想利用她进入日本人当中，收集情报。郑苹如由嵇希宗联系，嵇希宗是法政大学校友。由于嵇希宗是陈立夫的表弟，所以早已经是有一定地位的中统特工。

郑苹如是国民党检察官的女儿，政治上可靠，本人有爱国热情，日语流利，又兼具日本人的身份，打入日本人的活动圈子方便。这是中统选择她的原因。

果然郑苹如不负众望。郑苹如利用日本各派之间错综复杂的矛盾和关系，周旋于日本人中间，结识了许多日本要人，获取了一些重要情报。如1937年底，郑苹如就获得了关于德国大使陶德曼调停中日战争的消息。

1938年，郑苹如经母亲介绍，进入日本海军在上海的广播局做播音员。1938年10月，日军参谋本部的俄罗斯科派遣小野寺信中佐到上海设立特务机关，即小野寺机关。出于对苏联的战备，除了收集情报之外，还负责尝试与蒋介石政权直接谋和。郑苹如在这一时期还为小野寺机关做翻译。

这个时期，对于中日战争，日本国内各种势力，有着不同的看法。简单来说，分为扩大派和不扩大派。扩大派以强硬的陆军少壮派为主，主张一直和中国作战，直到完全征服中国；不扩大派的组成则复杂得多，有一部分是日本陆军上层将校，认为中日战争继续扩大，则会使日本完全陷入战争泥潭不可自拔，轻则影响对苏联的战备，重则导致毁灭性结果。因此日本应该迅速与中国谋和。也有一部分是军队以外的人，如外务省的官员、内阁的一些人等，他们一直主张用外交谈判方式结束中日战争。还有极少数是反战人士，主张停止战争。不扩大派力求通过与中国议和确保日本在中国已得到的利益。在侵略中国这一点上，他们还是一致的。只是对他们的侵略能力的认识有分歧。

郑苹如在这段时间结识了一批在上海活跃的日本特工人员。除了小野寺信中佐外，还有当时日本首相近卫文麿的谈判代表早水亲重，日军参谋本部的今井武夫，陆军特务部的花野吉平等人。郑苹如还通过早水亲重，结识了近卫文麿的弟弟近卫忠麿。这今井武夫就是多次与汪精卫代表梅思平、高宗武密谈的日本特务。

所以在 1938 年 8 月和 12 月初，郑苹如从日方得知汪精卫将有异动的消息。

1939 年，郑苹如结识了日本首相近卫文麿的儿子近卫文隆。近卫文隆担任过首相的秘书，也就是父亲近卫文麿的秘书，随后到中国，在“东亚同文书院大学”担任学生主管。实际上是他的父亲想通过儿子在中国寻找亲日分子，谋求和谈来巩固战争的现有局面，既占得在中国实际利益，又能从中国战争泥沼中解脱。但是，就在近卫文隆到上海之际，近卫文麿政府垮台，平沼接替近卫出任首相。因国内军国主义势力猖獗，近卫文麿遭到非议。

近卫文麿

这个东亚同文书院大学，就是如今的日本爱知大学前身。东亚同文书院是日本首相近卫文麿的父亲近卫笃麿于 1903 年在上海创办的一所大学，当时与日本国内几所著名帝国大学齐名。它与交通大学隔着虹桥路对望，校园总面积

很小，当年是通过两江总督刘坤一批准才得到的一小块建校地皮。起初该校全部由日本本土学生就读，设到上海来的目的，是培养用于侵略的“中国通”。近卫文麿出任日本首相的期间，他本人还兼着这个东亚同文书院校长，而校务则由他的心腹小竹教授主管。

八一三战后，日本侵略军用枪炮刺刀对交大校园实施占领。随后交大一部分进了孤岛法租界，另一部分撤到重庆。东亚同文书院仗着校长就是日本首相的优势，乘机把牌子挂在了交大校门上，并占领全部交大校园，直到1945年东亚同文书院才被交大驱逐。东亚同文书院被赶回东洋后，改挂爱知大学招牌。上海虹桥路对面地皮上原东亚同文书院物业被交大作为敌产没收，后来拆除改建为交大教工宿舍。日本东亚同文书院赤裸裸地利用战争，驱逐所在国的大学，鸠占鹊巢，把自己的校牌挂到他国大学校门上，实施霸占，是整个世界近代史上唯一的孤例。这既是对斯文的嘲弄，也是对世界文明的挑战。

所以，日本人的这所大学是专门培养侵略中国骨干的，学生不论是打着右的还是左的旗号，100%都是危害中国的特务。

近卫文隆于1939年2月中旬到上海，到东亚同文书院担任学生主管。这正是东亚同文书院实施对交大校园校产进行霸占的时候。

郑苹如怀着一种干大事的冲动，谋求与近卫文隆交往。

交大徐汇校区一角。1937—1945年日本首相近卫文麿家族的东亚同文书院大学霸占了交大校园

近卫文隆来到上海后，郑苹如马上通过日本的人际关系到东亚同文书院与近卫文隆会了面。第一次见面，近卫文隆婉拒了郑苹如进一步交往的要求。

原因是近卫文隆事前曾得其长辈、同文书院的小竹教授告诫：不要和不认识的中国人见面。

不过，不久后，郑苹如还是第二次拜访了近卫文隆。

这一次，郑苹如先打通了小竹教授的关节。她对小竹教授说：

因为自己的母亲是日本人，所以自己很喜欢日本，想更好地学习日语，和正派的日本人交往。

她恳请小竹教授允许自己和近卫文隆交往。会见时，小竹教授的夫人在场，夫人也认为郑苹如是一个可爱的女子，不是什么恶人。所以小竹教授同意近卫文隆和郑苹如交往。

记载称，当近卫文隆带着郑苹如出现在东亚同文书院运动场时，在场的日本师生和家属们以为是日本贵公子和一个中国美女在谈恋爱。

日本特务盯上了他们。当近卫文隆和郑苹如一次在舞场跳舞后，郑苹如发现自己的提包被仔细翻检过而且又仔细地恢复了原样。其实，他们之间的交往，已经引起了宪兵队林秀澄的监视。军部特务们并非为了保卫下台首相公子的安全，而是关注和监视近卫文隆的活动。当时近卫文隆是希望通过郑苹如或其他人，与中国当局进行"联络"的。

而郑苹如也在从事逆向活动，这也许是她的中统上级给她制定的一个策略，即"以反战面目出现，接近反战人士，破坏日军的战争"。

据说，郑苹如曾经介绍中统上海区的陈宝骅和早水亲重会谈。

还说，郑苹如另安排了一名男子和"小野机关"的小野寺信进行会谈。她宣称此人就是"戴笠"。此事被日军宪兵队特高课的林秀澄得知，他认为和小野寺信会谈的不可能是戴笠，于是由特工总部李士群找来戴笠的照片，让小野寺信进行辨认。他告诉小野寺信，你被郑苹如利用了。

监视近卫文隆和郑苹如这些事情背后更深层的原因是，随着战局的发展，"战争扩大派"在日本国内更加得势。而其中以影佐祯昭为首，由陆军、民间人士和外务省官员组成的一个集团，正在策划建立以汪精卫为首的傀儡政权，林秀澄所领导的宪兵，也属于这一派，因此对打击小野寺信、近卫文隆等反扩大派是不遗余力的。郑苹如的一系列活动，既和近卫文隆、小野寺信等人密切相关，同时还有间谍的嫌疑，自然在他们的严密监控范围之内。

而日军宪兵队的特高课对付郑苹如的手段，可说是将计就计。郑苹如出于策略的需要，自然也会和宪兵队的官兵打打交道，甚至还会提供一些经过过滤的重庆方面和郊区游击队的情报。特高课林秀澄则派出了他的下属藤野弯丈去接近并监控郑苹如。郑苹如不知是被蒙蔽，还是愿意结交日本宪兵队的朋友，反正，藤野与郑苹如也成了好友，还一起去看过新上映的好莱坞电影。有宪兵队的朋友，郑苹如觉得行动更自由。郑苹如最后一次去76号，就是找来日本宪兵队的朋友当护驾。

1939年5月，影佐昭祯带着汪精卫从河内经南海、东海到达上海。此时他踌躇满志，授意日本驻上海外交官岩井英一以大使名义给外务省发去电报，编造了不少近卫文隆危害日本的事情，结论是“近卫文隆留在上海，有百害而无一利”。具有讽刺意义的是，岩井英一就是上海东亚同文书院的毕业生。也就是说，岩井本是近卫家门下的学生，如今却坚决地与近卫家族作对。

是啊，下台首相的儿子，过气了。影佐祯昭代表大日本国在中国开创汪精卫伪政权的时代开始了，没必要让近卫文隆碍手碍脚地呆在上海。当然，此时的影佐祯昭没料到近卫文麿到1940年会再度上台执政。

影佐祯昭策反汪精卫成功，及近卫文麿的下台，对华战争扩大派成为日本国内主流，影佐祯昭派建立傀儡政权的工作顺利推进，也加快加重了对反战争扩大派的打击。

我们该看清，日本国内的战争扩大派与反战争扩大派之间的内讧，仅是他们在如何灭亡中国问题上的争吵，他们出发点是一样的。甚至征服世界的目的也一样。近卫文麿与东条英机一样是国际大战犯。东条英机自杀，近卫文麿同样在麦克阿瑟的压力下，以自杀了结其罪恶一生。敌人的敌人，同样是我们凶恶的敌人。千万别以为一个好的敌人会帮助我们去消灭另一个坏的敌人。

日本宪兵队私下逮捕了反战争扩大派的军部特务花野吉平。1939年5月，日本宪兵队以向敌人间谍郑苹如泄露重要机密为由，逮捕了近卫文隆，此事甚至在天皇御前会议加以讨论。

据说日本宪兵队要趁近卫文隆和郑苹如在一起之时，密谋逮捕两人。但有人故意在紧要关头让郑苹如得到消息走脱。

让郑苹如得到消息走脱，显然是日本宪兵队其他人并不想逮捕郑苹如。日本宪兵队特高课林秀澄在郑苹如身边安排了藤野弯丈，既然他能向郑苹如透露消息，当然会成为郑苹如的“知心朋友”。有这“知心朋友”在其身边就不用担心郑苹如会失控。

5 月下旬，近卫文隆应召回国，回国之后一度被软禁于自家。但那时日本的政局，是三十天河东，三十天河西，不久，近卫文麿又上台当了首相。近卫文隆仍然不放弃外交解决问题的想法，还组织了一个小团体。但是，他被军部塞到伪满洲国去当炮兵。不曾想这一去，贵公子有去无回了。

有一个说法提到：

日本首相的儿子近卫文隆见到郑苹如后，坠入情网。于是，郑苹如想通过绑架近卫文隆，迫使日本首相停战，当郑苹如将近卫文隆骗出，打算付诸行动时，她的上级命令中止了这行动。这个想法显然有点幼稚。

根据我们前面的叙述，郑苹如绑架近卫文隆该是子虚乌有的传闻。

近卫文隆原本在美国留学。从 1938 年底到 1939 年 2 月前，他当首相府秘书（父亲的秘书），以熟悉日本的对内对外政策，便于将来到中国活动。近卫文隆在日本而非中国上海，直到 1939 年 2 月才与郑苹如有第一次见面，因此不存在 1938 年底近卫文隆在上海被绑架的事。而且就在 1939 年 2 月第一次见面时，近卫文隆就婉拒了郑苹如进一步交往的要求。

至于 1939 年，中国人也不曾“试图绑架”近卫文隆。近卫文隆到上海出任东亚同文书院的一个小职务。东亚同文书院是近卫家族办的，近卫文隆到东亚同文书院任职本身，只能说明近卫文隆到上海，表面是来接办家族的事业。那时，他只是原日本首相的儿子。原日本首相的儿子与现日本首相儿子，显然是大不一样的。这种事，一般能看报的中国人都知道，更不用说是广交日本朋友的郑苹如。况且，郑苹如还是日本海军驻上海电台的播音员。驻上海的日本海军电台不仅仅是海军的，而且是日本在中国设立的重要广播宣传机构之一。郑苹如自然不会把过气的首相儿子当真的。既然老爸都被政敌赶下台了，绑架他儿子，那还能改变日本侵华政策？如果郑苹如在这点上都犯糊涂，哪还配当中统的情报员？

至于所谓近卫文隆失踪 48 小时，那是 1939 年 5 月的事，而且是被日本宪兵队秘密拘捕，而不是中国人绑架日本人。那纯是日本人自己秘

密绑架了原近卫首相的儿子，而那48小时，郑苹如逃回家里。如此而已。

“郑苹如绑架近卫文隆”的故事最早见于被释放到香港的汉奸金雄白写的故事。据说金雄白原来也住在万宜坊。在香港，他为了谋生而写作，写出的东西，有的可信，但不都是真实，其中不乏为了增加戏剧性的情节而编造。绑架近卫文隆，就可能是他编造的戏剧性情节之一，不能简单地当作史实。

这么说，不知是否还有更多的可批评之处？

近卫文隆这个人，还有后续信息：

1945年，近卫文隆在中国东北被苏联军队俘虏，辗转羁押在西伯利亚各地。后来经多方努力，仍未能赎回自由身，最终于1956年在押病故。近卫文隆的太太正子，想尽办法把近卫文隆的遗骨带回日本安葬。

“二战”一结束，近卫文麿作为战犯服毒自杀，近卫文隆又“失踪”于西伯利亚。因为近卫文麿无合适接班人，近卫家族就把近卫文隆的外甥细川护辉过继在正子的名下作养子，成为近卫文隆的继承人，细川护辉因此改名为近卫忠辉。细川护辉就是细川护熙的亲弟弟。2009年11月22日近卫忠辉正式就任国际红十字会主席。而此前，细川护熙为日本首相。这些表明，战后日本的原战犯家族依然声名显赫。

当然，如今是时过境迁了，我们没有必要抓住他们祖上的过错，而另眼相看。

七、女特工郑苹如（二）

由于郑苹如一直没出事，中统对郑苹如的使用加码了。自近卫文隆“失踪”后，郑苹如潜伏了个把月后再次出现，她把目标锁定为特工总部的头目丁默邨。因为丁默邨这个76号的头子对上海平民，尤其是抗日志士的危害太大了。中统要郑苹如与丁默邨发展关系的进一步目的是伺机杀掉丁默邨。

但丁默邨毕竟是老牌特务。他贪生怕死，来往小心谨慎。他住在76号这种警卫如林的地方，还虚设着床铺，自己躲进四周装着钢板的卫生间过夜，其狡诈阴暗可见一斑。他出门更是坐着防弹保险汽车，在陌生的地方从不久留。铲除丁默邨，找他的破绽的确不容易。但丁默邨是色鬼，而郑苹如是美女，能否利用这层关系，让丁默邨因郑苹如而放松警惕？俗语说，色胆包天，只要是色鬼，准会上钩，总有忘乎所以的那一次。于是，郑苹如与丁默邨频繁来往。

丁默邨的确是色中饿鬼，他半生不死地害着肺痨病，却还继续借助"伟哥"那种东西和女人鬼混。哦，那时没"伟哥"，估计只有土里土气的"伟弟"。而郑苹如凭借自身的优势，的确把丁默邨玩得神魂颠倒。

丁默邨为了方便与郑苹如体贴，就常把郑苹如带进 76 号，后来干脆任命郑苹如为自己的秘书。当然，这打翻了叶吉卿给丁默邨配置的女秘书沈耕梅的醋瓶。沈耕梅是佘爱珍外甥女，佘爱珍介绍来的日文翻译，当然是叶吉卿的耳目。这下，沈耕梅更加死心塌地听从叶吉卿的支遣，把丁、郑之间的任何接触，都尽数让叶吉卿知道。

郑苹如这次复出与丁默邨缠绵，也被日本宪兵队注意。她和丁默邨之间 50 余次的约会，宪兵队每次都作了详细的记录。日本宪兵队也摸清了郑苹如的身份，但日本人不清楚郑苹如这次的目的是想刺杀丁默邨，也不知道郑苹如身后协同行动的同伙是谁。

但是，郑苹如的中统上司对她的危险处境毫无察觉，还继续利用郑苹如来实施制裁丁默邨的计划，只是一直找不到下手机会。

把丁默邨拉出来品尝子弹，并非易事。

我们前节已讲过，12 月 10 日的第一次谋杀行动失败了。中统特务们又制订了由嵇希宗负责的第二次谋杀方案。不想，刚制订好，张瑞京就落入 76 号。

此时，张瑞京虽被捕，但没有造成中统人

巨泼来斯路 201 号（潘三省占用）。那天，丁默邨离开这里用车送郑苹如回家

员及机构破坏。所以中统方面以为张瑞京不曾泄密，故嵇希宗的计划继续不变。

1939 年 12 月 21 日，丁默邨电话约郑苹如去巨泼来斯路 201 号潘三省家中吃饭。巨泼来斯路就是如今徐汇区的安福路。而郑苹如把消息通知了嵇希宗。嵇希宗于是按原定的方案，带中统杀手埋伏在西比利亚皮货店外。等郑苹如饭后临时以买皮衣为名，把丁默邨哄下车进店。

此时已是冬天，时髦女人有的已穿起貂皮大衣。在潘三省家吃完饭后，丁默邨因当晚与周佛海和日本特务影佐祯昭有约要去虹口，就离开潘三省家用车送郑苹如回家。一上车郑苹如突然要求丁默邨陪她去静安寺路与戈登路（今南京西路与江宁路）的西皮利亚皮货店买皮大衣，算是送给她的圣诞礼物。丁默邨认为郑苹如是临时起意，加上停留下来挑货的时间也不会过长，应该没有危险，于是答应了。车到静安寺路 1135 号西皮利亚皮货店门口，丁默邨和郑苹如在店门口一下车，就要司机将汽车保持发动待命。丁默邨陪郑苹如进店，刚进店，丁默邨就发现门口站着两个抱臂的男子。他还发现不远处停下了汽车，有人下车。丁默邨立刻警觉起来。此时郑苹如正在挑大衣，丁默邨突然拿出一沓钞票扔在柜台上：

“你挑吧，我有事先走。”

丁默邨立即从另一道门冲出去，奔向座车。

在街上等候的中统特工嵇希宗等人没想到丁默邨会突然改变主意。眼看着丁默邨就要冲进防弹车内了，特务们才想起要开枪。可惜为时已晚，匆忙射出的子弹无法穿透防弹车。虽车身弹痕累累，却不能伤及丁默邨。丁默邨座车的屁股冒了一股烟，跑远了。

据称，就在中统特工在皮货店附近埋伏时，叶吉卿派出的特务亦在旁伺机“助阵”。不远处的那辆车，就是叶吉卿从他处弄来的枪手。他们本准备浑水摸鱼，先看着中统把丁默邨收拾掉，然后伺机抓中统人员。

李士群、叶吉卿从张瑞京那里已知道中统特工的计划，只是对下手的时间不知道。但叶吉卿手下监听了丁默邨与郑苹如的电话。因而，对丁默邨出车接郑苹如，及饭后要买礼物的事，都一清二楚。叶吉卿派出的“助阵”特务，之所以也没有得手，主要是因为丁默邨突然变卦。加上只是“助阵”而非主动攻击，所以丁默邨侥幸不死，但嵇希宗显然也遭叶吉卿的特务跟踪而暴露了。

这天晚上，正好日本“梅机关”机关长影佐祯昭少将在虹口宴请76号上层特工们。李士群、苏成德、王天木、马啸天、林之江、万里浪、吴世宝等约20人都已到场。唯独丁默邨等迟迟不见。正当众人以为他不来时，外面传来了停车声，众目睽睽之下，丧魂落魄的丁默邨最后一个进来。他承认遭受重庆方面特工的伏击。

连续几场伏击的失败，可看出，上海中统区特工的枪术和伏击参加者的特工素质实在不敢恭维。如此败招，当然暴露了郑苹如的特工身份和她的行刺目标。暗杀计划本该暂停执行，但是郑苹如不甘心就此收场，又心存侥幸，决定深入虎穴，孤身杀敌，完成刺杀计划。

隔一天，郑苹如先是打电话问候丁默邨，说前天枪声把自己吓坏了，当时不知是发生了什么。她甜言蜜语地向丁默邨问候平安。丁默邨电话中语气平稳，谈笑一如平日，对郑苹如的安慰表示感谢，两人还相约共度圣诞夜。

郑苹如见丁默邨没有异常表示，就说既然丁老师因从事“和平运动”而遭重庆政府的暗算，因自己一时兴起想买皮衣才给了暗杀者以可乘之机，至今心里很不安。今后不敢继续让丁默邨出来与自己相会。至于圣诞夜，还是由自己上门看丁老师才更妥当。

郑苹如还试探着说自己的钱已不够用。

丁默邨及时让人给她送来几百元钱。

这让郑苹如觉得丁默邨还迷恋着她，没有对她产生怀疑，由此产生进一步冒险的念头。但此时她已不便再以秘书身份进入汪伪特工总部，约丁默邨外出的故伎也不宜重演。郑苹如反复思量，决计在圣诞节这一天两人约会时暗中身藏一支勃朗宁手枪前往汪伪特工总部，准备伺机下手。同时为了安全起见，她找来熟识的日本宪兵分队长陪同，以避开门卫的盘查和猜疑。她以为有沪西宪兵队的这个“小太上皇”同行，76号即使怀疑也不便抓她。

不料，丁默邨和郑苹如的电话已被沈耕梅监听。李士群、叶吉卿在第一时间就得知郑苹如要来看丁默邨。于是李士群先安排人将郑苹如等来人带到会客室，并火速派人向驻76号的日本宪兵涩谷说明情况。涩谷

打电话与日本上海宪兵本部联系后，走进会客室，叫出沪西宪兵分队长，向他说明郑苹如谋刺丁默邨的情况。李士群命令特工总部第一委员会主任马啸天、第一行动大队长林之江秘密软禁郑苹如。马、林商量后，将郑苹如带到忆定盘路（今江苏路）37号特工总部第一行动大队本部、亦即林之江的家里软禁起来。此时，丁默邨还被蒙在鼓里，一无所知。

郑苹如在林之江家，人不能外出，但还能与外界通讯联络。她曾与家人通电话，说自己一切都好——实则告知家人，自己已被76号关押。

76号女特务佘爱珍与她的外甥女沈耕梅负责审问郑苹如。

郑苹如在刚开始接受审讯时一口咬定自己是"情杀"，拒不承认自己是"重庆方面的人"，声称丁默邨与她相好后，又别有所恋，她心有不甘，就用钱请人开枪恐吓他。

她称：

"这是男女之间的事情。因为丁默邨和我好之后，又别有所恋，要把我抛弃。我深恨自己认错了人，受他的欺骗，被他糟蹋了，心实不甘，所以我用钱请人来打他，使他知道天下女子不尽是可欺的。可是我与丁默邨毕竟有过关系，在生死关头，我心又软了一下，没有跟他一起出店门，使我请来的人一时不能肯定这人是否丁默邨，怕打错了人，让他冲过马路，逃脱了一条命。"

至于跟中统上海站的关系，郑苹如矢口否认。

李士群为了不让丁默邨过问郑苹如的事，就把郑苹如固定由林之江看守，拘留在林之江家。

郑苹如知道情况有点不妙，想劝诱林之江与她一起逃离上海。但此时林之江已罪孽深重，离开76号，随时会遭遇原军统同仁及汪伪特务的双重追杀，故不敢妄动。虽然不为所动，但也不敢与郑苹如对视。

郑苹如被林之江拘留着，除开不能自由行动外，日常生活还受优待。

汪精卫老婆陈璧君曾前往探监，晓以生命无常之理，劝郑苹如投靠日伪政权，然郑苹如不为所动。后来他们又以郑苹如为人质，要挟其父郑钺，逼他出任伪职，但郑钺以病婉拒。

叶吉卿没有放过这起有"价值"的事件，她发动她的"太太团"去看一场美女秀。这群汪伪高级特工的妻子纷纷跑到特务行动总队部"瞧瞧"

郑苹如的模样。看到之后，太太们一致要求杀掉这个勾引她们丈夫的“妖精”。周佛海之妻杨淑慧、丁默邨老婆赵慧敏和吴世宝之妻佘爱珍当然也不例外，主张杀郑苹如最强烈的当然是丁默邨老婆赵慧敏。

汪伪政府的首脑人物恼羞成怒，对重庆当局的暗杀手段非常恐惧和恼恨，一致主张非杀郑苹如不可。虽然丁默邨余情未断，颇有怜香惜玉之心，并不想置郑苹如于死地。但他行事不慎遇刺逃生在前，被政治对手抓到了把柄，已经颜面尽失，想救也说不出口。

1940 年 1 月 16 日，关押中的郑苹如给家中写了最后一封信。1 月 18 日，李士群去青岛之前，写了张纸条给马啸天，下令枪毙郑苹如。马啸天将李的手令转给林之江，叫林执行。

1940 年 2 月，林之江押着郑苹如到沪西中山路外的荒郊旷地上执行。在押解郑苹如上车时，林之江哄骗她是解赴南京见丁默邨，不久即可开释。所以要郑苹如化妆整洁，穿最好的衣服，带上自己最心爱的物品。等到押车抵达中山路一片荒地要她下车时，她才知道这里将是她的生命终结之处。

不知日本特务犬养健是否是现场见证人，他的回忆录里有郑苹如最后时刻的记述，非常简短：

> 在跪着的苹如背后，照相机的快门咔嚓地闪了一下。
>
> “还有什么要说的吗？”
>
> 苹如用上海话简单地回答道：
>
> “没格。”
>
> 枪声响起，苹如倒在了坑旁。照相机快门的咔嚓声又响了一次。

林之江和他的卫兵是执行人，但事后没人敢承认是自己开的枪，包括那杀人如麻的林之江。

郑苹如连中三枪，为国殉身，年仅 22 岁。

郑振铎后来曾称颂她：

“比死在战场上还要壮烈！”

当时上海新闻界不知情，各报刊都以为郑苹如是为情所困而欲杀丁

默邨的，事件纯属“情杀”。于是，就把这“情杀”当作一起76号的丑闻予以揭露。

而事实上，正是李士群的亲信故意将丁默邨贪色遇刺一事透露出去的，大报小报纷纷刊载，成为沪上轰动一时的新闻。一段时间内，在上海滩，这起桃色恐怖事件众说纷纭。

郑苹如形象被严重歪曲。

中统方面默不作声，显得十分低调，或许仅是因为不能面对失败。

有个说法：郑苹如被捕后，嵇希宗也被拘捕。在郑苹如被枪杀前夕，中统特工嵇希宗也正“出现在”76号中。中统特工嵇希宗如何“被进入”76号，而随后又如何很快被释放，而回到中统特工队伍来，这始终是个谜。反正，中统没人出面为郑苹如正名。后来嵇希宗“潜伏”在伪上海市警察局，陈宝骅“潜伏”在伪上海市社会局。这伪上海市警察局和伪上海市社会局，最上层的伪长官就是丁默邨。

陈宝骅和嵇希宗都是陈立夫的亲戚，陈立夫是丁默邨的老上司，为了给自己留后路起见，丁默邨需要陈立夫在未来保护自己。陈立夫就是丁默邨需要进行政治投资的保险公司，陈宝骅和嵇希宗正是丁默邨可利用的关系，向嵇希宗提供照顾和关怀是丁默邨为自己买的政治保险。丁默邨最后当伪浙江省主席时，改接受军统指示，军统把电台设到丁默邨的“官邸”。抗战胜利后，军事法庭审判丁默邨汉奸罪时，不是军统为他开脱，而是中统的嵇希宗上庭作证，希望对丁降低量刑处理。

中统冷落郑苹如，或许正是出于陈宝骅和嵇希宗的态度。

八、76号的年夜饭

李士群招来丁默邨，并把丁默邨推为“前台经理”一事，原本是在“只要图利，不必图名”的指导思想下采取的策略行为。因为一开头汪精卫没来上海，李士群感到，带头与日本人勾结风险太大，自己差点变成军统分子于松乔枪击的目标。出头露面的事让丁默邨做，自己在后头点钞票，是最理想的分工。但不想，随着汪精卫集团的到来，情况就变了。在汪精卫、周佛海心目中，“前台经理”丁默邨是第一把手，而他李士群仅是丁默邨的副手而已。作为副手，李士群就在权力地位上比丁默邨差远了。汪党六大后，丁默邨处处压着李士群一级，除了稳坐 76 号的头把交椅外，还是社会部长，再协助周佛海主持“肃清委员会”，管上了汪伪的“和平救国军”，把李士群设法俘虏来的王天木和何天凤也收罗到他的手下。丁默邨不仅在 76 号吆三喝四地调配人员，有时甚至还对李士群夫妻指手画脚，盛气凌人。

李士群于心不甘，为与丁默邨争夺控制 76 号的实权，明争暗斗地搞了起来。李士群利用汪精卫与周佛海的矛盾，把自己移向汪精卫一边。汪精卫一到上海，李就托陈春圃转给汪一封万言长书，自我介绍丁默邨是个“摆子”，他才是老板。丁默邨只是他用的打手而已。同时，为了讨好汪精卫起见，一切都做在丁默邨的前头，以示愿为先驱。还加紧与日本主子套近乎。这方面，果然有进展。李士群逐渐地取得这两方面的好感。同时李士群也加紧了对丁默邨形象方面的打击，散布对丁默邨不利的舆论。更重要的是，李士群抓紧 76 号内部的整理，打击对方，培养并巩固实力，把实权渐渐地抓到自己手中来，绝不让丁派形成势力。当发现自己本来的助手唐惠民偏向丁默邨时，李士群就不失时机地弄个借口把他关禁起来。

由于李士群发觉凡上海党部系统投 76 号的特务，往往都偏向丁默邨，于是李士群就采取肉体消灭的办法，从源头上掐断亲丁分子的来源。国民党上海市党部特务头子张小通被 76 号逮捕，仅仅是担心如果张小通投降的话，也会是丁默邨一派的，李士群就残酷地弄死张小通，并毁尸灭迹，手段令人发指。

老牌特务曹子白、曹炳生父子不时从租界到 76 号活动，唆使丁默邨对抗李士群。这事被李士群侦知，李士群便下杀心。

曹子白、曹炳生父子终于死在丁默邨和李士群之手。

这里，我们把曹子白、曹炳生父子的事介绍一下。

熊剑东没被捕之前是淞沪特遣支队司令。顾名思义，他可以把上海也视作他的势力范围。但 76 号在日本人庇护之下，武力上没有弄掉它的可能，于是他指使老特务曹子白、曹炳生父子去挑拨离间丁默邨、李士

群之间关系，想通过制造内讧，伺机把 76 号搞垮。不想，事情还没着手，1939 年春，熊剑东进城的消息泄露，被日本宪兵队逮个正着。

这曹子白、曹炳生父子与熊剑东一样是康泽系的老特务。父子两人均是青帮出身，又都是法租界巡捕房包探。熊剑东被捕后，曹子白、曹炳生不改初衷。1939 年 9 月间，父子俩通过汪伪社会部的王和松、孙鸣岐的关系，搭上了汪伪社会部长丁默邨。于是他们便在丁、李之间从事挑拨，目的是使他们鹬蚌相争，以谋取渔翁之利。

熊剑东当初之所以挑选曹氏父子从事这份差使，是经过一番深思熟虑的。因为派别人，生怕他们两者之间有了矛盾，反而容易败事。曹氏是父子，易于呼应。事情也的确是这样。

曹氏父子就以“包打听”的身份，不时来找丁默邨，在丁的面前说李士群在对他暗中搞鬼：

李士群在日本人那里，是如何贬低丁默邨并非留俄出身，当特务也是半路出家，实力不足以领导 76 号。而 76 号所有来自原军统、中统的特务莫不心向他李士群等。

李士群本就在丁默邨身边留有耳目，发觉曹氏父子接近丁默邨，心里早已不满了。及至听到此言论，大怒，便当面质问丁默邨：

“有无此事？”

并说这是故意挑拨，是一种政治阴谋，后面必有主使，非彻底严办不可。

丁默邨听李士群这么一讲，也觉得曹子白、曹炳生的话，的确不是出于善意。假使自己对这事不予追究，反会引起李士群的误会，对自己、对 76 号都会有麻烦。因而同意彻查严办。再说，此时何天凤被杀，王天木被拘，郑苹如的案子又搞得丁默邨颜面尽失。丁默邨也不能不按下性子，接受李士群的意见。

可是曹氏父子不属于 76 号的人。他们来 76 号，是分别来的。也就是说，不是曹子白来，便是他儿子曹炳生来，从未两人同来，好像也在预防不测。

要是父子仅仅抓住一个，则不论是父还是子，另一个势必要来报复。而且曹氏父子都以凶、狠、毒、辣与阴险著称，他们身边也有一些“狠”的打手兄弟。就是丁默邨这号 76 号的头子，也难免对他俩有些心悸。因此，要抓，就得一网打尽，免遗后患。

到了1939年底，丁默邨利用除夕的机会，要手下的孙鸣岐出面邀请曹子白、曹炳生到华邨吃年夜饭。孙鸣岐与汪曼云等76号众多头目都住在华邨。曹子白、曹炳生父子这下麻痹了，以为孙鸣岐是老朋友，请吃年夜饭这是风俗习惯，不疑是鸿门宴。还因为华邨毕竟是居民区而非76号，因此也放松了警惕。父子二人就一起来了。

孙鸣岐借汪曼云家里的客厅摆了酒席，随约汪曼云、蔡洪田、顾继武、黄香谷、凌宪文、王和松、蔡佩作陪，连同曹子白父子和孙鸣岐，恰好十个人，团团坐了一桌。这汪曼云、蔡洪田、顾继武、黄香谷、凌宪文五位汪党中央委员，原来也是曹氏父子的朋友。曹子白父子见这些人本就都是熟人，于是更放心了。

酒喝了一半，丁默邨打电话给孙鸣岐，查问是否曹氏父子同来？得到肯定后，丁默邨就发邀请：

“饭后就请汪曼云陪曹子白父子到里面来谈谈。”

这“里面”是指76号。丁默邨之所以要汪曼云陪同进去，是因为汪曼云是有权随时自由出入二门的人，不用出示特别“派司”的。

曹氏父子听到电话，又从好意的角度去想，以为丁默邨是偶然知道他们来，而临时约见。或许还以为时值岁底，丁默邨可能会按规矩，对“包打听”父子在物质上有所表示。所以都表示“很好”，“很好”，乐得相见。

这对“包打听”父子也可能以为，此时76号大小特务也正在大型年夜饭的酒桌上醉成烂泥，没心思来动他俩的歪脑筋。这对父子真可称得上是“狡诈一世，糊涂一时”。灾祸就因瞬间的犯浑而降临。

散席后，汪曼云陪同曹子白父子到了76号高洋房的会客室。然后，汪曼云叫人通知丁默邨，便径自回华邨不来了。曹子白父子此时情知已上当，但为时已晚，父子同入虎口，断无生还之理。

据说，丁默邨根本没有到场见他们，而是下令把曹子白、曹炳生父子扣进看守所。

曹子白父子被押后，丁默邨和李士群同样是感到心中的一块石头终于落地了。虽说此前不久，他们刚从一场不愉快的鸿门宴上先后退场，但此时又凑在一起商议。

李士群主张立即枪毙。因为此时熊剑东已被日本宪兵队特高科关押，没人能为曹子白父子之死而组织力量报复 76 号。而一旦铲除了曹子白、曹炳生父子，丁默邨就不可能有可借助的租界上的外力了。

曹子白、曹炳生父子，就在这样的情况下，成了李士群计划下必然的牺牲品。至于曹氏父子挑拨情形被发觉，是必然的。只要丁默邨还在 76 号，就一定被李士群的手下监听，而丁默邨偏偏不敢轻易离开 76 号活动。特别是遇到曹子白、曹炳生父子这种可怕的老特务，更担心在外面会遭不测。而曹氏父子又偏要虎口拔牙，轮流进 76 号。

而曹氏父子也一直以为只要父子俩不同时进 76 号，就会没事。他们也一直是这样坚持的。却不料就发生了一次意外，他们同进了 76 号。不怕一万，只怕万一，这可怕的“万一”还是来到了。

丁默邨虽对曹子白父子稍有好感，但此时，也觉得自己既然与李士群同是汉奸，那就得同曹氏父子划清界限。他与李士群之间是在同命运的前提下进行的权力之争，而与曹子白父子是不同命运的勾结利用。因此他觉得既然要对李士群实行“绥靖政策”，就必须牺牲曹子白父子。

既然对曹子白父子下手，那就得下狠心，必须一次性将父子一网打尽，否则难于安心。既然利用孙鸣岐把曹氏父子一起诓了来，那就要用绝手段：

立即一起干掉，绝不拖延。

当晚曹子白父子行将被杀的消息透露到孙鸣岐与汪曼云耳中。这两人本与两曹有交情，虽然不明白丁默邨、李士群各自葫芦里装的是什么药，却不愿曹氏父子被弄死。于是，一同去找丁默邨：

“曹氏父子纵有不是，但对你丁默邨是忠心耿耿的，你老丁就不应杀他们。”

这时的丁默邨不知是故意对孙、汪两个要手腕呢，还是真的后悔了，便叫汪曼云马上去找林之江，要他停止执行。

但汪曼云一时怎么也没法找到林之江。

原来这林之江忠于刽子手的职责，大年除夕纵使喝酒，也不疏忽执行杀人的光荣任务。

过后，林之江回来了，汪曼云即问林之江有关曹氏父子的事。林不开口作答，伸出右手无名指与中指装做捏枪的样子，先向左面一甩，又向右面一甩，嘴里连叫了两声，“啪，啪”，表示已在他手下一起干掉了。

这样，曹子白父子，便在丁、李的暗斗下，没活到当年除夕夜 24 点。

不过，丁默邨杀曹子白父子这一招却是战略高招：1941 年，熊剑东也投降当“汉奸”了。由于熊剑东和丁默邨同在周佛海手下，熊剑东就拿曹子白父子的事，与李士群斗个没完，帮丁默邨拿李士群出气。

其实此前没多长时间，这丁默邨经历过一个针对他的鸿门宴，或说是他经历了水泊梁山寨主王伦为晁盖举办的送客宴。丁默邨就演了王伦的角色。虽说宴会上没有上演到火并王伦那一幕，但丁默邨被踢了屁股。

那年，76 号内外办了大小两场年夜饭，小场面的就是曹子白父子的送终饭，而大场面的年夜饭是 76 号大小头目都到场（除陪曹家父子那八人外），并由丁默邨、李士群主持的。虽说丁默邨在 76 号内连遭滑铁卢，但在汪精卫、周佛海格局中，他表面上还在上升。这引起李士群的不满，引发 76 号内部的纷争。76 号开张以来的第一场年夜饭，难吃极了。年夜饭成了驱逐丁默邨的“送客”饭。年夜饭后，丁默邨实际被踢出 76 号了。

据说，76 号那餐年夜饭开场很热闹，可李士群心里却非常郁闷。

因为李士群是 76 号的副职，他的身份无法与正职丁默邨相比。因此，在“还都”南京之前，汪精卫为了把伪警特工化，便以丁默邨为伪社会部长兼伪警政部长，李士群只好像担任伪特工总部副主任一样，去做伪警政部的次长。

丁、李之间的地位相争，此时便呈白热化的态势。但由于实力的差距太大，丁默邨看看对方，掂掂自己，不得不软了下来，表示消极了。不仅把兼任的警政部长推回给了周佛海，甚至连社会部长都不想干了，宁愿到无事可做的边疆委员会去。把警政部长让给周佛海本身是为了破灭李士群的欲望。后来经周佛海调派，丁默邨才回任社会部。这李士群为抢不到伪警政部长的位子而气愤，这影响了他手下干将打手的情绪，特别是吴世宝。他们要借此“给点力”，弄点颜色出来，给人看看。具体的表现，就是要把丁默邨一脚踢出 76 号。

权力角斗场上，自古以来就是宴无好宴，酒无好酒。鸿门宴杀气腾腾，梁山泊林冲火并王伦，都是在宴会席上的刀光血影。不过这些都是有计划地进行的。

李士群及手下的一股郁闷之气在除夕年夜宴上爆发了，76号的这场年夜饭，虽是即兴发挥，但起到了“火并王伦”的作用。不过用不着钢刀见红，而只需口舌杀人。结果把丁默邨的威风打掉，逼他识相走路。

76号特务机关横征暴敛，杀人绑架，有的是钱。除平日分给大小头目开销外，广有节余，这些都由大小老板娘叶吉卿和吴世宝老婆掌管。1939年除夕，是76号成立后第一个大年夜，强盗们自然要来个大秤分金、大碗吃肉的分赃派对。

此时，驻76号里有特工总部、社会部和肃清委员会等三个机构，虽门户各立，毕竟头头之间，都是熟人，而且三个机构在名义上，都算是由丁默邨领导的。特工总部虽说是那天的主人，其实主客之间，也分不出什么彼此来，反正大家都一起吃喝。

年夜饭在76号的大礼堂举行。在入席之初，大家以“还都”在即，人人好歹都捞个或大或小的汉奸官当当，大有弹冠相庆之意。这个冠不弹犹可，一弹，就弹动了李士群的神经。

李士群认为自己的一念之差，肉骨头让丁默邨啃去了。社会部长、警务部长，双双落到丁默邨头上，李士群只是一个偏房侧室的警务部“次长”。因此嘴里虽然说不出，态度上却掩饰不住。也许李士群生怕在酒桌上酒后失言，难免有失风度，便满面不愉快，拂袖而退。

这个无言的暗喻，在座的人，嘴巴不响，眼睛却没瞎。心里都在想，今天的年夜饭会有一场好戏要上演。

李士群一走，警卫大队长吴世宝就举杯开腔了：

“大家多用点，但勿要吃到别人头上去，也勿要吃得忘记种田人啊！”

吴世宝的话虽没指明谁是吃饭忘记种田人，可是关在76号的大门内的各人，这几天来，里面风风雨雨，没有一个不知道他指的就是丁默邨。

老奸巨猾的丁默邨难道会听不懂？

但，奸就奸在装不懂！

吴世宝平日是个向丁默邨立正敬礼、点头哈腰的角色，值得自己把他的话当回事吗？丁默邨觉得，以自己的身份今天接了吴世宝的话反而抬高了吴世宝的身价。

看来事情还要发展，吴世宝不过是带个头而已。丁默邨想到自己唯一的办法是：置若罔闻，无介于怀，也想着避开了事，让吴世宝独角戏唱不下去。

丁默邨在76号里虽说是特工总部的主任、社会部的部长和主持肃清委员会的常务副主任委员，是三个单位的一个总头头，其实他在特工总部已是一只无脚蟹。除他之外，已没有一个心腹，甚至也没有稍作声援的喉舌。

至于社会部，虽没有公开决裂，但也是同床异梦。尤其是社会部这些分子都只会动嘴动笔，在这里喊喊杀杀的，哪有那份胆量？

最后剩了个肃清委员会，这个组织，自王天木被押，何天凤被杀，已陷于瘫痪，只等断气，哪里还会有项伯或樊哙这种能上鸿门宴救命的人？所以，丁这时在76号虽仍拥有三个头衔，实际上是孤家寡人一个。丁有自知之明，因而悄然引退。

于是他干咳了几声，悄然离开76号的大礼堂。或许，离开酒席的丁默邨正在向孙鸣岐与汪曼云打电话，要把曹子白父子骗进76号。

不想这丁默邨虽下了场，横里却冒出一个宝货茅子明。前面说丁默邨在76号无心腹时，忘记了把他算上一号。

茅子明拿不动手枪却捏惯了大烟枪。他的出场，使得原想下场的吴世宝重新转上台来，把这场戏又接着唱下去。原本吴世宝气跑丁默邨后，一阵牢骚话无人应嘴，便想坐下喝自个的酒。

茅子明在丁默邨走出大厅后，就循着吴世宝的语气接过去发话：

“吃饭要看各人本事，肚子大，可以多吃点，也就是说，有兼人之量，肚子小的，别说自己想吃吃不下，即使别人送到他面前，他也只能把它看看，这应怪自己肚子不争气。”

吴世宝听了这几句话，就以为是针对自己，也是针对李士群的。不待茅子明继续谈下去，便跳了起来，嘴上骂骂咧咧：

“在嗄（外）头跑跑过，朋友总要光棍、落槛，侬肚皮哆（大），也勿能吃到别人头上去啊！我格句闲话算讲错了吗？侬本事哆，要多吃点，应该吃到外头去，这才落槛，这才是光棍。侬以为侬本事哆，有牌头，魁！侬魁的是支烟枪，还勿如你们穷爷腰里格支手枪哩！”

说着，把腰里的“可而脱”掏了出来，向台面上砰然一砸，人也站

了起来。全场气氛突然紧张到了顶点。佘爱珍看到了，马上赶过去，先把吴世宝的那支“可而脱”按住，厉声责备：

“侬发痴啊？发啥神经！”

这时一批人才敢过来围住吴世宝，说好说歹。

就在这当儿，茅子明也溜出了 76 号。

没必要解释吴世宝带南通海门口音的上海话究竟表达的是什么意思，听不懂就当他是驴叫。粗人粗口，听点口气就可以了。

这出“火并王伦”，纵然不是丁、李两个主角亲自上演到底，也没搞到血溅“忠义堂”的地步，但经此一闹，第二天起，丁默邨从此没再过问 76 号的一件公文，也没再过问一件事。在华邨的社会部的人，如汪曼云、顾继武等，为了丁、李之间的这场火并，生怕一旦变起，殃及池鱼，所以住在那里办公，无异如坐针毡。至于茅子明那晚溜出 76 号后，又灰溜溜重新折回 76 号，可能有好事者从中沟通疏解。

丁默邨好歹在 76 号挨到次年 3 月 30 日“还都南京”的那一天，从此丁默邨正式被一脚踢出 76 号。

第八章　高陶事件

一、卖国条约的揭露

就在76号内部狗咬狗之争白热化之际，一场更大的分裂危机降落到汪伪集团的核心层。一度充当"和平运动"开路先锋的高宗武、陶希圣与汪精卫集团决裂，他们反戈一击，披露汪伪与日本国秘密签订的卖国条约。他们回归了抗日阵营。这无疑是对兴冲冲要演出"返都南京"丑剧的汪伪集团当头一棒。

1940年1月22日，香港《大公报》头版，刊出全部日汪密约。

头版黑体巨大字标题是：

高宗武陶希圣携港发表

汪兆铭卖国条件全文

集日阀多年梦想之大成！

集中外历史卖国之罪恶！

从现在卖到将来　从物资卖到思想！

全文刊登了汪日炮制的《日支新关系调整要纲》及《附件》条款全部内容，还刊登了陶希圣写的《致大公报记者函》，揭露了汪日谈判和签订密约的经过。

重庆及大后方各大报纸于次日同步刊载头条新闻及评论。香港《玛勒西报》《德臣西报》《士茂西报》都竞相以显著标题报道这件大新闻，《士茂西报》形容它为"中国报学史上最轰动事件之一"，上海除亲日报纸外，各大报如《申报》《新闻报》《中美日报》、英文《大陆报》《上

海泰晤士报》《字林西报》及法、德、俄文报纸，纷纷作了头条报道，一时轰动中外。

中共中央机关报《新华日报》在同一天也发表社论，严正声明：

> 我们向全世界人士宣布，汪精卫汉奸及其他投降分子，自其发表《艳电》之日起，即已成为中国抗战和中华民族的叛徒和罪人，这些民族叛徒没有权利和没有资格代表中国人民和中国政府。我们坚决不承认汪逆以及其他投降分子与日寇所订的任何条约，我们誓死反对任何卖国条约和任何方式的向敌投降。

日伪的《日支新关系调整要纲》及其附件内容庞杂而细致，连附件在内，大大小小条件多达50项，内容包括领土、政治、经济、防卫、文化、交通、资源、警务、财政、人事等各个方面。在领土方面，纲要满足日本国并吞满蒙，独占华北，封锁华中，控制华南，由领海到内河，无不占有，无不控制的欲望；在经济上，实现日本人独占或合并中国资源和企业的目标；在政治上，强调日、中、“满”相互善邻而结合，共同防共反共；在组织上，规定伪政权重要的部门、机关都要由日本人任顾问。

这份密约，赤裸裸地表露了日本帝国主义独吞中国的野心，是汪精卫汉奸集团与东洋日本联手灭亡中国的条约。因此，“密约”一公布，便举世震惊。它剥下汪精卫“和运使者”的画皮，汪精卫媚敌求荣、无耻投降的卖国贼的真面目昭然若揭。

蒋介石抓住机会，在1月24日，发表两篇文告。一篇是《告全国军民书》，另一篇是《告友邦人士书》。

在《告全国军民书》中，他指出，

> 这几个文件全国同胞批阅之后，对敌阀与汪逆的阴谋诡计，必有更进一步的认识了。所谓“善邻友好”就是“日支合并”，所谓“共同防共”就是“永远驻防”，所谓“经济提携”就是“经济独霸”。这个敌伪协定，比之二十一条凶恶十倍，比之亡韩手段更加毒辣。

一定发指眦裂。

在《告友邦人士书》中，蒋介石指出了日本企图控制中国独霸太平洋的野心，以及中国之抗战与保卫世界和平及友邦安全之深远关系，沉痛地呼吁友邦速予制裁日本，迫其停止侵略，而不应再旁观中立。

他还说，

> 中国深知日本军人野心狂肆，故对于日本侵略，不惜一切牺牲，发动抗战，以惩罚此扰乱世界和平之祸首……中国自开始即深信，中国之抗战直接保卫中国民族之自由独立与生存，间接的在保护太平洋上各友邦之利益与其未来之安全。今日本野心已显露，至此各友邦之不宜再以旁观或中立之名词予野心者以放任，固彰彰明甚矣。

国人针对汉奸无耻的卖国行径，愤怒指出，

汪贼群奸竟在同胞的血尸之上，敌人的刺刀之下，扮演傀儡丑剧，真是丧尽天良！

“密约”的公布，使日本人和汪精卫狼狈不堪。他们陷入“过街老鼠，人人喊打”的局面。西方国家也看清日本的真实野心，及中国一旦亡国给他们造成的危害，开始考虑向中国抗日战争提供援助。

英、美、法等国当局在对华政策上采取了积极的态度。蒋介石讲话的半个月后，2月13日及3月7日，美国政府先后两次决定贷给国民党政府四千万美元。

高、陶二人本为汪精卫“和平运动”所倚靠的核心人物。高宗武、陶希圣和梅思平，原来就是汪精卫、周佛海“和平运动”的先锋队，是实现日伪勾结的关键人物。如今高宗武、陶希圣的反叛，无疑给了汪精卫、周佛海的“和平运动”一个沉重的打击。

这事使蒋介石十分称心：

汪精卫卑鄙的卖国阴谋是原来对方的人自己揭露的。没有什么能比让对手自己打自己的嘴巴更有说服力。

对于中国抗日战争来说，披露《日支新关系调整要纲》及其附件是

一起重大历史事件。对于蒋介石先生与汪精卫“主席”私人间的是非之争，高陶事件也给他们提供了最好的辩白。

《日支新关系调整要纲》及其附件是以照片影印件的形式，由“日支新关系”谈判参与者高宗武、陶希圣两人亲手交给香港的杜月笙。香港《大公报》的负责人张季鸾和胡政之，首先拿来在报上发表，成了独家新闻。

高宗武、陶希圣两人从而得到妥善的安置，陶希圣后来继续从政受重用。而密件的拍摄者高宗武因此得到蒋介石发给的10万美元赏金，随后到美国隐居。30年代，10万美元是笔不小的财富。

杜月笙没有为这事在香港公开露面张扬，但谁都知道他是这起重大历史事件的幕后人物。从此，他不仅是横行上海滩的大亨，而且成了无人可比的“爱国大亨”。

这就是所谓的“高陶事件”。

由于杜月笙幕后操纵高陶事件，汪精卫对杜月笙恨之入骨，他气急败坏地说：

“我跟他有什么过不去？他竟这么样来对付我！”

对于高宗武、陶希圣毅然与汉奸集团决裂，周佛海表达了他的刻骨仇恨：

“高陶两动物，今后誓当杀之。”

当下，汪精卫下令李士群专程到广州指挥，派遣凶手到香港去企图谋杀当事人。

那高宗武、陶希圣做得究竟对不对？

我们不想代替那个时代的人发表意见，但我们可以听听那时人们的意见。

有一位13岁女孩和她的奶奶及姑妈在事件前就谈了看法。

这个13岁女孩是温州人，她叫梅爱文，是梅思平的女儿。自然，另外三位不同年龄的女士，也是梅思平的至亲。

参与汪集团活动的先锋队的除了高宗武、陶希圣外，还有梅思平。梅思平是另一个《日支新关系调整要纲》会谈的主导者。前面说过，梅思平还另有其他“鲜亮”的身份。

1939年12月15日，就在日伪炮制的《日支新关系调整要纲》签字前半个月，《浙瓯日报》于显著位置刊载梅思平13岁的女儿梅爱文写的文章《我不愿做汉奸的女儿，我要打倒我的爸爸》。

这篇文章将近800字：

亲爱的全国各界同胞：

现在我怀着满腔的仇恨，含着愤怒的热泪，向全国各界亲爱的同胞们申诉：我的爸爸梅思平，做了敌人的傀儡，做了汪精卫的走狗，做了中华民族最大的罪人了，我是多么的羞耻，多么的惭愧啊！我的爸爸竟会做了为千万人所唾骂的汉奸，做了神圣抗战的叛徒！

我的年纪虽小，对于在艰苦战斗中的祖国，我是怀着最热情的爱的；对于我那做了汉奸的父亲，我却怀下了最切齿的仇恨。今天，我要公开宣布我父亲梅逆思平的汉奸罪状，我要打倒我的爸爸，我要消灭我的爸爸。这样，才能平抑我的愤怒，才能洗刷去我的耻辱。

我的爸爸梅思平，他现在做了汪精卫的走狗，做了伪中央组织部的部长，他出卖了中华民族的利益，做了卖国求荣的勾当。我是誓死也要反对他的，而且也是我们全中国民族四万万五千万同胞都要反对他的。

汪精卫背叛了抗日革命，而走上了卖国汉奸的灭亡道路；我的爸爸梅逆思平做了汪逆的走狗。但我是永不能踏着我爸爸臭污的道路而走进这个坟墓的；正相反，我却更爱我的祖国，更爱我们的同胞，也更爱我们为自由而死为民族生存而牺牲的千万战士。所以，对于这些出卖民族的奸徒——汪精卫及其走狗梅思平和平投降、动摇投机的亲日派汉奸、汪派，应该要以最大的力量来肃清他们，消灭他们！巩固我们的抗战阵营。

在纪念首都沦陷二周年的今天，我们的抗战已进入了相持阶段了，也正是需要我们集中全力来准备反攻的时候了！在这个时候，我们必须要严整抗战阵营，扫除并消灭一切面目不清的潜伏在我们周围的汪派汉奸、亲日派汉奸及和平投降分子……我们要提高警惕性，不要受到汉奸汪派的阴谋的欺骗！我们坚持抗战到底，粉碎一切和平投降的阴谋企图！我们要坚持团结，反对一切敌寇汉奸挑拨

离间的分裂活动！我们要在国民政府，要在蒋委员长的领导下，坚持进步！向日寇作最后的决斗，获得我们民族解放的胜利！

我不愿戴上汉奸的女儿的臭污帽子，我要以大义灭亲的精神，来打倒我这个做汉奸的父亲梅逆思平。我更希望一些做了汉奸的儿女的人，能和我携起手来，共同进行反汉奸活动，并且参加到神圣的民族自卫战争中去！

梅爱文　一九三九十二

接着，《浙瓯日报》又连续3天刊出《启事》，梅思平的继母梅王氏，率同梅思平的两个异母妹妹梅鹤邻、梅鹤春宣布与梅思平脱离一切关系。

她们称梅思平是：

附逆作贼，害国辱祖。

这就是那个年代的人们对汪精卫集团的看法，可以作为我们这时代人的参考。

现在，我们把注意力集中在以下问题上：

高陶事件是怎么发生的？

二、“要么只有杜月笙”

为讲清高陶事件发生的经过，有必要先交代一下几个相关人物，他们是高宗武、陶希圣、杜月笙、万墨林、徐采丞、黄群和徐寄庼。他们之间的关系是这样：

高宗武和陶希圣是《日支新关系调整要纲》谈判的当事人。高宗武以向中央交出密件为条件，要求不受处分，重新回归。于是找黄群，黄群找徐寄庼，徐寄庼找徐采丞，徐采丞向杜月笙汇报，杜月笙向蒋介石请示，蒋介石点头，杜月笙命令管家万墨林制订计划并予以执行，于是高陶事件顺利完成。

黄群是辛亥革命的元老，浙江人。1911年参与杭州光复，1912年成为中华民国临时参议院议员，曾参与反袁世凯和北洋军阀的护国战争和护法战争。但他不是国民党员而是与梁启超同党。他主张爱国抗日，反对汪精卫投降。黄群不但是高宗武的浙江老乡，而且是高宗武父亲高玉衡的老朋友。

徐寄庼是黄群的挚友，也是浙江人，长期从事金融银行事业，当过中央银行常务理事、副总裁兼代总裁，出任过上海市商会理事长等。徐寄庼是《上海银行史》一书的作者。新中国成立前夕他还任过上海市副议长。他为人光明磊落，胸襟坦荡。抗日战争初期，他担任上海市商会理事长时，积极团结工商界人士，站在抗日爱国队伍中。徐寄庼与杜月笙、徐采丞是朋友。

杜月笙是上海三大亨中起支配性作用的人物，行为复杂却又十分有个性。抗日战争中，他始终站在爱国的立场上，对日伪进行打击。因坚持抗日，八一三战后，他退居香港。

上海三大亨中起支配性作用的人物杜月笙

杜月笙留守上海的哼哈二大将是万墨林和徐采丞。两人一个主内，另一个主外。

主管内务的万墨林积极配合军统戴笠组织上海的抗日锄奸活动。

主外的徐采丞代表杜月笙从事外交业务。他利用日本军政两方派系林立，又都喜欢跟中国大亨们勾勾搭搭的心理，纵横捭阖，与东洋人周旋。

高陶事件的主角是高宗武、陶希圣。他俩追随汪精卫、周佛海叛国投敌过程，前文有过诸多叙述。但当汉奸的滋味并不像他们原来想象的那么好受。

一方面，全国大众骂声不绝，从肉体消灭汉奸的枪声不停，他们未免为之心惊肉跳。

另一方面，日本人颐指气使，汉奸在他们跟前不过是走狗而已，这使他们难以忍受。

还有，在汪伪酝酿组织伪政府过程中，由于内部的倾轧，他们在权位的分配上被冷落。

加上他们在参加日汪密约谈判过程中，对汪精卫、周佛海接受日本方面提出的亡国要求也有所不满。上述种种原因，使得高宗武、陶希圣两人极度苦恼，从而产生另找出路的想法。

1939年5月底，汉奸们刚落脚上海，汪精卫就迫不及待地带着周佛海、高宗武等人从上海去日本“朝圣”，与倭酋平沼的内阁谈判在南京组织伪国民政府的问题。

可在谈判中，日本人逐步加码，不断提出以灭亡中国和吞并中国为宗旨的谈判条件。参与谈判的高宗武、陶希圣两人终于体会到汉奸亡国奴难忍的煎熬。他们另想出路的念头渐趋强烈。

高宗武到日本看到日方提出的谈判条件后感到，如果就此谈判签约，那么整个国家民族的命运都要断送在他们手里。为此他觉得彷徨苦闷，于是跑到长崎晓滨村，找到隐居日本的黄群，向他讨教。

黄群答应帮忙，代他设法与重庆方面接洽。

但是，黄群因为自己原本是进步党人，与国民党间彼此不无偏见，他在国民党内缺乏有效的关系。居住在日本长崎的黄群和高宗武相约，待高宗武离日回沪后，黄群也随后去上海。

黄群到上海后，当即找到了同乡好友徐寄庼，一席密谈。谈话末了，他提起如何安排高宗武反正问题：既要使高宗武平安逃出上海，又得保证国民政府不咎既往，许他将功折罪。

徐寄庼听后沉吟一阵，忽然一拍脑袋：

“你要找这么样的一个人，要么只有杜月笙。”

黄群说：

“很可惜，我并不认识他。但是久闻此人既仗义又讲信用，做事一言九鼎，的确有口皆碑。倘若能让他知道这事并答应插手，这自然就放心了。只可惜，如今杜先生不在上海，而去了香港。这事关重大，除了向杜月笙面谈外，不能通过信函电报，如何是好。”

徐寄庼告诉黄群，这无妨，他可以帮助去找徐采丞。只要徐采丞知道，杜月笙就能拿主意。

于是，徐寄庼立刻写了张条子：

“高决反正，速向渝洽。”

亲自出马送交给徐采丞。

此时正是1939年10月底，徐采丞恰好刚刚乘沪港客轮从香港回上海。见到纸条，马上与徐寄庼、黄群会面。

徐采丞情知此事关系重大，立即建议黄群留沪等消息，自己马上购票，乘原客轮回香港，向杜月笙报告。

杜月笙照例下午过维多利亚海湾去告罗士打会客办公。这天，他正和秘书翁左青、胡叙五商议事情，忽听门响，猛一抬头，看见徐采丞神色匆匆地推门进来。他一脸惊奇：

“你不是刚刚回去的吗？怎么又……”

“紧急大事，要你定夺……”

徐采丞不及坐定，就开口回答。

“故此不得不乘原船赶来香港。”

“何事此等紧急？”

杜月笙急忙问。

徐采丞先不答，从怀中掏出一张字条，递给杜月笙。那就是徐寄庼写来的。杜月笙接过来看时，见字条上只有八个字：

“高决反正，速向渝洽。”

高，指谁？

杜月笙沉吟了一下：

“莫非是高宗武？”

“是的。”

“消息是谁给的？”

“黄溯初先生请徐寄庼写给你的。”

“黄溯初，是哪位？”

“黄群啊，这人你听说过的……他是日本老留学生了，就是后来梁启超财政经济方面的智囊，还当过北洋国会议员，抗战之前做过生意，因为经营失败，跑到日本去隐居。他跟东洋人关系很深，还是高宗武的老长辈，高宗武从读书到做官，都得到黄溯初的帮助。”

“采丞兄，你怎认得这位黄先生的？”

“不，是徐寄庼介绍的，黄先生是徐寄庼的同乡友好。”

杜月笙大惑不解：

“这么说，此等好事，怎么会落到我们头上来的？”

于是，徐采丞一五一十地说开了。

原来，此次他一回上海，刚刚到家，徐寄庼便登门拜访，给了他这张字条，解释说：

高宗武以“外交部亚洲司长”的身份，驻港从事情报。他一向主张“和平救国”的，又因为日本前首相犬养毅的儿子犬养健，跟他是日本帝大时代的同学，犬养健在日本政坛非常活跃，因此等缘故，高宗武成了汪精卫与日方之间的穿针引线人。

“格�阿啦晓得噢（按：这人我知道噢）。”

杜月笙打断了他的话说。

原来杜月笙与高宗武有过交往。一年前，高宗武来往于香港、上海间，在日本和汪精卫、周佛海之间进行秘密沟通。这事被香港《华侨日报》察知，曾登出消息予以揭露。高宗武扬言要告《华侨日报》。杜月笙出面“调解”，色厉内荏的高宗武立刻就坡下驴，表示：

“看杜先生面子，打消原意。”

杜月笙因此称赞高宗武：

“这位朋友很落槛（上海方言，说话算数，不反复无常）。”

“杜先生和高宗武之间还有这一层关系，那就更好了。”

徐采丞欣然地说，又把高宗武托黄群，黄群找徐寄庼，徐寄庼推荐找杜老板的过程讲了出来。

杜月笙听徐采丞说到这里，心里马上想到一个问题：

高宗武是负责办理日汪交涉的人，他若反正，那么，汪精卫跟日本人订的密约内容，是不是可以带得出来，公之于世呢？

这才是这一事件的核心问题，更是其价值所在。

徐采丞断然地说：

“那当然没有问题。”

于是，杜月笙双手一拍，眉飞色舞地立起身：

"采丞兄，这件事情关系抗战前途，国家大局，确实值得一试。你便在香港住两天，我乘最近一班飞机到重庆，当面向蒋委员长报告。"

三、杜月笙两见委员长

1939年11月5日，杜月笙自香港直飞重庆，进谒蒋介石，请示高宗武反正事宜，应该如何处理?

蒋介石当面给予指示：

"从速返港，秘密进行。"

杜月笙十分振奋，搭中国航空公司的飞机，兴冲冲地离开重庆珊瑚坝机场回香港去。他正为自己有幸独自办成一件惊天动地的大事而兴奋。

但凡事都别高兴得太早，高兴太早了有苦头吃。

此时，中国几乎所有的军用飞机都被日本击落了，而后来著名的"飞虎队"此时还没有诞生，西方国家对华没有任何军援。中国没有制空权，天空飞的军机都是日军的。你看，杜月笙搭乘的这班中国航空公司的客机，马上经历了一场凶险。

这架飞机飞到半路，就碰到日本军机射击追逐。好在那时军机只有机枪而没有智能导弹。

但民航机与军机之间，有如山羊与狼的关系，民航机只有挨撕咬的份儿。

好在，民航机的机长技术超一流，他为了保全飞机和旅客的生命，凭经验与熟练的技术与日本军机过招。那时的飞机均是螺旋桨驱动的，速度都是几百公里。军机没有更多的速度优势。但军机使用机关枪射击，如果民航机简单地向前飞而军机在后面开枪追击，则民航机必毁。经验老到的民航机驾驶员采用不断盘旋转向和不断爬高的方式，使得两机始终不在同一水平面，更不在同一飞行方向上。敌机也不断盘旋爬高，但机关枪口始终沿切线方向瞄准，弹迹终归在轨道线的圈外，敌机开的是空天炮。

民航机就这样拼命盘旋攀高逃脱敌机的机关枪射击。

民航飞机前面逃，后面敌机则紧追不舍，苦了乘客。这时的民航飞机既没有空气调节，又不备氧气吸孔，更缺乏舒适安全的其他设备。飞机上的乘客，个个身子猛烈地摇来晃去，时上时下，只觉得翻江倒海，头昏眼花，心颤胃翻，几乎昏厥。患气管炎的杜月笙更是呼吸艰难，几度窒息，撑到后来实在受不了，他便眼睛一闭，索性等死。

幸好，日本军机追逐到了8000米以上的高度，看着民航飞机驾驶员翻腾攀升，技术高超，再追下去，也是徒劳无功。更可能，敌机的燃油消耗过大，所余不多，再追下去，也就无法返航了，于是便一个转弯，飞开去了。敌机放弃了追击，这一飞机人才算是拣回了性命。感谢机长的同时，大家也精疲力尽。杜月笙吃不消了，一路上躺在飞机软座上挨到香港。

杜公馆的家人、亲友用担架抬回了杜月笙。打针吃药、紧急救治后，杜大官人才缓过气来，脸色苍白的他，挥手退下众家人：

"你们都出去，请采丞留下来。"

杜月笙欠身说：

"请你立即回上海，代我办两件事体。第一，请黄溯初先生火速来香港，跟我当面接洽。第二，转告万墨林他们，只要高宗武说声走，便不惜一切代价，务必把他和他的家眷平安无事地先送到香港来。"

第二天徐采丞动身回上海。不到十天，黄溯初首先飘然南来。杜月笙大病方愈，亲自去迎接。为了安全保密，他请黄溯初在杜公馆下榻。

高宗武的每一笔账都在黄群的肚皮里。于是，黄群和杜月笙促膝密谈，他把种种经过，包括高宗武三度赴日的人与事、汪日密约的要点，逐条逐项向杜月笙细说。杜月笙听着听着，感到一下抓不住要点，坦率地说：

"这实在太多了，一下子难以记得住。"

于是，黄群笑了：

"我给您扼要地写个概要。"

他亲笔给杜月笙写了一份报告要略。除高宗武外，他还提到陶希圣也有异心。杜月笙欢欢喜喜地双手接过，眉飞色舞地说：

"我明天再搭飞机去找委员长！"

蒋介石即刻传见。杜月笙报告完毕，蒋介石便写了一封给高宗武的亲笔信，称高为“浙中健者”，要杜月笙设法转交，并设法营救高、陶脱险。

杜月笙得了蒋介石的御笔函件，心知大事已成，决定迅速采取行动，免得贻误时机。

第二天杜月笙又飞回香港，即密令万墨林做好护送两名“重要人物”离沪赴港的准备。他频频叮嘱道：

“你回去告诉万墨林和恒社弟兄，想尽办法，速速救高、陶两人脱险！”

然后把委员长亲笔信交给稳妥可靠的人，秘密携往上海。

话中提及的恒社就是杜月笙帮派的班底。

四、高宗武、陶希圣回归

由于敌伪方面戒备森严，防范紧密，徐采丞、万墨林等杜门中留在上海的人要想营救高宗武安然脱险，却不是一件简单的事。而高宗武想得到密约原本，更非易事。

这时日汪密约已进入即将签字阶段。日本和汪精卫方面担心机密泄露，采取了严格的保密措施，规定日方由矢荻，汪方由梅思平负责收藏文件，不管怎样小的纸片，都不准带出会场。高宗武等便将每次谈判的结果牢牢记住，离开会场后逐条整理出来，并由高宗武内弟沈惟泰翻拍成胶卷，冲洗两份，准备带走。

不久，日、汪之间的《日支新关系调整要纲》谈判完成，签字仪式定在1939年12月30日举行。

高宗武决心等到密约签订过后，再盗出原本，献给国民党中央，揭破汪精卫等卖国的勾当。所以，他到1940年1月4日才成行。

陶希圣也是《日支新关系调整要纲》谈判的主要参与者。

陶希圣一看日方提出的条件，就感到日本企图全面控制中国的野心昭然若揭。他也认为，像这样“白纸写上黑字”，要借中国人之手来签署，这件事是“断不可能的”。据陶希圣儿子陶恒生回忆，日汪《日支新关

系调整要纲》就要在1939年12月30日这天签字了。而前一天晚上，他们家发生了戏剧性的一幕，从而改变了他们的人生。

陶希圣的妻子万冰如拿着枪逼问陶希圣有关日汪谈判的情况，陶希圣战战兢兢地回答：

“12月30号要签约了。”

万冰如问他：

“你参加签约仪式吗？”

陶希圣回答：

“不签就死，签了比死还难看。”

万冰如就说了：

“如果你签，我现在打死你。”

因此，陶希圣称病不参加会议，并表示拒绝在中日密约上签字。此后他一方面称病不出，另一方面暗中策划如何出走。

1939年12月30日，汪精卫在密约上签下了名。据说，汪精卫在协议签订完以后，自我解嘲地对手下讲：

“这是我的卖身契，中国我是卖不了的。”

你看，说这《日支新关系调整要纲》是卖国的投降书，是汪主席自己当即就承认的，而不是中国人强加给汪主席的。时下，在中文网络上称汪主席是“伟大爱国者”的若干人士，是错爱了，是错把当年的日本当中国来爱了。

下面，我们回顾一下高宗武和陶希圣逃离汉奸集团的过程。关于这事，1944年高宗武在《深入虎穴》与1962年陶希圣《潮流与点滴》中分别有回忆。内容互相吻合，只是时间和他们离开上海所乘的船号有差异。我们这里在时间和船号上采用1944年高宗武在《深入虎穴》中的回忆。一是因为，高宗武在《深入虎穴》中的回忆是事后第四年，而陶希圣在《潮流与点滴》中的回忆是事后第22年，高宗武记错日期的可能性要小些。同时，1940年1月5日到香港的日期，大家都一致，所以，从上海登船的时间取高宗武所讲的1940年1月3日10：00较可信，而不是陶希圣回忆的1月4日。至于他们所乘的美国客轮，也采用“柯立芝总统”号而不用“胡佛总统”号。事实上，八一三抗战时，“胡佛总统号”客轮在黄浦江就被中国空军误炸重伤，当时蒋政府曾申明答应给予国际赔偿。

1939年12月30日，高宗武没有出席《日支新关系调整要纲》签字仪式，他留心到陶希圣也借口生病没有出席。当晚，高宗武忽然在法租界环龙路（今南昌路）陶希圣住宅出现，他来探病。

陶希圣记得那天高宗武坐在卧榻旁边。

陶希圣告诉他说：

“他们有阴谋不利于你，你怎样？”

高宗武明知要说什么，但还是先问：

“我们现在该怎么办？”

陶希圣反问：

“我们离开？”

“那我们还等什么？”

“1月1号、3号和7号有船离开。我们搭哪一条？”

高宗武听出，陶希圣原来跟他一样都知道开往香港的船期，不过在政治圈子里谁也不敢承担太多。虽然高宗武早已通过万墨林买好了两张船票，但还是故意补充说：

“等你决定好了，我去给你买船票。”

高宗武与陶希圣一直是好朋友，但是，搞政治是危险的，彼此说话还是随时留意。

第二天，就是12月31日，陶派他的女儿给高宗武送来一封信，决定走。

因陶希圣不参与签字，他的态度让汪精卫、周佛海等大起疑忌。

在这千钧一发之际，1940年元旦，陶希圣抱病往愚园路汉奸头子聚集地，逐家拜年。到汪精卫家，陈璧君主张陶希圣在《日支新关系调整要纲》上补签。而汪精卫以为此刻不必勉强补签，可等病愈再补。

陶希圣到周佛海住宅拜年，稍坐即告辞。出门时周佛海说：

“你要保重。”

这话，明明是双关语。主管76号的周佛海如此说，是什么意思？陶希圣不禁叹道：

“我亦不知命在何时！”

周佛海说：

“何必如此。”

已经有人秘密通知陶希圣，说是丁默邨、李士群主持的汪伪特务机关极司非而路 76 号正在计划刺杀他，陶希圣夫妇当时就决定：

如果不能逃出上海，只有自杀一个办法。

事实上，徐采丞、万墨林已经遵照杜月笙的吩咐，替高宗武、陶希圣预备好了船票，同时严密制订了保护他们顺利成行的计划。

1940 年 1 月 3 日，上午 10 时，高宗武按照预定计划登上了美国轮船“柯立芝总统”号。

陶希圣则独自一人，乘车到南京路固泰饭店前门，下车后，进入大厦，马上赴后门口，换乘一辆出租汽车，直奔码头，果然也告顺利成行。

轮船开出了吴淞口，陶希圣才从船上打电报给妻子万冰如：

“我已平安出海。”

1940 年 1 月 5 日下午，高、陶抵达香港，杜月笙、黄群等人心头悬着的一方巨石才轻轻落下。

顶要紧的人到了。随后高宗武夫人也在万墨林安排下，携带秘密收藏的日、汪《日支新关系调整要纲》底片来香港。那底片是由高宗武的内弟沈惟泰拍摄的。

日、汪《日支新关系调整要纲》的底片一共冲洗了两份，一份送呈重庆中央，一份由高宗武夫妇共同署名，交给杜月笙。约好，待 1940 年 1 月 20 日陶希圣的家属最后安全到达香港后，杜月笙将它转至中央通讯社发表。

不料这中央通讯社不知为何变得满头脑浆糊，失去理智。

中央社方面因为高宗武在“密约全文”前面加了几百字的绪言，说明当时经过，他们认为不妥；还指出高宗武不曾亲自在文件上盖章，而不足信，而且手续不全。

高宗武夫妇解释说：

“图章当然该盖，但是仓促离沪，不及随手携带。”

于是便为了图章的问题，双方相持不下，即将功德圆满的一件大事几乎就要闹僵。

杜月笙也急了起来，便悄悄关照他的手下：

“我此刻到吴铁老公馆去，你等好在这里，等到11点钟，你再赶到吴家指名找我。你不妨质问我，到底是全文照发，还是一定要删去前言？你若见我尴尬，你就高声发话说你受高宗武之托，要立刻将全部文件收回。”

原上海特别市首脑吴铁城这时已卸任广东省主席，小住香港，是当时蒋中央在港最高级人员。当晚11点钟杜月笙导演的这一出戏，让他的助手以强硬姿态演出。果然也使吴铁城着起急来，他亲自嘱咐中央社，绪言密约，一概照发。

由于中央社这一折腾，香港《大公报》抢得先机，《大公报》的张季鸾和胡政之，从杜月笙那里求得文稿，率先发表。

五、万冰如和她的儿女们

提前讲了《大公报》公布文件的事。其实公布文件之前，必须先解决救助陶希圣家妻子儿女的问题。此前，陶希圣老婆孩子还控制在汪伪特务76号手里。这里的叙述顺序有点倒置。只有在本节有关陶希圣妻子儿女如何脱险的事讲完之后，才发生公布日汪秘密文件的事情。也就是说，本节讲的事发生在1940年1月21日之前。

以下陶希圣的妻子儿女如何脱险的过程，摘自陶希圣外孙沈宁的回忆。只为叙述方便，从人称着手，略作修改。

1940年1月3日，陶希圣登上去香港的“柯立芝总统”号客轮后，76号严密监视了陶希圣太太万冰如和她的五个子女。

知道陶希圣已顺利到达香港，万冰如就开始谋划如何带领儿女也逃出去。

开头几天，只要家里有人出门，76号的特务一定会紧跟着。万冰如每天带两个儿子陶泰来和陶恒生上学，每次都是由76号派的司机，开车从家门送到校门，又从校门接到家门。家门的巷子里，也有许多便衣特务，日夜巡逻，跟踪外出。

万冰如决定要逃离上海后，就试探着摆脱特务跟踪。老大陶琴薰是女孩，机智灵活，万冰如决定让女儿来配合自己。1 月 7 日，她带女儿，先上菜市场，再去杂货店买肥皂。走到电车站头，女儿琴薰忽然转身跑起来，钻进旁边一条小巷子。跟踪的 76 号特务一阵忙乱，指手画脚一阵后，决定分成两组，一组追赶陶琴薰，一组继续跟踪万冰如。就在特务们忙乱之际，电车来了，万冰如便在人群里挤上电车，摆脱了 76 号的特务，到邮局储蓄所取出所存的钱。这大小姐跑了一阵之后，悠闲地进了一家电影院，买票看电影去了。这原来是母女俩事先商量好的，目的是不让特务发现取钱的事。

1 月 8 日那天，陶琴薰又故意穿上一件醒目的黄色大衣，陪母亲到百货公司。上下 5 层楼，故意跑来跑去。店里人很多，挤挤撞撞，76 号的特务紧盯着陶琴薰那件黄色大衣不放，跟了两个钟头之后，发现只跟住了女儿一人，而把女孩母亲万冰如看漏了。摆脱 76 号的特务以后，万冰如赶到十六铺码头，买好 1 月 13 号去香港的船票。

眼看就到了上船的日子，万冰如和她的儿女们，白天若无其事，东逛西荡，但一家人内心越来越不安。她的这个女儿每天荡马路逛商店，但什么都不买，逛到时间，就去看电影。大概她觉得，只有在电影院里，漆黑一团，别人才看不出她有多么紧张。两个大点的男孩陶泰来和陶恒生，每天跑无线电商店买零件装收音机。另两个小男孩晋生、范生，就陪着万冰如待在家里。

晚上，万冰如把窗帘遮起，一家大大小小就开始忙着收拾自己的东西，把要带的都绑起来。看看太多太大，又拆开再挑拣，弄弄小。万冰如告诉孩子们：

“这次是逃命，比以前的逃难更危险，所以连被子也不带，随身东西越少越好。到了危急时刻，也许要从船上跳水，什么都可以不要，只管跳海。”

五天过去，几个人的东西都收拾好了，按买好的船票，准备 1 月 13 号一早动身。

1 月 12 号，没有人出门，都在家里。中午时候，愚园路 1136 号忽然打来一个电话，通知万冰如立刻把家搬到愚园路去住。愚园路是汪精卫集团首脑人物居住的巷子，内外都有日本军警和吴世宝的特务看守。愚园路并且通知，76 号已经派出人和车，马上就到环龙路（南昌路）来。

万冰如心急万分，她晓得，如果一家人搬进了愚园路，那就绝对再无办法摆脱日、汪的控制，再也没有机会逃离上海了。急中生智，万冰如突然间抓起电话，直接打到汪精卫公馆，找汪夫人陈璧君讲话。说想见她一面，向他们讨命，把儿女送出虎口。

陈璧君接了电话，她们开始对话。

万冰如说：

“我有事要找你商量。”

“你现在就来。”

“我要带大女儿一道来。”

“可以。”

于是万冰如带着女儿陶琴薰，坐了 76 号的车，到愚园路汪公馆去。

见到陈璧君，万冰如便说：

“我们家眷从香港搬至上海，只有两星期，若是陶希圣有走的打算，他不会接我们来上海。”

见陈璧君点头，万冰如接着表示，自己可以带了儿女到香港去，劝说陶希圣重返上海。陈璧君推说自己不能做主，便将汪精卫从楼上叫下来，商量此事。

汪精卫听了万冰如的提议，没有立刻表示反对。万冰如便又说：

“劝说希圣回来之前，有几件事要说明白。”

汪精卫忙表示：

“只要他回来，什么条件我都可以答应。”

“他提过，他与别人争执得厉害，不愿住愚园路。”

“可以，只要他回上海，就住在你们自己公馆里，或者另外找一个住宅都可以。”

“今天我接到 76 号电话，他们派了人，要把我们搬到愚园路。”

“陶先生要回来了，还住环龙路公馆，不搬家。”

“希圣听说 76 号要杀他，杀了以后再开追悼会。”

汪精卫马上大声说：

“没有的事，他们不敢。你们如果不相信，我派我自己的亲信卫队保护希圣兄。”

万冰如最后说：

“还有一条，他说过他不要签字。”

听见这话，汪精卫有些作难，陈璧君则说：

“只要陶先生回来上海，其他一切都可以再商量。”

这时候副官走进来，递给汪精卫一封信。汪精卫站着，打开信看，不过两三秒钟读完，脸色大变，告诉万冰如说，那是陶希圣从香港发来的电报，要求他保护他家人的安全，否则他只有走极端，公开讲话。

陶希圣“公开讲话”的事情，那正是日、汪最担心的问题。陶希圣参与汪精卫集团许多机密要事，汪精卫很清楚所谓“走极端”，便是全盘公布他们的卖国丑行，这不能不令汪精卫心悸。

万冰如见机就说：

“如果这样，事不宜迟，我最好马上去香港，劝他回来。若是迟了几日，他一句话讲出去，收不回来，那时我去也无用了。”

汪精卫接口说：

“好，我派你马上出发，去香港。你到香港以后，一个星期之内，给我个准信。”

说完，汪精卫还批给万冰如1000块大洋，作为路费。但是万冰如只能带两个小儿子陶晋生、陶范生同行，陶泰来、陶恒生和姐姐陶琴薰须留在上海，不能去香港。也就是说，要扣为人质。

这样的结果，三姐弟当然很伤心，但也没有办法。

万冰如对儿女们讲，她先带两个弟弟去香港，找到他们父亲之后，再想办法救出另外三个。

第二天一早，也就是1月13日，愚园路派了两辆汽车，送万冰如一家到十六铺码头。陶琴薰带两个弟弟站在码头上，眼看母亲和弟弟的船离去，而把他们留在上海。那年老大陶琴薰不到18岁，身边两个弟弟不过14岁和9岁。

等待是万分漫长的，这三个孩子每天如常上学，但没一人的心思在读书上。盼到第五天，1月18日汪公馆派人送来口信：

万冰如已有电报发到愚园路，他们母子三人安抵香港，见到陶希圣，陶希圣已同意尽快回上海。

事实上，这一切都是杜月笙在运筹，以做缓兵之计。陶希圣听说三个儿女被扣留在上海之后，立刻找到杜月笙求救。为了营救三个子女，杜月笙又同蒋介石商议，决定暂缓公布日汪密约，等将陶希圣三个孩子救出上海，然后再公布。于是杜月笙指示万墨林直接安排和主持这事。万墨林亲自开车到陶希圣所居住的上海环龙路附近勘察了好几次，细密地制订了营救陶琴薰姐弟三人偷渡出上海的计划。

1 月 20 日，万墨林派出几辆推土车到环龙路来，好像是市政公司准备开工修马路。同时，万墨林从内线打探清楚，汪精卫收到万冰如从香港发的电报之后，就放心到青岛去开会了，76 号大大小小特务也都懒散起来，此时，正是展开行动的好时机。

于是按照策划，当天晚饭时，陶恒生开始发脾气，说是外面推土机通夜地吵，没法子睡觉，头疼得要命。陶泰来也跟着抱怨，提出到别处去睡觉。作为姐姐，陶琴薰便向 76 号的特务要求，把两个弟弟送到沪西表姨妈家去睡一夜。她的表姨妈在沪西开了一座煤球工厂。

76 号的特务，向机关报告之后，获得同意，便开车将两男孩送到沪西表姨妈家。讲好第二天早上，由表姨妈送两个弟弟去上学，下午则还由家里的司机到学校，接两个弟弟回环龙路的家。陶琴薰送两个弟弟走了之后，当晚仍然在自己家里住，以免引起疑心。

第二天，1940 年 1 月 21 日，陶琴薰早上起床，跟往常一样，吃过早饭，坐了家里的汽车，由 76 号派的司机送到学校。她从学校正门走进去，却不去自己的教室，而是穿过学校大厅，从后面走出去，直接走到学校后面的霞飞路（淮海中路）。一部黑色的小汽车，正在霞飞路上等着，见陶琴薰从学校后门出来，便发动起来。陶琴薰一到，车门便打开，随即飞驰而去。

万墨林坐前排，陶琴薰坐在后排座位上，左右两个保镖，手提短枪，警戒车窗外。陶琴薰知道，那是万墨林手下最优秀的两名枪手。他们自始至终没有开过一次口。看起来，各人行动都很保密，76 号没有任何察觉，后面马路上不见有人跟随。

车子开到杜美路（东湖路），街两边突然人多起来，三三两两，分了几批，走的走，坐的坐，看见车子过来，都站起望着车子的后面，想来，都是万墨林事先布置在这里的一批枪手。万墨林的计划是，如果后面有76号的车子追赶，车内两名枪手便且战且走，到杜美路上，埋伏的枪手们就会拔枪阻击，掩护陶琴薰所乘的汽车脱险。

万墨林还在杜美路上的杜月笙新公馆(东湖路70号，杜没住过)派了两部车子接应，如果遇有枪战发生，他就带领陶琴薰换车，继续冲出76号包围。但因为一路平静，他们也就不必换车，只需将车掉头，转而驶往沪西。陶琴薰这才知道，他们是去沪西接两个弟弟了，心里很高兴。

根据安排，这天一早，表姨妈便将两个弟弟送至煤球厂，说是另有同学家里的车子，会接两个弟弟到学校去。实际上，接两个弟弟的车子，就是杜公馆的车。在煤球厂门口，也埋伏了一些枪手，都是煤球厂工人打扮。如果76号有车追来，这里埋伏的人就会堵截一阵。

陶琴薰乘坐的汽车，从煤球厂前门进，换上在那里接应的另外一辆车，依然是万墨林坐前排。在后排座位上还是两个保镖分坐陶琴薰身边，汽车又从后门开出。这时，前面两辆车也开动起来，那分别坐着她的两个弟弟。姐弟三人各乘一部车，分头去十六铺码头。如果一路都没有闪失，自然最好，三个一起上船走。要是被76号发觉而追兵不止的话，一路枪战，那时候只有逃出一个算一个。

总算计划周全，行动机密，三辆车子顺利地到了十六铺码头。那里也预先安排了一些人，散布周围，实行保卫。姐弟仨要上的是一艘意大利邮轮，叫做“康悌威尔第”号，船票早买好了。根据安排，他们三个不走码头舷板上船，而是由杜家的人开三条舢板，一人一条，把他们一个一个送到船边，爬绳梯，从舷窗进船。

三条舢板绕过大船，驶到船靠江面的一侧。那天十六铺码头上，可以看见许多日本兵在入口处检查上船客人。陶琴薰绕到大船朝江面的一边时，陶恒生已经沿绳梯向船上爬了一半。第二条舢板上，陶泰来也正往绳梯上攀。绳梯不是从甲板上放下来，而是从一个圆形舱孔中放下的。陶恒生爬到了舱口，孔里有人伸出双手，把人拖了进去。这时陶泰来已在半空中了，陶琴薰等不及，急忙就往绳梯上爬，把那绳梯摇动起来，半空中的陶泰来本来紧张万分，这一摇，吓得他险些松手落水。

按照嘱咐，陶琴薰姐弟三人上船之后，不许相互说话，装作互不认识，各在自己铺位上等候开船，以防船上有人认出他们姐弟。

两兄弟住同一舱房，见面不讲话。忽然之间，陶泰来因刚才在绳梯上过度紧张，腿抽筋了。他两手抱着，满铺乱滚，不敢出声。陶恒生在铺上看见，心里焦急，又不敢去问。这样闹了好一阵，才安稳下来。

此事陶琴薰不知道，她另住一间舱房。直到下午，邮船启动进入公海，姐弟仨才终于聚到一处抱头痛哭。船上，陶希圣的一位同学特地同程照应他们。

终于，陷入汪伪 76 号虎口的三个少年男女获救了。

陈璧君发现陶琴薰三姐弟失踪，不禁顿足叫苦不迭：

“我上了这乡下女人的当了。”

1940 年 3 月 25 日，国民政府奖励高宗武 10 万美元，让他离开香港经欧洲转往美国。他化名高其昌，持“国防最高委员会秘书厅参事”头衔的中国公务护照，并电告中国驻美大使胡适，说是奉委座命来美暂住。

6 月 14 日，陈布雷电嘱胡适大使：

“高君在美，奉谕请使馆及领馆多予照拂并维护。”

1942 年 5 月 28 日，陈布雷又电告胡大使，国民政府已下令撤销高宗武的通缉令，并说：

“此事当局去秋即有意办理，今始实现，可慰高君爱国之心，故电达转告为幸。”

后来，陶希圣则被调到重庆，跟着陈布雷，进了蒋介石的秘书班子。

蒋对陶希圣和高宗武的态度似有区别，主要差别是：陶希圣以前与日本人来往谈判时，不具备国家官员身份而只是学者教授，而高宗武则是外交官员。国家官员与学者有差别：学者与外国人从学术交流角度谈政治问题，可以网开一面。国家官员则不可以避开监督私自对外交涉，特别是搞有损国家利益的条约。

陶希圣也曾站在汪伪集团一边指责蒋的抗日政策，这可被看成是民间学者对政府的批评，批评是否妥当，是另一回事。但国家官员公开对

抗国家的抗日方针，那是不能容许的。

陶希圣可以重用而高宗武只适合大赦及给予物质奖励。这是他们的不同之处。

高陶事件引发全国对汪精卫汉奸集团的声讨。在如此声名狼藉的情况下，陈公博却逆势而动，正式投入汪精卫汉奸集团。原本，他对汪精卫汉奸集团的行为有点保留，对汪的《艳电》也持不同看法，1939 年 8 月在上海举行的汪记国民党第六次全国代表大会，陈公博也未曾出席。高陶反水了，陈公博倒“坚定”了。陈公博的这种行为实是企图挽救汪精卫汉奸集团。

汪精卫汉奸集团挽救得了吗？倒行逆施，其结果只有加速自己的灭亡。陈公博自投罗网、自取灭亡的行径，实不足取。

汪精卫为了给陈公博面子，派他代表汪方和日本海军的须贺彦次郎少将，密谈关于割让海南岛给日本的问题。陈公博按汪精卫意图，可耻地使海南岛落入日本人之手。就是这次出卖海南岛的会谈为他创造了便利条件。因为上海是受日本海军支配的地区，海军当然希望和他们有交情的人来当伪市长。后来伪上海市长傅筱庵被杀后，陈公博在日本海军支持下出任上海伪市长达 4 年之久。

六、汪记“还都南京”的丑剧

高陶事件把《日支新关系调整要纲》公布于众，全国全世界一片哗然。汪精卫集团的汉奸卖国贼面目暴露无遗。

汪精卫集团只好厚着脸皮把卖国的丑剧演下去。于是，汪精卫准备粉墨登场，要“还都南京”，成立汪记傀儡政权。

搞汪记傀儡政权，靠汪党几个人物远不够，他们也要搞“统一战线”，要一批吹鼓手，要吹喇叭，抬轿子，搞得热热闹闹。于是，汪精卫费尽心机想出一个“中央政治会议”的机构，来装点门面。为尽速组织“中央政治会议”，汪精卫令周佛海等人邀请“各合法政党领袖和社会上负重望之人”，参加上海会议。被邀请的人有中国社会党创建人江亢虎、国家社会党政治委员诸青来和中国青年党第二流角色赵毓松。

此时，江亢虎已贫困潦倒，住在一间“落上落下”的阁楼上，天天找人借钱。他穷极无聊，便以社会党党魁的身份向汪精卫靠拢，其实他手下连一个党员也没有，他是以光杆司令“党魁”加入汪“和平运动”的。

另外诸青来和赵毓松投靠“汪代”，也纯粹出于投机。汪精卫每月拨给他们二三万元“活动费”，无非花钱买他们来当吹鼓手，为伪“中央政治会议”的“多党政治”装饰门面。参与其中的还有“无党派人士”杨毓珣和赵正平。杨毓珣是袁世凯的女婿，而赵正平最早当过陈英士的跟班，后来在孙传芳手下办过教育，当暨南大学校长。

汪精卫集团网罗的就是这批封建余孽、无行文人、洋场恶少、党棍政客，来拼凑他们的“中央政治会议”的班底。

组织傀儡政权在紧锣密鼓中进行。

可是，中间出了件令日、汪啼笑皆非的恶作剧，使汪精卫集团“还都南京”的锣鼓敲响了许久，而丑剧迟迟不见开场。

正当汪精卫兴冲冲准备上台当汪代主席之际，日方向汪精卫叫停。

原来，日方认为与蒋介石方面接洽所谈的条件已有头绪。因此，日方主张汪精卫组府日期延迟。

汪精卫听了，犹如日本人当头给他一桶凉水。如果日方与蒋介石谈判成功，势必让他与蒋介石共同组府。这样，不就是日本人又把他汪精卫回卖给蒋介石了吗?

汪精卫悲哀至极：

日本人根本没有把他汪主席放在眼里。他不过只是日本人呼来唤去的一只狗罢了。不需要时，就随时可以抛弃。

原来，从1940年3月初开始，日本人背着汪精卫加紧了所谓“桐工作”。“桐工作”就是要跟重庆的蒋介石直接谈判。日本兴亚院政务部长铃木卓尔奉命赴香港任机关长，与重庆方面自称宋子文的弟弟宋子良等三人谈判。双方在香港举行圆桌预备会议，讨论和平条件。重庆方面的“代表”原则上同意了由日本方面起草的备忘录。但他们坚持“和平”的先决条件是应恢复七七事变前的状态，又不愿在“备忘录”上签字，仅仅保证

火速回重庆向蒋介石报告，暂在内部努力做到承认这一“备忘录”。

因此，日方认为“桐工作”计划已有头绪。

但那个自称宋子良的人，实际上是个冒牌货，真实身份是军统特工曾广。特工曾广无非是为了捣乱一下日方的部署而故意玩了一记恶作剧，如此而已。日本人久久地期盼曾广这个假宋子良能给回个话，却不知所终。

同时，汪方的陈公博、周佛海也在等司徒雷登与蒋联系的回音。

汪内部的周佛海是个朝三暮四的人。1938 年底，他逃到香港时，曾与戴笠、杜月笙联系，周佛海向戴笠表示：

“此次离职欲劝汪勿趋极端，并无其他。”

周佛海到上海后，派段祺瑞之侄段运凯通过杜月笙、陈果夫等各种渠道，去重庆向蒋介石传话。北平燕京大学校长司徒雷登也到上海找周佛海。周佛海、陈公博与司徒雷登见了面。司徒雷登说：

“中国军事的力量薄弱，不足与日本相敌，如果能在这时求得合理的‘和平’，就是中国之福。你们现在不宜组织政府，以免公开暴露内部分裂。”

陈公博、周佛海表示赞同。双方详细讨论了“全国和平”有关事项，但司徒雷登走后，杳无音讯。

这两下折腾，使汪精卫的好梦迟迟没能做成。

日本人发觉被军统特务耍了，知道与蒋介石的谈判没有希望，不得不把注意力又转到汪精卫身上。于是，日本人通知汪精卫，同意他们在 4 月 1 日组成政府。

汪精卫闻言大喜。找来周佛海，要他即作准备。

周佛海听了，思忖一下，却说：

“4 月 1 日？这日子不好，不吉利！”

汪精卫吃了一惊：

“怎么不吉利？”

周佛海慢悠悠地道：

“4 月 1 日是外国人的‘愚人节’，选择这样的一个日子组府，显然有嘲弄的意味！”

汪精卫顿时满面通红，知道遭到愚弄，但敢怒不敢言。他与日本派遣军司令西尾寿造左说右说，日本人才同意把日子定在3月30日。

3月20日，汪精卫到南京主持伪中央政治会议。参加会议的有汪记国民党头目11人、北平王克敏的“临时政府”和南京梁鸿志的“维新政府”代表各5人、所谓的“合法”政党领袖及社会贤达8人。会议通过了伪中央政府的机构和长官人选，同时组织“中央政治委员会”，作为“全国最高之指导机关”。

1940年3月30日，汪精卫的“国民政府还都”丑剧开场，伪政府在南京粉墨登场。汪伪国民政府设在战前考试院的旧址。

南京闹市区大批日本军人荷枪实弹，恐怖的气氛笼罩着整个城市。汪精卫伪国民政府的一班人马，在国府大礼堂内恭恭敬敬地等待日本主子的到来。西尾寿造、板垣带领着一大群随从姗姗而来。于是“国民政府还都典礼”丑剧上演。汪精卫宣布蒋介石的重庆政府为“非法”。

粉墨登场的汉奸文武官员是：

伪国民政府代理主席、行政院长兼海军部长汪精卫，立法院长兼政训部长陈公博，司法院长温宗尧，监察院长梁鸿志，考试院长王揖唐，

1940年3月30日，汪精卫伪政府在南京成立。

内政部长陈群，外交部长褚民谊，财政部长兼警政部长周佛海，军政部代部长鲍文樾，司法行政部长李圣五，教育部长赵正平，工商部长梅思平，铁道部长傅式说，宣传部长林柏生，农矿部长赵毓松，社会部长丁默邨，交通部长诸青来，赈务委员长岑德广，边疆委员长罗君强，行政院秘书长陈春圃，铨叙部长江亢虎，参谋本部代部长杨揆一，苏浙皖三省绥靖军总司令兼军事参议院长任援道，开封绥靖主任刘郁芬，武汉绥靖主任叶逢，华北绥靖军总司令齐燮元，华北政务委员会委员长王克敏等。

汪精卫自己任伪国民政府代理主席，说主席还是由重庆的林森来当。

当天晚上，汉奸“拿摩温”汪精卫发表对日广播讲话，信誓旦旦：

“经过深心反省之后，痛下决心，将过去容共抗日之政策彻底放弃，重新确立和平反共建国之政策。”

第二号汉奸头目陈公博也发表广播：

“要认识中日今后是患难的朋友。”

主子和走狗之间算朋友关系吗？

汪精卫等宣誓就职后，日本政府并不给任何面子，沉默不予承认。

汪、陈、周汉奸三酋急了。

他们慌忙通过各种渠道向日方提出，要求日本方面必须派出常驻大使，以给汪政权一点面子，但日本不予理睬。

原来日本参谋本部的代表此时还在努力争取与“重庆政府代表”进行“和平谈判”。

铃木公开对美国记者说：

“蒋介石是中国唯一最杰出的人物，我们必须通过他去做工作。”

在南京城里，发生了日本兵殴打市民的事。原来，汪精卫集团要市民挂起猪尾巴“国旗”，不少市民故意倒悬以示蔑视，这激怒了日本侵略军。日军士兵以此为攻击目标，殴打倒悬旗住户，还派人向汪精卫提出抗议。汪急忙派梅思平到日军司令部低声下气地道歉。

日本控制了汪精卫的伪政府。根据日汪密约，在汪伪国民政府内设有“最高军事顾问部”和“最高经济顾问部”，它具有至高无上的权力，是汪伪政府的“太上皇”。而伪政府各部也分别由日本顾问控制，日本顾问的权力比伪官员大得多。汪伪政府中大小官员都唯日本顾问马首是

汪伪政府迫使南京市民参加的“国府还都”大游行

瞻，一举一动都得看他们的眼色行事，汪精卫一伙成了任人摆布的傀儡。

不过，即使是这样，日本人还不太把汪精卫一伙当一回事。能否得到日本主子的承认，继续让汪集团纠结了半年多。

正当汪集团忧心重重地担心是否失宠于日本主子之际，从重庆方面来了一个人。对这个人的到来，汪集团通过喉舌大肆宣传，似乎可以用来为自己壮胆鼓士气。

来的是什么人？

七、对唐生明的通缉令

1940 年 10 月 4 日，南京伪中央政治委员会举行会议时，汪精卫以伪中央政治委员会主席身份，交议了大批新任命人员名单，其中第十四项

便是拟特任唐生明为军事委员会委员。会议通过的决议是：

通过，送“国民政府”任命。

南京国民党汉奸组织也有一个“中央社”，当唐生明到达南京时，立即发布一篇新闻，标题是“唐生明将军来京参加和平运动”，内容如下：

> 国民政府改组还都以来，革命军人，谙识体治，深明大义者，纷纷来京报到，积极参加和平运动，顷悉唐生明将军业已来京。唐将军系唐生智之胞弟，毕业于黄埔军官学校，中日战争发生后，任长沙警备司令，长沙大火之前调任常桃警备司令以迄于今。因鉴于无底抗战之非计，乃毅然离去，不避艰难，间关来京。汪主席于接见之余，至为欣慰，且深致嘉许，已决定提请中央政治会议，畀以军事委员会委员要席，俾得展其抱负云。

唐生明在南京停留了一个短暂时期便回到了上海，因为他从香港到上海后，大汉奸叶蓬便把在法租界金神父路24号一座花园洋房让给了他，周佛海还送他一辆漂亮的小汽车，这些正是他所追求的。

与此同时，重庆方面作出坚决的回应。

从1940年10月10日到19日连续在重庆的《中央日报》等大报第一版最醒目的地方，用特大号字刊出“唐生智启事”，全文如下：

> 四弟生明，平日生活行为常多失检，虽告诫谆谆，而听之藐藐。不意近日突然离湘，潜赴南京，昨据敌人广播，已任伪组织军事委员会委员，殊深痛恨！除呈请政府免官严缉外，特此登报声明，从此脱离兄弟关系。此启。

紧接着，重庆国民政府也对唐生明叛国投敌发出一通通缉令。

这里有几个人的关系可以略加提示。

唐生明与周佛海是湖南老乡，估计在周佛海叛变前，唐生明与周佛海便颇有来往。唐生明下水后，很可能被周佛海拉为自己人。周佛海为壮大自己的山头，往往采用拉帮结派的方式扩大自己的队伍，拉同乡就是一种手段，比如拉罗君强、丁默邨等就是利用同乡关系。唐生明是现役中将，而投靠汪伪的军事人才甚少，唐生明一定是汪精卫和周佛海的争夺对象。

唐生明与大汉奸叶蓬之间又有一番特殊关系，叶蓬是他的"妹夫"，当然不是亲妹妹的丈夫，但算是其母亲干女儿的丈夫。别看妹夫也是"干"的，但有时"干妹夫"比亲的更有用。这叶蓬与唐生智、唐生明兄弟关系本就十分密切。抗战前，叶蓬当过武汉警备司令。当时，他练兵时把日本人画成枪靶子，作为士兵练习时射击之用，以增加士兵对日寇的仇恨。这引起日本人抗议，要求惩办他。蒋介石把他调职，以后又受陈诚排挤。叶蓬认为自己因抗日而弄得到处碰壁，后来决定当汉奸。这理由够荒唐，但也确有那种可能。叶蓬先当汪伪政府的陆军部部长，以后为伪湖北省省长。叶蓬到此地步，最后被严处，也就在所难免。

唐生明是唐生智之胞弟，排行第四。对比唐生智公开登报的声明中已讲明，并宣布从此脱离兄弟关系了。

唐生明于1906年10月10日出生于湖南东安县芦洪司白木町。1924年春入湖南陆军讲武学堂。1926年4月入广州黄埔军校第四期，同年10月毕业。1926年3月，随唐生智投靠广东革命军，参加北伐战争，10月在国民革命军第四集团军中任警卫二团团长。1927年9月，毛泽东在湖南发动秋收起义，缺乏武器弹药，唐生明率一个连从汉口坐火车到浏阳文家市，送给起义部队"汉阳造"步枪三百多支、子弹近万发。唐生明1930年任第四集团军第8军副军长、代理军长。1931年任军事参议院中将参议。1932年，他入中央陆军大学，1935年秋毕业。抗日战争初期，任长沙警备司令部副司令、代理司令。1938年春调离长沙，与常德、桃源警备司令酆悌对调。结果酆悌因长沙大火而被老蒋下令枪决，而唐生明幸免于难。

唐生明此来，究竟怎么回事？我们走着瞧吧。

唐生明从湖南到南京、上海半年后，有一个人走了相反方向，他从上海、南京去了汉口。这个人不是别人，他叫熊剑东。前面在营救熊剑东那一节说到他夫妇俩的故事，知道中统对熊剑东的营救没起作用。1941年7月，被日本宪兵队扣押一年多的熊剑东，屈服附伪。从上海去湖北，出任伪黄卫军总司令。此时，汪精卫并没有得到湖北的伪政权，

湖北的伪军称“黄卫军”而不是汪精卫的“和平军”就是例证。

熊剑东附伪，有几种说法。

有人为他辨解说，他是得到军统的营救，附伪是一种变通手法。

有人说周佛海因母亲和岳父被戴笠拉到贵州息烽扣为人质，军统也已派特务程克祥到周佛海身边，并在周佛海官邸安了直通军统总部的电台，也容不得周佛海开口“送客”了。也就是说，周佛海同军统接上了关系。周佛海保释熊剑东出狱正是一种改变立场的实际行动。

还一种说法。据说上海日本宪兵队特高课的冈村原与熊剑东是日本军校的同窗，熊剑东被扣押期间，其实并未吃苦。日本人唯一条件是要熊剑东表示“支持和平运动”。此时，日本人战线太长，力不从心，也想利用国民党的军人，与重庆军方和军统特务暗通款曲，只是得不到合适的对象，熊剑东虽说地位一般，但也算是个司令级的，有控制地释放他，属于试试看的意思。这次冈村被调到汉口特高课，熊剑东也到湖北，其实也是日本宪兵队的意见而不是汪伪的主张。事实上，“黄卫军”是一支直属日军汉口特高课的傀儡军。

但不管怎么说，当了附属日伪的“黄卫军”总司令，那就是汉奸职务。熊剑东本质上也是当过汉奸的了，这结论不因以后的解释而改变。

于是，熊剑东从上海来到湖北，在汉口日军特高课的安排下出任伪军总司令兼军长。熊剑东以下，副军长刘国钧，参谋长李果谌，参谋处长邹平凡，军需处长邵右军，副官处长罗涤瑕，政训处长张履鳌，军法室主任谌筱周。伪总司令部驻汉口仁厚里。下辖第一团(团长刘东成)、第二团(团长王翔龙)、第三团(团长黄士英)、混战团(团长朱云章)和补充营、突击队。伪黄卫军作战部队大都驻在汉阳与汉川、沔阳，受日军汉口特高课直接指挥，其装备、给养概由日军供给。

这位伪军参谋长李果谌，他是原军统武汉区区长。不久前，军统武汉区被日本宪兵队破坏，含区长李果谌在内，大批特工被捕。李果谌屈服投敌，出任伪黄卫军参谋长。没多久，伪司令熊剑东借机杀了李果谌，邹平凡取而代之，当了参谋长。当初这李果谌投敌，无非是贪生怕死，可结果仍是一死。倘若，李果谌不投降而死于日本宪兵队之手，怎么说也是为国而死，身后多少有个好名声。可如今死在熊剑东手下，算什么名堂？总不能不让人说：

当汉奸没好下场！

也可能，尽管熊剑东自己当了伪司令，依然看着叛变的军统同僚不顺眼。但不排除另一种可能，除掉李果谌正是军统的意图。

隔年，熊剑东出任汪伪的军事委员会委员。他到原来的游击基地苏南地区招募旧部，扩大山头，也的确招来了不少人马。

八、“天马”号覆灭记

到了1940年11月中旬，日本政府与重庆和谈的梦想彻底破灭了，于是天皇召开御前会议，决定公开承认汪精卫的伪国民政府。对此，汪精卫先生无比激动：

终于被主子正式承认了！

汪精卫决定自命为伪国民政府主席。

接着，德国、意大利以及它们的仆从国罗马尼亚、西班牙、匈牙利、保加利亚、捷克斯洛伐克、丹麦等也相继承认了汪伪政府。中国近代史上最大的傀儡政权终于在日本国的刺刀下建立起来。

日伪准备于11月20日举行“还都典礼”以宣布汪伪政府正式开张。同时还举行“日满华共同宣言”签字仪式，并广邀在上海等待的德、意、日等“轴心国贵宾”以及日本军官和特务到南京参加庆贺。

可就在庆典的前一天，沪宁铁路发生了日本专列“天马”号车毁人亡的重大事件。

1940年11月19日上午9点，日本“天马”号专列沿沪宁铁路开到苏州城外跨塘桥附近的李王庙时，发生剧烈爆炸，全车被炸毁。接着是一阵来自四面八方的猛烈枪声。这枪声，一是来自四周的攻击；二是从倾覆的车辆残骸中没死的日军的负隅顽抗。看来，进攻方枪击的目的是为了消灭从破车厢中挣扎出来企图逃命的人员，同时还可能是想冲进现场扩大战果，哪怕是查清死者的身份或搜集部分文件和机密材料。

显然，日本“天马”号专列是受到了抗日游击队的伏击。出事地点

日军"天马号"专列被炸毁现场。日本《每日新闻》记者福井毅摄。

苏州城外跨塘桥离苏州火车站不到两公里，全副武装的日军救援部队乘车很快赶到现场，与游击队发生激烈交火，枪战中双方互有伤亡。

增援日军不惜代价向游击队反击，日军显然不愿意让游击队冲进被炸车现场，担心死人和伤员被劫走或遭补杀，更不愿意被游击队俘获车上的活人及其他机密。

从火力的强度及子弹的射程判断，这批进行伏击的游击队用的只是短枪而无重武器，估计是由特工组成的，他们的火力远远不及日军的长枪小炮。游击战士詹宗象与薛尧当场战死。日军从他们身上查到"苏浙行动委员会"的身份证件。日军也从死者手边发现他们使用的是驳壳枪。由于苏浙行动委员会主要装备的武器正是杜月笙捐献的5000支驳壳枪，因而可确定这游击队是一支以军统特务为主的忠义救国军。

战场牺牲的詹宗象与薛尧原先埋伏在茂密的树林之中，负责按动电钮引爆炸药。他俩完成了炸车任务，战果可观，此时撤退就是重大胜利。他们原本可以在同伴的枪声掩护下突围脱险。但詹宗象和薛尧离现场最近，他们胆子也挺大，还想到近前看个究竟，检查一下战果，或是想第一个冲进现场。于是他们又穿出树林向现场接近，结果不幸被日军发现，受到密集扫射，两人同时中弹身亡。

游击队方面虽然在日军的猛烈火力下付出了几人伤亡的代价，也没有机会清理战场以扩大战果。但游击队还是成功摆脱日军围追而脱逃，并取得丰硕的战果。

据事后核实，11 月 19 日这日本专列"天马"号满载着来自上海的日本国军政头目和汪伪官员特务及轴心国的"贵宾"，还有随车的卫队。当场被炸死的日伪人员计有大佐 2 人，内阁专员 2 人，情报员多人，共计 175 人。他们还没走完总车程的 1/4。

事先，上海的军统特工得到的情报是：汪伪政府邀请大批轴心国家的驻沪外交使节、日军高级军官参加11月20日的“庆典”，他们在11月19日由日本专列“天马”号送往南京。重庆的最高特务当局接电后当即决定，要把这列专车炸掉，给汪精卫一次迎头打击。

爆炸专列的任务，由地下上海忠义救国军人员配合军统苏州站联合执行。他们派出警卫，掩护爆破队，乘夜色潜伏到苏州城外京沪铁路线上的李王庙，将炸药埋藏在跨塘桥附近的铁轨中间，引线长达300米，一直通到一处茂密的树林之中。指定由詹宗象与薛尧负责监视以便及时按动电钮炸车。

埋设炸药的地点李王庙距苏州火车站仅两公里。估计游击队事前选择伏击点遇到麻烦：沪宁铁路沿线，处处有日军巡逻队，而苏州火车站前后两公里之内，则更是由车站驻军严密防卫，很难有机会接近铁路放置炸药，即使放置了炸药，也很容易被日军查获。可是，他们马上发现，恰是日军重点防卫的铁路线上有“灯下黑”的地点，那就是距苏州火车站仅两公里李王庙的跨塘桥。那桥是日军铁道巡逻队与车站守卫队的分界处，巡逻队一路“平安无事”，看看已到警戒森严的苏州站防区，自然放下心，少走几步路，转身回去。而车站警卫也看着区内没什么事，向前看两眼就回头。于是，双方不用上桥过桥，放置在铁路跨塘桥上的炸药，就一直没有被日军的两边巡逻队发现。

于是19日上午9点钟，当“天马号”专车风驰电掣般驶来时，詹、薛两位急忙将电钮按下，一声天崩地裂的巨响，发生了炸车的一幕。

据说日军事后经过周密侦查取证，查实这次袭击“天马号”的游击队指挥员，是一位名叫孟少光的少尉军官，甚至弄到了他的照片。凭此估计，本次参与伏击的战斗人员有数十人的规模。此战的稳、准、狠，堪称杰作。

这孟少尉大概是牺牲了。倘若不牺牲，后来又将如何？

姑且留作悬案吧。“人肉”得太彻底了，往往令人失去感觉。相反，作为悬案，就在我们心中留下更多的光明与自豪，而更少的惆怅与叹息。

本被日汪作为“巨大喜庆”的和谐之日，变成倭寇与汉奸的哭丧之日。

魑魅魍魉们鬼哭狼号，乱成一片。胡兰成却乘机提出动议，让汪精卫乘机从周佛海手中夺取对李士群76号的控制权。

因“高陶事件”及这次“天马”号炸车事件，汪精卫对杜月笙恨之入骨。汪精卫乘机拉拢李士群，要把他和76号置于自己的控制之下，并借李士群护送陈璧君南下广东之际，要李士群到广州指挥特务，派遣凶手到香港去解决杜月笙。然而杜月笙早有细作得到情报，严密防范，刺客没有下手的机会。

但是，汪精卫仍不甘心，他再派人去香港警署，借口有人密告杜月笙是“流氓”，要把他驱逐出境。

军统香港区区长王新衡首先侦得消息，通知杜月笙。但是杜月笙不肯相信，他付之以淡然一笑，反过来安慰王新衡说：

“不会有这种事情的，新衡兄，你放心好了。”

然而，没过几天，柯士甸道杜公馆和告罗士打的房间，居然有警署的人跑来说是奉命搜查。这一下，杜月笙才知事态严重，于是他便去找王新衡商量。

王新衡建议，既然汪精卫如此捣乱，还不如主动把事体闹到香港总督那边去，以正本清源，彻底消除汪精卫的阴谋诡计。

这时，原上海特别市市长俞鸿钧正任中央信托局局长，住在香港。而俞鸿钧和港督私交很深，俞鸿钧在担任上海市长时期就招待过香港总督。

王新衡建议杜月笙找俞鸿钧说说去。

结果，俞鸿钧以非正式的国民政府代表身份，向港督送上一份备忘录，说明杜月笙是中国的高级官员、社会领袖。他是国民政府正式委派的赈济委员会常务委员，又是中国红十字会副会长，此外还兼任国家银行局交通银行的常务董事，以及国家资本占50%以上的中国通商银行董事长。备忘录指出港警搜查中国官员的住宅及其办公会客的地点，完全是非法而无礼的行动。

港督接到了俞鸿钧的备忘录后，当即表示道歉，同时保证此后不会再有类似的事情发生。一桩公案就此了结。

此时，沪苏浙各地日占区不断受到抗日武装的蚕食，日伪基层政权

汪精卫与日本“大使”阿部信行会谈

岌岌可危，日寇企图策划进行“清乡”活动以挽救败局。“天马号”事件发生，也正是日本人发动“清乡”的一个诱因。于是影佐祯昭把 76 号头目李士群和 76 号的日军顾问中岛信一召至台北，商议配合“清乡”事宜。李士群和 76 号对香港杜月笙的骚扰因此暂告一段落。

这次“天马”号列车爆炸事件，给了汪集团最严厉的警告。他们把“喜事”办成了丧事。

不过，正义的警告并没有让日伪的阴谋就此止步。十天后，他们又继续施展危害中国的罪行。

11 月 30 日，阿部信行同汪精卫正式签订了“日本与中华民国关于基本关系的条约”及附属秘密协约；汪精卫又同阿部信行、伪满洲国皇帝溥仪的代表臧式毅签订了“日满华共同宣言”。

这所谓的“日本与中华民国关于基本关系的条约及附属秘密协约”就是被高陶提前向世界公布的卖国条约。而这所谓的“日满华共同宣言”，其全文如下：

日满华共同宣言

1940 年 11 月 30 日

大日本帝国政府

满洲帝国政府及

中华民国国民政府

希望三国互相尊重其原来的特质，在东亚建设以道义为基础的新秩序的共同理想下，互为善邻，紧密合作，以形成东亚永久和平之轴心，并以此为核心，对整个世界和平作出贡献，发表宣言如下：

一、日本国、满洲国及中华民国互相尊重其主权和领土。

二、日本国、满洲国及中华民国为了实现三国间以互惠为基础的一般合作，尤其是善邻友好、共同防共、经济合作，在各方面采取必要的一切手段。

三、日本国、满洲国及中华民国，根据本宣言的宗旨，迅速签订协定。

昭和十五年十一月三十日　即康德七年十一月三十日　中华民国二十九年十一月三十日于南京签订

显然，日本企图把分裂中国、独占东北、长期用军队控制中国的阴谋变成为国际事实。而汪集团公开承认伪满洲国，公开“尊重”日本占领中国的事实，同时，他们自己情愿接受日本太上皇的奴役和支配。

汪精卫的汉奸终于彻底当到家了。

第九章　怒杀张啸林

一、被破获的军统电台

自从1939年陈恭澍到上海恢复军统上海区以来，上海有组织地对日本侵略军及汉奸实施的反击是有效的。但抗日地下力量方面面临的压力依然十分巨大：

第一，虽然由于汪精卫集团迁到南京，刺汪的计划不再由上海区担当主角，但上海方面还有几个必除的目标没有实现，最主要的两个汉奸是傅筱庵和张啸林。而针对这两个目标，尽管做了多次努力，一直未能实现。

第二，面对日伪及76号咄咄逼人的攻势，抗日地下力量付出了巨大的牺牲。在恶劣的环境下，如何消灭敌人又保存自己的有生力量，是重大问题。

抗日地下力量的牺牲，固然是因为处在敌后环境，敌方占据了各方面的优势所致，但也有相当的因素是特工机构自身的问题而引起的。

在上海沦陷区从事的地下战是秘密战争，秘密战争最忌讳的就是特工个人了解太多的内部机构信息。因为，每个特工随时有落入敌手的可能，而敌方是绝不会放弃每一次获得秘密消息的机会。一个特工的失足，就总对己方机构造成直接损失。

但陈恭澍为了协调一致对敌，便于互相支援，部分放松了特工专用的单线垂直联系的保密要求，而增加了区内军统特务成员彼此之间横向联系的渠道。或许还为了保证财政廉洁，陈恭澍甚至让军统上海区的账房簿记留下特工人员的一些记录，这就埋下了军统上海区最后崩溃的伏笔。更重要的是，国际战争形势的变化，比如，法国被法西斯德国占领

后上海法租界的屏蔽能力的衰落所带来的危险性。

其实，有些弊端，一开头就暴露了。一个不是非常重要的军统特务吴道绅，接连向 76 号出卖了情报，给军统上海区造成严重的损失。

说这军统特务吴道绅不是重要人物，主要是在汪伪特务头子汪曼云、马啸天等人后来的回忆里提到他的信息太简单，不知吴道绅是从何而来，最终到何处去。我们至今也没能查到更多有关他的信息。没有关于吴道绅变节前后在双方的身份地位的材料，只能说明其身份并不重要。

吴道绅在 1939 年底出卖的两件情报：

其一是直属军统，设在法租界台司德郎路的秘密电台和电台的有关人员李恃平和陈家栋。

其二是有个叫陈三才的人是军统情报员，这份情报不但使汪伪特务幸免于一场大爆炸的灭顶之灾，而且反过来造成军统人员的暴露。

当时的秘密电台对特务机构来说，是至关重要的，直属军统总部的电台更是如此。照理除了当地最高特工负责人和电台本身工作人员外，其他人是不该知道总部电台的。吴道绅怎么准确地知道了？而且吴道绅又如何知道另一个与电台毫无关系的陈三才是军统特工的？

虽然疑问不少，但被吴道绅出卖的人和事，却是完全真实的。这两案的办案时间也是完全可以确定的。

这两个案子都交由 76 号第二处处长马啸天主办，第一处处长万里浪和电务处处长晋辉参与协办。从这里可看得出，办这两个案子时间是 1939 年 12 月底到 1940 年 6 月之间。因为 76 号的电务处成立时间是 1939 年 11 月，晋辉当处长。万里浪当第一处处长时间是 1939 年陈明楚、谭文治前后两任处长在几天内先后被暗杀后的事。陈明楚死于平安夜，接替他的谭文治几天后又被军统毙杀，这才轮到万里浪当处长。这样可推算，万里浪当处长的时间是 1940 年 1 月。而 1940 年 6 月，马啸天调南京而不再当 76 号第二处处长。所以这三个人同时为处长的时间就是那半年之内。还由于 20 世纪 30 年代，人们依然把春节当作一年交替的起算点，所以即使是公历 1940 年 1 、2 月的事件也记成是 1939 年底，这点，我们阅读时要加以注意。由此，说吴道绅在 1939 年底到 1940 年上半年间同时出卖这两份情报，是不该有多少问题的。

我们先谈谈上海军统电台被破案的过程。

军统特务李恃平，他的公开身份是南京政府首都宪兵司令部上海宪兵分队队长。八一三上海沦陷后，李恃平受派遣潜伏上海。他隐藏了公开的身份，在法租界的台司德郎路落户安家，并在家里设了一个秘密电台，与重庆沟通。李恃平手下有谍报员陈家栋，专门负责具体事务。估计，原本这是直属于重庆军统总部的电台。除军统上海区最高成员外，一般不知道，除非上海区出了重大事故。所以 1938 年设于法租界的军统上海区被破，连区长周伟龙和骨干刘方雄等全部落网时，同在法租界的这个电台却安然无恙。1939 年 7 月中旬，军统上海区 14 个据点又遭受大搜查时，它也没有被波及。

76 号得到吴道绅提供的李恃平的住址及有关电台的线索，李士群就批示特工总部第二处处长马啸天办理。因为牵涉到电台的事，马啸天就约电务处处长晋辉来协商。当时，这电台属于“一级高新技术”，76 号自然是花大本钱，设立了电务处，架设电台，上与日本主子请示汇报，下与各分支特务机构联络。有日本主子撑腰，76 号搞起来自然顺当，1939 年 11 月正式成立电务处，随后就派上了用场。

还要说明，这台司德郎路就是如今华山路以东的广元路。那时，华山路是华界与法租界的分界线，台司德郎路全线在华山路以东属于法租界，而与之相对的西段是属于华界的虹桥路。上世纪 90 年代虹桥路扩路改道，进入徐家汇与肇家浜路相接，而把本与广元路相连的那段老虹桥路改名为广元西路。这里讲的台司德郎路，不含广元西路在内。

由于电台设在法租界内，76 号对此还是慎重从事，决定先由晋辉派人在台司德郎路李恃平住所的附近，租赁房子，专门暗中收集李与重庆往来的电讯，并研究他的通讯内容。结果证实，来往的的确是特务情报。马啸天于是向李士群作了汇报。李士群即下令马啸天实施抓捕。

当然，到租界去抓人必须避免惊动租界当局，只能秘密绑架。好在台司德郎路本身不长，而且与界外的虹桥路直通。马啸天遂派第三科科长陈中芳，率领股长耿剑清，会同第一特务大队长吴世宝派的三个便衣行动员及一个日本便衣宪兵，驾车由虹桥路直接驶进法租界，出其不意地将李恃平、陈家栋一并架进汽车，送到 76 号。晋辉派人接管了李恃平住所和电台，搜出电报密码，并派专人保管，仍以原来的周波呼号与重庆联络。

李恃平、陈家栋进76号，经李士群、马啸天审讯，表示愿意投降76号。于是，李恃平被委为“特工总部专员”，由马啸天的第二处“监督工作”。陈家栋则为76号电务处的电务员。他们两个人，仍回台司德郎路原住所，继续用李恃平名义与重庆联络，并由第二处与电务处各派一人从旁监督。至于他们被抓的情况，对重庆当然是不许泄露的。估计76号的第二处与电务处的两个特派员不算高手，他们的半年“从旁监督”李恃平，只起到半年的“从中掩护”的作用。李恃平、陈家栋依然按重庆总部的指示办事。

1940年6、7月间，原任第二处处长马啸天，提升出任伪南京警政部政治警察署署长兼76号南京区长。此时伪南京警政部部长是周佛海而次长是李士群兼任。于是胡钧鹤接替马啸天任76号第二处处长。胡钧鹤这人先叛党而后叛国，其心理状态的复杂与反常是旁人难以置信的。他接管特工第二处，就怀疑李恃平、陈家栋二人。果然不出所料，经侦察，他发觉李恃平、陈家栋二人表面虽为76号做“工作”，暗中与重庆仍维持着原来的关系。76号想利用他们，他们却反而顺水推舟利用了76号，把知道的76号内部事务报给了重庆总部。估计是重庆总部换了密码，而76号的电报密码也落入军统总部。

在这一局特务斗法中，76号吃了大亏，惨遭大败。都讥笑说人家是“偷鸡不成反蚀一把米”，李士群这次是“偷鸡不成，反被割去了一只耳”。

李士群恼羞成怒，便叫第一处处长兼行动总队第四行动大队长万里浪，派人把李恃平、陈家栋这两人绑赴沪西中山路的屠人场，一起枪杀了。

军统电台被汪伪破获而招致的牺牲，李恃平、陈家栋不是唯一的例子。第二年，南京又发生一起军统电台被破获而招致重大损失的案子。76号方面参与破案的依然是马啸天和晋辉，行凶杀人的仍旧是万里浪。

邵明贤是军统特务，与大汉奸梅思平是温州“小同乡”。抗战前，梅思平当江宁实验县县长时，邵明贤是其手下的科长。1940年邵就凭着这种关系到南京找梅思平，谋得伪首都警察厅督察长的职务。

邵明贤住在南京明瓦廊6号，他在家里设置了一个秘密电台。后来

76号发觉重要线索，查清邵明贤是军统人员，而且还是军统南京区区长。还从线索查出76号的机要处处长兼人事科科长钱新民，原来也是军统的上海特派员。

于是，李士群大惊，一面命令扣押钱新民，一面电知76号南京区长马啸天，要他就近办理。马啸天便会同特工总部南京无线电侦察总台台长晋辉，派人在明瓦廊邵明贤的住所隔壁租了幢房屋，专事窃取邵与重庆方面的电讯，查出军统局本部的指示，要邵明贤在伪中央纪念周或大宴会时，伺机刺杀汪精卫及其他重要傀儡。

马啸天即请示李士群，李复电立即逮捕邵明贤。同时被捕的还有军统南京区的总务科长王林生，王林生兼任电台的收发报员。

邵明贤与王林生被捕后，即被关押在南京宁海路25号特工总部南京区看守所，经南京区司法科侦行科严讯后，都一一招认。

邵明贤的电台遂由晋辉接管，住房被马啸天没收，改为伪“黄埔同学会”。

由于76号的第一处处长万里浪接手办理钱新民的案子，而钱新民矢口否认自己的军统潜伏身份。万里浪一时得不到口供。于是万里浪把王林生要到了上海。既然王林生录有口供，万里浪就要王林生与钱新民当堂对质。钱新民没法，只好承认。

于是李士群兴高采烈，把邵明贤、钱新民两案的经过，及口供笔录，签报给了汪精卫。汪精卫看到又是图谋刺杀自己的特务，毫不迟疑地签下“批准枪决”的批示。

邵明贤于1941年7月，被马啸天以警政部政治警察署名义，枪毙于南京雨花台。

钱新民于同年10月，由李士群叫万里浪派人枪杀于上海中山北路那撮小丛林里。

这里讲了76号连着破坏了两起军统秘密电台的事件。后面还会讲到军统也拿76号无线电电台的电讯专家开刀的事。可见，“二战”时期无线电电台是深受交战各方重视的焦点。

前面讲军统李恃平、陈家栋的电台被日伪破获的事，就发生在广元路上。广元路正在交通大学的门口。但是，1937年11月后，交通大学校园被日军占领，交大一部分设法迁到重庆办学，另一部分按蒋介石的指示，就沿着广元路退入法租界继续办学。学生毕业后一律由抗日政府统一分配到为抗日服务的前线或大后方机构，特别是无线电（当时中国唯有交大有涉及无线电的专业）、航空和土木工程三个专业的学生。土木工程系毕业生到西南从事机场建设和滇缅公路建设，航空专业则由航空委员会集训后统一安排，无线电专业更是由重庆军统包下。学生毕业后离开租界的孤岛去抗日战争前线或后方，都得经历长途跋涉。通常的途径是从上海乘船到广东或越南，然后设法穿过战场，进入大西南。有时，途中经过三五个月的“长征”。

延安八路军总部也特别重视吸引交大这批学电信的学生。1938 年就有孙俊人、孙有余、周建南三人经八路军武汉办事处动员，不去重庆的军统总部而到了延安。后来还有罗沛霖也去了延安。而王安留在湘桂从事抗日动员活动后去了英美留学。后来证明，孙俊人、孙有余、周建南、罗沛霖和王安这五位没去军统报到的都走对了路。王安后来创办著名的美国王安电脑公司，孙俊人、孙有余、周建南、罗沛霖都是延安八路军总部负责电信工作或组建生产无线电收发报机工厂的要人。新中国成立后他们成为中国机械工业部和电子工业部的主要领导人。1938 年入伍的孙俊人是开国将军兼工程院院士，他是国防部第十院院长和西北军事电讯工程学院创办人。周建南是原机械工业部部长，中央委员和中顾委委员。罗沛霖是电子部科技负责人和中国科学院、工程院双院士。孙有余是原一机部副部长和中央驻北师大的“文革”工作组组长，也是唯一敢拒绝“中央文革”要他检讨路线错误，拒不向造反派头头谭厚兰等人屈服的“工作组”组长。

由于当局的留心，1938 年以后陷于“孤岛”的交大电信新毕业生没有被汪伪拉下水的。

被吴道绅出卖而导致军统直属上海电台被破获，电台工作人员遇害的情况就说到这里。

二、北极冰箱公司和它的老板陈三才

因吴道绅的出卖，还导致北极冰箱公司经理陈三才被捕以及潜伏在76号内部的军统特务诸亚鹏暴露。

北极冰箱公司经理陈三才与诸亚鹏的案子扑朔迷离，至今各方说法依然存在不一致之处，其中有许多疑问。

陈三才是清华学堂派遣留学美国的“海归”，他在上海开办了北极冰箱公司。陈三才爱国，他痛恨汪伪卖国集团并配合军统从事锄奸工作并为之而献身。但他被捕到牺牲的许多细节却依然不清。

从汪曼云、马啸天等人后来写的材料来看，事情是这样的：

上海静安寺路慕尔鸣路（今茂名北路）口，有一幢富有东方色彩，中国宫殿式的建筑物，它是北极冰箱公司所在地，这是一家专门推销国外冷藏设备的机构，也经营电子管等部件的进口业务。这个公司的经理叫陈三才，是军统活动的支持者。76号根据吴道绅的密报，认定陈三才不仅是军统在上海的情报负责人，而且负责军统与公共租界捕房方面的联络。同时，也认定这个北极冰箱公司，也是军统的主要联络站。

李士群便把它批交给第二处处长马啸天去办理。

马即派他的副处长魏曙东会同第二科长姚筠伯、第三科长陈中芳，派人侦察。姚筠伯原在公共租界做过翻译，关于陈三才与捕房外国人的联系，由他调查，至于军统人员间的往来，则由陈中芳派人负责侦察，进行行动上的配合。

他们不仅查获了陈三才与军统往来的文件，还发觉陈三才与军统打入76号任第二处专员的诸亚鹏已接上了关系。诸亚鹏原系军统青岛站的特工，由于王天木的叛变，天津和青岛军统也全部叛变。王天木替汪伪76号处理好军统青岛站的事以后，诸亚鹏跟随王天木到上海投入76号。

第二处处长马啸天立即找诸亚鹏“谈话”。诸一看苗头不对，不但承认与陈三才的关系，还供出陈三才已交给他一部分炸药，运进了76号，并已埋放在76号与74号之间的一条小沟边的泥地里。因为还有一部分

炸药尚未运入，所以尚未装上雷管。按原定计划，一旦把 74 号的炸药装上雷管引信，就立即把 76 号的主要部分全炸掉，以一网打尽 76 号的所有汉奸特务。

马啸天一听惊出一身大汗，即派人随同他到上述地点，把埋着的炸药掘出，并马上向李士群作了汇报。

李士群一听更是惊讶不已，所幸的是事前破案。于是称赞诸亚鹏做事漂亮，表示只要诸亚鹏立具悔过书，仍可在原处察看“工作”。

李士群马上命令第一处处长万里浪会同驻 76 号的日本便衣宪兵，化装进入租界将陈三才绑架到 76 号。

经过抽皮鞭、灌辣椒水、坐老虎凳、上电刑等酷刑，陈三才负伤甚重，只好一一招认。76 号的特务又在北极冰箱公司的一只大冰箱里，抄出了一挺穿甲机枪。

陈三才怕再度受刑，便供认说，他知道汪精卫出入都是坐的防弹汽车，他准备在汪精卫出来时，用这挺机枪把汪打死。

李士群便把那个藏枪的大冰箱，作为“罪证”，叫人搬到了自己的家里。那支穿甲机枪，送给驻在 76 号的日本宪兵小队长准尉涩谷。另外还在陈三才的家里，搜出一根暗藏手枪的手杖，李士群把这拐杖手枪据为己有，虽然从来没有使用的机会。

陈三才在 76 号被关了一年多，直到 1941 年春，此时汪精卫“还都”南京已一年了。陈三才的家属，才辗转找到了褚民谊的门路。褚民谊受人钱财，要与人消灾。一天，他到颐和路 34 号去见汪精卫，见左右没有人，便向汪谈起了陈三才的事，请汪精卫网开一面，予以开释。

褚民谊满以为陈三才已关了一年多，以自己与汪的关系，汪精卫这点面子是会赏的。不料汪精卫听了褚民谊的话，大发雷霆，用无名指指着褚民谊说：

“重行（按：褚民谊字重行），你是不是要杀我？”

褚民谊闻言，一时目瞪口呆。

汪精卫见其愚钝，便说下去：

“陈三才是来杀我的，你却来替他讲情，不等于你也要来杀我是什么？”

汪精卫在激动之下，就从许多文件里把李士群给周佛海的关于陈三才的那份报告拣了出来，便在上面批了“着即枪决”四个字。当由李士群仍饬第一处万里浪派人将陈三才押赴中山北路那撮小丛林里枪毙。1941年时，经常行刑杀人的林之江已离开76号了，所以常由万里浪代替林之江行刑。

陈三才的家属，走尽门路、动足脑筋才请托了褚民谊，此后，便天天在等陈三才的归来，不意却是这样一个结局，真是做梦都没想到的。

另有陈觉吾与陆庆二人系重庆方面打入汪伪机构的人员，也是一年前被捕。关押一年了，家属请求赦免释放，案卷也到了汪精卫跟前。据说陈、陆原本尚不至死，只是由于褚民谊受了贿，为陈三才的案子去向汪精卫说情，没想到反而引起了汪的极大激动。汪精卫在盛怒之下，也在陈觉吾、陆庆两人的案卷上，批了“一并枪决”几个字。于当天上午将陈、陆二人，由政治警署奉汪精卫的命令，在雨花台枪决了。

褚民谊的一言，竟送掉了三条性命。而陈、陆二人，可说是受池鱼之殃了。

以上是76号罪犯事后回忆出来的情况。

但也有其他说法。

比如故乡昆山锦溪镇的陈三才烈士纪念馆就提供了另一份材料，陈三才母校清华大学的宣传材料也参照了这份材料。

该材料同样讲到陈三才从清华留美，海归经营北极冰箱公司，说到陈三才参加军统行动，因炸76号的计划失败而被捕。

但发现了一些更具体生动的内容。材料中提到：

陈三才把目标直接锁定在汪精卫身上。他不惜重金买通一个叫伊万诺夫的俄国人。他们打算，当汪精卫因肝病要到一家日本医院（北四川路福民医院）内施行手术时，就由这个白俄人再去买通一个能与汪接近的白俄女护士，伺机向汪下毒。当时，双方言明：先交费一部分；待汪入院时，再付一部分；事成后重赏付清。这一刺杀汪精卫的办法，陈三才谋划良久，从获取情报到物色下毒人员，都经过周密策划，且不吝财帛，重金笼络，只求达到锄奸报国之心愿。不料，汪精卫十分狡诈奸猾，突然改变就诊场所，致使陈三才的计划流产。可恶的是，那个俄国佬竟一

再要挟，漫天要价，当骗得巨款后，还昧着良心向日伪告密，又去向76号讨赏，出卖了陈三才。

陈三才不幸于1940年7月9日上午，在上海大西路美丽园（今延安西路）附近，被潜伏已久的特务，连车带人关进了杀人魔窟76号内。在狱中特务们对他施以种种酷刑，抽皮鞭、灌辣椒水、坐老虎凳、上电刑等，无所不用其极。陈三才虽身负重伤，但坚贞不屈。7月17日，陈三才被押往南京，汪精卫亲自提审，逼供同谋，并许诺说出指使者，封他外交部长之职，均遭陈三才严词拒绝。汪无计可施，最后答应只需一纸悔过，即可开释。

陈三才破口大骂：

“汝辈汉奸丧尽天良，出卖祖国、出卖民族，人人皆得而诛之，全国同胞皆吾同谋之人也！今唯求速死而已。”

陈三才在狱中时，上海清华同学会、大厦大学理学院院长邵家麟、上海联合广告公司经理陆梅僧等人竭力营救，甚至连周佛海、李士群等人亦认为，陈三才是自发性谋刺行为，且在国内外又是颇具声望的实业家，而非政界人物或特工人员，既然谋杀未遂，可不致定死罪。但汪精卫早已铁了心，杀人早已红了眼，对行刺他的人，决不宽恕手软，于是当即批字“着即枪决”。

陈三才便成了刺汪行动中的又一个牺牲者，于1940年10月2日下午2时在南京雨花台从容就义，年仅39岁。

陈三才就义后，遗体由亲属和生前友好从南京移至上海殡仪馆，后来安葬在静安公墓。消息传到大后方，1942年2月1日，由张一麐、黄炎培、吴国祯、陈立夫、顾毓琇等41位知名人士发起的“陈三才烈士追悼会”，在重庆夫子新池新运模范区忠义堂举行。

蒋介石亲书“烈并常山”的题词表示褒奖。

民主人士黄炎培在重庆报纸上发表了一首诗《陈三才》，将他比作在秦廷上的蔺相如和在博浪沙用大铁椎刺秦皇的勇士：

> 大义感奋冠发冲，一击不中毁全功。……呜呼！汉贼不两立，敌我不两容。……民纪廿九秋涉冬，雨花台血翻天红。呜呼！杀贼

不成兮，君当为鬼雄！

两种不同来源的材料对该事件的记述略有差异，但关键处相同。

一是埋炸药，想炸毁 76 号的说法相同。

二是购置穿甲机枪，那枪可用来伏击汪精卫的说法相同。

不同之处是一些细节：

第一处是陈三才就义的时间地点，76 号方面说是 1941 年春天，由 76 号一处枪杀于上海中山北路小树林。而纪念馆方面认为陈三才于 1940 年 10 月 2 日下午 2 时在南京雨花台从容就义。遗体由亲属和生前友好从南京移至上海殡仪馆，后来安葬在静安公墓。

第二处不同在于，究竟是伊万诺夫这个俄国人出卖陈三才呢，还是吴道绅出卖陈三才?

第三处是汪精卫是否亲审和封官许愿之类。

细节虽也重要，但由于提供材料的双方处于不对称状态，陈三才家属处于受蒙蔽欺骗的环境中，被害方往往得到的信息都可能是被隐瞒和扭曲的，甚至所谓“遗体”是真是假也可怀疑。但陈三才被害确实千真万确，不论是在南京还是在上海，也不论是 1940 年 10 月还是 1941 年春天。

还有一处疑问是，陈三才的炸药如何能瞒过 76 号的汪伪特务，而运到与 76 号隔壁的极司非而路 74 号的? 76 号的周边地带，是汪伪 76 号特务集中居住处，同样警戒森严。

要为这些不清楚之处提供个想象和评估的余地，我们可以先说说 20 世纪二三十年代的“冰箱”。

前面说过，20 世纪二三十年代的冰箱是个高端奢侈品，而且不是 70 年代日本和德国推出的那种便携式家用冰箱。估计当年，除上海之外，整个东亚甚少有冰箱进入家庭的。而用电冰箱的，绝大多数是宾馆、酒店的餐厅、冷饮和冰淇淋店。上海的家庭冰箱只限于租界的高级公寓里才有。比如建于 1928 年的法租界培文公寓（Beard Apartments）就有。笔者住过的一公寓也在原法租界，也配有家用冰箱。不过，那些冰箱不是独立式的“便携”冰箱，而是采用“集中供冷”式的。每户每楼层的冰箱用管线连通到底层动力房内的公用冰箱压缩机组。就像如今的中央空

调那样运作：压缩的制冷剂氟利昂经公共管线通往各家各户，经过冷交换后的氟利昂回收到动力房。每户的冰箱有上下两个重叠放置的大箱体，又厚又笨，估计箱壁是充填了石棉之类的隔热保温材料，冰箱门靠铰链和门闩与箱体实现密封。外露的门闩和卡口十分厚实，粗厚的门铰链也非常显目。冰箱发生的电费及人工管理费，由物业公司向各户摊派。

所以，不能拿世界经济突飞猛进的20世纪70年代的制造工艺水平去衡量二三十年代的冰箱。二三十年代的高科技产品的制造工艺还是比较粗糙的。别说是冰箱，据说“二战”时期航母也是采用木制甲板，日本还有木制飞机。

从1950年以后，上海居民的家用冰箱就不曾制过冷。因为那些年要节约用电，还因为反浪费、反奢侈、反资本主义生活方式。哪怕你是超级资本家或高官，公寓里的家用冰箱只能用来堆放杂物，而无法用来冷藏食物。

那时的冰箱其实是“老鼠公寓”，废旧的冰箱管道是鼠们穿家过户的便捷安全“高速公路”。尽管如此，家用冰箱毕竟是一种自己家曾经“阔”过的象征，能保留就尽量保留。到了20世纪80年代，日本产、德国产冰箱和国产冰箱相继进入市民家庭，上海的老式冰箱才经各区房管科的批准，陆续拆除。

这样一来，我们可以想象陈三才的北极冰箱公司就该是个混合机构：既是国外销售代理商，一家进口公司，还是一家安装公司。

这样就好理解，为什么陈三才居然能把炸药运到极司非而路74号并埋到76号的墙根。当时极司非而路76号正是特工魔窟，极司非而路74号等处的居民全被特务驱逐，那儿变成76号特工的居家。陈三才能把炸药运进的原因很简单：

76号的特务们一步登天，想过神仙日子，要安装电冰箱。

前面说过，这冰箱不像如今的冰箱送货上门就好用，还得安装！

这样，送货上门要由陈三才的北极冰箱公司负责，破墙打洞安装冰箱也得陈三才的北极冰箱公司来施工，还要选择动力房来安放压缩机组及埋设管线，管线沿76号墙根通行。于是，军统特务分子冒充施工队，在施工中把炸药当水泥运进极司非而路74号，然后埋在76号墙根。这一过程，只要买通76号的监工特务诸亚鹏即可。巧的是这特务诸亚鹏本就是军统特务，是军统里的高科技人才和无线电爱好者，跟随王天木到76号的。因1939年底王天木被押送南京，诸亚鹏或许受牵涉而不被重用，没能进76号晋辉主管的电务处。冰箱安装工程也是高科技工程，“赋闲”的他当了“76号冰箱工程”的监工，管管北极冰箱公司派来的“农民工”施工队，也正是专业对口。而这些“农民工”正是过去军统的师兄弟，诸亚鹏被军统买回去，配合“农民工”埋炸药。

这样一来，把炸药埋到76号墙根的问题得到解答。

同样，陈三才进口穿甲机枪及手杖手枪的事，也容易得到答案。上海沦陷后，重庆抗日政府无法使用上海口岸从事进出口业务，于是戴笠看上了这家民营的北极冰箱公司。北极冰箱公司是外商代理人，有民间进出口业务，可以瞒过租界当局和日本占领军，替军统“走私”军用装备。

所以，这被汪伪76号搜查出来的特种枪支，应该是北极冰箱公司混杂在冰箱附件管材中为军统进口的。同时，戴笠也一定通过北极冰箱公司进口一些电台用的电子管等重要电子零配件。这些电子管和电子零配件也是军统地下电台的必需品。变节特务吴道绅出卖军统直属上海地下电台的同时，一定是从电子管和电子零配件的来源，连带向76号告发了陈三才的北极冰箱公司。

至于陈三才承认自己用穿甲机枪试图伏击汪精卫这事，估计伪政府警政部的正副部长周佛海和李士群也不信。杀手通常是受过训练的二十几岁特工或老奸巨猾的高级特工。养尊处优且生活富裕的陈三才都快40岁了，平常并不少上麻将台和赌场，却从来没有受过军训，说他是军统杀手，要亲自伏击枪杀汪精卫，简直是笑话。

周佛海和李士群明知那只是皮鞭老虎凳逼出来的口供。他们也猜测陈三才宁可自己承担后果也不会承认自己为军统进口军品。再说，1940年，汪精卫早就到南京履职了，这是谁都知道的事实。陈三才怎可能在上海刺杀南京的汪精卫呢？即使是在1939年5月到1940年春，汪也大多数时间在日本，或在北京、南京、青岛等处与各地汉奸讨价还价。那期间，诸多老牌军统特务在上海刺汪落空，其主要原因也是汪极少有时间出现在上海。

所以，军统不可能安排不谙此道的富商陈三才当杀手去刺杀汪精卫。

还有，通过白俄伊万诺夫去找白俄护士毒死汪精卫的事，当作饭后闲谈犹可，太相信就没必要。1939年5月，汪精卫从越南河内初到上海，就躲在日本船上多日不敢上岸。为什么？还不因为他胆小怕死，不敢见人？他哪有胆量去接触面目不清的白俄医生或护士？后来他上岸了，就被日本兵围在虹口重光堂不让与外人来往。这日本人怎肯让自己医院里的白俄护士去接触汪精卫？如果汪精卫真的住院，一定是处于日本男女特务的团团包围之中。哪怕是日本医生，也一定是日本特务出身的医生。再说，那半年的汪精卫是“废寝忘食”，时刻为组建伪党伪政府而奔波国内外，不太有住院作手术治疗的时间。

汪精卫从愚园路1136弄到76号开他的伪六中全会，区区一公里左右的路程，还怕中间遇刺。为此，汪精卫提前一天进76号推迟一天离开76号，让卫兵挤在门外走廊上，自己委屈地躺在李士群的床上睡。他杯弓蛇影，胆小异常，更不敢面对刺客。所以他也不会提“外交部长”的话与刺客作交易。须知，就在这时候，“劳苦功高”的“和平运动”开路先锋高宗武就因为嫌“外交部次长”官太小，而回投老蒋，狠狠扎了汪伪集团一刀。

所以对比有关陈三才事件的不同叙述，分析议论一下，可以肯定大部分，而排除小部分。陈三才是个爱国的企业家，是烈士，也是英雄，值得我们永远纪念，但不要把他简单化为一个军统杀手。他因爱国而支持军统，但不该想象成军统编制之内的成员。

陈三才遇害的事，也就基本弄清楚了。

三、林怀部怒杀张啸林

第五章曾讲到于松乔刺杀张啸林失败的事。于松乔不但没杀成张啸林，反而把自己也暴露了。张啸林认出了他。当时，我们无奈地认为：张啸林气数未尽。

陈恭澍也策划过刺杀张啸林，同样痛失良机。现在，我们就把张啸林的事集中起来叙述一下。因为按日程算，此时他的气数该到尽头了。

上海滩三大亨黄金荣、张啸林和杜月笙是无人不知的人物。抗日兴起，这三人发生严重分化。

八一三战败，蒋介石在西撤前，担心这些人被日本人拉拢利用，落入敌方阵营，曾多次交代戴笠等人动员杜月笙、黄金荣、张啸林一起离开上海到内地。结果，杜月笙因坚持抗日的立场，怕日军进驻上海后对自己不利，就转道香港。

黄金荣以年老体弱为借口，不肯离沪，但以同样的借口回绝日本人的拉拢。这汉奸当不得，黄金荣估计还有点头脑。

可这张啸林就是另类了。

杜月笙临走前受蒋介石的委托曾警告过张啸林，叫他不要与日本人合作。但张啸林官迷心窍，就是不听。相反，看到杜月笙去香港，张啸林认为正是自己独霸上海的良机，故不肯离沪。

1937 年 11 月，日军攻占上海后，很快看中了张啸林在上海的势力，要拉张啸林落水来替日本人维持局面。日军驻上海派遣军司令官松井石根很快便与张啸林勾结上了，双方达成了协议。张啸林本是个毫无国家民族观念的帮会流氓，于是一拍即合，欣欣然当起了汉奸，并建立了一个“新亚和平促进会”的汉奸组织，他自当会长。

他原本自视颇高，想要日本给个伪上海市长或伪浙江省长当当，可日本人却不以为然。虽然日本人的态度不称他的心，但给日本人当汉奸的“热情”却丝毫不减。

他派人去外地为日军收购粮食、棉花、煤炭、药品，强行压价甚至武装劫夺，为日军提供大量的战略物资，乘机大发国难财。张啸林实际上干起了资敌亡国的罪恶勾当。他还趁此机会招兵买马，广收门徒，扩展实力。

张啸林的投敌活动，引起了国民党的极大不安。蒋介石指示正在武汉的军统局长戴笠对张啸林予以制裁。

戴笠接到训令后，就要组织实施。

他深知张啸林的势力遍布上海各个方面，在租界内更有一股恶势力。如果张啸林和日军结合在一起，“孤岛”租界就会很快被汉奸势力把持，

军统在上海的处境就会很艰难，甚至会被完全挤出租界，后果不堪设想。但如何采取措施，戴笠马上想起了杜月笙。

黄金荣、张啸林、杜月笙这三者关系根深蒂固，对张啸林采取制裁措施，不能不考虑到杜月笙。不过，戴笠也明白：这件事没有杜月笙的理解和支持是不行的。

戴笠既要让杜月笙暗中认可自己的行动，又要让社会上认为，发生在张啸林身上的事，只与军统有关而与杜月笙无关。

1938 年 5 月，蒋介石在汉口召集国民党各省市负责人谈话会，戴笠代发通知电邀杜月笙到汉口参加。

谈话会的间隙，戴笠宴请杜月笙和上海市党部负责人吴开先、陶百川，让杜月笙的心腹弟子、上海市党部委员陆京士、汪曼云作陪。注意，此时汪曼云还没有投敌，他是 1939 年才先后与李士群、丁默邨和周佛海勾结上的。

酒席上，戴笠与客人先是东南西北随便谈了一阵闲话。饭后，原来属于上海市党部的头面人物吴开先、陶百川先后告退。席间只剩下戴笠与杜月笙、陆京士、汪曼云三人继续对斟。

戴笠看看正是时机，于是单刀直入地挑出话题：

“杜先生，大帅（按：张啸林）是不是转不过身来？”

杜月笙回话谨慎：

“这也谈不到转不过身来与否，我想或许还是由于我们相隔较远，传闻失实吧？”

杜的语气重在替张作辩解。

戴笠听了这话，站起身，双手在胸前打了个八字，唔几声。他在室内的地板上兜了两个小圈子，又突然用双手拍拍杜月笙的肩胛：

“杜先生，你要大义灭亲！”

陆京士、汪曼云见此情景，神经也紧张起来。

杜月笙似乎很激动：

“我的人绝不杀他。”

杜的话已讲到端头，无退让的余地。戴笠一时不好相强，但心中却认为已达到了目的。于是把话题转了方向，直接对从上海沦陷区赶到汉口来开会的汪曼云说：

“曼云兄，你回上海对他们说，要再是这样搞下去，别说我要他的脑袋。”

汪曼云只是唯唯诺诺。

在归途的汽车里，杜月笙对陆京士、汪曼云两个人流露心思说：

“听雨农今天的话，我替隔壁很担心事哩！”

应该说，戴笠最了解杜月笙的为人。他素知杜月笙一再宣传的“三碗面”理论，而“三碗面”中的“人情面”堪称是杜大官人的特色菜点。这种靠“帮”吃饭打天下的帮会人物，把“义”标榜为第一信念。这义，就要讲究重视人情面子、讲究江湖名声，义是用来要维护帮规门风的核心信念。所以戴笠要处置张啸林，不与杜月笙私下秘密讨论，却要在杜的弟子学生在场的情况下公开宣布，让杜月笙表示不赞成。这次戴笠利用陆京士、汪曼云等人在场可作证的场合公开议论，将来传闻出去，就可以说杀张啸林全是戴笠的主张，与杜月笙无关。

其实，张啸林在上海的一举一动，杜月笙在香港十分关注。从杜月笙角度看，黄老板已经老朽昏庸，在上海难成气候，唯张啸林野心勃勃，大有取而代之之势。而且杜月笙在上海的势力，张啸林是一清二楚的。假使一旦张啸林翻脸勾结日本人联手对付自己的话，杜月笙将受到严重威胁。但杜月笙与张啸林又是结拜兄弟，如果将来江湖上一旦传出张啸林之死与己有关的话，那又将引起非议。这点正是杜月笙十分忌讳的。

上海滩落水闻人张啸林

反正，今天宴会上，戴笠把话挑明，杜月笙也为张啸林辩护过了。今后发生的事，杜月笙自不容他人非议。

此后，军统安排过两次对张啸林的伏击，都被逃脱。

1939 年，张啸林在福熙路（今延安路）逃过于松乔的伏击。

陈恭澍到上海后，又奉命组织了对张

啸林的截杀。

1940年初夏，陈恭澍在蒲石路（今长乐路）张啸林外出汽车的常经之地设下埋伏，等张啸林汽车开到时数枪齐发，一阵狂射，但张啸林汽车狂闯脱险，子弹没有伤着张啸林。

张啸林公馆在华格臬路214号，就是后来的宁海西路180号，与宁海西路184号的老杜公馆相邻。如今这一带已成片拆除为城市绿化地，180号和184号的张公馆和老杜公馆不复存在。张啸林深居简出待在自家公馆里，雇用武装保镖多达28人，此外还向日本人要来了一个宪兵班，大门口安排内外双岗，凡有人来访，未经他同意一律不得入内，偶尔外出也是前呼后拥。

对此，军统方面一筹莫展。

但意外的是，1940年8月15日《申报》等沪上大小报纸，刊登了张啸林的死讯：

> 昨华格臬路血案，张啸林遭枪杀，凶手即张保镖。定16日下午3时在寓所入殓……

1940年8月14日这天，三声枪响，惊动了上海。横行大半辈子的流氓张啸林在贴身保镖的骂声中吃枪子而亡。死前，他听得明明白白，保镖林怀部骂他为汉奸，随即射来子弹。

这天下午2时许，华格臬路214号张公馆，张啸林正在二楼与他在杭州的心腹门生、时任杭州码头工务局局长的吴静观密谈，突然楼下的天井里传来一阵喧哗。脾气暴躁的张啸林勃然大怒，他跑出屋子，趴在二楼栏杆上破口大骂……

原来是张啸林新选拔的保镖林怀部与司机王文亮（阿四）争吵。阿四当时正好在院子里擦车，林怀部特地挨上前找话头，他对阿四说：

“我家里有点事，你能不能帮我到楼上和老板说一声，让我请假休息几天。”

阿四说：

“这可能不大好，老板的规矩你又不是不知道，他在会客的时候，是不允许我们去打扰的。”

林怀部故意话中带刺地嚷着：

“你平时不是很神气吗？还是张先生的贴身心腹呢！现在看来，还不是和我一样，原来你是吹牛啊！”

那阿四听到这样的话自尊心大挫，把手中揩布一丢，捋袖握拳：

“忘恩负义的臭瘪三，敢再说一句？”

殊不料林怀部的声音更响：

“侬才是臭瘪三，老子怕你不成？不识相要你好看！”

两人便在院子里对骂起来。

这张大帅哪容得下人如此放肆？特别是在他的学生吴静观面前。

他走到栏杆前，朝下怒吼：

“吵你妈的 × 啊，烦死人了，不想干就替老子滚。老子多叫一个东洋兵来，用不着你了。”

林怀部斜目瞟了一眼：

“是的，老子还真不想干了，又哪能？！”

张啸林气极：

“你他妈的别不识抬举，阿四，帮我把他的枪卸掉，让他滚。”

司机阿四便上来搜林怀部的枪。

林怀部大声回话：

“不用你赶，我自己走。”

一边说着，一边从腰间拔出了手枪，像是要主动交给阿四。

张大帅还骂咧咧的，似乎还不解气。

林怀部高声喝道：

“你骂什么骂的？”

突然回手，把就要放到阿四手里的枪抽回向上一指：

“我林怀部今天要为民除害，打死你这个汉奸。”

话音未了，“砰”的一声，一颗子弹向楼上射去。

骂声戛然而止。随之是扑通一声，一具庞大的身躯砰然倒地。

林怀部开枪后，没有往外跑，相反，他快步奔到二楼，踢了倒在地下的张啸林一脚，看到满地的血，原来子弹从张啸林张开的嘴巴里射进

后从后脑勺穿出，这张啸林张大帅已一命呜呼了。

林怀部听到房间内的电话声，立即推开房门对准正在打电话报警的吴静观连开两枪，吴静观倒地身亡。林怀部确信张啸林已死，飞步下楼，准备逃离张宅。

此时天井里已挤满了保镖。接到电话报警的法租界巡捕房的安南巡捕赶到，包围了张公馆。

林怀部到楼梯口，几个保镖喊着：

“这事不关我们，你林怀部是好汉，好汉一人做事一人当……”

众人跟着围了过来，但没有人拔枪。张啸林另一保镖刘德元拦腰要抱住林怀部，林怀部把手枪套在手指上转了一圈，然后潇洒地一扔，高声说：

“不劳各位动手，大丈夫一人做事一人当。”

保镖们全部住手，齐齐刷刷地看着林怀部下楼梯来，走向安南巡捕，伸手让巡捕套上手铐，带走。

这年，林怀部正是而立之年。

在张家女人一片号哭声中，张大帅和吴静观的死尸被抬放到天井里。

隔壁 184 号杜公馆管家万墨林匆忙赶来，跑到天井里，看着张啸林的尸体发了一阵呆。杜家女眷们也围进院子，“张伯伯”长“张伯伯”短地号个不停。

两小时后，香港的杜月笙收到万墨林的电报，军统香港区区长王新衡此时也正巧在他家里。杜大官人对王新衡惊叹：

“没想到张大帅今天落到这么个下场！”

据说，林怀部原系上海法租界一名华人巡捕，其父亲曾经在北洋军队里服役。后因枪法好，由阿四推荐，充任张啸林保镖。

林怀部去法租界巡捕房后，自供说，因为每月只有 20 元工资，难以维持生活，原本就心情不好。加上当天请假不获准，又遭到张啸林的辱骂，因而出于气愤开枪打死了张啸林。

林怀部坚持杀人是一时被骂而意气用事，而非事先预谋，更无谋杀抢劫财产或其他的目的。林怀部更不承认与重庆国民党方面有任何联系。巡捕房一时无法以故意杀人来指控。加上此时法国政府与日本政府的对立，法租界也不同意将林怀部引渡给日伪。

法租界巡捕房最后将“林怀部刺张案”定为泄愤报复的刑事案，向法院起诉。上海特区第二法庭判了林怀部有期徒刑 15 年。

此时上海特区法庭的主审法官是由抗日当局委派的。前文提到的郑苹如老爸，就是该庭的检察官。

起初，林怀部被关在租界监狱中，日本人过问不了，而华捕敬他是英雄，开头没吃什么苦。

但太平洋战争爆发以后，日本人接收了监狱，情况就大不相同了。林怀部受尽折磨，尤其是他那双手，那双出枪奇快又百发百中的手，受尽摧残。

林怀部的寡母哭瞎了双眼，妻子替人帮佣谋生，抚养一家老小。

1945 年抗战胜利后，林怀部出狱，他被整整关押了四年。此时，他儿子快十岁了，因家庭贫困，没能上过一天学。

就林怀部的结局有三种说法：

1. 新中国成立后，林怀部进入上海市房管局下属的一个房管所工作，一直到年迈退休。

2. 非常落魄，也就是帮人家打打零工，有时候看家护院，做做保镖，然后就不知所终了。

3. 老死于上海劳教农场——苏北大丰农场。

林怀部究竟是什么人？

陈恭澍否认林怀部是军统杀手。陈恭澍在他写的回忆录《无名英雄》中，还再三表示：

这件事肯定不是军统干的。

林怀部是奉杜月笙的命令下的手？也不是。

杜月笙和万墨林都从来不承认这事与他们有关，林怀部自己也从来不曾承认。事后林怀部一家人生活艰难，并没有得到军统方面或帮会方面的暗中接济。

但以下是铁的事实。

他开枪前严正声明：

“我林怀部今天要为民除害，打死你这个汉奸。”

汉奸张啸林没有逃过正义的惩罚。林怀部是平凡的中国人，不论其行动是否出自正义的动机，他都代表中国人行使了正义。

四、汉奸市长傅筱庵的下场

张啸林死后不久，另一个迟迟没有走完汉奸历程的傅筱庵，也到了末日。

前面已经讲到，军统少将特务戴星炳和吴赓恕曾经与第二任伪上海市长傅筱庵秘密商约，引出汪精卫然后加以清除。但傅筱庵两面三刀，他一边信誓旦旦，要除国贼，可一转身又马上向76号特务出卖戴星炳，最终戴星炳惨遭日伪特务残害。这事激怒了蒋介石，他下令军统头目戴笠一定拿傅筱庵偿命。

主持上海军统的陈恭澍不敢怠慢，将这一任务交给第二行动大队执行。行动大队组织了几次行动，但都是仓促下手，未获成功。

作为上海伪市长的傅筱庵得到日本宪兵的特别保护，要对他下手的确不易。傅筱庵躲过几次刺杀后，也感到脊背骨阵阵发凉。他把家搬到虹口公园边的斯高塔路26弄2号(按：即虹口公园东面的祥德路)，因那一带是日本势力的大本营，驻有大量的日本军警。驻沪的日本海军陆战队大本营也在附近，军统游击分子在那边对他下手难度非常大。傅筱庵住宅周围也加强了警卫，几十名警备队员分层警戒，日夜巡逻，确保他蜗在家中不会出任何安全问题。傅筱庵外出时是数辆装甲（防弹）轿车同行，前呼后拥，有十余名白俄保镖形影不离。

刺杀傅筱庵的行动屡屡受挫。

于是，军统行动组派人到傅筱庵住家附近监视观察。

经过反复侦察、策划，都觉得由行动组的特工在傅筱庵住宅直接下手相当困难，于是决定从策反傅筱庵身边的人入手，要从内部打开缺口。

而着手策反和搞“打进去，拉出来”这方面的高手，非杜公馆的人莫属。这方面，杜月笙门下食客个个是行家里手。

于是，军统要借力于杜公馆。

如果说，搞掉张啸林，杜月笙表现得有些扭捏作态，而对做掉傅筱庵这事，他毫不含糊。为什么？因为傅筱庵与杜月笙不但没有门派的情谊，反而是路窄的冤家。当然，更因傅筱庵当的是伪市长，是货真价实的大汉奸。

傅筱庵与杜月笙在生意场还曾结下梁子。事情是这样的：

前面说过，傅筱庵因盛宣怀的关系，当上了中国通商银行的大班。1925 年还当了上海总商会会长，可是当北伐军抵达上海前，傅筱庵因公开支持孙传芳，而被蒋介石通缉，于是逃到青岛，依附日本人。后来经人疏通，蒋介石取消对他的通缉，傅筱庵才重回上海，当了中国通商银行总经理。可是这时候中国通商银行已挤满了青帮的势力，杜月笙当上了董事长。今非昔比，这是民国的天下。傅筱庵不得不对蒋介石低声下气，不得不对杜月笙应付奉承。于是，杜月笙的中汇银行开张时，傅筱庵存入 6 万元款子，作为捧场。投桃报李，杜月笙也把傅筱庵的儿子傅品圭拉入中汇，当了副经理。

上海一沦陷，杜月笙逃往香港。日本人一来，傅筱庵自然是熟门熟路，当了汉奸，当起“上海大道市政府市长”。于是财势双全，他想乘机夺取杜月笙的中汇银行控制权。为此目的，当他从儿子傅品圭那儿得知中汇银行银根奇紧、库存无几时，便乘人之危，准备一下子提出 6 万存款，要逼中汇银行倒闭。后来靠张啸林等几个头面人物从中斡旋，中汇银行才得以渡过难关。说起这事来，张啸林还是从“义气”出发帮了杜月笙一把。

杜月笙自得悉傅筱庵要提款逼倒中汇的消息后，十分气愤，便要管家万墨林与自己的表弟朱文德共同谋杀傅筱庵。朱文德正就是中汇银行总经理。

对于军统的主动求助，杜公馆管家万墨林毫不迟疑，亲自出面活动。

1940 年的秋天，万墨林终于找到一个机会。有一天，万墨林回华格臬路 184 号杜公馆时，看到门房里老头与一个大汉在喝白干唠家常。“老家来人啦？”一问佣人，知道这大汉乃是伪市长傅筱庵的厨子，与公馆司间正是老乡。

原来这厨子叫朱升，1927年傅筱庵逃避到青岛、大连期间，就由他当厨师服侍。朱升不但能烧一手好菜，而且为人仗义，生性强悍刚直，对主人忠心，多年来一直跟着傅筱庵，很受傅筱庵的信赖，被称为“义仆”。

万墨林见此，突然脑袋一拍，想到要从此人身上动脑筋打开缺口。这想法得到军统方面赞同，因为他们更急于打开局面。

原本，军统为监视傅筱庵的行动，他们派了一个叫杜茂的特工在傅筱庵住宅附近开了一家酒馆。以往，朱升也来喝喝闷酒，特务们并不曾多加注意，而只把注意力集中在傅筱庵身上，自知道朱升这种身份，店主杜茂就采取主动。

但凡爱喝酒的人都知道，一个有心事的人独自喝闷酒是最没意思的，朱升也是这样。

店主人杜茂主动与朱升搭腔，俩人一来二往，就成了无话不谈的熟人。杜茂就与这位经常来这里的“老顾客”成了朋友。于是店主更对朱升殷勤款待，常备佐酒佳肴，请朱畅饮攀谈。经过几个月的交往，朱升认为酒店老板杜茂是知心朋友，要结拜为兄弟。有好几次朱升酒后失言，流露出自己对日本人的仇视，和对东家当汉奸不满的情绪。酒店老板除了表示同感，并称赞其明大义之外，并没有一本正经过分引导，而是好言相劝，要他消气。知道朱升40多岁了，还没成家，还劝他娶妻成家，养儿育女。这更加得到朱升好感，认为自己交上了杜老板这个知心朋友。同时，杜老板一番话，也果然说动了这个壮实男子汉的内心，唤醒他长期被压抑的情思，胸中激起阵阵的冲动。

得知傅家的饭司务静极思动的消息，万墨林与杜的表弟朱文德合谋，请来了一个称为蕊娣的单身女人。这蕊娣大姐也是军统特工，常年的职业生涯，她虽阅人无数，但总是逢场作戏，不遇真心人，而误了多少青春年华。此时她虽风韵犹存，但已是半老徐娘了，配帅哥或攀高官、富商喜结良缘的青春时期已不再。或许此时，结交个没有多少花路子却强壮结实，又不曾有异性经历的男子汉，组成家庭也是她的一种选择。而对于朱升这个从不曾婚配的“剩男”来说，能得到这么个女人，也是他的桃花运。

于是，经万墨林辗转设法，撮合了这对“剩男剩女”。很快，他们巧遇了。

从相知相识，到“相亲相爱”。

当然这“相亲相爱”还是大有水分的。他们原本不是志同道合的，她带着任务而来，而他则是出自本能的冲动。

对于这位被称为蕊娣的女特工来说，不论军统还是帮会，要她完成这“光荣”而“艰巨”的任务，她都必须执行，付出牺牲也是应该的。再说，她也不是没有过此类经历。

而对于朱升这样一个从未近过女色的老粗来说，一旦控制在一个要完成任务的女特务手里时，那他就不能不成为一件实现目标的工具了。当然，这目标十分正义。

就在朱升希望得到第二次时，女方后退了，说是后悔了。朱升于是山盟海誓，为了彼此好下去万死不辞。他已经无法离开一生中唯一对自己好过的女人。

于是，蕊娣大姐提出问题来了：

“傅筱庵是大汉奸，罪恶累累。你当傅筱庵家的厨子，为汉奸做事，当然算是个‘芈芈小的汉奸’。我是不能当‘小汉奸’的妻子，而要当英雄的妻子。你若不愿当‘芈芈小的汉奸’而当爱国的英雄，唯一的出路，要嘛能劝傅筱庵宣布不当汉奸，要嘛是大义灭亲为民除害。”

朱升的确恨日本人，也对傅筱庵当汉奸而不满意。他也委婉劝过东家。只是一个下人说的话，傅筱庵根本不当回事，特别是出卖戴星炳后，傅筱庵就更断了回头路。朱升不满，但为了吃一口饭，却也无可奈何。

在女特工的大力诱惑下，这个原本愿意为傅筱庵当牛做马的大菜师傅，也感觉到自己不能戴“芈芈小的汉奸”的帽子，而要为民除害，当上“大义锄奸”的英雄。这样才能赢得心爱女人的身心。

朱升觉得自己值得一搏。

酒店杜老板也适时地对朱升事后的安全作了保证，并许诺了奖励。这奖励足够两口子后半辈子的生活。

朱升决定按军统的筹划办事。

对暗杀大汉奸傅筱庵的行动，当然经过军统一番精密研究设计，而由那个女特务去向大菜师傅传达。

傅筱庵夜里喜欢独宿，包括其妻妾夜间也不能私进他的卧室。倒是

朱升有时可例外给他送夜宵点心。

由于朱升不会使用手枪以及担心枪声会惊动警卫，特工们知道朱升可以进出傅筱庵的卧室，便与朱升商定待傅筱庵熟睡后用刀将其砍杀。

当时正临“双十节”。由于傅筱庵的伪上海市政府冒充自己“正统”，所以 1940 年 10 月 10 日也作为国庆节庆祝。这天上午，就在伪市政府大楼里，伪官员开了庆祝会，下午又在广场上开了“群众联欢会”。晚上傅筱庵又和周文瑞、魏晋三等应约到法租界老东家后人盛四少爷的家赴宴。出来后傅筱庵再到 76 号和李士群、黄敬斋一起喝酒。直到 11 日凌晨 3 点才动身回家。

到虹口家中已是 4 点，傅筱庵就没有回到小妾住的后房，独自一人躺下进入了梦乡。他万万没想到的是，在盛家用的那顿饭就是最后的晚餐。傅筱庵睡熟之后，等候多时的朱升手持菜刀进入傅的卧室，借着窗外微弱的亮光，对准傅筱庵的头部连砍三刀，一在眼部，一在下颏，一在颈部，尤以颈部伤势最重，头颅几将割断。傅筱庵连喊声“饶命”都来不及就即刻毙命。完事后，朱升将菜刀往床前一扔，轻手轻脚地退回厨房，脱下衣服大鞋，洗净身上的血污，换上干净衣裤。

傅筱庵被杀后，兼任伪上海市长的陈公博。当然是日本人的授意

打点完毕后，朱升取下悬在钩子上的菜篮子，挂在自行车的扶手上，从从容容地推着车子来到大门口。时钟已敲过五点，平时这个时候，也正是他上小菜场采购鱼肉菜蔬的时间。门内的收发，门外的警卫，与往日一样，和他点头打招呼。

朱升一出大门，不远处就有酒店杜老板事先备好接应的汽车。上车后，穿街越巷，直奔西北郊嘉定南翔镇，那是预先安排好的脱身地点。蕊娣早已等候在那里，他们领到了奖金。

当天的重庆《大公报》报道说，傅案发生后“全市人民无不称快”，而日伪方面则“极为震惊惶恐”，“并令（南）京沪火车停驶”，缉拿朱升。

同年12月，因陈恭澍被捕并且投靠敌伪当了汉奸，军统局担心朱升被敌伪搜捕，于是电令掩护朱升离开上海。朱升从上海，经金华一路前往重庆。朱到重庆后，由时任重庆市公安第六分局局长的杜醇照顾他的住宿，并按月给津贴生活费。这杜醇是杜茂的本家兄弟。朱升利用奖金在重庆张家花园开了一爿小型手工卷烟厂。

1940年10月27日，日伪当局为傅筱庵举办葬礼。前来吊唁的人中，就有最后和他一起喝酒的李士群。面对这位几乎身首异处的汉奸市长，李士群不知有何感想。六天前，借酒浇愁的傅筱庵对李士群、黄敬斋哀叹：

“我这么大年纪，60多岁了，你们还年轻，30多岁，你们还要另找出路，不要死心塌地给日本人干。”

李士群显然没有听进傅筱庵的临终遗言。但傅筱庵的话，两年后，在李士群身上应验了。

傅筱庵之死又给上海乃至整个沦陷区的附逆汉奸敲了一次警钟，他们人人自危。不过，这群汉奸还不甘心，他们仍然为了汉奸的事业前仆后继。

傅筱庵被杀后，由于日本驻沪海军的推荐，陈公博兼任伪上海市长。

五、管家万墨林历险记

与张啸林之死，杜月笙心怀戚戚不一样，傅筱庵被杀，杜月笙倒认为是情理之中，他为此心情不错。而且，由于他支持上海地下抗日活动并促成高陶事件的发生，杜月笙声誉大涨。

1940年12月杜月笙在重庆活动，要以抗日救国的名义，整合海内外华人的帮会团体。

为造声势，这次集会还顺便举办捐款献机活动，一次捐献飞机20架，在重庆珊瑚坝机场举行了“献机典礼”。

正当杜大官人在重庆轰轰烈烈之际，从渝沪间的秘密电台，传来一

个坏消息，万墨林在上海金门饭店门前，遭汪伪特工总部极司非而路 76 号打手绑架，并遭遇酷刑，手段残忍。

上海来的急电还称：

> 像敌伪这么样狠地“做”他，万墨林熬不熬得过，撑不撑得住，大有疑问。

得此消息，杜月笙和戴笠大为震惊。

因为问题不单是万墨林个人的生命安全，而是万墨林实际上是重庆地下工作者在上海一地的总交通，倘使他一屈服，据实招供，中央在上海的各机构，大有一举被摧毁之可能。于是，杜月笙、戴笠得讯以后，立即电知蒋伯诚、吴开先、吴绍澍等人从速逃离住处，变更联络方式。同时，杜月笙心急如焚地匆匆返港，竭力设法营救万墨林。

万墨林是杜月笙的心腹管家，他和徐采丞又是杜月笙在上海的重要代表，这是尽人皆知的。但日伪为了争取杜月笙，很长时间内未动这两人一根毫毛。

那，万墨林是为何被抓的呢?

原来这事与上个月发生的“天马”号专列爆炸案有关。

那事件，不但日伪头目死伤累累，更使得他们在国际上声名狼藉。

爆炸消息传到南京，汪精卫大坍其台，痛心疾首，狼狈万分，暗恨抗战地下工作人员过于狠辣。日军事后侦察表明，行动的确是军统和苏浙行动委员会所为，因为从现场牺牲游击战士带的身份证件及枪支证明了这点。

加上年初杜月笙策划的高陶事件对汪伪集团的打击，旧恨新仇，气急败坏的汪精卫怎么也咽不下这口恶气。

于是，汪精卫下令李士群要从肉体上消灭杜月笙，同时打击并瓦解重庆地下工作人员在上海的活动。前面提过，由于杜月笙和王新衡有所准备，李士群在香港谋杀杜月笙的企图未能得逞。弄不到香港的杜某人，难道不能拿上海的杜公馆出气？汪伪瞄上了上海的杜公馆管家万墨林。

国民党常驻上海三位大员，中央常务委员蒋伯诚，中央组织部副部长吴开先以及三青团中央书记吴绍澍均由万墨林负责接待并提供安全保卫。三位大员也都把万墨林作为左右手，在交通、联络方面非万墨林不可。而且万墨林还是他们的银箱，每一文钱开销都得经万墨林的手。汪伪特务对此是一清二楚的，因此转而通过绑架万墨林来达到打击杜月笙的目的，成为他们的替代手段。

就在前不久，胡兰成在汪集团的机关报《中华日报》发表一份通缉名单，其中就列有万墨林的名字。李士群把绑架万墨林的差使交给了吴世宝。吴世宝早就看上了万墨林，他看到的不是别的，而是万墨林的钱，早想敲他一票。还有就是吴世宝不服万墨林：万墨林自以为有钱有势，瞧不起人，吴世宝早就有心打下他的威风。只是以往主子没放话，他们不敢贸然行动而已。

因风声紧了，汪伪要对自己动手，万墨林未免惊惶。他缩在华格臬路杜公馆，足不出户，还通过法租界巡捕房的老关系要了四名安南巡捕，带一辆铁甲车，一挺机关枪，夜以继日地守卫在杜公馆门口。

汪伪特务也知道，要闯入法租界，从戒备森严的杜公馆抓走万墨林，也绝非易事。

于是，他们便想出了一个钓鱼之计，要引万墨林上钩，让他自动走出杜公馆。钓饵便是万墨林的徒弟，此时已被76号秘密掌握。

吴绍澍此时由吴开先提名为上海市党部主任，具体负责上海的常务工作。因此，万墨林的一个名叫朱文龙的徒弟当了吴绍澍手下的一名情报员，也负责吴绍澍与万墨林之间的联系。这点，被76号侦知，并暗中对朱文龙实施收买。

这天是1940年12月21日，吴世宝指使朱文龙利用万墨林的秘密通话路线跟万墨林通电话，声称一项“极重要”的情报要转递，但自己已暴露，不能直接上门，务必请他来接走情报。

万墨林因为风声太紧，不得不谨慎小心，他推托过两次。但朱文龙仍坚持要见，万墨林吃不透到底是怎样的情报，只好在朱文龙第三次来电时答应了。第三次则先约下午4时，临时再改晚间8点，此时正是不夜城上海灯光璀璨之际。会晤地点也就是行人如织的金门大酒店前门。这时间这地点，的确适合秘密接头。

将到约定时间，万墨林戴一副茶色墨镜，坐一辆黄包车，在车上拼命低着头，把帽檐压得低低的，几乎贴着眼睛。

万墨林下车后果然看到了自己的徒弟正站在国际饭店对面向远处眺望。正当他绕行到背后，准备从后面拍朱文龙的后肩时，四名大汉一拥而上，当众反剪万墨林的双手，把他捆了一个结实。万墨林立刻面朝附近站岗的美国宪兵大呼“救命！”

美国大兵跑过来干涉。

开车的司机出示英租界开出的准予缉拿许可证。美国大兵无奈。满街的人眼睁睁看着万墨林被架上汽车，绝尘而去。

四名大汉和开车司机就是吴世宝的手下。万被辗转送到位于虹口的日本宪兵队。初审之后，又被送到极司非而路76号汪伪特工总部。

在76号汪伪特工总部，万里浪、吴世宝、佘爱珍等人对万墨林进行了审问。此时万里浪已改任76号第一处处长。

佘爱珍见到万墨林，便带着笑容嘲讽着：

“万先生，侬也来啦！”

吴世宝则不无威胁地说：

“万先生，你是高来高去的人物，我吴某人不过烂泥里面的小水蛇，不过今朝委屈你万先生到了这里，烂泥蛇也布下了天罗地网，就怕你进来容易出去难，插上翅膀也飞不动！万先生，我劝你遇事将就，不必太认真！”

其实，万墨林对杜月笙与日汪的关系相当清楚，他明白日汪目前还不至于置他于死地。只要保住杜月笙关照他不要讲出去的事情，杜先生一定有办法救他。因此，几次问下来，万墨林所说的都不符合76号特务们的口味。

于是，吴世宝命令：

“来几个人上来，把万墨林先生请下去，好好关照他一下！弗要辜负万先生的格副身胚。”

万墨林听明白，所谓“关照”，就是上刑，心里顿时紧张起来，肥胖的身体本能地缩成一团。

在刑房里，万墨林被剥光衣服，吊了起来。一桶冷水浇下去，万墨林浑身布满鸡皮疙瘩，上下牙齿格格地直打战。他先尝了吴世宝特制的那根双层阔牛皮鞭的味道，抽几下，便全身是血。吴世宝这一顿打，有人说这是吴世宝要在上海流氓地界摆摆“威势”，杜月笙家里的万二爷照样给他开过鞭，好像连杜月笙也给他打过一样。其实，吴倒并不为了这个，而是要给万来个下马威，要他识相些。所谓识相些，当然指的是铜钿。从后来的情况看，也证实了这一点。吴世宝抓万的真正目的或许正是看在钞票上。

接着，他们还请万墨林试过老虎凳滋味。万墨林开始还硬撑，但几块砖头加上去，他吃不消了。正巧看见林之江走进刑房，万墨林认得他，立刻呼救：

“哎哟，林司令，快救救我！”

这位“林司令”果然帮忙，立刻命令行刑者从老虎凳上解下万墨林，还找了两个人扶着他在花园里转了几个圈子，让万墨林活络活络筋骨，免留残疾。

对犯人如此“仁慈”，在以杀人为儿戏的林之江，恐怕是破天荒第一次。

林之江原先是军统的一个行动队长，在“忠义救国军”兼过不知是哪一级的什么“司令”。因帮会的徒众许多是“忠义救国军”的成员，所以万墨林与林之江相互熟悉。

不久，万墨林连这点皮肉之苦也免去了。万墨林老婆在外面给汪伪特工总部“老板”李士群的老婆叶吉卿送了十万块钱。叶吉卿因此放话下去：

“万墨林块头太大，只能问，不能打。打了他或许会中风的。”

叶吉卿的话，对吴世宝和佘爱珍来说，就是一贴灵药。吴世宝和佘爱珍知道，钱进账了。

杜月笙要徐采丞营救万墨林。徐采丞通过关系找到周佛海，间接晓以利害。徐采丞也很快找到了汪曼云。

76号内这批汉奸里，杜月笙的徒弟、学生也不少。但与杜月笙关系最近的特务当属伪社会部次长汪曼云。

汪于是专程由南京赶回上海到76号。汪曼云向李士群叽咕一阵，李士群表示可以帮忙，惟须稍假时日，使这件事冷下去，才能慢慢地设法。

李士群又主张把万墨林先解到南京，同时叫他们在外面不要再活动，好像没有这件事一样，否则给日本人听到了，反会坏事。其实，把万墨林先解到南京的主张，正是周佛海与徐采丞沟通后给李士群的指示，只是李士群趁机卖人情想捞外快而已。

随即，汪曼云与万墨林见面。看守沈信一退出，让他们面谈。万墨林看沈信一不在，急对汪曼云说：

“我天天在望你，吴世宝忒勿漂亮（天天盼你来，这吴世宝太不上路）！”

汪曼云：

“怎么啦？”

万回答：

“看见我闲话勿曾问，就开我一顿鞭，拿我做足输赢，这算啥个道理？（见面不问话，就揍我一顿皮鞭……）”

汪曼云：

“现在不是讲道理的时候，他们问你的时候，你怎样讲的？”

万墨林：

“他们问我两件事：一是傅筱庵；一是隔壁（按：指张啸林）的事。傅的事，我承认的；隔壁的事，我没有讲。”

汪曼云：

“那好，隔壁的事你是千万不能讲的，因为关系到‘先生’的做人问题。关于这件事，如再问你，你还要咬紧牙关，不能讲的。”

万墨林：

“这我知道了，曼兄，我自杀好不好？”

汪曼云：

“为啥？”

万墨林：

“杜先生叫人关照我的。”

汪曼云：

“这就是先生怕你把隔壁的事情说出来，使他做人不得，所以叫你自杀。现在你既然没有讲，将来也咬定不讲，又何必要自杀？再说我现在来救你，而你倒要自杀，不是在和我开玩笑吗？”

万墨林：

“此地的生活（按：刑罚）我实在吃勿消。”

这万管家过去只是打别人，从来没有被人打过。现在自己挨到了，才知道生活是不好挨的。汪宽慰他说，这个我会给你想法子的，你别愁吧！汪又把和李士群的谈话经过告诉了他，要他安心。

万墨林：

“我到了南京，吃的用的怎么办？”

汪曼云：

“这我也会替你安排的，好在你住的地方——南京宁海路25号特工总部南京区的看守所，和我的家在同一条路上，仅隔二十多家，还有什么不便的？”

万墨林这才放心了。

汪曼云离开后向李士群道谢。李士群则向汪曼云开出了万墨林的身价是20万。汪在当时既不能接受，也不好拒绝，只好唯唯诺诺，看今后如何发展再说。李又问明了汪回南京去的日期，并要汪经常来谈淡，这时反而好像李士群生怕汪曼云的鹞子断了线。

汪曼云告别李士群又去看吴世宝，遇到吴的老婆佘爱珍。她看到了汪曼云，就知道汪的来意，不待汪开口，便说：

“汪先生，万墨林看到了吧？”

汪曼云：

“见到了，我正为此事来麻烦你们。”

说着在袋里掏出了5000元钱递给佘爱珍。

可是佘爱珍无论怎样也不肯收，还说：“世宝与墨林也是朋友，墨林这里我们应该招待的。再说现在您又亲自来关照，您就放心吧，一切我负责任，这钱我绝不能收的，我收了世宝也会怪我的。”

汪曼云见佘绝不肯收，只好道谢而出，便在银楼里买了两副银台面与果盘银盆之类的东西，叫人送了去，佘才收下了。

汪曼云再度去见李士群的时候，也送了礼。

于是押运万墨林的队伍与汪曼云同车去南京。

到了南京，周佛海接见万墨林，先跟他开个玩笑，然后开门见山地说：

“万墨林，你所做的事情自己明白。76号的门进去容易出来难，使你释放很不简单。我此刻是买杜先生的面子，只要关节打通，我自会放你。我说话算数，你也要向我提出保证，从今以后莫再到处托人，增加我的困难，我请你安心地等好消息。”

万墨林拍胸脯答应了。从此，万墨林便南京关一阵，上海押一押，却是从来不拷、不打、不骂，不给他吃苦头了。

周佛海好像要为自己留后路而想与杜借此建立好感。

杜月笙对万墨林的营救是多方面的。虽然汪曼云已把与李士群、周佛海接洽的经过告诉了徐采丞，可是徐采丞等人还是从各方面继续进行活动，在上海又托了沪西兆丰总会的赌台老板潘三省，潘的答复与汪所告诉他们的一样：

票价20万。

76号把万墨林标价20万，虽未刊登广告，但知道的人很多，甚至连日本宪兵队都知道了。

而周佛海想要得到的是杜月笙的人情，所以他不情愿让76号捞到这钱。

那周佛海说的“打通什么关节”又是什么意思呢？

原来，是傅筱庵的子女作怪。他们听说万墨林与其父傅筱庵被杀有关，因此，当听说万墨林被捕后，他们就一纸状书告到日本最高当局，要求严办万墨林，以报杀父之仇。所以，当汪伪方面与日本军方开会商议如何处理万墨林时，日本军方坚持不同意将万交保释放。

徐采丞为此千方百计找路子，1941年5月间，他终于找到了一个人，那就是东北籍的伪国会议员金鼎勋。金某跟日本人渊源甚深。徐采丞邀同两朋友，一同前往金家恳请金鼎勋设法帮忙放人，金鼎勋倒十分爽快，一口答应帮忙。

金鼎勋说服兴亚院的高等参谋冈田和一位巨商坂田，由坂田、冈田影响兴亚院，提示日本军方：

皇军如需彻底统治上海，杜月笙有无法估计之利用价值，顷者犹在多方争取杜氏之际，汪政府特工羁押其亲戚暨亲信万墨林，实为极其不智之举。

日本军方终于改变主意，随后放出将释放万墨林的消息。

而且日本宪兵队什么条件都不谈，直接把万墨林从特工总部南京区提到日军上海宪兵队司令部。这样，76 号这批贼骨头无异遇到了山大王，20 万块的票单就此落空了。

万墨林在日军上海宪兵队司令部被关了几天后释放了。

万墨林释放的消息不胫而走，几乎家喻户晓。一班趋炎附势的朋友，为了巴结杜月笙，万墨林那几天接到的请柬如雪片飞，他一步登天，几乎成了大英雄。今天这个请客，明天那个做东，弄得万墨林穷于应付，不知自己到底有几斤几两，更忘记了生辰八字。他有请必到，有酒必喝，结果吃得急性肠炎穿孔，在南洋医院开刀做了手术，可就是创口从此收不了口，于是只好在创口上安了一根橡皮管子，向外排污。

后来万墨林与蒋伯诚再度为日本宪兵逮捕。由于蒋伯诚是民国元老、国民党中常委，他装病不肯屈服，被日本人关押。重庆方面通过向周佛海施压，蒋伯诚与万墨林被释放而获救。蒋伯诚大概算是遭日伪关押的“重庆分子”中地位最高的一位。

万墨林历险的故事讲到这里为止，但对万墨林这个人的议论却无法就此停止。

万墨林算个什么名堂?

无疑，万墨林缺乏教养，形象猥琐，语言粗俗，给人没有好印象。

万墨林是米店老板出身。城市人最需要的是大米和住房，从而房老板和米老板与市民关系最密切，也正因为与市民关系最密切而最被市民所憎恨：米贵房价涨，直接受害的就是饥寒交迫的平民。涨米价涨房价者，永远是为富不仁的象征，总是民众心目中的公敌。万墨林也正是这种令人厌恶的角色。

更有，万墨林是流氓头子的管家，流氓的管家也算流氓。流氓永远是个令人鄙视的身份。

但在这特殊的年代里，万墨林却意外地赢得喝彩。

因为，日本宪兵和 76 号特务两度绑架了他，并残酷地施加折磨，他却能始终把牙咬到底。此时，他身后的蒋伯诚、吴开先和吴绍澍这类国

民党大员的小命都卡在他的牙根上，一松口就有大人物送命。

因为，人们从此知道了，万墨林原来也参与制裁一批大小汉奸，居然连傅筱庵这类大奸大贼之死也与他有关。轰动一时的高陶事件也与他有关。掩护上海地下抗日机构也与他有关。这些不能不令人对他刮目相看。以至于，被他从汪精卫手中救出来的高宗武和陶希圣及其后人，几乎把这其貌不扬的万管家视为大英雄。

晚年，据说他优雅起来了，不但当了“国大代表”，还著书立说，摇身变成上流人物。

对于万墨林，我们不再多说了。

六、上海，自由射手运动的发源与挫折

声声枪响，不是汉奸被锄，就是自己人倒下。

血腥的锄奸活动使军统特工们自己承受着极大的心理压力。这种心理压力，不仅是一个又一个战友的牺牲，也在于被除掉的那些人。锄奸中被刺杀的目标中确有不少是罪大恶极的，但也同样有许多对象在他们看来仅仅是“站错队”的普通中国人，更何况有些还是以前的同事、朋友。其中一些人仅因环境恶劣或人际误会而失足，锄奸行动队员对其中一些对象难免怀有恻隐之心。他们感到，自己处罚了失足的中国人，而让玩弄“以华制华”伎俩的日本人继续躲在幕后遥控指挥，是不公平的。所以这些沦陷区军统特工人员纷纷要求在制裁汉奸的同时，也抓住一切机会诛杀日本侵略军，而无须调查其历史罪行。因为，他们从踩上中国的国土的那一时刻，就开始犯罪。

为此，军统上海区制订了一个方案：

以身着军服的日本人为格杀对象，无论军阶高低，职务大小，无须申报，得手就当场干掉，执行地点以日占区及其势力范围之内为限。

该方案于1940年上报重庆总部并得到批准。

于是，上海街头再次响起了消灭法西斯的自由射手枪声。

得到批准后，军统上海区陆续进行换血，把上海郊外的游击队骨干

调到城里充实特工队伍，同时把已暴露的特务转移到游击队。

对敌斗争的策略，也从简单地清除叛徒，转为收买和转化敌方成员，同意变节人员回归，从敌伪内部打击敌伪。而对日斗争也从以往的组织突袭暴动，转向常态化对日本占领军进行袭击。

组织机构也相应发生变化，除军统上海区直属各行动组之外，另组织多支行动队，授权他们可以独立自主执行任务。

这一下，就省去许多手续，增加大量战机。

自 1940 年 9 月到太平洋战争爆发前，军统上海区各行动组发起较大行动 50 余次，大批毙伤日军人员。比如，经过军统上海区第三行动大队第四组组长李亮缜密跟踪侦查，于 1941 年 6 月 17 日由副组长叶东山率李德昌、周振芳、俞森林、杨景文等特工将公共租界警务处副总监赤木亲之击毙于愚园路。从后面表格中可看出，这第三行动大队长就是蒋安华。

在日本军人经常出入的场所，上海军统特工进行了多次爆炸活动。

在这些行动中，特工毕高奎和蒋安华的表现十分突出。

毕高奎不是等闲之辈，他是军统局在上海的特工组的一名干将。一年多时间，被毕高奎的直属行动组毙杀的日军特务就有野村正雄、池田寅治郎、村濑胜次郎、冈本义雄、石出时重等。另外，第三行动队的蒋安华比毕高奎斩获更丰。

1941 年 11 月 28 日，在汉奸胡兰成控制的《中华日报》及日伪新拼凑的《新申报》上发表了一份所谓的《蓝衣社在沪所犯案件统计表》，无可奈何地承认了日军警谍人员被镇压的事实。而这统计表正是经他们自己记录整理的。

下表就是他们的原作：

蓝衣社在沪所犯案件统计表（部分）

被害者姓名	时间	地点	死伤	行动者
矶部芳卫	29/9/29	北四川路武昌路	死	第三队蒋安华
佐藤精一	29/9/30	沪西镇宁路	死	第三队蒋安华
中村尚雄	29/11/6	北江西路老靶子路	重伤	第二队赵圣
石桥信	29/11/14	虹口嘉兴路附近	死	第三队蒋安华

富永贵	29/11/17	蓬莱路海××	死	第三队蒋安华
久保田	29/11/30	虹口施高塔路	无恙	第三队林焕尧
佐佐木	29/12/1	沪西汪家弄	重伤	第三队蒋安华
野村正雄	29/12/17	涛朋路华××	死	直属一组毕高奎
宫崎敏	29/12/22	南市文庙路	死	第三队蒋安华
高桥胜村	30/1/1	江湾附近	伤	第三队蒋安华
西岩	30/1/13	南京路山西路	死	第六队潘绍岳
出光正三	30/1/19	沪西日华纱厂	伤	第三队蒋安华
户田正一	30/2/22	平凉路齐齐哈尔路	重伤	第三队蒋安华
石中巽	30/2/26	同上	死	第三队蒋安华
五十岚翠	30/4/10	公共租借狄思威路	无恙	第三队蒋安华
本田等数人	30/4/15	沪西劳勃生路	伤二人	第三队蒋安华
东和剧扬	30/4/26	虹口乍浦路海宁路	轻重伤廿二人	抗团孙大成
村山秋常	30/4/28	闸北海军哨所	重伤	第六队潘绍岳
渡边实	30/5/5	光复路三兴面粉工场	重伤	直属第一组晨美
宪兵分遣队	30/6/11	法租借金神父路	无恙	抗团孙大成
笹井等三人	30/6/15	地址不详	一死二伤	第三队蒋安华
赤木亲之	30/6/17	愚园陆地丰路	死	第三队蒋安华，李亮
蒸德贤藏	30/7/26	虹口爱而琴路	死	第三队蒋安华
式部清一郎	30/7/27	徐家汇天主堂附近	死	第三队蒋安华
板井一	30/7/31	南市宪兵分遣队前	死	第四队封企曾
青木武重	30/8/16	杨树浦平凉路	死	第五队
日下都信吉	30/8/25	杨树浦西华德路	死	第三队蒋安华
须藤茂吉	30/8/25	同上	伤	第三队蒋安华
官重孙吉	30/9/16	东汉壁路元芳路	伤	第三队蒋安华
矾谷	30/9/8	?	无恙	第三队蒋安华
楠元国雄	30/9/13	虹口周家嘴路	伤	第三队蒋安华
池田寅治郎	30/10/7	虹口	死	直属第一组毕高奎
石出时重	30/10/10	南市王家弄	死	第五队
村濑胜次郎	30/10/12	浦东曹家楼店	死	直属第一组毕高奎

冈本义雄　30/10/22　南市电气公司前　重伤　　直属第一组毕高奎

以上所列，只是上海区在此期间行动的一部分。表中采用的日期是用民国纪年方式。比如 29/9/29，是指民国二十九年 9 月 29 日，即 1940 年 9 月 29 日。

日伪也承认那只是部分数据，实际上被消灭的日本人还要多。

总之，军统上海区所执行的对敌制裁，在当时沉重打击了上海地区的日本驻军的信心。最明显的事实，就是有很长一段时间，穿制服的日本军人除了结伴成伙、互相戒备之外，绝不敢单独一个人在路上行走。他们不敢对行人横眉怒目，更不敢少数几人一伙擅自闯入民宅了。日军盛气凌人的外相，也有所收敛。

应该注意到，上海这种抗日形式，正是 1942 年以后法国巴黎街头发生的自由射手运动的榜样。欧洲人早在自己国家遭受法西斯侵略前夕，就已经注意到了上海的反法西斯的抵抗方式。当他们的国度同样遭受法西斯蹂躏时，他们同样以上海的方式进行抵抗。是上海的反法西斯抵抗运动为巴黎和萨拉热窝开了先河。而且，上海的斗争也远较巴黎和萨拉热窝更残酷和错综复杂。

以往，我们自己并不了解中国上海在“二战”中的这种战争状况。我们是反过来从南斯拉夫电影《瓦尔特保卫萨拉热窝》去想象“二战”的城市游击队。《瓦尔特保卫萨拉热窝》影响了我们一代人。我们崇敬异国的爱国者，为南斯拉夫城市游击队的献身精神而热血沸腾。

后来，我们知道了，不仅南斯拉夫有城市游击队，法国也有，而且法国的抵抗组织更加声势浩大。法兰西民族的英雄让·穆兰（Jean Moulin）就是法国抵抗组织的领导人。他把全法国的爱国人士，不论是右派还是左派，包括社会党和共产党等爱国人士全部团结起来，对德国占领军和法国伪政权发起游击战。后来的法国国家原子能委员会主席、共产党人约里奥·居里就是法国抵抗组织的一员，这位居里夫人的女婿正是巴黎街道上向德国侵略军开枪射击的“自由射手”。

对于这些异国的反法西斯的传奇人物，我们充满敬意。

但不能忽视我们自己脚踩的土地，忽视我们自己的身边。我们不能

忘记，那正是上海开创的先河。上海这个城市才是第二次世界大战中城市游击队的诞生地，是世界反法西斯自由射手运动的源头。上海在第二次世界大战中对敌斗争的惊险壮烈程度，历时之长，远远超过巴黎和萨拉热窝。不论是狙杀敌军、消灭奸细还是炸敌车敌舰，上海都远远走在巴黎、萨拉热窝，甚至是华沙之前。

但，残酷的战争，使上海的地下抗日力量遭受严重的牺牲。

军统上海区的机构设在租界内。由于日本军国主义势力发动的侵华战争及其在亚洲的扩充政策对英美法的势力构成威胁，因而造成帝国主义之间的矛盾。所以尽管租界当局也不时以维护秩序的名义打击抗日游击队，但相对于日本占领区来说，租界还是比较安全的，抗日行动也很容易得到上海市民的支持和掩护。

但，1940 年 4 月以后，情况发生变化。

欧洲战场，英军和法军战败。1940 年 6 月 4 日英法联军从敦刻尔克大撤退。十天后，德军第四军的步兵师进占“不设防城市”巴黎。

英法惨败，巴黎投降，英军苦守孤岛，法西斯势力甚嚣尘上。上海英法租界处于极端弱势，租界巡捕房的巡捕也大批被日伪收买。法租界更是因维希傀儡政府的立场而屈服于日本人，对上海抗日力量构成威胁。

陈恭澍和他领导的机构没有从大局上看到这种变化，没有及时采取应急措施，结果出大问题了。

1941 年 6 月 28 日，军统上海区助理书记刘原深被叛徒周西垣于霞飞路诱捕。继刘原深被捕后，上海区接连好几个单位失事，多人被捕。

严重的事件是蒋安华的第三行动大队不幸在 1941 年夏天被破获遭逮捕，整个第三大队总共 60 名特工仅一人逃脱。被俘人员随着年底太平洋战争爆发而落入日军手里。蒋安华于 1944 年死亡。顺便提一下，同样因伏杀日本军谍出名的毕高奎，当时正与毛万里一起到福建省的建阳后方据点。他因而没有被捕，坚持到抗战胜利。1946 年在处置汉奸问题上因意见分歧他在上海被免除检察官的职务。这是把后话提前说了。

军统上海区并没有从蒋安华等的被捕中吸取教训，没有预料到因国际形势的巨大变化造成租界环境的恶化，没有从组织上和行动上进行必要的调整，虽处于外忧内患之中，行为依然流露着懈怠。

此时，敌伪一方面继续网罗叛徒，刺探军统内部情报；另一方面加紧用金钱收买巡捕房的人员，使他们转向日伪。由日本宪兵队特高课配合76号，对军统组织和人员采取地毯式的搜查。

终于，1941年10月29日，日本人和76号与租界巡捕房勾结一道，要收网了。猛然间，军统在上海的各据点遭到突击搜查。

这次，日本人和76号破获一批联络点和秘密电台，抓住了陈恭澍、齐庆斌以下一百多名军统特工，缴获枪支近百支、子弹数千余发、电台收发报机18台、化学药品4箱、秘密档案文件8箱。

76号根据缴获的档案文件，在汉奸胡兰成为主编的《中华日报》上登出军统上海区所属12个部门、10个行动大队、8个情报组的全部人员名单，勒令他们速向汪伪政府投降。一时浊浪滔天。

76号这次行动虽事先进行严密策划，但唯一的缺陷是不知道陈恭澍的地点。于是，李士群使出一招：在会同巡捕房袭击军统各机构时，派出76号的特工，让他们遍布于上海滩各关键路口，实施守路待兔，把住了条条路，看到可疑分子就抓，怕你陈恭澍飞了不成？军统各处要害遭袭击，必定迫使陈恭澍和主要负责人应急出面活动，只要陈恭澍等露面在街头活动，就有机会。果然，10月29日这晚，急急忙忙行动的陈恭澍落入76号之手。

原来，陈恭澍接到一个紧急电话，打电话的人是军统在租界最重要的内线，那人是巡捕房的督察，曾多次在紧急关头向军统上海区秘通消息。这次，他电告陈恭澍，日本宪兵队和76号会同公共租界两个捕房大举出动，抓捕了上海站十多个特工。会计陈贤荣、助理孙国昌都被抓了，还搜走了好几箱租约、账目。

陈恭澍料到大事不好，亲自驾车赶到了新闸路秘密电台处，向远在重庆的戴笠发出加急电报。事后，陈恭澍急忙赶往上海区书记长齐庆斌的住处，可是，他还是比李士群的手下晚到了一步。原来，陈恭澍从电台到齐庆斌家，就被预先埋伏在齐庆斌住处等待的76号特务抓获了。

齐庆斌是军统上海区书记长，长期以来就是陈恭澍的亲信。遇到如此大事，陈恭澍一是先通过秘密电台向重庆总部汇报，二是找齐庆斌通气。这点，李士群料到了，于是等个正着。当然，起初，这些人还不知道落入他们手中的这个人就是大名鼎鼎的陈恭澍。其实，包括林之江、万里浪在内没人认识他，而王天木却关在南京监狱，齐庆斌此时也还没招供。被关押的蒋安华被提出来会面，但蒋安华并没向76号屈服，虽内心吃了一惊，却不流露。

结果是陈恭澍看到特务中的诸亚鹏，诸亚鹏是王天木自北方带来的熟人。陈恭澍于是不再掩饰自己，拍着胸脯报大名：

“我就是陈恭澍！”

抓住陈恭澍、齐庆斌一干军统骨干，76号的李士群、苏成德和万里浪兴奋无比。

1941年12月，是一个重要的历史转折点。陈恭澍率领的军统上海站覆灭，李士群官升警政部长、伪江苏省省长，76号达到有史以来最为辉煌的高峰。苏成德也提升为伪南京政府警察厅厅长、伪全国警察总监、汪伪军事委员会中将专门委员。

据史料记载，在1941年11月底，就在军统上海区几乎被完全消灭的时候，余下未暴露的一些人员继续工作，并截获了一份日军绝密电报。33岁的军统女特工姜毅英，她破译了日本军部无线电密码，理清电报的内容，得知日军将发起对包括夏威夷、香港、新加坡在内的地方的突然袭击。这份绝密情报传到重庆特工总部，并通知了英美方面。但这种孤立的信息要得到各方的重视进而改变战争部署，实在不是一件易事。各方都不予理会，是当然的。

几天后，1941年12月8日，珍珠港事件爆发。此时再来证明这份情报的重要性，显然是迟了。

上海抗日力量遭到严重挫折，但对日寇汉奸的制裁并未因此停止。

上海城市游击队常以法租界为大本营，开展消灭法西斯运动。就在1941年底到1942年初，上海街头反法西斯的枪声重新响起时，巴黎街头也打响了普通市民反法西斯的第一枪。自此，法国“自由射手运动”蓬勃发展。

七、1942 年，上海锄奸的枪声连续不断

军统上海区毁于李士群手里，戴笠心有不甘。1942 年，戴笠急电毛森迅速组成上海行动总队，从浙西于潜县火速进驻上海，填补军统机构被破坏后的空白。

毛森组织了报复行动。

但，日伪特务又马上得知上海地下机构一线指挥是毛森。

原来军统特工陈纪廉行动小组行动失手，陈纪廉被捕。陈纪廉供出了两个交通员的名字，两个交通员迅速被捕。其中，担任内交通的周觐光经受不住日军的酷刑，供出了毛森。毛森被捕。

日本人察觉出毛森这位行动总队长的作用，一时高兴万分，盛筵庆贺。日宪兵司令木下荣市少将、特高课长五岛茂中佐频频举杯，狂饮达旦。日本人把毛森囚禁在狄思威路（Dixwell Road，即虹口区溧阳路）宪佐部队。命令部属加强对毛森的看守，数十名宪佐，日夜分班看守着。

毛森被捕后，时任上海行动总队上校书记长的胡德珍暂时主持全盘工作。胡德珍正是毛森妻子。

军统方面展开营救行动。知道宪佐中有些是中国人，于是动用一批金条进行收买，同时用民族大义来开导激励他们，果然成功。首先通过这些关系开通了一条军统与毛森联系的通道。

重建的军统上海区电台这次没有遭到破坏，仍然与重庆有联系。

但也发现了问题：

原来，重庆方面收到了军统上海区电台的一项请示电文，那电文是唐生明建议暂停与日军直接对杀。76 号显然截取了唐生明通过军统电台发的电报，从而造成唐生明暴露，日伪认准唐生明是重庆派遣到汪精卫集团的卧底。虽然因日本人想利用这种关系，没有对唐生明的生命造成危险，但军统方面通过分析，认为是 76 号的电台台长兼电讯处副处长余玠截获并破译了电文。

余玠这一手，显然对军统是一大危险。于是军统下令要除掉余玠。

余玠，又名李开封或李开峰，原是军统东南区电讯督察，是电讯和

密码专家。不知何故，他投了 76 号，并将军统在上海地下秘密电台，先后出卖而使其遭破坏。1939 年 11 月，晋辉为 76 号电报处处长而余玠任副处长兼 76 号无线侦查总台台长，是汪伪重要的电讯专家。

军统总部指示要除掉余玠，但余玠绝大多数时间缩在 76 号内部，怎么办？他们想到一个内线。

原来，1941 年 11 月，陈恭澍被捕后就投降了 76 号。陈恭澍的副官刘全德也随之投了 76 号。

可是刘全德在暗中仍与军统保持联系，军统便利用这个关系，要刘全德学习马河图，杀陈恭澍以自归。刘全德之于陈恭澍，有如马河图之于王天木。刘全德已随陈恭澍多年，陈恭澍待之尚厚。刘全德几度要下手，都是欲行又止，没有成功。

这次，军统要执行制裁余玠的任务，因无法打进 76 号，于是又想到刘全德，要借刘之手行事，这次刘全德欣然接受。

刘全德对余玠在感情上无一顾忌，同时余玠在戒备上也不太周密。刘全德于是决定尽早干掉余玠，早日离开 76 号，免得自己因为不忍对陈恭澍下手而进退两难。事也凑巧，就在刘全德得到命令的第二天，余玠主动上门了。他与 76 号情报处副处长王道生来看故人陈恭澍。刘全德见是机会，大喜，于是等在门外伺机动手。陈恭澍三人聊了一阵之后，余、王两人告辞出门，跳上汽车开走。刘全德持枪驾车跟踪其后，跟到拉都路（Route Tenantdela Tour，如今襄阳南路），余玠下车与王道生话别，并命司机再送王道生返回 76 号。刘全德刹车停下，向余玠连开数枪，余即倒毙地上。王道生急从车里跳出，拔枪在手，拟追捕凶手，无奈刘全德已驾车逃逸无踪。不久法租界捕房闻讯到达，王道生也就近打了个电话给 76 号，驻 76 号的日本宪兵准尉涩谷赶到现场，与法租界的捕房人员，就地交涉。涩谷和王道生送余玠尸体到殡仪馆入殓了事。

但刘全德这人并没有从此失踪。新中国成立后他以上校组长的身份潜入上海欲谋杀上海市负责人，被侦破而逮捕。1950 年 8 月，上海市公安局将刘全德移交国家公安部。同年 12 月，北京军事管制委员会军法处依法判处刘全德死刑。

余玠一死，汪伪特工首脑李士群认为是毛森主谋，向日本人告状。

日本人则以为监守中的毛森，无从行动，显然是李士群捏造。李士群恨之入骨，企图暗杀毛森，未遂。

毛森逃离上海是后来的事。1943 年李士群死后，日本人对毛森的怀疑加深了。1944 年元旦，在危急时刻，华人宪佐邢俊才被成功收买，协助毛森逃出日本宪兵队，在外面的接应下，毛森迅速离开上海到了国统区浙西淳安。

1942 年，就在成功除掉余玠的同时，上海行动小组成功毙杀日本女谍“南造云子”。南造云子的真名实姓是什么，中方没有其他记录。只能把有关事件与这个人及这个化名连在一起。

1942 年 4 月一个晚上，上海梅机关特务南造云子乔装打扮，单独驾车进入法租界活动。她并不知道，几名军统特工已经紧紧地跟上了她，军统的“眼镜蛇”暗杀行动之箭已在弦上对准她。在法租界霞飞路（按：如今淮海中路）的百乐门咖啡厅附近，当身穿中式旗袍的南造云子下车走向店门之际，身前身后三名军统特工堵住她，三支手枪齐发，南造云子身中三弹，当即瘫倒在台阶上，在被日本宪兵送往医院途中死去，卒年 33 岁。这朵“帝国之花”就这样得到了应有的下场。

这次伏击成功，大快人心。

南造云子罪恶累累，消灭南造云子的网络早就铺开，只是因为她太狡猾，几次功败垂成。

要讲她的事，需从 1937 年南京接连发生的三件惊天大案说起。

第一件大案是最高军事委员会绝密计划泄露案。原定截断长江江阴航道，分割歼灭日本在长江中游海军陆战队的命令下达之际就暴露，日军抢先悉数逃窜。

第二件大案是日军飞机预先在沪宁公路上拦截并炸翻英国大使馆外交专车。车顶英国使馆标志醒目，绝非误炸。原本蒋介石要乘该车到上海前线督战。

第三件大案是日本特务杀手乘国民政府行政院的车辆冲进中央军校的大礼堂，当时蒋介石正要向军校生进行训话。

随着案件的侦破展开，暴露了一批内奸外贼，南造云子正是其中最

重要的案犯。

（一）最高军事委员会的绝密计划泄露案

1937年七七卢沟桥事变，中国的抗日战争全面展开，中国全面失利。7月29日、7月30日，北平和天津相继沦陷。日军企图实施当年清政府对付南明的战略方针：占领北平和天津以后，从北方南下，一路沿津浦线往南京打；一路从山西、陕西往四川攻，包抄后方。

这样一来战争形势对中国极为不利。如果日本阴谋得逞，中国将重蹈当年南明崩溃的覆辙，后果不堪设想。

为了打破日本这种战略方针，南京当局决定在南方开辟战场，把日本军事战略的矛头从北方拉到南方来。所以南京政府在7月底就召开一次绝密的军事会议。蒋介石在会议上提出，要迅速歼灭日军盘踞在长江流域的日本海军舰船和海军陆战队。因为此时，已进入中国长江流域的日本海军分为两股，一股盘踞在上海，另一股则游弋在长江中上游。会议决定分别对这两股日军实施决定性打击。这一重要举措，除了痛击日本海军外，还有一个更为重要的战略目的就是打乱日军的计划，吸引日军主力南下，把抗日战场移到上海、南京来。

为达成这一战略目标，关键的一步是必须封锁江阴要塞。江阴要塞江面是长江最狭窄的一段，封锁了江阴要塞就切断了日本驻沪海军和游弋在长江中上游日本海军的联络，长江中上游的日军舰船将成为瓮中之鳖。歼灭了长江中上游的日本海军之后，中国军队再回头消灭孤立无援的驻沪日本海军。

8月5日，最高军事当局签署命令：

迅速加强江阴要塞岸上的炮火密度，破坏江阴一带长江水面的航路标志，在江面通道布置沉船使之堵塞，并布设密集水雷，相关部队进入一级战争状态。

封锁要塞的命令很快下发到作战部队。

意外的是，命令刚刚下发，蒋介石8月8日就收到战报，原来江阴要塞并没有封锁住日本的舰船和海军陆战队，其唯一的战果仅仅是扣留了两艘日本小商船：长阳号、大贞号。

原来，8月6日、7日，重庆、宜昌、武汉、九江、南京等各港口的日本军舰、商船均开足马力驶往长江下游，冲向江阴要塞。而此时江阴要塞部队的封锁行动还没有全部展开，一时措手不及，眼睁睁地看着日本军舰和商船扬长而去。

与此同时，长江流域各港口城市的日本侨民也突然停止一切工作随日本舰船逃离。8 月 6 日、7 日这两天，冲出江阴要塞的日本军舰和商船共有 30 多艘。

这样，由最高军事委员会策划决定的这次分割包围、瓮中捉鳖的军事行动以失败告终。一切迹象表明，日本人一定是事先获得了情报，不然不可能如此迅速地作出反应。

对此，蒋介石既震惊又恼怒，他责成南京警备司令部谷正伦秘密调查内部，限期破案。这个谷正伦，与前面提到的去河内劝阻汪精卫的谷正鼎及另一个谷正纲都是贵州人，30 年代都是国民党的中委，有谷家一门三中委之说。

话说回来。

谷正伦立刻在南京警备司令部内组织一个小组介入调查。该反间谍小组取名“外事组”，从属警备司令部特勤二中队，由丁克勤负责。它的主要任务，就是对付日本使领馆的间谍活动。

丁克勤的外事组接到命令，就着手调查。但此事难度很大。从会议上的决策到最后命令的下达，其间要经过很多道环节，也就是说这些环节上的任何一个人都有可能是泄密者。那么到底是哪个环节上出了问题呢?

首先，参加这次军事会议的军政大员有汪精卫、何应钦等人，虽然他们有不同程度的亲日倾向，但是观点归观点，品格归品格，以当时他们在国民政府中的身份，是不至于通敌的。

参加会议的行政院其他几个的机要秘书，他们有嫌疑。

嫌疑较大的还有江阴要塞的少数中低级将领以及译电员、抄送官员等，他们首先成了重点怀疑的对象。

由于涉嫌者太多，警备特勤二中队及外事组根本无法锁定重点嫌疑人，于是案件的侦破陷入僵局。

（二）日军轰炸英外交专车案

就在外事组为这次泄密事件一筹莫展的时候，日军又在上海挑起事

端。8 月 13 日，抗战的烽火烧到了上海，中日双方在淞沪地区展开激战。

战事发展两周后，英国驻华大使许格森乘坐使馆专车从南京赶往上海会见日本驻华大使川越。当汽车在京（宁）沪公路嘉定段行驶时，空中却传来了飞机的马达声。两架日本战机丝毫不理睬汽车上醒目的英国国旗标志，对汽车进行猛烈的射击和投弹，直到将汽车炸翻，许阁森大使受伤，日本战机才扬长而去。

此时，太平洋战争尚未爆发，英国和日本并未宣战。在中日战争中，英国只是一个中立国。中立国大使的汽车被日军袭击，顿时震惊中外。

英国政府向日本提出强烈的外交抗议，日本人则解释说汽车上英国国旗太小，日本飞行员根本无法辨认。

本来这只是英国和日本之间的一个外交事件，但是很少人知道对这个事件最感到震惊的却是蒋介石。

原来，淞沪战役开始后，为鼓舞士气，蒋介石决定亲临上海前线视察，但是日本空军却掌握着制空权。从南京到上海有近七个小时的车程，蒋介石究竟如何到达上海前线成了一个非常棘手的问题。

当时英国驻华大使许格森要从南京到上海去与日本大使会晤。为此，许格森也做了精密的准备，特意在汽车顶上铺上了很大的、很醒目的英国的国旗米字旗。当时不像现在，飞机不可以在高空轻松实施对地攻击，日本飞机更飞得不高，飞行员很容易辨别这是英国的汽车。由于中日战争刚发生时，西方国家包括英国、法国、美国、德国、意大利等都宣布保持中立，日本是不会悍然攻击西方国家使节的。当时，包括日本在内的一些国家把大使馆设在上海，而只在南京设领馆。

新任的副参谋总长白崇禧知道英国大使的行程后，提出一个看似稳妥的办法。白崇禧认为，许格森坐汽车到上海去，日本飞机不会对他进行袭击。于是建议委员长，说你可以乘许格森的汽车到上海去，这是比较安全的。

但是在 8 月 26 日这天，蒋介石没有按计划去上海，没想到，他因而躲过了一劫。显而易见，这次袭击事件绝对不是一次意外，而是一次有预谋的暗杀行动，这分明是日军事先获得情报，专门为刺蒋而来的。这次，蒋介石更为震怒，他严令外事组必须在一个月内侦破此案。

提出让蒋介石搭乘英国大使汽车的建议的白崇禧更是觉得毛骨悚然，因为他的建议几乎要了老蒋的性命。

由于蒋介石搭乘英国大使的汽车一事，也是在军事会议上提出来的，只有少数几位高级将领和几名机要秘书在场，外事组很快将这次袭击事件和8月初的江阴要塞事件联系起来。

他们判断泄密者很可能就在这几名机要秘书之中。但是，行政院里的机要秘书都是蒋介石或者行政院长汪精卫的亲信，他们会当日本间谍吗？再说即便有一个日本间谍，那究竟是谁呢？外事组一时也难以判断。

但再难认定也得去认。

白崇禧提供了当初他提出此建议时，六七个在场人员的名单。

与上次决定封锁江阴要塞时在场人员名单对比后，可疑范围一下缩小了。两次泄密案里，除白崇禧外，共同的在场者只有姚琮、黄浚。外事组很快就排除了对白崇禧的怀疑。姚琮此时是军委会第三厅中将副厅长兼任副官处处长，黄浚则是行政院机要秘书、汪精卫的亲信。但要把这两人进一步确定下来，就难了。对黄浚、姚琮的暗中侦察，不得不进行。他们迅速调来了相关的档案。

黄浚，男，字狄岳，福建侯官人。早年在日本早稻田大学留学，回国后，长期在北洋政府任职。北伐战争胜利后，黄浚通过林森的同乡关系，进入国民政府当秘书。后来汪精卫担任行政院院长，重用黄浚为自己的机要秘书，升为简任级的官僚，地位仅次于秘书长陈布雷。

我们前面提到的汉奸黄香谷，正是黄浚的另一个儿子。黄香谷是1939年汪党伪中央委员。

（三）日本特务分子冲击中央军校案

外事组正在为难之际，又发生了重大情况。

中央军校的前身是黄埔军校，蒋介石亲自兼任校长并把自己的住所也设在校内。军校一般每期举行一次“总理纪念周”。届时，蒋介石会来向该校师生和中央及南京市的军政大员训话。1937年9月4日，又值“总理纪念周”。当日军校的礼堂，蒋介石正准备上台讲话，军校的总值日官突然宣布，发现两名可疑人员进入军校，军警正在搜查。这样，蒋介石的讲话不得不暂停下来。

军警很快发现了这两名嫌疑人员，但是这两人在混乱中乘坐一辆行政院的专车冲出了中央军校。事后方知，这两个人都是日本特工，他们的行动目标就是刺杀蒋介石。

堂堂中央军校居然混进了日本特工，而且还乘坐行政院的专车逃离现场，简直荒唐，蒋介石命令外事组迅速破案。当时，那两个日本特工只顾逃命，没有想到帮助他们逃离中央军校的那辆车却暴露了他们的同伙。外事组查阅了中央军校门口的车辆进出登记表，发现那辆行政院专车的主人是行政院的机要秘书黄浚。而这个黄浚也正是前两个泄密案件的两位嫌疑人之一。

外事组负责人丁克勤突然想起一件事，在一次宴会上，日本领事馆总领事须磨曾无意中说了一句：黄浚是他的大学同学，两人私交甚好。希望丁克勤多多关照。

丁克勤也知道，这个须磨虽然表面上是个外交官，而实际上却是个老牌的日本特务，他是日本在南京间谍网的总负责人。

一切线索都指向黄浚。但对于这个汪精卫的红人，如果没有确凿的证据，还是不能轻举妄动的。外事组决定故意让陈布雷在“无意”中透露重要消息给黄浚，然后对黄浚进行全天候跟踪、监视。他们判断，如果黄浚是间谍，那么他必然会和日本领事馆的人发生接触。

于是，外事组决定立刻起用早已潜伏在日本领事馆内的代号为 23 的特工陈耆才。

外事组特工李荣芳向 23 号特工传达指示，要他时刻注意日本总领事须磨的动态以及日本领事馆里的任何异常情况。

但是，对黄浚的监视没有任何成果，黄浚没有和任何日本领事馆的人或其他可疑人物发生过接触。他似乎过着一个政府官员的正常生活。但是也有一点意外收获，就是黄浚的生活非常奢侈，而以他的薪水是绝对不可能支撑他的这种奢侈生活的。

黄浚的儿子黄晟也供职于外交部，他的生活一样奢侈，而仅仅靠着工资也是无论如何不够他花销的。外事组分析，支撑黄浚父子奢侈生活的很可能是他们做间谍的活动经费。

但这仅仅是分析，仅凭这点绝不能判断黄浚就是个间谍。因为到时，他们可以申辩：那辆行政院的专车是被日本特务偶然盗用的。与此同时，在日本领事馆卧底的23号特工也报告说没有发现须磨有什么异常的举动。外事组再次陷入迷茫，而来自蒋介石的催促则让他们如坐针毡。

那么是怎样侦破黄浚的呢？

原来，反间谍的外事组已经监视着黄浚家。外事组的一个特工注意到，黄浚家里的一个女佣是苏北小姑娘，名叫莲花，经常为黄浚家里到街上买菜买东西。于是，他们计划借助这位莲花姑娘。该计划得到谷正伦的同意。

这天，莲花一如寻常上菜市场买菜，在街上却被两个陌生男人挡住了去路，无理纠缠。莲花正在窘迫之际，一个年轻英俊的青年出现了，他三下两下就打走了那两个“陌生人”，然后热情地护送莲花回家，莲花对此十分感激。单纯的乡妹子莲花自然不会对这场“英雄救美”有任何疑惑。

随后，这个年轻人和莲花频频约会，经过接触，莲花对这个年轻人充满了好感。就在莲花坠入情网的时候，这个年轻人把莲花带到了一栋神秘的小洋楼里，这里是外事组的秘密办公地点。这个年轻人的上司向莲花和盘托出真相，称自己是代表比黄浚更重要的官方，指出黄浚父子是坏人，他希望莲花能够帮助官方监视黄浚父子。

一阵惶惑之后，莲花缓过神来，陷入沉思。莲花虽然没有文化，但是有爱国心。她知道黄浚的真面目以后，向外事组的特工们表示：

“我愿意配合你们工作。”

于是莲花每天都把黄浚的可疑行为上报给外事组。黄浚的疑点越来越多。

莲花还提供了一份和黄浚有密切交往的人员名单，这个名单上赫然列着：

参谋本部高参曹思成、军政部秘书王必贵、海军司令部部员李龙海。

外事组相信这些人很可能都加入了黄浚的间谍集团。

此外，莲花汇报的情况中有一个细节特别引起了外事组的注意：

黄浚的汽车司机王本庆，大家称他小王。他平时并不戴帽子，但有时出去却要戴礼帽。而且在戴礼帽之前，他都要绕到黄府的书房去，拿上礼帽来戴。回来的时候呢，又将这个礼帽丢在黄府的书房桌上。

莲花表示，自己也对这感到有点奇怪。

于是，外事组分析王本庆可能也是黄浚间谍集团的成员，而那顶帽子里很可能就藏有情报。外事组立刻对司机王本庆进行了跟踪和监视，并与日本领事馆卧底的23号特工核对细节，特别是有无戴礼帽的人进出问题。

23号特工传来情报，原来，他发现了日本领事馆的工作人员小河次太郎，最近总爱戴着一顶黑色礼帽出去。

来源不同的两条情报彼此照应，这顶神秘的礼帽引起了外事组的绝对注意。

外事组发现，王本庆果然在和小河在国际咖啡馆秘密接头。但是他们见面并不说话，有时甚至没有看到对方就完成了情报交换。

原因很简单，他们只需要交换礼帽。

在国际咖啡馆进口处有一个衣帽架，王本庆到咖啡馆后，就很自然地把礼帽挂在衣帽钩上，然后就去喝咖啡。而日本人小河次太郎来了以后，也同样把他的礼帽挂在同一个衣帽架上。

王本庆离开的时候拿走了小河的礼帽，而小河离开的时候，拿走王本庆的礼帽。

真相大白。

外事组这才如梦方醒，怪不得跟踪黄浚多天都抓不到什么蛛丝马迹，原来他是利用自己的司机帮他传递情报，而他自己却衣冠楚楚地坐在行政院的办公室里写他的公文。

至此，似乎可以抓捕黄浚了，但是外事组担心立刻抓捕黄浚可能会打草惊蛇。万一黄浚死不交代，那么黄浚的同伙就很可能逃之夭夭。还有，虽然可以肯定王本庆的帽子里有情报，但是毕竟没有看到情报的内容。万一有什么意外，错抓了行政院的机要秘书可不是闹着玩的。

针对这些情况，外事组的特工立刻研究制订了一个一箭双雕的计划，按照这个计划，既可以掌握黄浚间谍集团的犯罪证据，又可以把黄浚间谍集团的所有成员一网打尽。

次日，日本领事馆的小河次太郎再一次戴上了那顶帽子。他骑着自行车，向新街口方向而去。而此时他的行为已经完全处于外事组的监视之下。在一个安静的十字路口，一辆自行车重重地撞上了小河次太郎的自行车。小河次太郎受伤倒地，那顶礼帽也被甩在一边。肇事者正要扶起受伤的小河，却被一个“交警”押往警察局。而几个看热闹的“好心市民”赶忙上前，把小河次太郎扶上一辆路过的人力车，不由分说地将他送往“医院”。另有一名“热心市民”则捡起了小河次太郎遗落在地上的黑色礼帽。

这一切发生在短短2分钟的时间里，而此时在一旁围观的路人还没有缓过神来。

这看似普通的一起交通事故其实是外事组事先精心策划好的。骑车肇事者、交警、好心市民、路过的人力车夫等都是外事组的特工。小河次太郎也没被送去医院而是被押往外事组的秘密办公地点，外事组立刻对他进行了突击审讯，但是小河的态度非常顽固，他坚称自己只是日本领事馆的一名外交人员，还口口声声要向中国外交部提出抗议。就在小河次太郎拒不交代的同时，他的那顶黑色礼帽被打开了。

小河的礼帽夹层里，发现了日本驻南京总领事须磨给黄浚的秘密指示。指示的主要内容，就是要黄浚这个间谍组织加紧活动，加紧搜集国民政府的情报。其中包括中国驻军在上海的调动情况、长江沿线中国军队的布防情况、南京的城防工事情况等等。

外事组的特工立刻模仿须磨的笔迹和语气，迅速写出了另一封密信。密信表扬黄浚小组的功绩，要求黄浚在第二天晚上11点钟，把间谍组织中的所有人员都召集到家中来开会。到时候日本总领事馆将派人来颁发奖金。

外事组的特工将这封伪造的密信放进了那顶黑色的礼帽，然后派出一名精干的特工骑上小河次太郎的自行车飞速赶往新街口的国际咖啡馆。

从交通事故到伪造密信，再到赶往国际咖啡馆，这一切都需要时间。这样，外事组的特工到达新街口国际咖啡馆的时间会比小河次太郎和王本庆的约定时间晚半个小时。

对此，外事组早有准备，为了防止王本庆起疑心，外事组的另一组特工制造了另一场交通意外。在王本庆步行前往新街口国际咖啡馆的路上，一辆冒失鬼骑的自行车撞向了王本庆。两人发生口角，以至于纠缠

起来。这时，旁边又出现两个劝架的人上来帮忙调解，吵吵闹闹，足有半个小时。那个冒失鬼才骂骂咧咧地骑着自行车扬长而去。

王本庆只能自认晦气，他知道迟到了，于是加快脚步赶往国际咖啡馆。到了咖啡馆，王本庆发现小河次太郎的礼帽已经挂在衣帽架上了，他便挂上自己的礼帽，然后装模作样地喝了两口咖啡，就起身拿走了小河的那顶礼帽，离开了国际咖啡馆。而坐在角落里的外事组特工则取走了王本庆的那顶黑色礼帽。

王本庆的礼帽也被打开了，外事组果然发现了行政院秘书黄浚传递给日本人的情报，其中就有蒋介石下命令调动两个主力师到上海增援的资料。

至此，黄浚的日本间谍身份已经无疑，外事组下一步的行动就是将黄浚间谍集团一网打尽。

由于黄浚级别高，谷正伦司令向蒋介石做了汇报。蒋介石听到汇报以后，根据当时的形势批示：

同意外事组采取行动，对黄浚间谍集团一网打尽。

外事组的特工们一直担心那封被王本庆取走的伪造的密信是否会露出破绽，反间谍特工们对此没有把握。

其实特工们的担心是多余的，此时黄浚已经完全利令智昏。当天晚上，黄浚打开了那封密信，信的内容让他兴奋异常。他立刻让自己的儿子黄晟给这个间谍网的其他成员打电话，约齐他们于次日晚上 11 点到黄家聚会，准备接受日本人的表彰。他们做梦也没有想到一张无情的大网正在收紧，他们的末日已经就在眼前。

第二天下午，黄浚家的女佣莲花传来情报，黄浚昨天晚上心情非常好，显得非常兴奋，这条情报证明黄浚对抓捕行动毫无知觉，外事组的行动很顺利，他们即将消灭黄浚间谍集团。

外事组制订了详尽的抓捕计划。为防止有漏网之鱼，必须等到确认所有嫌疑人都到达黄家后，再进行抓捕。

于是，外事组要求莲花在确认客人到齐后，在黄家的卧室发出灯光信号。同时，还让莲花随时和外事组保持联系，汇报黄家发生的任何可疑情况。

直到当日晚上10点，莲花没有传来任何消息，这说明一切正常。此时，南京警备司令部外事组的便衣特工们，把黄浚的家严密包围起来。等待晚上 11 点这个抓捕的最后时刻。

果然，黄浚的公馆里可谓高朋满座。警备司令部外事组的特工们从暗处看到汉奸间谍集团的成员一个接一个地来到黄浚的家中。他们是参谋本部少将高参曹思成、军政部中校秘书王必贵、海军司令部少校部员李龙海，还有黄浚的司机王本庆。他们谈笑风生地等待着主人的嘉奖。

宾主谈笑正欢，突然电话铃响了，黄浚心头一震，这个时候谁会来电话呢？黄浚的儿子黄晟接起了电话。原来电话是白崇禧打来的，他通知黄浚第二天早晨 9 点参加一个军事会议，在现场做会议记录。

原来如此，不过是一个会议通知，黄浚悬着的心立刻放下了，黄公馆的客厅恢复了轻松愉悦的气氛。

其实，这个电话是外事组为了预防万一，特地请白崇禧打的，会议通知是假的，目的就是为了彻底稳住黄浚。

10 点 50 分，莲花如约发出了灯光信号。外事组进入抓捕倒计时，决定 11 点开始行动。10 分钟后，黄公馆的门铃响了，王本庆赶来开门。门刚打开，特工们就一拥而入。

贵宾们升官发财的美梦，顿时化为一场噩梦，顷刻之间全部成了阶下囚。

黄浚对所有间谍罪行供认不讳。

供词让众人解开了不解之谜：

一个堂堂行政院的机要秘书，在国民政府可以说前途无量，为什么会堕落为可耻的日本间谍呢？

这就要回到前面提到的那个南造云子身上了。

据有关资料，南造云子一家堪称是特工世家。

1909 年，她出生在上海的一个日本人家庭，据说她爸爸叫南造次郎，就是搞特务出身的。既然是特务，这南造次郎很可能只是一个特务的符号，而不是他们家在日本“名门望族”的标志。当然无法凭南造次郎间谍的“法号”去日本刨根掘底，挖出他的家族根源。南造云子（姑且这

样称呼，不知此时用的是什么名字）从小深受其父军国主义思想的侵染，13 岁的时候，由父亲安排，她回日本神户，进入了一所间谍学校，跟随日本大特务土肥原贤二，专攻间谍技术。这期间，她接受了化装、爆破、暗杀等培训，成为一个标准的日本间谍。

17 岁，她被派往中国的大连，进行情报刺探工作。由于她具有多种语言能力以及她的美色，在大连猎取了很多的情报，在日本的情报界被誉为“帝国之花”。1936 年，她被派往南京进行间谍活动。她取名廖雅权，说是中国失学女生，报考南京汤山镇温泉招待所。这里，我们不说她是冒称“中国学生”，她幼年本就是上海的女学生。当时汤山镇温泉招待所招考录取条件只要求年轻貌美、言辞伶俐。这些，廖雅权都符合。国民政府的反间谍工作很马虎，根本不知道要对身份搞审查核对。殊不知，这看似善良天真的中国女孩，偏偏是日本的间谍。只要按她填写的履历粗粗一调查，就可以查出一些问题，起码可以查出她有日本血统。可是，当初没人把政审当作一回事。须知，这南京的汤山温泉招待所是国民党中央国际部所建，也是国民党国防部的招待所。许多秘密军政会议都在此进行，对日本特务机关来说，这里是刺探中国军政情报的理想场所。这种要害场所，怎能不对工作人员进行政审？

廖雅权在汤山温泉招待所简直是如鱼得水，施展开了她的浑身解数。她长得娇俏动人，能歌善舞，很有交际手腕。她利用美色勾引了很多国民政府的政要大员，据说孙科、孔祥熙等人都与她有过交往。因此，她窃取了很多中国的重要军事情报。

廖雅权的反常举动也引起了中国反间谍机构的注意。他们对她进行了跟踪、监视。经验丰富的廖雅权很快察觉到了异常，在获得日本特务机关的许可后，她逃离了南京。

由于没有取得确切的证据，廖雅权的失踪也没有引起中国方面的特别重视，这个事情也就不了了之了。

1937 年，日本谍报机构再次把廖雅权派到南京。这次，她换身份了。她变成了银行职员。显然南造云子的日本名字是不能用的，廖雅权的名字也不能再用了，那她用什么名呢？就叫孙舞阳吧。

在南京安定下来以后，这“银行小姐”再次和日本在南京的特务头子、日本领事馆总领事须磨联系上了，她在须磨的指挥下行动。

此时须磨正准备把行政院任要职的黄浚发展为日本间谍，只苦于找不到合适的下手时机。“新来的银行小姐”的出现，让须磨为之一振。

须磨和黄浚是日本早稻田大学的同班同学，私交很好，对黄浚的爱好、才能都十分了解。

有一次，须磨请黄浚吃饭，饭桌上，须磨把“新来的银行小姐”介绍给了黄浚。女特务利用她的美色很快和黄浚打得火热，并成了黄浚的情妇。黄浚平时生活非常奢侈，经济上常常入不敷出，有了这个情妇后，更加捉襟见肘。

黄浚上钩后，“银行小姐”果断向黄浚亮出底牌：自己是日本间谍南造云子。她要求黄浚帮助日本人窃取中国军事情报。完成任务的话，不但赔色还倒贴钱，否则，就难看了。

这让黄浚惊出一身冷汗，虽然黄浚早年留学日本，也有些亲日的倾向，但做日本间谍是从来没想过的，如果被抓住了，那就必死无疑。但是在南造云子的美色和须磨的金钱诱惑下，黄浚欲罢不能，最终走上了一条不归路。

黄浚为了获得更多的情报，利用他的工作便利，从当时国民政府机关的军事委员会和行政院中找目标，依样画符，用金钱、美女，把一些目标拉下水。接着他又把他的儿子黄晟也拉下水。就这样，一个潜伏在南京最高机关的间谍集团出现了。

1937年，蒋介石召开最高国防会议，会议上决定堵塞长江江阴航道，分割围歼长江上中游日本海军舰船和日本驻沪海军。黄浚利用担任会议记录之便，获取了这一极其机密的情报，并迅速把情报传给了南造云子。

南造云子立刻把这个情报传给了日本大使馆武官中村少将，由他直接用密电报告东京。结果，中国军队还没有布置控制江阴航道，日本人就抢先一步，于8月6日、7日两天把部队和舰船、侨民全部撤往上海。最高国防会议的决定落空。

此外，根据黄浚的情报，南造云子还和须磨、黄浚共同策划了在中央军校和京沪公路上两次谋杀蒋介石的行动。

不过，让他们意想不到的是，在中央军校的刺杀行动彻底暴露了黄

浚的身份。也正是这次失败的刺杀行动直接导致了黄浚间谍集团的灭亡。

黄浚被捕后，外事组连夜对他进行了突击审讯，黄浚很快交代了南造云子的藏身之处。由于消息封锁严密，南造云子和须磨对黄浚被捕的事情一无所知。

第二天凌晨，南造云子还在睡梦中，外事组的特工就包围了她的住处，五分钟后，南造云子被秘密逮捕。

在之后的一段时间里，外事组对潜伏在南京城内外的日本间谍据点进行了收网行动。其中在位于逸仙桥附近的日本牙医诊所，逮捕了井田秀夫等几名日本特工，并缴获了电台和一些武器装备。

至此，日本在南京的间谍网遭到沉重打击。

本来，按照国际惯例，战时抓到敌方间谍，可以立即处死。但是国民党当局却并未处死南造云子。南造云子被关在南京老虎桥中央监狱。至于日本领事馆的总领事须磨，虽然明知他是南京日本间谍网的负责人，但外事组决定暂时不惊动他。而被逮捕的小河次太郎，虽然具有外交官的身份，但仍然被装进一只麻袋，扔进了长江。

对于小河次太郎的“失踪”，须磨是心知肚明，但也不敢声张。在中日双方的沉默中，黄浚间谍案告一段落。

1937 年 11 月底，上海八一三战败，日军沿沪宁线一路向南京逼近。此时，经军事法庭审判，行政院的机要秘书黄浚，他的儿子、外交部部员黄晟分别以卖国罪被判处死刑，公开枪决。其他成员皆判有期徒刑。

1937 年 12 月初，此时国民政府已经决定迁往武汉。南京的陷落只是个时间的问题了。

南京警备司令部的特勤二中队也准备撤离南京了。在离开前，他们准备处决被关押在南京老虎桥监狱里的日本间谍。当特工们到达老虎桥监狱后，却被告知，南造云子等七名日本间谍已经越狱逃跑。

原来，在大局比较混乱的情况下，南造云子通过诱惑收买看守，逃出监狱。与她同时逃跑的还有被捕的七名日本间谍，包括金马利、井田秀夫等。金马利这个名字，很容易猜想到是日本殖民地的韩裔人士。因缺乏资料，这不过是猜测而已。

南京陷落后，南造云子被秘密派往上海继续进行特务活动。她先在土肥原机关的重光堂，大家知道，在那里，影佐祯昭、今井武夫、西义显、伊藤芳男等日本特务与梅思平、高宗武反复勾结，策划了汪精卫集团叛变投敌。

还有说法，在土肥原、影佐祯昭、晴气庆胤策划建立以丁默邨、李士群为首的特务集团时，南造云子也在其中。南造云子后来就留在梅机关。

上海地下组织把她列为消灭对象，总因她十分狡猾奸诈，屡屡逃脱惩罚。

终于在 1942 年 4 月的“眼镜蛇行动”中，一举将其毙杀成功。

须知，1941 年 12 月太平洋战争爆发后，日本对英美宣战，上海的租界即将落入日本占领军和汪伪政权的控制，上海的地下抵抗力量已基本失去租界的屏蔽。暗杀南造云子成功，的确是一起了不起的行动。当然，也正因为上海的租界就要落入日本占领军的控制，南造云子才以为无所顾忌而冒险单独行动，从而落得可耻下场。

有些文化人对南造云子的真实性表示怀疑，而否认相关的离奇案件。

但我们可以说，该怀疑的只是南造云子这姓氏本身。特务身份暴露并被消灭，以化名死去，而其真面目继续被隐瞒。这种事，在谍战中是正常的。但不可因南造云子并非真名实姓而否认黄浚父子是汉奸间细，否认黄浚因被日本间谍拉下水、出卖国家机密、罪孽深重而被枪毙的事实。黄浚的案子，是可以翻开当时的报纸查证的。

如果李香兰当初被当作汉奸枪毙了，而不是作为战败国的间谍而被驱逐出境，那如今谁知道世间还有一个叫做山口淑子的日本女人？山口淑子作为日本女人复活了，而作为汉奸的李香兰永远不会有“何日君再来”的那天。同样作为特务的南造云子死了，她也没有真名实姓曝光的那一天。

第十章　要命的牛肉饼

一、银行血案

本章主要讲述76号特务机构最后覆没的过程。76号特务机构罪恶累累，前面已基本作了披露。但其中一起针对手无寸铁的银行职工的大规模屠杀，本书至此尚未作系统的介绍。由于这起罪恶极其血腥残忍，而且与日本帝国主义对中国的经济掠夺紧紧相连，所以我们不能将其忽略。

伪“中央储备银行”是汪精卫伪政府在日本的支持下成立的傀儡银行，总部设在南京，发行货币称为“中储券”。由于上海在全国的金融地位，汪伪政府又在上海成立分行，地址就设在外滩15号，也就是原来俄国人的华俄道胜银行旧址。

此前，中国银行、中央银行、交通银行、中国农民银行四大银行的总部因八一三战败而撤离上海。但是国民政府深知：由于上海经济地位的重要性，他们在上海金融势力的存亡，仍然关系着其政治和军事命脉。因此，重庆抗日政府继续通过留守在租界内的四大银行分行控制上海的金融市场，保持法币在沦陷区的地位。

日本侵略军在经济方面同样推行“以战养战”的政策，加强金融领域的掠夺与控制。他们在没有外汇和金银等贵重金属储备的情况下，用刺刀和炸弹在占领区内强行发行伪政府货币。用掠夺的中国白纸印成“钞票”，以这种几乎没有价值的“钞票”购买套取中国大量物资与财富，运到日本本土或直接调拨给各支侵略军作为对华战争的给养，用中国的物资来消灭中国。

可是，令侵华日军颇感无奈的是：在华南、华中沦陷区和广大农村地区仍以国民政府发行的法币为主要流通货币，特别是在以上海为中心的华中地区，法币仍有较强的实力。广大沦陷区中国人坚决抵制伪币！

而此前日军在这些地区强制使用的军票，也因为既无准备金又无物资储备作为支持，更遭到抵制。这些都给日军在上述地区进行物资的掠夺，带来了极大的阻碍。

但日本人不死心。他们指使汪伪建立伪“中央储备银行”，强行发行“中储券”，再次发起了金融战。日军赋予“中储券”的使命仍然是：进一步用白纸套取中国资源，达到“以战养战”的目的。他们把“中储券”和日本军方发行的“军票”捆绑在一起，利用侵略者刺刀的强势任意确定它对重庆国民政府法币的比率，对法币的流通渠道进行侵蚀，企图最终驱逐法币，取代它在货币市场的主导地位。

汪伪中央储备银行发行的“中储券”，20% 是给汪伪政府用的，80% 是给日本侵略军用的，这个货币谋略就在这个地方：一旦信用积累起来，日本侵略军需要多少物资，社会就要提供给他们多少物资。

伪中央储备银行的建立和“中储券”的出笼，以及日本掠夺性的意图，对于蒋介石国民政府的货币金融地位造成极大的威胁。为此，重庆国民政府迅速作出反应，着手部署阻止汪伪中央储备银行的建立及“中储券”的发行。为此，在上海滩，国民政府与汪伪集团围绕着法币与“中储券”的存亡展开了一场金融战。

日军强制使用的“军票”

在这场特殊的战争中，双方动用了政治、经济和法律的手段，直至发展到使用各自手下的特工组织，大打特工战。这场战斗，在金融领域最终演化为一系列震惊中外的“银行血案”。这是金融史上前所未有的。

抗日政权方面，在1941年1月初伪中央储备银行和“中储券”出笼的前夕，重庆国民政府早已经电请上海公共租界工部局，并向在沪中外银行转发指示：拒收“中储券”。电文中说道：伪中央储备银行系非法组织，无充足之准备金，非中国或外国银行公会会员，要求拒收“中储券”。根据这份电文，上海公共租界工部局负责人菲利浦，召集上海金融业和商业上层人士讨论决定：

公共租界各商店须拒用“中储行”钞票；

“中储行”钞票不得购买外汇；

汪伪“中央储备银行”发行的“中储券”

各银行储蓄柜拒收“中储券”。

重庆国民政府还电函上海银钱业工会和市商会，命令它们一律拒用伪中储券，在上海租界的邮电局也奉令拒绝收汇。

上海银行业、钱庄工会迅速作出响应。伪中央储备银行遭到租界一致拒绝。租界内电车公司不堪刺刀和手榴弹的威胁而同意收受“中储券”买车票，但市民却基本没人用它购票。

一筹莫展的汪精卫集团急了，不惜动用 76 号特务集团，以售其奸。

得到汪伪政府的指令后，李士群接受伪中央储备银行驻沪推销主任季翔卿的提议，指挥大批 76 号特务，手持“中储券”到全市各大公司商场购买货物，如果店家不收，便掏出白朗宁，让他们吃子弹；同时，李士群又以“特工总部”的名义，向上海滩各银行、钱庄发出恐吓信，声称胆敢不接受“中储券”者就以武力对付。

汪伪同时还采取各种手段，命令租界里面同业公会的负责人，要各个商铺全部使用“中储券”，甚至还派特务去监视上海的柴米油盐行，这些老百姓基本的生活用品商店里面，看他们使不使用“中储券”，威逼、利诱各种手段，都使用上了。

针对日伪发起的这场无耻的金融战，军统局上海区也接到指令，积极采取行动打击日本及汉奸的无耻行为。

为 76 号出主意用子弹推行“中储券”的伪中央储备银行驻沪推销主任季翔卿，首先被制裁。季翔卿家住法租界恺自尔路（今金陵中路）芝兰坊 7 号，他原是公共租界宁波路汇源银号总经理，是最早进入伪中储行的人员之一。

1941 年 1 月 30 日上午 8 时许，季翔卿头戴礼帽，身穿黑色条子英国花呢西装，外罩貂皮领黑色皮大衣，鼻梁上架一副金丝边眼镜，风度翩翩。他那辆黑色的自备汽车正缓缓驶来，正当他拉开车门，迈进左腿欲踏入车厢的刹那，路边上两个身着长袍的年轻男子，迅速冲过来，“啪啪啪”几声清脆的枪响，季翔卿“啊”了一下，便倒在地上，一颗子弹击中了太阳穴，另一颗子弹射中了额头，白色的脑浆、红色的血，四处飞溅。

枪手从容离去。

半个月后，2 月 20 日上午 10 时 15 分，三名男子大模大样地进入上海伪中储行营业大厅。为首的一名“西装绅士”，从皮包中抓出一枚哑手榴弹向前投去，落在右边甬道上，咕噜噜滚了几下，没有动静；于是，一挥手又飞出一枚真手榴弹，扔楼梯口无人处，“轰隆”一声，烟雾弥漫，吓得营业小姐和大堂经理全趴在地上，看来用的是土火药。还有一名刺客，直奔二楼业务课，连扔了两枚手榴弹，都因未拉开保险盖，没有爆炸。

刺客完事后反身要走，碰上伪中储行营业大厅的行警阻拦，抬手就

是一枪，那个倒霉的行警便一命呜呼。

整个过程前后不超过三分钟，等日本宪兵和巡捕房的人过来的时候，这三名枪手早就跑得无影无踪了。营业大厅内一片狼藉。

带头使用伪币“中储券”的投机分子，如果不是汉奸，也是一些没骨气的人，这些人没有几个是不怕死的，听此传闻，谁还敢去中储行那个是非场所？伪行的行员们更是提心吊胆，战战兢兢，胆小的甚至不敢上班。

这可把总行长周佛海气得七窍冒烟，他电告李士群：

“明日飞沪，机场接。”

第二天中午，一架日本军用飞机穿云破雾，降落在上海机场。周佛海一出舱门，见李士群、吴世宝、戴寅和特务委员会委员、警卫第三大队大队长张鲁等都来迎接。一行人驱车来到上海愚园路的寓所研究对策。下午，周佛海又赶往外滩伪中储行，召开全行行员大会，“勉其安心工作”，并拍胸膛保证：

“当负全责，谋行员安全。”

周佛海对重庆方面发表谈话，警告戴笠和军统特工：

“不得再有此种‘犯罪’行为；否则，将以暴制暴，采取严厉的报复行动。”

3 月 21 日，周佛海突然接到上海来电：

“中央储备银行又遭渝方狙击，调查处副主任楼侗不幸身亡。”

周佛海立即电谕李士群：

“士群暨沪上特工同志：力谋反攻，以血还血，勿谓余言之不预也。”

李士群接到命令就马上执行。汉奸特务报复的第一目标是法租界逸园跑狗场的中央银行办事处和公共租界爱文义路 (今北京西路) 央行分理处。李士群命化验室主任姚任年做了两颗定时炸弹，由专员室主任沈信一督促几个特务执行。

3 月 21 日下午 3 时 50 分左右，沈信一手下一个特务冒充邮差进入法租界逸园跑狗场中央银行上海分行办事处的楼梯上后遗下一箱便迅速消失。一名路过的银行职员顺手将其搬上二楼。等银行职员打开箱子，发现里面有个仪器不停地在闪烁时，大惊失色，惊恐的职员们正准备打电话报警，但是已经来不及了。当场爆炸，死伤50余人。

几乎与此同时，另一名化装的邮差将一只五洲肥皂箱当邮件邮包交给公共租界白克路中国银行上海分行传达室，由传达室盖上签收单后匆忙逸去。传达室把它当作邮包收下后，定时炸弹爆炸，炸死七人，银行门面也被炸坏了。

同日，中国农民银行也收到一枚定时炸弹，但因警察拆除及时，炸弹未能爆炸。

当晚，李士群见爆炸中国农民银行失手，就指使吴世宝派顾宝林、张国震带领特务，继续攻击霞飞路1412弄中国农民银行职员宿舍。谁知顾宝林、张国震到了霞飞路，发现1411弄10号是农行宿舍，就冲进去开枪，扔炸弹。据报，当场杀死农行行员六人，伤十余人。但是76号特务弄错了，这里是单号门牌，虽说也是农行宿舍，却是江苏农民银行的。而中国农民银行宿舍是双号的，在马路对面。原来，抗战爆发后，江苏沦陷区将一部分银行工作人员集中在上海待命。原在南京的江苏农民银行租下法租界霞飞路1411弄10号作为来沪职员宿舍。吴世宝、顾宝林、张国震就这样盲目乱炸，乱杀。

吴世宝回去向李士群交差，大叫干得不过瘾。

李士群知道吴世宝弄错了。但他想，既然要杀的是抗日政府方面的银行职工，管它什么中行、农行还不都是一样？76号边上不远处的极司非而路96号的中行别业就是中行员工宿舍。要杀点人，何必舍近求远？要杀，就拿中行别业开刀。

于是李士群点头鼓励吴世宝：

“四宝，阿拉会在周老板那里为侬要香烟钿。既做了不如做个彻底，去中国银行再杀个痛快吧，威震上海滩！”

李士群要吴世宝再到霞飞路去补杀。

3月22日凌晨3时，李士群派吴世宝、万里浪、杨杰等汉奸，率领人马，前往极司非而路96号的中行别业。一起震惊上海滩金融界的集体大绑架案就这样发生。

中行别业是原上海中国银行职员和家属的集体宿舍。早在1923年开始筹建，1924年首批房屋落成。中国银行各层次的行员，大部分集中居

住在这里。命名为中行别业，意思是中国银行在营业用房以外所置的产业。特务们将这幢大楼包围起来，挨门搜查，共抓走包括各部主任在内的129人，统统将他们押至76号总部作为人质。

周佛海接到李士群的报告，兴冲冲地在日记中记述了昨晚发生的一切：

3月22日，星期六。八时起。连接沪电：昨晚击毙农行行员六人，伤十余人，逮捕中国银行行员一百二十九名，盖沪同志接余电立即反攻也。

周佛海一连给李士群发去三封嘉奖电，并进一步指示方针。

李士群奉命发表声明：

我们的意思不是报复，而是在于自卫，并为一般市民谋安全，一旦重庆方面悔悟，在租界内治安确立，我们当立即恢复被拘捕者之自由。

周佛海发赏洋三万元，犒赏76号各打手。

事后李士群对汪曼云说：

“周佛海出手赏了三万元钱，这数目对周佛海来说，可算是最阔的一记出手，其实还不够我两个炸弹的成本哩！”

听口气，李士群对这个数目是不满意的。

《上海歹土》是美国作家魏裴德的著作。他在书中描述了这起血腥的事件：

数星期之前，报人乃是暗杀者的子弹和炸弹的目标。如今，无辜的银行职员被枪手残忍地屠杀，或者被日本宪兵及其傀儡助手所绑架……他们企图主宰当地金融和银行业界，通过有组织地投机买卖、囤积日用品、向地方银行职员征税，以及最近大规模地谋杀银行雇员和炸毁他们的居所，目的是迫使他们屈服于政治流氓及其上司的控制。

中国银行的一百余人，均被押禁于汪伪特工总部 76 号内。因中国银行在上海金融业中营业范围最广，对社会影响最大，为了对客户负责，虽然当时大量缺员，在出纳、会计主管都遭拘捕的情况下，中行仍然组织行员全力以赴，顶上空缺，在集体绑架案发生后的第二天照常开门营业，深为广大市民赞许。

汪伪特工的疯狂杀人行动，引起上海的外国银行震惊。银行各界积极活动，试图营救被绑行员。中国银行和交通银行还组织了特别委员会，希望通过谈判解决问题。后来，同业人员又请出中立方——盐业银行的李祖莱和交通银行的副经理张佩绅出面去 76 号说情。而这李祖莱正是佘爱珍的相好。

汪伪特工的恐怖行动引起上海外国银行的震惊，他们迅速召集会议决定：一方面，向重庆当局提出停止袭击“中储行”；另一方面，向汪伪方面提出停止报复行动。

3 月 25 日，国民政府的外交事务代表段茂澜会见美国总领事罗赫德，要求公共租界的行政当局给予更多的支持。段茂澜称：

“若无适当的保护则四行只能撤出，而国民政府的货币供应也将随之撤出。”

罗赫德答应向美国政府转达他的关注。

3 月 28 日，美国驻重庆大使收到国民政府外交部有关中行被绑架、农行爆炸案及中国、中央银行各分行爆炸案的照会，要求美国人向上海租界当局发个电报，命令他们对租界内的中国各银行进行适当的保护。

4 月 4 日，上海金融界人士联袂求见李士群，具名保释被绑行员，但遭拒绝。

4 月 5 日，英美两国商会主席面见周佛海，要求停止恐怖行为。

4 月 8 日，经过谈判，76 号特工总部强迫中国银行答应出具残酷的连环互保，并保证随传随到，仍居留原地等条件后，被押的 100 多人才被释放，事实上并未获得自由。

被关押了十几天的中行职员回到家里，可是，他们万万没有想到，

一周后，他们中的部分人又被抓了回去。

原来，中央银行被炸及中行职员 129 人被绑架后，又激起了军统的报复念头。

探知伪中储银行上海分行受伤的会计科副主任张永刚在大华医院治伤后，军统于 4 月 16 日又派了几个特务，赶到大华医院，闯进了病房，将其击毙。

接到张永刚被刺的电报，周佛海再次被激怒：

> 返寓接沪电，知分行会计科副主任张永刚前被渝方袭击伤腿，昨在大华医院将腿切断。本日暴徒七人入医院，将其击毙。渝方如此残酷，令人发指，当令沪同志于渝系银行职员中，本晚杀三人以报复。杀以止杀，情非得已，虽心有所不安，而势不能不行，未知本晚能否成功也。

戴着“情非得已”的“人道”面纱，周佛海发出“三命抵一命”的指令，李士群指挥 76 号特工总部，再次包围了中行别业。特务们按照名单，将此前出具连环保的银行职员带到 76 号特工总部。

当晚 9 时 30 分，吴世宝带着一群喽啰，扣押了中国银行的九个科长，

被 76 号杀害的中国银行出纳科副主任张筱衡（左）和新闻办事处主任曹善庆（右）

说要带走请吃饭。吃完饭后吴世宝要从这九名主任级的银行职员里面找三个出来抵命。

吴世宝说：

“上次便宜了你们，这次我方银行死一人，要你们三个抵命。我看这样吧，先杀三个姓张的吧。”

结果 76 号特务当场在这些行员中查到两名张姓职员。

一名叫张筱衡，一名叫张立纬。

那么还缺一个人选怎么办呢？特务们振振有辞地说：

“就让天来做主吧！”

于是就在这个“请吃饭”的台面周边，特务们在凳子反面做了一个记号，就是谁坐上这把椅子，谁就成为第三个抵命的人。

这里发生了一个小插曲。

吴世宝老婆佘爱珍凡遇这种热闹的场合总会到场。

她发现，第一个坐上这把“死亡之椅”的是一位小帅哥。这个主任不但年纪轻，长得也比较帅。她有一点于心不忍。她就让别人上前跟这个小帅哥说，你不要坐这个位子。然后让他跟那个 50 多岁脸上有点天花麻点的曹善庆换座位。此时除 76 号的特务外没人知道哪把才是“死亡之椅”。曹善庆当然不知道何故，换就换吧，他就坐到这个“死亡之椅”上。

玩过“死亡之椅”的荒唐游戏之后，特务将九人中的其他六人先行驱逐回家，而将张筱衡、张立纬、曹善庆三人带到秘密审讯室，由一名特务讯问相关情况，逐一登记每个人的年龄、姓名、籍贯及家庭状况等。审问完，76 号特工总部欺骗说派车送三人回中行别业的家里。

这三个人也真的觉得没事了。据说那个曹善庆一坐上车还很开心，哼起了京剧。当车子开到那个中行别业门口时，预先埋伏的三个特务枪手就冲上车，二夹一地拉下车枪杀。

曹善庆、张筱衡立即中枪倒地。张立纬因为头戴呢帽，子弹穿过帽顶，未击中要害，不知倒下，另一名特务又补了一枪，击中其腿部，张立纬才昏倒在地。特务们于是驱车扬长而去。

曹善庆、张筱衡送医院不久就死去，张立纬重伤获救。

血案发生的第二天，汉奸胡兰成主编的《中华日报》头版刊出《以

三抵一，信守诺言》的大幅标题，疯狂叫嚣：

以血还血，以牙还牙！再杀中储人，枪毙人质三名！

同时，该报社论严厉警告重庆当局和蓝衣社，将不惜采取一切手段进行报复！

气焰极为嚣张。

以中行别业屡遭袭击为由，4 月 23 日下午，日本宪兵司令部接管了中行别业，勒令住户立即外迁。

日伪乘机掠夺了中行别业所有房产。

尽管已如此残忍，周佛海认为仍是雷声大雨点小，仍然不满足，于是又写下了一张条子，还要李士群狠狠地报复。

中行别业的员工已被驱逐四散，李士群再把他们找回来进行屠杀，已是势所不能。但为了在周佛海面前卖弄几手，李世群又想到霞飞路1412 弄中国农民银行的宿舍，那里有大批忠于国府的银行职工。要杀人，就拿他们开刀。

于是，在半夜，李士群命令杨杰带领大批特务，乘车驶至 1412 弄中国农民银行的宿舍。

特务们将车身横在弄堂口，两个特务架起机关枪，封锁住出口，其余的特务纷纷跳下车，直奔宿舍楼铁门前，拼命按电铃。

茶房披衣出来忙问：

“啥人？”

特务回答：

“巡捕房的，查看房间，快开门！”

茶房赶快打开大门，一支黑洞洞、冰冷冷的枪口正顶着脑门：

“带路！”

“起来！起来！”

从楼下到楼上，汉奸们挨着门逐个乱砸狂吼，威逼室内的人开门。

银行职员被汉奸们逐个拉起，驱赶到楼下，被逼一个一个排成队。在睡眼蒙胧中，这批行员虽然猜测可能大祸临头，但不知道会严重到什么地步。因见来人都像煞神一般，只能听从摆布。

哪知刚排好队，杨杰就命手下端起机枪，一阵疯狂扫射，全部人员，竟无一幸免。

杨杰见已达到目的，就率众匪跳上汽车驶回 76 号。

这是 76 号干的最大的一起集体惨杀案。

屠杀的枪声，把霞飞路 1412 弄整个里弄的居民从梦中惊醒。大家知道弄堂里出了屠杀事件，可是没人敢开灯起来，一些人被吓得哆嗦在被窝里。该弄 3 号蒋福田，是法捕房政治处的督察长，也是杜月笙的学生、军统人员。他在暗中打报警电话给法租界巡捕房。

过了一会，才来了大批中法巡捕，把 1412 弄全部封锁。可怜倒卧在血泊里的人已全部死了，凶手却早已逃逸。

巡捕们到楼上去作现场取证，居然在浴室浴盆的隙缝里，找到了一个活人。他也是中国农民银行的行员。当 76 号这批汉奸进门上楼吆喝的时候，他正起床小便。因为此时窗外透进一些亮光，无须摸黑行走，于是他也懒得再开电灯。因此，他没被 76 号汉奸注意到。他听到大批人上楼，且气势汹汹地叫人起床，情知事情不妙，便向浴缸的隙缝里硬挤进去。后来听到枪声，他更吓得丢了魂。

「中央銀行」兩辦事處
昨下午遭人炸燬
兩處死傷共達五十餘
中農分行一彈幸
法租界七死一傷
公共租界死傷數十

某方對空前綁架案
已直認不諱
被綁人數共百廿八名
一部行員被釋不確
暴行傷員已見好轉

当时报纸对 76 号两次针对银行的暴行的报道

要不是勘查现场的

巡捕把他找出来，他自己还不敢出来。到了楼下，他看到自己的同事全部倒毙在血泊中，更是吓得面无人色，簌簌抖个不停。他是这次集体凶杀案的唯一幸存者。

这件集体凶杀案在第二天传出后，整个上海的人们万分惊恐，尤其是那些银行职员，更吓得惶惶不可终日。

根据幸存者及街坊邻居的讲述，惨案真相通过传媒传遍上海。

杨杰的此次暴行，注定了他必将永远被绑在历史的耻辱柱上，作为一具警示世人的死标本。

法租界巡捕房为确保中央银行的安全，只好派了一辆铁甲车守在银行门口。

花旗、大通、友邦等外国银行的业务大受影响，纷纷提出抗议。与此同时，上海社会各界及英、美、法领事也强烈呼吁早日结束这一混乱局面。此时，国、伪双方均感到事态如此发展下去，必定会两败俱伤。

抗日政府方面认为：

76号以日军作为后盾，并且决斗的场所又在沦陷的上海，日汪方面可以明火执仗地滥杀无辜，显然是占尽了上风。而军统局特工则只能以租界作为掩护，暗中冒险出动，人手少，力量弱，形势极为不利，必须寻找一个办法妥善解决。

一方面迫于压力，另一方面基于自身利益的立场，双方开始考虑结束这场争斗。可是如何收场呢？

4月18日，国民政府财政部致电上海银钱业，表示将竭力保护央、中、交、农四银行上海分行复业，以维持上海金融。与此同时，积极寻求英、美、法领事馆的调停。

在香港的杜月笙得到重庆的授意，出头斡旋。

杜月笙马上发电报给上海的门生“花会大王”高兰生，要他摆平此事。于是，高兰生奉命找吴世宝。吴世宝见是杜月笙派高兰生来与自己联络，给足了自己面子，遂觉身价百倍，也不敢把事做绝，便答应劝李士群。

李士群此时正把全身心都转移到与罗君强争夺“清乡”领导权上，也巴不得早点结束这令人生厌的特工大战。于是，最后由吴世宝派了一个代表前去香港，给杜月笙回话，答应休战。军统上海区也接到了戴笠停止行动的命令，一场银行血斗暂告终结。

4月28日，四大银行在上海恢复营业。

尽管自上海沦陷以后，法币的汇价明显呈下降的趋势，通货膨胀比较严重，央、中、交、农四行在日伪占领地区的业务也受到了很大的损害。但是，由于国民党政府采取了较为及时、得当的措施，并且得到了英、美方面和租界当局的公开支持，直到1941年12月太平洋战争爆发前，法币在上海地区与“中储券”的较量中仍占上风，而在上海租界则占了绝对优势。

虽说银行血案暂告终结，但，周佛海绑架一百多中行职工做人质的行为提醒了戴笠：何不以其人之道还治其人之身？

以往，重庆方面以“一人做事一人当”为由，没有对汉奸家属采取报复措施。这当然有对的一面。的确，有许多家属都表态拒绝与汉奸来往，梅思平女儿宣布断绝父女关系这事还有普遍教育意义。但，为何不能对最大的一些汉奸，比如周佛海，采取相应的措施？你敢绑架我大批银行职工做人质，我就不可以拿你的母亲和岳父做人质？

戴笠也来了一手，把周佛海的母亲和岳父从湖南接到贵州息烽好生养着。自然是好吃好住地招待。这两老是不是人质，你周佛海知道，你杨淑慧也知道。周佛海不要老娘，难道你杨淑慧也不要老爸不成？还有就是你周佛海、杨淑慧夫妻也想闹得鸡飞狗跳不成？

在戴笠面前，周佛海的母亲和岳父自然也表现得大义凛然。其岳父写信给周佛海，转达他母亲的话：

“吾儿不必当孝子，但要做‘忠臣’”。

戴笠派出的军统特务程克祥找到周佛海，要听他的回音。

二、伪“清乡委员会”及汪伪汉奸之间的权力争夺战

前一节讲到李士群全身心都转移到与罗君强对“清乡委员会”领导权的争夺上。这究竟是怎么一回事？

八一三抗战失败后，日军占领华东地区。与其说是占领，充其量不

过是控制了几个点。即使是努力把点连成线，也只能维持京（宁）沪、沪杭两条铁路的通车。广大的面自然控制在各种抗日游击队手中。

为此，1940年秋，日本驻上海第13军团通过军事顾问部向汪伪提出一份“肃清方案”，希望汪伪配合日军，肃清各地区敌对势力。

日本向汪精卫提议“肃清”，也正符合汪精卫的胃口。汪精卫正希望自己能像模像样地弄出一支有点地盘的“和平军”。日本逐步缩兵，恰好借“肃清”的机会，由“和平军”一处一处地接收进驻。于是欣然同意。

周佛海更是极力赞成，因为“肃清”了乡村，驱赶了抗日游击队，汪伪势力将遍及全面，就可以向广大农村地区派粮派捐，征收田赋，在财政上大有收获，他这个主管财政的，必然获益最多。

李士群向汪精卫汇报“清乡”的情况

要搞“肃清”，就要设衙门。

于是，汪精卫与周佛海、陈公博商议。权力欲极强的周佛海提出由其亲信罗君强任“肃清”的督办，主持事务。罗君强叛变共产党投向蒋介石后，曾当过国民党中央军事政治学校和南京陆军军官学校的教官，干过浙江海宁县县长，还在蒋的军事委员会总司令部做过少将秘书。在汪伪集团内部，是难得的有军事和行政经验的人物，又长期是周佛海的马崽，当然是最佳人选。

汪精卫手头无人，自然立即召见罗君强，将其引至一间办公室，取出日本人送来的“肃清方案”及译件，问罗君强：

“肃清的事，佛海向你说过了吗？”

罗君强满心欢喜，殷勤地献媚：

“汪主席，‘肃清’二字很刺眼，中国历史上将这类工作叫‘清乡’，不如用‘清乡’这个老名词为妥。”

汪精卫同意，签了把“肃清”改为“清乡”的批示，送交日本顾问。

于是决定成立“清乡督办公署”，首任“督办”就是罗君强。

周佛海大喜，以为罗君强督办“清乡”成为事实。

他们立即策划，决定将伪中央税警学校的3000学员改为伪保安队，作为“清乡”的骨干，再招兵买马，趁机扩展自己的势力。

罗君强小人得志，猖狂非凡。正当他笑口常开，自夸既是“罗委员长”，又是“罗督办”时，哪知“清乡督办公署”这个衙门没出生就夭折了。

原来，李士群听到消息，看着眼红，就和76号的日本老板晴气庆胤密谋，抢夺“清乡”大权，把周佛海撬了，把罗君强踢掉。这意见也得到汪伪最高军事顾问影佐祯昭的同意。影佐祯昭这时候执行的是“以特制汪”的方针。

“清乡”时，日伪强迫当地村民修筑竹篱笆围墙，用以封锁“清乡”区。图为伪警察在竹篱笆墙旁边巡逻

76号特务是日本人直接豢养的，指挥76号牵制汪政权，比日本人直接出手更有利。所以不论影佐祯昭还是晴气庆胤，所有日本人都是偏听偏信76号而疏远汪伪的人员。李士群自然要啥有啥，得意非凡。

于是，晴气出面向汪精卫提出：

“‘肃清’改为‘清乡’很好，这是一件大事。请阁下担任清乡委员会委员长，陈公博、周佛海兼副委员长，在苏州设办事处，由秘书长代行会务。秘书长兼苏州办事处长拟以李士群担任为宜。”

日本人的话，就是圣旨，汪精卫点头同意。

1941年5月，汪伪“清乡委员会”成立。汪精卫亲自担任伪委员长，陈公博、周佛海为副委员长，李士群兼任秘书长负责实际操作。汪曼云任副秘书长，协助李工作。6月中旬，汪精卫召开了一次“清乡”地区行政会议，会上决定以苏州为中心，向四面展开。

7月初，伪“清乡委员会”在苏州成立了办事处，实际上是把南京的整个“清乡委员会”机构和人员都搬到了苏州，办事处主任由秘书长李士群兼任。汪精卫指定伪“清乡委员会”军务处长唐生明兼办事处副主任，协助李工作。李士群、汪曼云和唐生明为了表示决心，认真工作，都把家从上海迁到了苏州。这样，在晴气庆胤的主导下，李士群夺取了“清乡”大权。

周佛海和罗君强瞎忙活半天，到头来竹篮子打水一场空。

气急败坏的周佛海在日记中记下：

本日与汪先生商清乡问题时，发现某又弄花样。至诚能开金石，忠信可格豚鱼，余待某以诚以信，而终不能感格，岂豚鱼之不如耶？

周佛海这里提及“又弄花样”的“某”，就是李士群。

李士群排挤罗君强，坐上了“清乡委员会”秘书长的位子，等于是全盘控制了“清乡”活动。这是李士群最为得意的时期，势力权力都达到了他人生的最高峰，也为他实现自己的野心提供了条件。

按下野心勃勃的李士群如何搞“清乡”慢说，回头议论一下，这周佛海与李士群何时开始，又因何种缘故而结了梁子。

其实，原本丁默邨与周佛海有同乡的优势利用，而且还是他先与周佛海接上关系的。但自李士群把丁默邨迎为大哥之后，丁以首脑自居，对李发号施令，李对他产生不满。两人为了权利、人事分配、钱财分赃不均等事，时有斗争摩擦。李士群对特工中的实力派拉拢得很紧，对周佛海也十分恭顺。汪伪政权成立前夕，李士群听说丁默邨可能出任汪伪政府社会部长兼警政部长，而自己仅是屈居丁默邨之下的警政次长时，便唆使手下苏成德、吴世宝出来反对丁默邨，更借郑苹如的案子，说丁默邨不配领导特工。最后导致 1940 年年初的除夕夜年夜饭桌上演一场“火併王伦”的闹剧。丁默邨黯然神伤，最终被赶出 76 号，到南京当了个社会部长。警政部长由周佛海兼。李士群虽说没有一举夺得警政部长的职位，但独霸了 76 号特工总部。

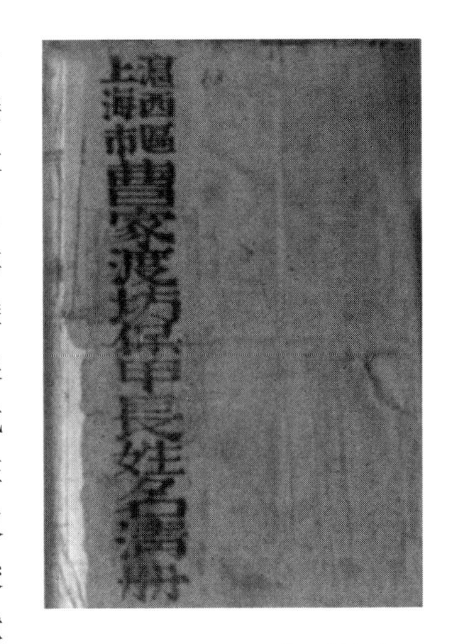

“清乡”时期，日伪编制的保甲长名册，利用连坐法加强统治

作为丁默邨、李士群顶头上司的周佛海，在这一过程中，始终没有偏向丁默邨，而是默认了李士群。为什么？因为周佛海看到日本人偏向李士群，还因为李士群牢固地控制着 76 号特工总部。周佛海要达到自己的政治野心，就必须利用李士群这帮特务。

李士群控制了 76 号特工总部后，马上收集证据，上报伪机构，把老搭档唐惠民一脚踩在地下，“永久”禁闭。为什么？还不是丁默邨为牵制李士群，故意把唐惠民提拔为与李士群同样的 76 号副主任？这下李士群翻身，绝不放过这个“忘乎所以”的唐惠民。周佛海明知李士群是故意报复，还联络梅思平、林柏生、丁默邨等人与李士群一起约定：

今后，谁都不能起用唐惠民。

周佛海竭力宠着李士群。

现在周佛海兼了伪警政部部长，与李士群这个次长虽说是上下级关系，但这个次长是带了本钱来的。因此周佛海对李士群不得不另眼相看。

而李也自恃有本钱，部长怎样，他便怎样，部长就任后不到部办公，李士群不但也不到部，连就职都不来就。尽管如此，警政部的人事，除主任秘书杨树屏是周佛海的亲信外，几乎全部是李士群的人。

周佛海的部长，只是名义而已。

毕竟因特务委员会与特工总部的关系，及伪警政部部、次长的关系，周佛海、李士群之间，便也因利害关系，自然地接近起来。周佛海需要李士群这伙打手，而李士群野心勃勃，想拿到周佛海所兼部长的乌纱帽，两人各有所求，彼此之间的关系突然火热起来。

为了那顶乌纱帽，李士群不惜手段巴结周佛海。

他与吴世宝串通，设下美人计。他们找了个号称“小玲红”的戏子去诱周佛海上钩，并把吴世宝新购买的宅子提供给周佛海与小玲红幽会。

事后，他们又巧妙地将此事透露给周佛海的老婆杨淑慧。醋兴大发的杨淑慧，即去捉奸，把小玲红暴打一顿。周佛海后院失火，焦头烂额之际，李士群又出面帮他摆平风流债。周佛海感激不尽，视其为亲信。

为了得到警政部长的位子，李士群也找时任汪党宣传部副部长的胡兰成，通过他巴结陈璧君。胡兰成是陈璧君的秘书，也是由陈璧君一手提拔的，此时胡兰成在上海主编伪《中华日报》和《国民新闻》，而《国民新闻》正是李士群76号的机关报。

陈璧君原本是个听到“特务”两字就“腻心”的女人，与76号也远远避开不接触。所以一开头，没与李士群多来往。但自高陶事件发生后，汪精卫、陈璧君不仅恨高宗武、陶希圣出卖他们，更恨杜月笙多管闲事，把汪伪集团卖国的罪恶勾当公布于光天化日之下。这时候的汪精卫、陈璧君想利用李士群的76号特务来给自己出气，要他们潜到香港，搞掉杜月笙等人。也正巧，陈璧君要南下广东“视察”。广东伪政权的几个头目，都是她本家“兄弟”。陈璧君目标大，去广东一路难免会成为各界爱国人士和军统猎杀的目标。这时候，李士群欣然请命，要为“第一夫人”效犬马之劳。陈璧君犹豫一阵，接受了。陈璧君在李士群护驾之下的广东之行，既气派又威风凛凛，从而大大改变了对李士群的看法：

李士群听话，能干。

虽说李士群谋杀杜月笙及高陶无果，但不影响汪精卫、陈璧君想把李士群拉到自己手下的兴趣。李士群攀上了比周佛海更硬的后台。

三股力量：日本人，汪精卫的公馆派和周佛海、梅思平的实力派，都要当李士群的后台。

由于周佛海身兼多职，既管财政又管安全，还是伪行政院院长汪精卫的副手。急于谋取部长位置的李士群，一次借着酒兴，厚着脸皮向周佛海索位：

“老周，你别占着茅坑不拉屎，趁早把警政部长的位子让出来吧！”

周佛海没有介意。周佛海的军师梅思平觉得政治斗争不能没有山头，要利用这机会，给点恩惠拉住李士群，壮大势力。为此梅思平献计，利用76号内当时反丁默邨的情绪，来一次“梁山小聚义”，把76号收进来。于是以周佛海与梅思平为中心，纠集了罗君强、周学昌、沈尔乔、汪曼云、戴英夫、王敏中、朱朴之、蔡洪田、金雄白，加上李士群共12人，进76号，一团伙拜把子结成了仁兄义弟。大家签名划押，写成兰谱。生怕兰谱一不小心会落到汪精卫手里，带来杀头之祸，所以“结拜弟兄”并不各执一纸，而由周佛海指定归罗君强保管。

当天中午，李士群在76号设宴，一帮人吃了一桌齐心酒。在酒席上，周佛海首先便暴露他的政治野心。

他说：

“我们这12人，在南京政府里可说是重要骨干，今后南京政府的一举一动，老实说，不通过我们就叫他行不通。”

周佛海这么一说，这帮人都自我陶醉起来。

为笼络李士群，周佛海又接着说：

“现在我们都是自己兄弟了，我兼的这个警政部对我来说，真是无一用处，士群为了它，受屈到现在，所以我回南京后，准备把它辞掉，让给士群。”

不待周佛海把话讲完，已是满座掌声，好像为今天的聚会结合，开了一个好兆头。

一个要，一个让，本是一件好事，所以周佛海一经提出，大家拍手。有些人在事后还同李士群打趣说：你今天备的这桌菜，实在太好了，但也没辜负了你。

但，野心家们的如意算盘打错了。兰谱没能稳住狼们与狈们彼此勾搭的关系，而是马上彼此撕破脸，反目成仇了。

1940年底，周佛海到了南京，把将警政部兼职辞让给李士群的话，对汪精卫一说，哪还有什么不照办之理？不久就见诸“命令”，李士群的部长问题解决了。可是周佛海带到伪警政部去的主任秘书杨树屏没了下落。

周佛海原来设想，我让你李士群升任了部长，你李士群空出的政务次长一职，当然由原来的常务次长邓祖禹来递升。于是邓祖禹便遗下常务次长的空缺，周便向李士群推荐由杨树屏升任，以免得对杨树屏再另做安排。

在周佛海想来，李士群不会阻碍杨树屏升任常务次长！

可是李士群并不这样想。李士群对汪曼云说：

“周佛海不漂亮，他既把部长让给了我，为什么还要介绍常务次长给我？这无异送给我一只蹄膀，又挖了一块肉去，这未免太不漂亮，所以我没接受，给他打了回票。”

这对周佛海来说，真是吃了李士群的闷心拳。而且是自己白吃了这一拳，还不能告诉人家，以免落个话柄，削弱自己的“威风”。要是给丁默邨知道，岂不要笑落牙齿？因此只好哑子吃黄连，闷在心里。

谁知事情并未到此为止，李士群不但拒绝了周佛海介绍的杨树屏，还起用唐惠民做了警政部的常务次长。当初，正是李士群与众人一起协议，谁都不起用唐惠民。

从此，李士群与周佛海结仇了。

现在回来讲李士群夺得“清乡”大权后的情况。

李士群一边在“清乡”区大肆搜刮，一边为扩大自己的势力范围不断活动。他将76号和警政部的亲信悉数安插进“清乡委员会”，后来设置苏州办事处时，他又带领这一群人，浩浩荡荡开进了苏州。

这样一来，伪江苏省主席高冠吾便如芒在背了。

而伪江苏省主席这个官位，也正是李士群想要的。江苏是汪伪辖地中最肥的一块，李士群可是觊觎多时了。由于当时汪伪政权的一切工作围绕着“清乡”进行，“清乡”地区的一切权利诸如赋税、建设、教育、卫生等，“清乡委员会”均可接管。李士群便一本正经地过问起苏州周边大大小小的行政事务来了。再加上日本第13军团同时在苏州设立了“清乡指挥部”，汪伪军事顾问部也来设立了个顾问派出所，而担任主管的就是与李士群关系密切的晴气中佐与小笠原少佐。

如今的苏州天香小筑（曾被李士群霸占为私宅）

这样，苏州的实际权力，便大都攥在李士群的手里了。

为赶走高冠吾，李士群借伪江苏省民政厅科长王春元敲诈伪江都县县长潘宏器一案大肆宣扬，说事情起因就在于伪江苏省政府贪污。这样一来，高冠吾难逃其咎。

1941年11月，李士群在上海的76号捷报频传，居然一鼓作气，拿下军统上海区陈恭澍以下全部抗日特工组织，此举大得日本主子的欢心，也使汪精卫甚感欣慰。

1941年12月，汪伪最高军事顾问影佐祯昭提出：

为有利于推进“清乡”，伪江苏省主席最好由“清乡”负责人来兼任。

不顾汪伪诸多人物的反对，影佐祯昭把李士群推上伪省主席的位子。于是，李士群如愿以偿，捞到梦寐以求的伪江苏省政府主席的肥差。

李士群把伪省主席官邸设在苏州的“天香小筑”。至此，李士群的汉奸事业达到了登峰造极的地步。

但随之而来的，就是他的头号马崽吴世宝出事了。

三、“万土”上的万霸王

自1937年11月，日本侵略军占领除租界之外的全部上海。公共租

界和法租界处于日本侵略军的包围中，这片地方成为“孤岛”。“孤岛”之外，就是大片的日占区。这些日占区里，歹人肆虐：绑票敲诈、杀人越货、贩毒售毒、设局行赌、卖淫嫖娼，加上日军的烧杀抢掠，那里成了罪恶与黑暗之地，是人间地狱。不过，中外各界人士为这片日占区另起了一个共同的名字“歹土”——洋人称之为 badlands。“歹土”正是犯罪之地的意思，更是指歹人横行霸道之地。其中“特别有名气”的歹土有两个地方：

一个是外白渡桥和四川路桥北端。因为那里的百老汇大厦和新亚大酒店是日军宪兵队特高课及其他各日本特务机构的大本营。无数上海的爱国志士和市民在那里受摧残，被惨无人道地消灭。许多在租界被引渡到日占区的人，只要过了外白渡桥，就意味着其肉体被消灭了。外白渡桥也因此一度被称为“叹息桥”。

另一个是大名鼎鼎的“沪西歹土”。它就是指 76 号日伪特工总部附近的那片区域。76 号日伪特务就是这“沪西歹土”的总毒根，而驻当地的日本宪兵则是总后台。经营“沪西歹土”养肥了 76 号大大小小的日伪特务，也是汪精卫南京伪政权活命钱的来源之一。据有关资料统计，仅 1941 年 5、6 月间，伪南京政府就从“沪西歹土”的赌场和鸦片馆中收取了 374 万元，其中 75 万元是以“特别税”的名义进入南京“国库”的。

汪伪和它的 76 号操控了这片歹土。

76 号“特工总部”虽然每月从上海海关库银中分取 30 万为经费，但仍然不能满足特务们的贪欲。老板娘叶吉卿亲自管着 76 号银箱保险柜，天天催逼李士群想办法。为了创收，他们不惜任何手段。而绑架杀人、欺行霸市、明抢暗偷、制毒贩毒、把控赌场是他们敛财的主要手段。

76 号因“沪西歹土”而膨胀，“沪西歹土”因 76 号而疯狂。

在这“沪西歹土”上专横跋扈的歹人中，最臭名昭著的，莫过于“歹霸王”吴世宝。76 号也正是通过五毒俱全的吴世宝经营这片歹土。

绑架杀人，是 76 号捞取钱财的第一途径，吴世宝正是此道的第一黑手。

绑架，使 76 号和吴世宝捞取了大量的金钱。前面提到过 76 号绑架方液仙并撕票，还勒索了 10 万元。

吴世宝还策划绑架绸业银行的卢允之，以 3 万元“保释”。绑架另一银行界人士许建屏，以 10 万元“保释”。他甚至将杜月笙的大管家万墨林绑架至 76 号，并开出 20 万元的赎金。

吴世宝看中了协大祥的老板，就叫人写一封恐吓信去，要他出 100 万元。扬言，要是拿不出就给颜色看。协大祥的老板自然不会服帖，当然置之不理。于是吴世宝就请一个懂化学的人做一只“香烟罐头”式的定时炸弹，叫人往协大祥门店的柜台一放，吓得老板再不服帖也得服帖，马上派人与吴世宝谈判，结果虽不是 100 万也得 50 万。

为保护受害者的秘密，我们隐去多数被诈了钱财的事例，而介绍几件 76 号吴世宝捞钱不顺手的绑票事件。

有几起重大绑架事件没有捞到钱。如绑架林康侯、袁履登、万墨林（开过价，没拿成），甚至拿枪威吓虞洽卿等等，便属于绑架“上海超级富豪”事件。吴世宝知道，搞大的，那是政治任务，是为日本人和汪集团效劳的，基本上是有功劳而不发财。

而绑架中小型财主，捞的钱实打实地归自己拿进。吴世宝在搞绑架敛财时，绝不放弃小的。以下介绍两起绑票没得到钱或少拿到钱的例子。但即使是这样，丝毫不掩盖 76 号或吴世宝的贪婪本性。

吴世宝甚至对于自己“干儿子”，也要来个“雁过拔毛”。

吴世宝命人绑架了纨袴小 K 邱长荫。

邱长荫是一个印染商的儿子。印染商也就是颜料商，生意不是太大。吴世宝绑了这个纨袴儿后发现：

这个“财神”已变成了过期支票。

邱长荫在同孚路上仅有的一幢大洋房早已卖掉还了债，手中所剩无几，那点铜钿已不入吴世宝的法眼。为救小 K，邱老 K 托一个与吴世宝有点交情的人来谈“票”。这人见机行事，叫邱长荫拜吴世宝和佘爱珍为干爹娘。吴世宝看看小 K 不过是一根鸡肋，食之无味而弃之可惜，就乐得卖个人情，认了这门干亲。于是一张绑票就此变成干儿子契约。

因为邱家是做颜料生意的，就相约以后有生意大家做做，把邱长荫放回去，还倒贴了邱长荫好几天伙食费。自此，邱长荫也去愚园路吴家走动走动了。有一次邱长荫不知是少不更事，还是有意摆阔，或者以为吴有门路，请干爹帮忙，把一只 26 克拉的钻戒，托吴代为脱手，以应急用。

这事确使吴出乎意外，当即答应收了下来，满口应允他能设法。事后邱去讨回音时，吴就敷衍，后来似乎觉得这样下去实在讨厌，就对邱长荫说：

“啊哟！我把你的东西遗失脱哉！”

干脆没收了。

邱长荫总算是酬谢了吴世宝把他绑去时的那笔招待费，从此不敢再上吴家大门了。

除了绑架富豪外，蒋政府留在上海的财税官员也成为吴世宝绑架和勒索的对象。

读者或许奇怪，退到重庆的蒋政府怎么还会有财税官员留在上海？其实，这不奇怪。当时上海的绝大多数老百姓和公司厂商是承认重庆的蒋政府的，他们继续向蒋政府缴纳税赋。财税官员收到的税款可由四大银行的上海分行或邮政储金所汇到重庆。

吴世宝就看上了留在上海的财税官何嘘云等三人。

三人中，何嘘云是国民政府财政部江苏印花烟酒税局的总务科长，还兼任四明银行的出纳科长，是一个住则有洋房，行则有汽车的有钱白领。何嘘云还有一位江苏印花烟酒税局的同事，也是一名科长。另外一位洪姓的财政部驻沪办事处处长，也兼任四明银行的什么科长。这三个人都小有财名。想钱想得发疯的吴世宝眼睛被这三个有钱的小科长撩得火辣辣的，于是这三位仁兄便被押进了76号。

几个人的家属，在家人失踪之后，当即四处打听，居然给他们探得了来踪去迹，得知原来是落进了歹土的杀人魔窟76号。

就凭“76号”三个字，已使人听了毛骨悚然。谁敢上门自投虎口？但亲人又不能不救。于是都急得乱找门路，最后终于找到了马啸天。

马啸天未当汉奸前是中统的老牌特务，表面上披着警察的皮。因此，他在财政部税务督察处待过。这样一来，何嘘云等三人与马啸天本就都是熟人和同僚。

三个人的家属都找到马啸天哭哭啼啼。家属们除找马啸天外，还辗转到香港，托财政部的秘书兼财政部驻港代表方畹倩，从香港写信给马啸天，请他大力斡旋，从中设法相助。马啸天因不知就里，便去向李士群求情。一下子搞得李士群莫名其妙。

马啸天起初以为李士群故意推却，李也估计马啸天在误会他，为表明自己，就叫吴世宝来当面对质。

吴世宝无法抵赖，就承认有此事，不过是公事公办，说何嘘云等三人有几项待查处的莫须有罪名。

李士群当然知道吴世宝玩的是什么花样，扣押三人的真实意图无非是诈钱，可又不便当着马啸天的面戳穿，使吴世宝下不了台。李士群便面示吴世宝把他们暂押，但不得用刑。

“不得用刑”这要求正是马啸天在吴世宝还没来到时向李提出的，他生怕吴胡来一下。

即使做到这步，那个财政部的洪处长已因恐惧而神经高度紧张，一再去信催促家属，托人赶快送一笔钱给吴世宝。

吴见钱眼开，叫来洪处长宽慰道：

“你放心好了，问题就好弄清楚。”

洪处长知道钱已到位了，紧张的情绪才松弛下来。其实洪的这笔钱即使不花，吴也决定要放他了。

欺行霸市，是 76 号和吴世宝敛钱的第二种手段。

捞钱最直接的办法是：

拿手榴弹和手枪上交易所。

20 世纪 30 年代，上海市场制度已经较完善，资金与交易市场普遍。

吴世宝诈取了大笔的黑钱。为了表示他的造孽钱来路“正当”，他必须洗钱。洗钱就是假装“做生意”以证明自己的钱来自正常商业活动。

而吴世宝的所谓“经商活动”，既非开店，亦非设厂，乃是对当时的热门货如黄金、棉纱乃至粮食，进行投机倒把，或囤积居奇。

为了保证他能“日进斗金”。当他货物充足时，他就叫特务持枪闯进交易所，逼迫经纪人将货物盘价抬高，以使吴的“多头”得以高价抛出。

倘若吴世宝隔夜空头（即货物抛空），而第二天市场价位又正在抬高时，吴世宝便以同样的办法，胁迫回跌，以便自己低价补仓。

所以吴世宝做的“生意”，自然是只赚不亏。上海的物资股票交易被吴世宝搞得乌烟瘴气，怨声载道，连日本人看了也发恨。

同时，强买地皮，强占房屋，那更是平常的事了。76 号就是用枪霸占了愚园路上大批洋房及 76 号周边的房产（如华邮和中银的员工住宅）归他们用。

明抢暗偷，本就是流氓的本性，76 号这批流氓特务丝毫没有收敛。这也正是 76 号捞取钱财的第三条途径。

抢车偷车，就是一例。

太平洋战争爆发前，上海租界成为“孤岛”。由于生活在“孤岛”内，可以避免日军的欺压，大批巨绅豪商就以租界为安乐窝。这些人都是“汽车阶级”，他们拥有最时髦的汽车。吴世宝及他的部分徒弟，便把抢劫汽车作为生财之道。

他们惯用的办法是，对于停放在马路上的漂亮汽车，只要车主不在，便利用白俄的“百搭”钥匙，将车开进 76 号。若车上有人，则用枪逼走车主或司机，强抢硬夺。一旦汽车到手，便飞驰无踪，路上红灯全不理睬，遇到巡捕阻拦即出枪示威。

另一种方法是串通业主的司机，乘机盗窃，只要驶离租界，开进 76 号，即可安然无事。如此盗窃来的汽车，在上海开不出去，他们便沟通日伪机关，出具通行证，并更换汽车牌照，或把汽车引擎上的号码弄模糊，把车身涂成另一种颜色，开至苏州、南京、蚌埠和苏北一带出售，转手之间，一部车可赚几千元钱，得钱平分。租界当局明知底细，也眼开眼闭，置之不问。

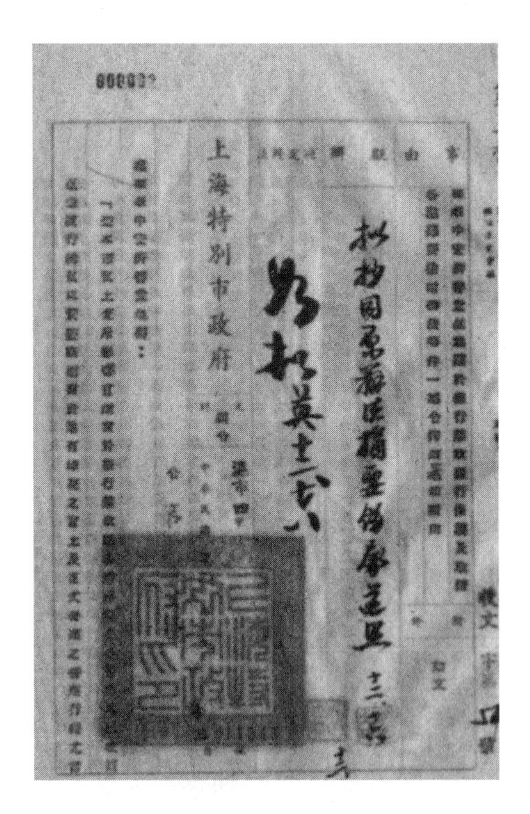
上海特别市政府

日军指使的贩毒机构“宏济善堂”档案

制毒贩毒，是 76 号捞取

钱财的第四条途径，烟土生意是吴世宝最大的财源。

吴世宝以 76 号的名义，控制烟馆与制售毒品增加收入。

这里讲的烟馆即鸦片馆。那时销售的毒品没有摇头丸、海洛因、冰毒这些东西，而主要是指鸦片、吗啡、红丸、高根、可卡因等。

在中国贩毒，本是日军专控的特权。日本占领苏浙皖三省后，通过上海盛文颐（盛老三）的“宏济善堂”出面进行鸦片贸易，为侵略军筹办军饷。

上海的“土膏行”（即烟土行），仅在沪西、南市一带就有 30 多家，都从“宏济善堂”取货。其黑幕重重，剥削层层。盛老三依靠鸦片贸易，扣除日本人取走的大头外，他自己也积累了无数的肮脏钱财。“宏济善堂”的后台老板是个冒名李英的日本浪人，他真实的日本名字无人知道，但后台强硬，76 号老板丁默邨、李士群都不敢惹他。

可吴世宝不买账，他认为“有利不争非好汉”，于是派了他的徒子徒孙到各土膏行、吸售所“登门拜客”，威胁烟鬼。各行各所的毒老板为求太平，就一一向吴世宝缴纳了“月规钱”。吴世宝在日本人控制的烟土地界，居然闯出一条生财之道。

沪西的一处鸦片烟馆，俗称“燕子窟”

吴世宝看到上海没有公开的毒品制作厂商，便在沪西郊区开了一爿吗啡制造厂，同时在八仙桥首安里开了一家香粉店，雇佣一个日本宪兵的密探、台湾浪人来主持，专售吗啡（白粉）。白粉成了吴世宝捞钱的最大源头。

把控赌场，从赌场收取“孝敬”钱，是 76 号主要财路之一，也是 76 号捞取钱财的第五条途径，成为吴世宝除贩毒之外的

另一个主要财源。

上海沦陷后，在日军卵翼下，沪西越界筑路一带，赌场林立，一般梦想发财的人，趋之若鹜，因之倾家荡产，卖儿鬻女，甚至投入黄浦江自杀者，也时有所闻。

这批赌场都是在日本宪兵队佐佐木大佐处领取营业执照，后台很硬，76 号本奈何它不得。但 76 号照样可以找借口从赌场老板身上捞一票，反正赌场老板只是中国流氓而不是日本主子本身。找来的借口，当然是治安问题：防止重庆抗日特务假扮赌客混入赌场。因此，赌场要维持正常营业而不遭受 76 号经常的搜查，就不能不先奉送“孝敬”钱给 76 号。

对 76 号来说，这些赌台无异是口边甜葡萄，张口就可以吃到。但丁默邨与李士群，自视身价高，不愿直接去和赌场老板打交道，就把这项工作交给吴世宝。

吴世宝便定出治安管理条例：

凡赌场领到执照后，都得到他那里登记，视赌场的资本、门面规模及营业额，每月向 76 号缴纳保护费。

收到保护费后，76 号内部就各自按身份参与“劈霸”（分赃）。比

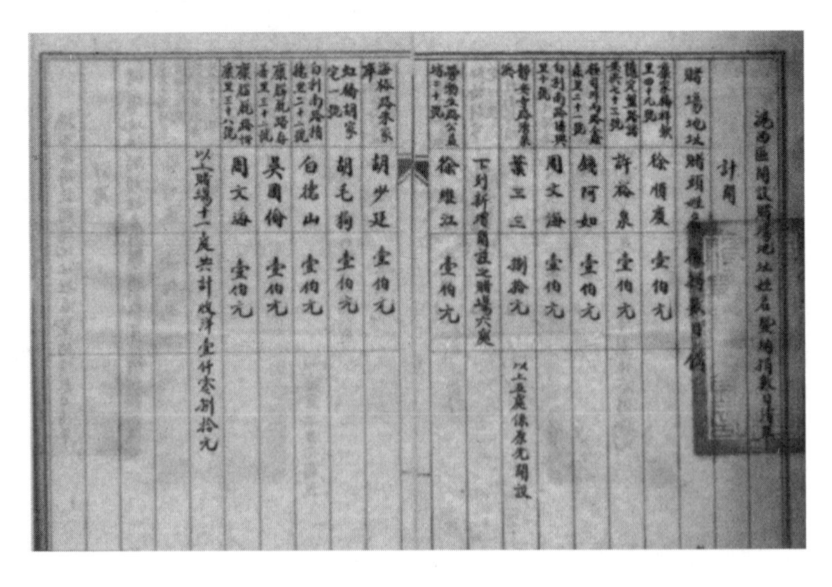
計開

賭場地址	賭頭姓名	納捐數目
[illegible]	徐順度	壹佰元
[illegible]	許裕泉	壹佰元
[illegible]	錢阿如	壹佰元
[illegible]	周文海	壹佰元
[illegible]	葉三三	捌拾元

以上五處係原充開設

下列新充開設之賭場六處

賭場地址	賭頭姓名	納捐數目
[illegible]	徐雅江	壹佰元
[illegible]	胡少廷	壹佰元
[illegible]	胡毛狗	壹佰元
[illegible]	白桂山	壹佰元
[illegible]	吴國倫	壹佰元
[illegible]	周文海	壹佰元

以上賭場十一處共計收洋壹仟零捌拾元

沪西赌场调查表。其中纳捐数目一项，全归 76 号

如马啸天这样的处长一级，每月可以拿到500块钱，以下级别，依序递减，400、300块不等。

至于每个赌场每月实缴多少保护费，吴世宝从中打了什么折扣，那只取决于吴世宝自己。吴世宝额外孝敬丁默邨与李士群，这本就是凭空捞来的不义之财，丁默邨与李士群自不多话，丁李无言，以下还有谁肯多问？

自76号成立后，到吴世宝这里登记过的赌场“抱台脚”的保镖（黑猫警长），都一律由吴世宝派小流氓去兼职。吴世宝无形中变成所有赌场“抱台脚”的总霸头了。这批小流氓经吴世宝提拔，干上这么一个赌场的“美差”，对吴每月少不了有所“孝敬”。

后来，沪西赌场发展到南市，吴世宝派门徒当南市“俱乐部”主任。吴世宝的手也随之伸到南市。

上海著名流氓小八股之一的高鑫宝，是以鸦片生意起家的。他在麦特赫司脱路（今泰兴路）开了一家丽都舞厅，自任经理，居然出入汽车、居住洋房，摆出一副阔佬派头。吴世宝没成气候时，向高鑫宝磕响头，拜高鑫宝做了“先生”。他还充当高鑫宝的汽车司机，由高鑫宝给他一份养家糊口的薪水。高鑫宝与吴世宝，不仅有“师生”之谊，更有主仆关系。

上海沦陷以后，高鑫宝也抖了起来，其原因无非是沾了“学生”吴世宝的光。76号的吴总队长是皇军和汪伪手下红人。

时沪西歹土赌场林立，高鑫宝通过吴世宝，搭上了李士群的关系，除在沪西的几家大赌场投资充任股东外，还凭着自己在公共租界里的恶势力，与捕房方面“兜得转”，在丽都舞厅楼上也开了一间半公开的小型赌场。果然“生意兴隆，财源茂盛”，比它公开的舞厅还要赚钱。

当时，沪西的大小赌场，按治安条例每月都要向76号送“孝敬”钱，同时对吴世宝个人也有“孝敬”。

高鑫宝的丽都舞厅因地处租界中心，非76号势力所能及。所以他在丽都开赌场，并不向76号和吴世宝表示“月规孝敬”。可是吴世宝这只手，却伸了过来。

这对高鑫宝来说，怎会买这笔账？再说高鑫宝开赌场，李士群对他

尚属眼开眼闭，你吴世宝过去不过是手下的“四儿盘”（按：指开车的），还磕过头叫过自己“先生”，充其量不过是自己的下人与小辈。如今居然敢于犯上，不讲情面！

高鑫宝心里委实恼火，一股恶气无处发泄。所以，除不予理睬外，高鑫宝还在人前人后掀掀吴世宝的臭疮疤。

高鑫宝背后说吴世宝的事情很快被李筱宝的女人听去了。李筱宝如今开一爿西园赌场，原先是高鑫宝丽都舞厅的舞票老板。

女人们就是舌尖嘴碎，李筱宝的女人马上告诉了朱顺林的老婆，朱的老婆又无意中在佘爱珍跟前透露了出去。这样一来，吴世宝当然也知道了，于是大为光火。

流氓最恨别人掀他的底，砍他的招牌，何况今日的吴世宝，已非往日的曹阿瞒，是可忍孰不可忍？

吴世宝于是对高鑫宝暗下杀心。

1939年的秋末冬初，吴世宝派了他的徒弟赵嘉猷、唐万芝，将高鑫宝暗杀于西藏路一品香旅社门前。

在上海霸道了一世的流氓头子，竟死在自己的“高足”手里，这是高鑫宝至死都没有想到的。

高鑫宝被暗杀后，高的儿子尚德，不知道自己的父亲是被谁杀的，觉得在他父亲的许多“徒弟”“学生”中，这时以吴世宝最吃得开，于是亲自去请吴代为查究杀父凶手。

别看吴世宝是个大字不识几个的粗坯，但对虚情假意、装腔作势之类的伎俩，倒也另具一工。对高小K的请托，居然装得义愤填膺似的，还说一定要替先生报仇。

吴世宝信誓旦旦：

“这不是打我先生，简直是打我！”

在高鑫宝大殓的时候，连高的衣裳、棺木，都是吴世宝送的。

吴还当众对高尚德说：

“丽都舞厅，与它楼上的台子，还是先生的事业，尚德你继续下去，有什么困难，可以找我。”

吴在表面上是撑了高尚德的腰，实际却把高尚德捏在自己手里。至于在高鑫宝活着时他要不到的东西，这时却能如愿以偿。

不久，李士群风闻其内幕，遂以此询问吴世宝。

吴在李面前不便隐瞒，只好承认。

李以高鑫宝已经死了，且是高与吴师生间的问题，也不愿使吴过于难堪，唯吴的行动事前未得他的许可，有违特务纪律，因此把吴训斥了一顿便也了事。

不意这个秘密又为高尚德所知。高便以此去问吴，吴发誓赌咒坚决否认。好在高也奈何他不得，只好隐忍而去。后经吴多方打听，才知道都是朱顺林闹的鬼，于是又预备对付朱。此事为季云卿的老婆“金宝师娘”与卢老七得知，从中调停，又经佘爱珍力阻才算了事。

高鑫宝的“事业”——丽都舞厅与楼上的赌场，在吴世宝的支持下，由高尚德继承了下来，就连高鑫宝从“长三堂子”里娶来的绰号叫“小老虎”的小妾，也被其子接收过去，做了自己的太太。

为赌场之利，吴世宝六亲不认，把他的师父高鑫宝也杀了，演出了一幕徒弟杀师父的活报剧。这事也就传遍上海。

由于日本侵略上海，始终处于中国人的仇视之中。而76号特务，特别是吴世宝的恶迹斑斑，更加重中国人对日伪特务的怨恨。而吴世宝包土制毒，也直接侵犯了日本浪人的利益，激化了矛盾。

于是，日本人想乘机处置一下吴世宝，企图通过牺牲一两个汉奸、特务的狗命来换取部分中国民心。

于是有流传说日本人准备干掉吴世宝了。

吴世宝是李士群手下的一尊煞神。吴世宝对李士群是忠心的。吴世宝每次捞取的不义之财，往往也提交部分给李士群、叶吉卿夫妻。吴世宝在愚园路买豪华洋房时，也同样给李士群、叶吉卿夫妻孝敬一套。

但李、吴之间既有勾结，也有矛盾。吴世宝为所欲为时，往往瞒着李士群。这点，使李士群十分气愤。因为，那样会影响日本人对自己的信任。于是，李士群逐渐把吴世宝看成是自己的一个累赘。他觉得，弄不好，自己会因吴世宝的闯祸而受连累。

在这种情况下，李士群首先得到日本人将对吴世宝不利的消息。

对这个消息，他自然是喜惧交织。因为借日本人之手除掉吴世宝，

可以消除自己被拖累的危险。可是，李士群又担心，一旦吴世宝被日本人抓住了，就有可能牵出他与吴之间的许多肮脏勾当。

李士群有点惴惴难安。

为求自己太平，李士群曾劝吴世宝到青岛休息一段时间避风头。可是上海已成了吴世宝的黄金梦境，势难舍去，为了敷衍李士群，吴世宝带佘爱珍去了一次杭州。

吴世宝的杭州之行，并不是想借此销声匿迹，韬光养晦，相反却是大摇大摆，招摇过市。在杭州下车时，他的徒子徒孙拿了欢迎旗帜，到车站去迎接他。吴在杭州畅游一番，回到上海。沪、杭两地报纸，还先后刊登了“鸣谢吴云甫大善士”的巨幅广告。“吴云甫”是吴世宝发迹之后，冒充斯文而取的“雅号”。吴看看日本人对他依然如故，毫无动静，便把李士群的劝告当作耳旁风，胆子越来越大，竟然打起日本人的主意，演出了一出黄金劫案，最终断送了自己的性命。

四、黄金大劫案与吴世宝之死

1941 年 12 月，日寇冲进上海公共租界和法租界。从此，上海结束了“孤岛”状态。

年底，日寇从中国江海关掠夺了一批金砖，准备运到日本正金银行上海分行。事为吴世宝徒弟张国震、顾宝林等获悉，报告了吴世宝，吴便派张国震等埋伏在正金银行附近，准备抢劫这批黄金。

吴世宝为什么敢抢?

人家军统特务不也时常出没于上海滩，见日本人就杀，炮艇、军用专列也炸，有几次被日本人破案了?

只要黄金抢到手，首先被怀疑的是军统地下力量，而不是他吴世宝。

这是吴世宝本性使然。吴世宝断然不是李士群，李士群不敢，他吴世宝偏敢。他认为，只要做得人不知鬼不觉，抢到手马上隐蔽，日本人又能怎样?加上此时李士群搬到苏州，忙于为大日本皇军搞“清乡”，没人过问吴世宝的行动。吴世宝更觉得自己有权有势。

江海关于日本侵略上海后建立的正金银行，地址都在外滩，相隔很近。

不过，日本想运走属于中国的这批黄金，那是盗窃行为。光天化日之下，是干不得的。为了避免人们的注意，日本人企图在江海关后门把它装入铁甲车，然后偷偷运走。这样一来，就必须走弯路：

从四川路向北再折入汉口路向东转入外滩正金银行。

张国震他们守候在四川路、汉口路转角处，分头把守。看到了装黄金的铁甲车过来，便发动预先停在那里的汽车，迎将上去当头拦住铁甲车。铁甲车被迫停下。张国震的人马向前一拥，铁甲车上的司机一看苗头不对，赶忙关了油门，顺手拔下钥匙，乘机跳车而逃，往人群中一钻，无影无踪。

张国震是个愣头青，不懂得及时抓住这司机，反而让司机轻松逃遁。他还以为铁甲车司机“非常识相”。

张国震迫不及待地跳进铁甲车，准备自己把它开跑时，才发现不见了钥匙！

没有钥匙，就开不了铁甲车。张国震拿它没办法，车子动弹不得，街上又警笛声频频，日本宪兵队来了。此乃命悬一线之际，看似到手却又摸不到的黄金，此时已无希望。再不趁早开溜，就小命难逃了。于是张国震也跳将出来，弃车南逃，从爱多亚路穿过法大马路，窜进华界，总算得免被逮之灾。

就当他们快要逃入华界时，四川路、汉口路这一地段，已被日本宪兵紧急戒严，检查车辆，搜索行人。当然是一无所获，鱼儿早已脱网。

装黄金的铁甲车仍由原司机开到了外滩的日本横滨正金银行。虽说黄金没丢失，案情却十分严重。因为这被看成是在太岁头上动土，是企图从虎口夺食，可谓胆大包天！

这时日军已全面占领上海租界，正要粉饰太平，制造“皇道乐土”的极乐世界“大东亚共荣圈”，岂能容许抹黑？而且居然是小蟊贼“阿里巴巴”公然在光天化日下抢大倭海盗，这让大日本帝国面子往何处摆？因此日本宪兵队决心破案。经过多方调查，探知是大名鼎鼎的 76 号吴世宝手下的张国震干的。于是日军向苏州的李士群点名要人。李士群无奈，连夜回上海，责令吴世宝交出张国震：

“要是不把张国震交出来，对你不利，连我也不便替你说话了。”

吴世宝这时自然心慌，想到的第一件事是要推诿自己的责任，于是牺牲张国震是第一选择。但马上又有顾虑：一旦交出张国震，张国震势必难逃日本宪兵队的酷刑，到时候，张国震咬不住，招了自己又如何是好？于是他安慰张国震：

你放心去好了，我会托李部长替你设法的。

张国震只好硬着头皮，由吴世宝陪同到了李士群家里。李士群叫夏仲明把张国震送到北四川路日本宪兵队本部。此处吴世宝提到的李部长就是指李士群，但这部长已经不是伪行政院的警政部长，而是伪军委会的调查统计部部长。其原因，与李士群和周佛海交恶有关。

张国震被送进日本宪兵队后，汪伪政府以"破坏和运"为名通缉吴世宝。

上海的日本宪兵队也点名抓他，但吴世宝已经躲起来了。

日本宪兵队盯着李士群要人。李士群觉得劫金案虽与自己无关，但吴不到案，自己也难免被日本人视为嫌疑。于是李士群、叶吉卿把佘爱珍找来，夫妇俩一唱一和，软硬兼施，连哄带吓，但口口声声保证吴世宝出来自首可保证绝无生命之忧，甚至还保证吴可以不受虐待。这样佘爱珍交出了吴世宝。

李士群亲自带着夏仲明，把吴世宝送到日本宪兵队上海司令部，交给了特高课长林少佐，还当着吴世宝的面，请日本人给予吴世宝优待。

吴世宝被押后，李士群接受林少佐的指示，急电在南京的马啸天，要他立即来沪。马接电后便乘机飞沪，见到了李士群。李士群对马啸天说：

"吴世宝因案被押，我想请你用政治警卫总署的名义，把他的不动产暂时查封。"

政治警卫总署隶属调查统计部，李是部长，作为署长的马啸天当然"奉命维谨"。可是马啸天显得有些踌躇：

"查封封条可以现制，但关防在南京咋办？"

李说：

"没有关系，再雕一颗么！"

好在会刻图章的人在76号里有的是，关照下去，瞬息立办。

李士群叫来在76号当日语翻译的沈耕梅，沈耕梅就是佘爱珍的外甥女。李士群要她去通知驻在76号的日本宪兵准尉涩谷，让他派日本宪兵于次日晨会同马啸天一起去吴世宝家。

一早，马啸天会同涩谷率领的日本宪兵来到愚园路745弄2号吴世宝家。佘爱珍先把他们接进会客室。由马说明来意后，众人稍微休息一下，就上楼，在吴世宝房间里，由佘爱珍打开一个大保险箱。马啸天将保险箱里的金、银、珠、翠、钻石、首饰等捡出放在桌上，一一清点登记。其中有三个茄立克的香烟罐里面装满了大大小小钻石。这些钻石一见日光，其他的翠玉珠宝及镶钻手表等珍贵饰物，都为之黯然失色。

马啸天让佘爱珍另外找了一个小皮箱来，把这些首饰钻石装了满满一皮箱，加上封条，以示郑重。一些零星的金元宝以及在五斗橱底下抄出来的几十根金条也载明清单，连同装满首饰的皮箱和单据一张，一并封存在保险箱里。保险箱的钥匙也由马啸天收起来。至于衣物及家具等属“动产”，均不必加封。

佘爱珍事先已有准备。所以当马啸天等刚来时，佘爱珍便已通知厨师准备大菜。一待查封完毕，佘爱珍便叫沈耕梅招待日本宪兵与马啸天等到楼下餐间吃饭。

这天的菜特别丰盛，这些日本宪兵个个狼吞虎咽，酒足饭饱，连呼：

“约西，约西！”

临行，佘爱珍还做足输赢，每人送了一瓶美酒，一大匣外国糖果，每匣十听的香烟也是每人三大匣。军官、曹长送得更多一些，所以日本宪兵个个高兴。

马啸天亦随同到76号向李士群报告经过，交上清单与钥匙，也谈到佘爱珍临行做的那一套。李士群说：

“爱珍的这一手耍得很好，因为日本人的眼睛比乌龟还要小，送他一点东西，却会铭感五中，念念不忘。她这样做使大块头在里面，可以沾光不少。”

大概佘爱珍的这记手法启发了李士群，为了让吴世宝免受刑罚，主要也是为了避免吴世宝受刑不过而胡乱说到他们的过去，李士群在日本宪兵队、课长方面，也上供了钱与物，算是烧了香。

因此，吴世宝在宪兵队里没有受到苛刻的刑罚，还可以随时送些东

伪上海特别市政府张贴的亲日反共卖国标语

西进去，这在日本宪兵队里却是例外的。

1942年初，吴世宝已被关押了一段时间。在苏州伪清乡办事处，伪江苏省主席兼清乡委员会秘书长李士群、副秘书长汪曼云和军政部长唐生明凑在一起，议论吴世宝的事。

因为三个人都是拜把弟兄，所以李士群的话，也相当的坦率：

“吴大块头这个人不仅日人恨他，连我也都恨透他……”

李士群连讲吴世宝在76号的“破坏作用”，最后说：

“我这份家当，岂非给他拆个精光？现在日本人要了他去也好，对76号来说是件好事。”

听了李士群的话，汪曼云立即表示反对：

“我觉得不能这样，吴世宝的所作所为确是天怒人怨的，这是事实。但外面的人都知道他是你手下一员大将，现在他因案给日本人要去，固是咎由自取，但是你不能不对他有所表示，否则日本人一旦处理了他，这记生活比吴世宝拆了你的家底还要凶。现在有人跟着你，是由于你有办法，谁知你手下的一员大将给日本人要去，竟毫无办法，那他们不会干脆去跟日本人？所以我觉得吴世宝对76号来说固然是只白蚂蚁，不过该杀该关，应该由你自己来办，这样既解决了问题，还树立了你的威信，而吴世宝也从此对你格外感激服帖，其他跟你的人，也都死心塌地了。因而，目前的问题是把吴世宝要回来，别让日本人径先处理。”

汪曼云显得比李士群更有眼光。所以一席话，果然对李士群起了作用。

不久，李士群便叫夏仲明与日本上海宪兵队本部的特高课林少佐打交道，要林少佐顾全伪“国民政府”和76号的面子，把吴世宝与张国震交由76号自己来惩办。

后经由汪伪最高军事顾问影佐祯昭从中斡旋，日本上海宪兵队林少佐采纳了李士群的要求。但林少佐提出一个原则，人可以交给76号去办，可必须绝对贯彻日本宪兵队的意见。

李士群所以要求把吴世宝、张国震提回来由自己处理，原是接受了汪曼云的意见，以抬高自己的威信，并不想对吴、张有所庇护。相反，为了巩固他的特务组织，还想乘机干掉他们，以稳固自己的地位，因此对日本宪兵队的意见，自然“奉命维谨”地接受了下来。

在日本宪兵队关押期间，张国震因受不了日本的“王法”，招供了劫金案，因此日方决定将他枪毙。李士群便根据日本人的要求，先把他接回76号，然后下令绑赴中山北路，予以枪决。

至于吴世宝，因为张国震至临死前的一分钟，还在等待他的“老头子”吴世宝托李士群为他讲话，所以没有把吴世宝供出来，吴始终算是一个受优待的犯人，所以吴、李之间的许多肮脏勾当，吴世宝没有向日本人摊过牌。

然而，日本宪兵队深知吴世宝是个亡命徒，什么事都会干出来，这一回遭到羁押岂能不含恨在心？于是，日本上海宪兵队本部林少佐决定：

虽不能将吴“明正典刑”，也应叫他活不下去才能安心。

1942年初，日本上海宪兵队本部特高课长林少佐荣升中佐。这一天，吴世宝从北四川路上海宪兵队本部的监牢里被释放出来。

李士群从苏州电告马啸天将吴被封财产发还。

另外还宣布将吴管押三年，管押的地方就是吴世宝在苏州自置的一座洋房。管押的办法就是把这幢房子外面加上铁窗铁门，送牢上门。虽然不能出门，但毕竟还住在自己的家里。这样吃官司，无异颐养天年。这个决定对吴世宝来说，虽是阶下囚，但自己仍“面子十足”。他自然对李士群感激涕零。

吴世宝被释回家，理发沐浴后，便到李士群家里向李当面道谢营救

之恩。

傍晚汪曼云也到了李家，吴世宝看到汪曼云，便向汪磕了一个头，口称：

“谢谢汪先生！”

原来汪与唐生明、李士群三个人的一席话，唐生明告诉了佘爱珍，所以吴见了汪曼云磕个头，算是表示心意。

第二天吴世宝便到了苏州，准备在自己家里“坐牢”。可是，吴世宝却暴死了。

事后据说，吴世宝在离开上海日本宪兵队本部监牢的前一天，已得到消息，明天可以出狱。第二天一早，监狱给吴世宝一份早餐，内容是一个小酸饭团和一碗米粟汤。反正要出狱了，吴世宝看着这早餐，没胃口，不愿意吃。

可是木栅栏外的日本宪兵非要他吃了不可，吴世宝只得服从，但总感到吃过之后不舒服。吴世宝回家告诉佘爱珍，但没想有什么，也就不当一回事。

他们不知，这碗米粟汤，宪兵林中佐已叫人做了手脚。吴世宝到了苏州第二天下午，便突然发作，上吐下泻，不可收拾。最后不治而亡。

就此事，后来还传出胡兰成的说法：

当时，李士群看到吴世宝服毒回来仍活蹦乱跳，生怕毒药失灵，便又向日军那里要来一些。吴世宝一到苏州，说肚子饿，李士群陪他去吃了一碗面条。在面条端来之前，有人暗中洒了什么。吴世宝事后不久就反胃而死。

据说，胡兰成在吴世宝大殓时，在他心目中的美女佘爱珍面前信誓旦旦要为她报仇。

吴世宝这人为非作歹一生。他所做的任何一件歹事，都够他拿命去抵偿。可是偏没人取得了他的狗命。

他最后因黄金劫案而死。

黄金劫案中，大贼大盗是大日本国皇军。在中国的国土上，动用铁甲车武装抢劫中国海关的库存黄金，他们才是死罪。

首先要判死罪的，轮不到吴世宝，而是日本大正银行和行窃的日本武装特务。

相反，此次吴世宝扮演的角色无非是企图“智取生辰纲”的白日鼠白胜或赤发鬼刘唐之辈。在无法无天的年代，人们恨贪官梁中书，更恨入侵中国烧杀掠夺的倭寇外贼，而不恨与倭寇外贼及贪官作对的白日鼠或赤发鬼。

日本人“疯狂”抢劫中国的海关压库黄金，吴世宝则从日本人手中倒抢一把!

吴世宝们当时想怎么处置这批黄金如今已成不解之谜。这笔黄金最后落入日寇之手，再次证明倭寇是大贼大盗。

吴世宝混账了一辈子，结果却因“黑吃黑”以及76号内部权力之争而死。

五、要命的牛肉饼

吴世宝死了，李士群好似如释重负，一下子轻松了许多。

是啊，吴世宝不知进退，在自己毫无实力的情况下，居然敢冒犯皇军，这给李士群添了不少乱子，差点影响了日本人对他的信任。

当汉奸，自己没有实力，又得不到日本人的信任，那是万万不行的。

李士群认为，自己一路走来，凭的就是实力，凭的就是日本人的支持。要是实力不足，那就越是要讨日本人的欢心，而不是去冒险。

正是凭这点，李士群在大西路67号“创业”，在极司非而路76号拉起山头。

李士群又凭自己在76号这山头的实力及日本人的支持，独霸了76号。

李士群记得，在“还都”南京前夕，也就是1940年初，军统上海区与76号短兵相接，展开残酷的谍战。而内部，李士群与丁默邨争权闹别扭。李士群认为丁默邨极力排挤自己，他既占了社会部长，还要兼警政部长，后来宁可丢警政部长给已忙不过来的周佛海，也不让李士群得好处，李士群感到内外交困。

气极了的李士群，便向晴气庆胤表示：

“我不愿‘还都’！”

晴气庆胤：

“为什么？”

李士群：

“‘还都’对我并没有好处，因为我的工作是恶性的，不仅老百姓反对，重庆政府反对，南京政府也是反对的，甚至连日本的老百姓，也不会同情我的工作。因我的工作本身是恶性的，在政治上必然会受到排挤，那我何必跟在他们后面，一道去‘还都’呢？”

李士群敢于在日本人面前“掴乌纱帽”，凭的就是自己的实力，日本人需要他和76号去对付地下抗日力量。日本人也知道，在76号内部，丁默邨远没有李士群作用大。这是李士群的底气，也就是所谓的“实力”。

日本人觉得李士群的话不错，又怕他变卦，于是在丁默邨和李士群之间，日本人支持了李士群而踢开了丁默邨。晴气庆胤通过日本参谋部和李士群订了一个“君子协定”，即在政治上，日本方面尽量支持李士群。

李士群因有日本方面的支持，果然拿鸡毛当令箭，一路过关斩将，所向披靡。

李士群从周佛海头上抢得伪警政部长的乌纱帽。既有周佛海拉拢李士群的一面，更有日本人的作用。

在“清乡委员会”问题上，李士群争权，也因影佐祯昭和晴气庆胤的支持，使汪精卫让步，罗君强被迫为李士群让路。

接下来，李士群当了伪江苏省主席。

这些说明日本人与李士群之间，的确有暗中协定，并且日本人是履约的。

为什么奇迹总出现在李士群身上？

李士群认为自己与日本人达成的“君子协定”就是奇迹出现的原因所在。

李士群觉得自己把握了做汉奸的全部精粹。他能巧妙地打好壮大实力和争取日本人支持这两张牌。回头想想吴世宝，他觉得吴世宝十分好笑，十分无知。

不知李士群是否也想过，日本人会不会把他当作下一个吴世宝？

这不得而知。

绝顶聪明的李士群或许能揣度日本人的坏心思，但他是自信的：

他不想成为第二个吴世宝。凭他的能力与胆量，他坚信自己绝不会成为第二个吴世宝。

要保证这点，就要发展自己的实力。

吴世宝的悲剧，在他看来，一是没有实力；二是表面不给日本人面子。

李士群决不步吴世宝后尘。他小心翼翼地发展自己的实力，而在面子上是处处以日本人的马首是瞻。从梅机关的第一任机关长影佐祯昭到如今的梅机关机关长中岛信一大尉，包括梅机关在苏州派出的分机关长金子中佐，对他们，李士群从来不曾有过任何怠慢，更不用说驻 76 号的晴气中佐、小笠原少佐、土冢本诚宪兵大尉、涩谷便衣宪兵等自己头上的太上皇。

掌管江苏的“清乡”大权后，李士群更与苏州驻军日本第 13 师团长小林中将，梅机关苏州分机关长金子中佐打成一片。凡是不妨碍自己发展的领域，他是处处看日本人脸色办事。堪称如履薄冰，亦步亦趋。

但李士群绝不相信日本人。他不断地向日本人请客送礼，但反过来，自吴世宝死后，他绝不接受日本人的请客送礼。更是不沾日本人一滴水、不吃半根萝卜干。吴世宝不就是吃了日本狱中的酸菜才死的？这点，李士群牢记心头永不忘。好在，大日本皇军个个是嗜财如命的吝啬鬼，不会轻易向李士群施舍的，从而没人注意到这点而怀疑李士群对皇军是否有“立场问题”和“阶级感情问题”。

的确，太平洋战争爆发前，甚至是 1942 年中途岛大海战之前，日本人是很支持李士群的。这不是出自个别日本人的感情或好恶，而是他们的基本国策是以华制华。具体做法是：

以华制华，以汪制蒋，以特制汪。

76 号特务则是玩弄在日本宪兵队手中的毒蛇。日本宪兵队不时用 76 号这只毒蛇威慑汪伪这批走狗。

只要以华制华的国策不做调整，日本宪兵队手中的毒蛇就不会抛弃。

但，李士群以为毒蛇的毒液，是他永远的实力。毒蛇与弄蛇者之间的关系，就是他的“君子协定”。这点他错了。

1941年12月7日，珍珠港事件爆发，日本的战争触角扩展到了整个东南亚、西南太平洋，直至印度洋。就在此时，李士群也登上了他人生权力的最高峰。

李士群控制的江苏省，在汪精卫伪政权控制区内是最富庶的地区。这正是他扩大实力的机会。

但，李士群的实力膨胀，与日本的政策发生了碰撞。

由于太平洋战争爆发，日本从英美进口的战争物资来源也随之断绝。为替日本弥补战争消耗，汪伪政权实行了苛严的经济统制，搜刮到的大量粮食、棉花等农产品和矿产等战略物资被运到日本，供给日本侵略军对华对美的战争需求。

为了掠夺中国的物资，日本人采用的手段是：

一是滥发伪币“中储券”。凭这毫无信用和兑换能力的纸片豪取强夺中国老百姓的财产。汪伪规定其伪中央储备银行所发行的“中储券”成为统一通货，禁止使用国民党发行的法币。由于滥发伪币，造成通货膨胀。沦陷区的居民们还要时时担心飞涨的物价。战前上海的米价每担是法币11元。而到1944年，上海的米价就涨到每担5万元“中储券”。其在当年一年之内就涨了十倍。农民的粮食就这样被日伪印的毫无价值的纸币强行“买”走了。

二是汪伪搞了物资配给制度。

统制，就是日伪政权垄断了所有的物资，实行物资配给制度。

为了掠夺中国沦陷区的物资支撑日本的战争需求，同时还要逼迫汪伪宣布对美、英、苏等盟国宣战，日本对汪伪的依赖性加大了。这种情况下，日本人对76号这只蛇的作用，就要另作考虑。这点，不是李士群的判断能力所能考虑得到的。

由于日本的掠夺，江南地区陷入空前灾难之中。

鱼米之乡的江南，只能眼见着白花花的大米和棉花被日伪一车车运走。大米运到哪儿去？当然是运去当日军前线军粮，运去维持侵华的日本机构，运去缺粮的东洋本土。棉花则运进日本纱厂，变成侵略军的军服。

中国人的口粮则按日伪的指令按户口配给。

一年配购的米不够两个月吃，缺的口粮怎么办？那只能买黑市的米。

那个年头里，家庭主妇们不仅要惦记着去指定的米店抢购配给的户口米，还要为无米下炊的月份发愁。

所谓黑市的米，就是有一些个体的小贩，他们冒着生命危险，到郊区农村里面偷偷地买米。一个人只能带几十斤米，把这米放在衣服里面，或者麻袋里面，或者裤子里面，偷偷地带到上海来卖。这过程要过几道封锁线，过每一道封锁线都非常危险。如果那些贩卖米的小贩，一旦被日军或汪伪警察发现，就会遭到开枪射击，常有惨死的。

一道最著名的封锁线就是黄浦江的支流肇家浜，就在如今景色秀美的肇家浜路。肇家浜路是以后填河修出来的路，经绿化建设形成如今的风貌，以前是一道城里城外的界河。日军为防止游击队入城，就沿河设封锁线，背粮的平民在此被枪击死亡的很多。

这种靠肩扛手提弄点紧缺物品进行易地贩卖的人，在上海被称为跑单帮的。

李士群乘机大发国难财。他把那个“清乡区”所有的交通都封锁起来了，除被日军和伪政权“统制”调走的那部分之外，别的物资都被他的 76 号垄断了。他控制江苏地区粮食棉花及各种战略的收购运输。作为负责“清乡”的最重要人物，李士群可以第一时间得到日伪对物资管制命令的内容，于是利用自己充斥于“清乡”机构的特务和伪地方政权人员，囤积套购，投机倒把。

比如，日伪要在上海收购棉纱布，就要李士群把江苏省内的棉纱布收购权交由上海的商统会办理。但李士群找借口推诿，暗里利用特工的力量，凭借“清乡”大权收购棉纱布，通过 76 号与尤菊荪合办的“东南贸易公司”，与蒋第三战区交换物资，获得厚利。前面提过，这尤菊荪在 1938 年受过军统的伏击，他的白俄保镖被地下力量当场击毙。

各种紧缺物资，特别是大米，落入李士群之手后，就转入他的黑市网络。因为日伪掠夺了粮食，李士群又控制了余下的部分，于是，上海发生了粮荒，民怨鼎沸。日伪当局为了维护上海的局面，要求大权在握的李士群把收购的江苏等地的粮食拿到上海来流通，解决上海的粮荒。

对此，李士群则我行我素不予理睬，在其控制的伪《国民新闻》上还辩解：

> 上海之所以粮食不足，是因为不断有难民从治安状况不好的农村流入上海。只要目前农村的治安状况这样持续下去，而上海的粮食又富裕，难民就会越来越多，因而无论供应多少稻米，都不可能满足上海的需要。如果恢复农村的治安和地方产业，那么上海的难民就会重新回到地方上去，粮食不足问题就会自然而然获得解决……

李士群不同意把粮食卖到上海来，那卖到什么地方去？原来，他看到苏北地方一些游击区里粮食更加紧张，所以他把大量的粮食通过关系和黑市卖到苏北去，牟取暴利。不管这些粮食是否流入抗日游击区，反正，李士群可以获大利。

从 1942 到 1943 年之交，世界反法西斯战争形势出现重大转变。日军在中途岛战役中惨败，丧失了海上主动权，在西南太平洋遭到美军的毁灭性打击。美军全面反攻，轰炸老巢东京。在严酷的战争形势面前，为了应对与英美迫在眉睫的决战，日本开始调整“对华政策”，开始推行所谓“对华新政策”，这个“对华新政策”的主要内容，就是要扶持汪伪政府，就是让汪伪政府更有自主的、独立的形象……为此，就需要稳定整个汪伪政府的统治区。于是，日本决定调整“以特制汪”的策略，给汪伪松绑，期望汪伪能无条件地给日本的战争机器提供更多的战略物资。

1942 年 12 月，日本为掠夺中国物资，特由天皇裕仁召开御前会议，制定《为完成大东亚战争对华处理根本方案》，强制“国民政府，无保留的协助战争”，以达到“重点开发和取得占领区的重要物资”的目的。但这些，却在“清乡区”内大打折扣。

然而，因“清乡”获得的暴利使李士群实力暴增，这使李士群更加自信，他全然不注意主子的政策变化。

日本人在太平洋战场的颓败，使李士群加紧考虑将来的结局问题。但他得出的结论是要更加强化他的实力主义。当然，他对与他来往的日本人，照样表示出唯唯诺诺的表面姿态。他以为，只要有实力，又能与这些“日本朋友”保持私人感情，他不会重蹈吴世宝的覆辙。但他没有料到日本人与他的私人感情取决于日本帝国的殖民政策。

1943年，李士群在苏州对“特工人员训练班”的成员公开宣布了自己的打算：

“我们将来的政治出路，全靠我们自己的实力，现在和日本人合作，受到重视和重用，就因为我们有一定的实力和办法。将来如果蒋介石胜了，我们拥有实力，不愁得不到适当的地位。”

他还说：

“即使共产党得胜了，我们……也可以讨价还价……我现在已经准备在浙东四明山建立军事根据地，因为那里进可以攻，退可以守，是很好的地盘。”

李士群所信奉的政治哲学就是一切靠实力说话。在他看来，不管时局如何变化，只要有武装，有经济实力，便可在政治舞台上纵横捭阖，进退有据。

他把76号特务机构向苏浙皖扩充，向华北地区扩充，甚至要到闽浙建立武装据点。

当然，他的这些野心要是被日本人发觉的话，对他就绝不是福音。

我们前面说到李士群因过分的权力欲望，与周佛海、罗君强、丁默邨结下仇怨。这还不够，李士群还与熊剑东结了仇，与过去自己门下的林之江和苏成德结了仇。

李士群与熊剑东结仇，最后导致他上了“鸿门宴”。历史没有再出一个能逃出性命的刘邦。

我们前面介绍过丁默邨、李士群联手坑杀曹子白、曹炳生父子的事。因这事，熊剑东与李士群有旧仇，只是当时熊剑东自己被关在日本宪兵队中，无可奈何而已。1941年底，熊剑东因投日被释放，当了伪军司令。此时，熊剑东与李士群彼此都是汉奸，也就不敢计较了。

1942年11月，李士群驻苏州搞“清乡”，熊剑东回到苏州、常熟及沪郊，想收编旧部扩充伪军。此时，熊剑东就常落脚在李士群的伪省主席官邸。此时，他们似乎相处得不错。

不久，熊剑东在苏州、常熟一带，收编了好些旧部，迅速扩大山头。哪知，主管“清乡”的李士群，暗中通知日军“土桥部队”，对熊剑东的部下前堵后截，逼其撤离改编。

熊剑东的那支伪军，被改编为汪伪政府的第29师，熊剑东觉得没意思，让他的参谋长邹平凡当师长。自己带部分人员归了周佛海的税警总团。

熊剑东当然知道是李士群暗中搞鬼，于是两人变旧好为新仇。

周佛海在自己的伪财政部属下建了一个税警团，这点，是模仿的宋子文。宋子文任财政部长时，曾在手下建立了一支税警团。周佛海见熊剑东来，大喜，自己任伪税警总团团长，以罗君强和熊剑东为副总团长。因熊剑东是行伍出身，实际指挥并训练全团。于是上海滩地面上出了一支实力与76号相抗衡的武装警察，这使李士群恼怒不已。前面说到，熊剑东与上海日军特高课的冈村课长关系十分密切，这也势必威胁76号的地位。

熊剑东自从担任税警总团副总团长后，江苏“清乡”地面也增加了纠纷。为争地盘，熊剑东的税警总团与李士群的特务武装不断发生冲突，双方甚至开枪火并。

为此，李士群动了杀机。

李士群在76号的副手杨杰，此时升任伪军事委员会调查统计部次长。他原是熊剑东的旧部。李士群与杨杰密谋后，派杀手在上海北站埋伏，打熊剑东的黑枪，结果弄巧成拙，刺客被日本宪兵队当场捕获。一顿猛揍，杀手供出了幕后指使者。日本宪兵队把老底兜给了熊剑东。从此，熊剑东与李士群不共戴天。

为报李士群利用日军土桥部队对自己部属堵截并强行改编的一箭之仇，熊剑东也与76号的原行动总队长林之江挂上了钩，让林之江叛离李士群。

李士群知道后，立即下令将林之江逮捕，一心要取林的性命。

熊剑东则通过日本宪兵队，趁李士群离开上海去苏州的时机，进76号以调查案情为由，将林之江提进宪兵队。

这事大大地激怒了李士群，但又无可奈何。

于是，周佛海、罗君强和熊剑东形成与李士群势不两立的对立集团。自然，此时军统暗中已支配了周佛海、罗君强和熊剑东的行动，弄掉李士群正符合军统的意图。或许，这三人略有不同，熊剑东是军统分子，他不论从私还是从公的角度衡量，都是要必除李士群。而周佛海既是李士群换了帖的兄弟，又是争权夺利的死对头，他打击李士群，让李士群崩盘垮台是一定的，至于是否要“结束李士群的狗命”则在犹豫中。罗君强自然是唯周佛海马首是瞻。此外，还有重庆派来的卧底唐生明。不管怎么说，这些人都是要整垮李士群的。

就连汪精卫和陈公博也对李士群和他的 76 号表示愤慨。

陈公博曾经因为特工纲纪败坏，影响到汪伪的一般政治形象，提醒汪精卫应加注意，汪精卫就叹息：

“你今天还以为特工是我们自己的吗？”

汪精卫此话，反映了他对此前日本人“以特制汪”政策愤愤不平的心理。

汪伪特务间的内部倾轧此消彼长。

利用日本当局的“政策转向”，周佛海、罗君强成功地说服了汪伪政权总顾问影佐祯昭，向汪精卫提议，伪行政院取消伪警政部，捋了李士群伪警政部部长职务，并把伪警政部内的 76 号人员全部逐出伪行政院。

汪精卫顺水推舟，立即批准。

影佐祯昭此时自然按“对华新政策”的方针，放弃以往“以特制汪”政策，转向扶持汪伪政府的立场。既然汪精卫、陈公博、周佛海、罗君强等如此不满李士群，于是出面表态：

“李是一癌，为祸最大，如不及早制止，将来必有大祸。”

影佐还说：

“不可使某一人权太大。现在，新政府中有两大势力，如同癌症，一是李士群，另一是任援道。任的危害小，李的危害大，如不及早防止，将来必有大患，应该立即取消警政部。”

影佐祯昭这话，表面上回应了陈公博、汪精卫对 76 号特工揽权的不满。

原本正是影佐祯昭一手操纵建立了 76 号特务机构，他如今对 76 号发狠话，由此可见日本当局下决心推行“对华新政策”，改变“以特制汪”的政策，通过牺牲李士群来实施“强化国府”了。

为了安抚汪精卫和陈公博等人，进一步笼络民心，日本主子唯一的办法就是把李士群这颗毒瘤从特工队伍中清洗出去。

伪政府取消警政部，李士群闻讯，暴跳如雷，以辞职相要挟。这次，

撸乌纱帽这一招对日本人来说，不灵了。影佐祯昭主张立即予以制裁。倒是汪精卫救了李士群一把：

“动不得，如果他调动特工对付我们，如何是好？”

这里，尽管各方都要排挤李士群，但从汪精卫、陈公博、周佛海、罗君强的角度看，似乎仅是夺其权而不想夺其命。

而日本方面有更强烈的暗示，既然下决心抛弃，那也不妨把考虑范围扩展到结束其生命。

1943 年 8 月，汪伪政府最高军事顾问柴山中将亲往北平拜访原 76 号后台老板晴气庆胤。柴山提问：

“李的横暴和顽固，实在没有办法，他不是精神异常吧？”

还指出，

李士群势力能膨胀的原因，是掌握了江苏省的财力。如果失去了金钱的力量，他大概会老实。为了挽救汪政府的财政困难，不能再让李士群任江苏省长了。但对他作了各种说明工作，他还是不肯辞职。

虽然这次会商由于晴气庆胤没有明确表态而无果，但出于日本“对华新政策”的需要，在日本人眼中，李士群尾大不掉，留养之，必是后患。想支持汪伪政权，就需要抛弃李士群，甚至结束其性命。

但如果日本人亲自出马要了李士群的性命，又会造成其他汉奸的恐惧：

卸磨杀驴？

这时李士群与周佛海等的矛盾尖锐化，与熊剑东的矛盾发展到了顶点。日本人清楚，周佛海是汪伪的核心之一，熊剑东又有重庆的背景。为了达到既能灭李，又避免在汉奸群里引起恐慌和兔死狐悲的反感情绪，日本侵略者想到利用汉奸内部狗咬狗之争来实现除掉李士群的目的，造成日本人仅仅是站在一旁而已的假象。绝不能被看成主角。

周佛海、熊剑东、罗君强等人与李士群的公开矛盾，正是日本人可借用的口实。为此，日本人向三者暗示过扳掉李的念头。而熊剑东等频频说李士群的坏话，表达非除掉李不可的想法。

日本人预料汉奸们可能有“卸磨杀驴”的疑虑，那并非多余。

同为汉奸，周佛海、罗君强尽管恨李士群，要打击排挤李士群，但不见得要看到李士群死。日本人能杀李士群，难道不能杀自己？

汪曼云记得，他有一次要从南京到苏州去，行前去看了周佛海。周对他说：

“你看到士群对他说，千万别再胡搞了，否则日本人就要干掉他了，我们毕竟是弟兄，不能不告诉他。”

从周佛海的话里透露出，想要李士群命的，不是周佛海他们，而是日本方面。汪曼云把周的话一字不漏地告诉了李士群，没想到李听了竟说：

“佛海和我们固然是调帖弟兄，而我和你却换过两次帖，我是把你当自己亲弟兄一样看待的，你怎的拿佛海的话来吓唬我？”

汪曼云：

“佛海叫我把话转告你，我不讲，万一真有了什么错儿，我如何对得住你，又如何对佛海？我算是两面有了交代，怎说我把佛海的话来吓唬你？会不会有这件事你清楚，佛海比你要清楚，我是不知道的。你这样也好，今后你们的事，我一概不管，免得把我打在隔墙里两面难做人。”

汪曼云说完转身就走。李的老婆叶吉卿一看汪曼云拂袖而去，急忙追出来想把汪拉住，已是来不及了。从此汪就很长时期没有去过李士群家。

也难怪李士群不相信。

他以为自己有实力，还能为日本人办事，而日本人一向遵守他们之间的“君子协定”。此时的李士群一定是长期不好好学习日本新的文件精神与政策，不知道此时日本正处于重要政策的调整期。他落伍了。事实上，罗君强曾通过兄弟罗光煦给伪最高法院院长张韬的儿子提示：日本人要除李士群，让张韬不要与李士群来往。这也在事实上想让李士群闻风收敛些。但李士群太自信了。

事实上，想把李士群消灭掉的人当中，更有军统重庆总部。此时，周佛海、罗君强、熊剑东均与军统接上关系，接受其指示了。军统早就把电台设在周佛海家，后来将电台转移到周佛海小舅子杨惺华家。1943年夏天，军统特务程克祥从电台里得到了戴老板的绝密指示：

“李逆士群甘助日寇为虐，迭次残害我地下工作人员，着即周佛海、罗君强诸兄等商制裁办法，迅即回报。”此时，在上海，周佛海兼伪市长，而程克祥已是地位仅次于市长的秘书长兼军法处处长。

一种稀奇古怪的现象出现了，曾经斗得你死我活的军统、日本宪兵

特高课、汪伪，居然通过各自代理人共同精心策划一场“鸿门宴”，只等李士群按位入席了。李士群却一点也不知道。

由于前次汪曼云好意向李士群传达周佛海的话，李士群不领情，气跑了汪曼云。事后李士群想到要挽回。1943 年 9 月 5 日，李士群主动约汪曼云夫妇到自己家里吃晚饭。邀请汪曼云妻子同往的理由是因为叶吉卿要汪妻帮忙做西餐。而李士群的本意是想动员汪曼云到苏北发展，与自己在苏南的局面搞成南北呼应，“兄弟联手”壮大势力。

第二天傍晚，也就是 9 月 6 日，汪曼云夫妇如约前往愚园路李士群家。

李士群不在，叶吉卿告诉汪曼云夫妇，李士群临时有一约会。

于是众人一起边吃喝边等，直到近 10 点，李士群才回家。与李士群同来的还有伪军委调查统计部常务次长、原 76 号的日文翻译夏仲明。

李士群回到家里看到了汪曼云，连说：

“对不住，对不住，让你饿肚皮了。”

说着就往卫生间里跑。

汪曼云以为他是去解手的。

不想，李士群是去抠喉咙，大概是想把吃下的东西呕出来，结果是呕了好久也没能把东西吐出来。李士群只好又出来陪汪曼云吃饭。

这时与李士群同席的还有汪曼云和夏仲明两人。他们事后都回忆到李士群一到家就马上去卫生间想通过抠喉咙引发呕吐的事。但汪曼云说李士群没吐出东西，而夏仲明却说李士群吐出一些之后，感觉好些。这我们就不加细究了。反正两人的回忆，都同样使人感觉：李士群虽口中不说，而头脑中却在担心此前吃的东西有问题。

坐下谈起来，才知道，此前李士群是被日本华中宪兵司令部特高课主任冈村少佐邀请到百老汇吃喝去了。

在自家的饭桌上，李士群兴奋地告诉汪曼云：

“曼兄，我今天非常高兴，熊剑东被我用钞票把他打倒了，做了我的俘虏了。”

据李士群接下来所说的话我们知道，原来日本宪兵队特高课冈村少佐真心地化解了他和熊剑东的矛盾。熊剑东不但不再与他为敌，反而变成听命自己的“战略伙伴”。甚至李士群愿意提供 1000 万的巨资作为熊剑东扩大军事山头的费用。

李士群认为是周佛海挑拨熊剑东和他闹摩擦，两人误会加深，以至于达到短兵相接的地步。其根源就是丁默邨当日杀了曹炳生父子，结果误会到他李士群身上。

李士群认定，这宪兵队冈村少佐是熊剑东的好朋友，同样也是自己的朋友。这天，正巧冈村与熊剑东都有空，所以临时上门把他李士群约去恳谈，化解误会。结果一对冤家变为朋友。

李士群太兴奋了。此时的饭桌上除汪曼云、夏仲明外，并无别人，所以他又继续把这件事说下去。

由于是冈村约见，李士群便带了夏仲明同去。夏仲明本就是76号日文翻译。

当两人来到百老汇大楼冈村的家里时，熊剑东已经先到了。熊剑东与李士群及夏仲明本来都是熟人，也用不着主人介绍。百老汇大楼就是现在的上海大厦，当时被日本宪兵队占领，作为日本宪兵队上海司令部。

冈村首先讲话。冈村讲的话经夏仲明翻译后意思如下：

“李阁下与熊先生都是我的朋友，而且都是有为青年，大家正可以为国家与大东亚做许多的事，即对自己个人来说，前途也是光明伟大的，不意两位竟为部下的事发生误会，这是很不幸的。这件事据李阁下说当然是别人的主张，据我知道也是这样，这根本是受人挑拨，更不是什么深怨宿仇，即有什么不共戴天之仇，你们中国不是有句话叫做冤家宜解不宜结吗？何况两人都是我的好朋友，且又同在一起，我更不能看你们两位这样下去，变成了不是冤家也是冤家，这不论对个人和国家来说，都是损失。所以我本着和两位的友谊，非邀请两位来替你们拉场，把误会解释明白不可。两位都能接受我的邀请而光临，我觉得非常高兴和荣幸，并希望两位通过今天，我们友好的会见，能尽释前嫌，成了好朋友，向大的方向进行合作，若能如此，即叫我粉身碎骨为你们帮忙，我也是非常乐意的。”

李士群认为冈村的话，从感情表现来说，确实是出于肺腑的。

所以李士群很感动。

李士群于是表白：

自己对熊剑东本来没有什么。曹炳生父子被处死的事，完全是出于丁默邨的主张，自己没必要代人受过。

接着，李士群把当时情形，向熊做了解释，并高姿态地向熊剑东道歉：

“但我当时没有向丁劝阻，这事我必须对熊先生表示十分抱歉。”

熊剑东听了之后，马上表示：

“今天的会见，我们俩应该深深地感谢冈村课长的深情厚谊，没有他今天的邀请，我就不可能听到李先生的这番话，也不可能使我知道当时的真实情况。我们之间的误会，也不可能得到消除。我是一个军人，是个粗坯，唯其是个粗坯，自诩我也是一个爽直的人。我们现在既一言释嫌，化敌为友。我也把佛海他们和我的关系，以及导致我和李先生在今天以前的这种情况来谈一谈。曹炳生父子的事，没经李先生解释，经别人的挑拨，我确误会很深的。佛海他们便利用我们之间的误会，（让我）为他们做马前卒。我明知道他们在利用我，我为了自己的前途，也乐于为他们利用，以他们作为我的政治靠山。其实，凭我这个人，也不是周佛海可以随便利用的。说句实话，我只把周佛海当跳板而已。我自己有我的打算，这个打算我还没向人吐露过。”

李士群认为在这场合，剑东把内心的打算向自己吐露，这是真诚释嫌的最好证明。便答道：

“我们既做了朋友，你的事就是我的事，你的大计可得闻乎？”

熊剑东：

“现在我们间还有什么不可相告的呢？我环顾我们的和平地区，只有浙东尚是个软档，我的意愿，是开辟浙东，再图发展。在政治上不论是盟邦（指日本）或中国方面，都已不成问题，现在最大的困难，倒是经济，使我非常踌躇。”

李士群：

“需要多少？”

熊说：

“500 万。”

李士群应道：

“好！”

仅这一个“好”字，李士群已看到熊剑东与冈村感到意外。没想到李士群在好字之后又接着说：

“我送你1000万。”

这句话几乎像个春雷，熊剑东听了直跳起来，立刻紧握着李士群的手：

“李先生，我一生没看到过像你这样豪爽的人，要不是冈村先生为我们安排这样一个会见，我不但把一个好朋友失之交臂，而且……唉！不说了，惭愧，惭愧！不过今后我们是好朋友了。我们两个人都是年轻有为的少壮派。”

冈村插嘴说：

“真是年轻有为，我应该为你们祝贺。”

于是叫人开威士忌，开汽水，大家感情很融洽。

李士群告诉熊剑东，一星期后就可以到苏州向江苏省政府秘书长黄敬斋那里拿钱。

就这样，李士群在家兴奋地把与冈村及熊剑东冰释前嫌的过程全部讲了一遍。

虽是这么说了，作为旁观者的我们还是略有疑惑：

既然场面如此融洽，话说得那么投机，那为何李士群一回家就上卫生间去抠喉咙强迫反胃呕吐？是吃了什么不该吃的？

李士群肯定还有什么不愉快没有流露出来。

放下我们的疑问不提。

李士群过了一阵，又继续对汪曼云炫耀自己在熊剑东面前表现的大度和气派：

“钱究竟是好东西，熊剑东想张罗200万，连财政部长周佛海都不够格呢，没想到我李士群一出手就给他1000万，也说明我诚心要交熊剑东这个朋友。但实际上，熊剑东是被我的钞票把他俘虏过来了。周佛海钱虽多，可是用钱没有魄力，他的失败就在这里。”

此时，一直当旁听客的夏仲明不失时机，乘机对李士群吹拍了一通。

李士群高兴了，举杯招呼：

“我们来干两杯！”

饭后已是很晚了，李把汪曼云请进书房。他说：

“曼兄，听说你近来很消极，为什么？”

汪说：

“没有什么，我的个性本来是个温吞水，对什么事都不热衷，所以也谈不上是消极。”

李趁机劝汪曼云取代张北生出任伪苏北行营参谋长，管管李长江这些汉奸军阀，跟自己来个南北呼应。这张北生正是那个出卖马元放的原国民党南通县长。而这李长江么，电影《东进序曲》里有他的银幕形象。

当时，由于日本人不放心这帮汉奸，苏北是单独设的行政区，不让李士群这个伪江苏省主席直管。所以李士群不住地鼓动汪曼云出山，代他去插手苏北的事务。

但此时日本人在走下坡路，战局吃紧。对形势有点悲观的汪曼云对此反应消极，向李士群表示：

“这一点要你谅解了。”

李约汪来吃夜饭，主要就是为了这件事，见汪拒绝，一时说不下去，只好改口说：

“曼兄你再考虑考虑，我们慢慢再谈。”

到了此时，李士群还在雄心勃勃地做他的实力梦：占着苏南，伸手苏北，再染指浙东。殊不知，索命的无常鬼已经不容许李士群活过 48 小时了。

李次日要到苏州，汪也要去南京，于是相约在车上再见面。第二天车上，李士群仍然鼓动汪曼云北上江北，发展他的实力梦想。

李士群到苏州下车后就发重病。两天后，就是 1943 年 9 月 9 日，汪伪巨奸、特务总头目李士群，突然在苏州公署内暴毙。

其实，9 月 6 日那天，在百老汇宪兵队的那顿晚餐，并不像李士群自我介绍的那么美好。李士群到特高课赴宴，其实是经历了又一个“鸿门宴”。李士群步了吴世宝的后尘。

李士群死后，与李一同参加特高课冈村宴请的夏仲明补充了他们赴宴的情况：

1943 年 9 月 6 日，李士群接到一位日本军官的邀请，说是要在苏州河口外白渡桥的百老汇大厦家中为他设宴款待。请客的人是日本华中宪兵司令部特高课冈村少佐。李士群预感不妙，觉得此宴无好宴，本不想去。但思前想后，还是觉得不要得罪宪兵司令部特高课为妙，于是硬着头皮带着一批保镖，并请自己的伪调查统计部的副手夏仲明同行。李与夏仲明预先约定：

到了那里，凡是他们的东西，什么都不吃，连茶水、香烟也不例外。

甚至到了百老汇大厦门口，李士群还关照跟去的保镖小龙，要是过了两个钟头自己还没下来，他就带人冲进去。

夏仲明记得，一开头，（他们四人）在百老汇大厦七楼冈村所开的房间碰头。从下午3时谈话开始，越谈越起劲。

到了下午5时冈村说：

“大家多谈谈，一同吃晚饭。”

李士群本来不愿意，后来冈村说：

“楼下有大菜。”

李听说是公司大餐，同时感到气氛不错，也就不以为意了。提示夏仲明下去关照副官小龙他们，过时不必着急，留在门外等就行。

起初，夏仲明和李士群的确是唇不触杯，手不触餐具的。

后来大家说得投机了，觉得这样坚持下去，反而引起对方的误会，与来的目的不相符，因此由李士群主动，逐渐开放，先彼此敬烟，而后开汽水、喝酒等。凡看到冈村和熊剑东吃过的，也跟着动动手。

后来，有个日本女人捧出一碟牛肉饼来。

冈村就介绍说是他的老婆，擅长做牛肉饼这种小菜，这是她的拿手杰作。听说今天李部长光临，真是蓬荜生辉，所以特意做了这点小菜来请李阁下尝尝，以表敬意！

这个被冈村称为老婆的女人，现在看来，充其量不过是一个慰安妇而已。日本海外侵略军军官是不会带随军家属的，更何况是中佐、少佐这种中下级军官。

这个女的把饼放在李的面前，转身走了。

李见只为自己上一盘，倒有些怀疑了，因此不敢吃。把它推给熊剑东，说：“熊先生是我所钦佩的朋友，应该熊先生来。”

熊剑东又把它推回去：

“李部长是今天的贵客，冈村太太是专为你做的。这里我是常来的，我绝不敢掠美。”

李士群又把它端送到冈村面前：

“还是主人自己来吧！”

冈村说：

“我太太为了对李部长表示敬意，特意做的，我若吃了岂不要被我太太骂死？”

李还想推却，这时，“冈村的老婆”又在盘里托了三碟出来，分别在熊剑东、冈村及夏仲明的面前各放了一碟。这样，四个人面前都有一份，李士群也不好意思再推却。

冈村解释说：

“我们日本人的习惯，以单数为尊敬。我们现在是四个人，所以分成一、三，作两次拿出来，以示对贵客尊敬之意。”

冈村还说：

“在日本送礼也以单数为敬，你送他一件，他非常高兴，你多送他一件，反而不愉快了。”

他这一说，几个人都笑起来。

冈村的解释，李士群觉得合情合理。

李士群对日本送礼要成单数的风俗有所耳闻。于是刚才的怀疑，也因冈村的解释而消失。四个人中的三个人都把自己一份吃个精光，只有李士群的一碟吃了三分之一。

李士群高高兴兴离开这“和谐”的鸿门宴回家。

以上是夏仲明回忆那天冈村宴请李士群的情形。与李士群的讲法，侧重点不同。李士群被一派和谐气氛陶醉了，不知自己死在眼前。尽管回家想洗喉翻胃，企图呕出吃进的东西。但他还是被麻痹了，他真的没想到自己吃进的那块牛肉饼是致命的。呕不出，就随它去。他继续为能与熊剑东和解而兴奋。

夏仲明的回想，则在李士群确诊为中毒之后。毒源指向那块可疑的牛肉饼。

老奸巨猾的冈村及所有日本人，当然矢口否认李士群之死与他们有任何干系。事后不可能道出真相。

武夫熊剑东算是军统打入敌营的卧底，抗战胜利后任国民政府上海行动总指挥部副司令，后为交通警察第7总队少将总队长，1946年8月22日在江苏丁堰被新四军打败，受伤被俘后死亡。他不可能对这件事进行回忆。同时，他好像也没有以弄死李士群而向蒋介石报功求赏。没有人从他身上得到更多的佐证材料。

所以，夏仲明的回忆，可算是唯一的第一手材料。

唐生明、罗君强甚至胡兰成也从不同角度谈到牛肉饼事件。由于李士群是公认的大奸，要是自己与锄此大奸搭上边的话，肯定会给自己增加光彩。

唐生明和胡兰成的记述是将李士群之死与自己直接挂上钩的，认为李士群之死是出于自己的谋划和推动。

胡兰成几乎要利用此事，把自己塑造成“大智大勇”的形象。但，他的一切功劳，都要借助熊剑东来体现。要是熊剑东以为他自己也不过是日本人除掉李士群的陪衬和道具时，胡兰成的“大智大勇”又会在何处体现？

唐生明则表明除掉李士群，数他功劳最大，也对事件有详细回忆。但唐生明的回忆中，却忽略了宴会上除冈村和李士群外的角色，而且他还添加了周佛海老婆杨淑慧和熊剑东老婆唐逸君密谋下毒的情节，并指明是杨淑慧和唐逸君下厨实施了下毒。女特工唐逸君既狠又泼辣，玩麻醉剂活生生地把自己中统上司麻翻并弄进76号的事，似乎就发生在眼前。说她们参与其中，不难想象。但这点并没有得到其他人的证明。加上事件发生时，唐生明远在南京，他对事件过程的了解，不是亲历而只可能来自听闻。

同时，唐生明和胡兰成都把日本宪兵队上海司令部特高课头目冈村说成是既没政治头脑又容易被人激怒的草包或“猪头小队长”，是性情暴戾、一贯爱独断专行，而又头脑简单的日本恶魔。显然那不是事实。别的日本军官可能是草包，也可能是“猪头小队长”，但草包和“猪头小队长”绝不可能长期充当华中宪兵队上海司令部特高课的头目。日本宪兵队特高课总是由那些最阴险狡猾之徒组成。不是特高课可以被周佛

海、熊剑东忽悠得团团转，而是反过来。

9月7日，李士群病倒在苏州的“天香小筑”。“天香小筑”正是当时李士群在苏州的省主席官邸。李士群马上猜到是自己落进了冈村和熊剑东设的圈套，自己就要步吴世宝的后尘，中毒送命了。

汉奸金雄白在《汪政权的开场与收场》中描述了李士群的病状：

> 士群的汗水就像雨水那样地从体内渗出，黄敬斋的太太金光楣与士群的太太叶吉卿，在旁服侍，转瞬买来的几打干毛巾，一条一条的为他揩拭得湿透……后来又请了平时为他治病的储麟荪医生为他诊治，竟然不知患的是一种什么病症，无从下药，只有灌注盐水的治标之计。一天余时间的辗转床褥，直至体内的水分排泄尽了，才一瞑不视，整个躯体缩得又小又瘪，变成一个孩子模样了。

当时，苏州驻军日本第13师团长小林中将是苏州地区的“清乡”指挥官。平时李士群对他卑躬屈膝，唯命是从，所以小林对李颇有好感。

传闻李士群急病，情况危急，小林带了他师团部的军医官和华中铁道会社的一个铁路医院院长来诊病。

李士群看到了小林，以为日本人是来看看自己是否已死，要是发现自己还没死，说不定要再下毒手。

于是李士群一反过去胁肩谄笑的态度，他声色俱厉地指着小林咆哮：

“给我滚出去！”

小林一再解释是好意来给他看病的。

李却坚决拒绝，不要他看，更不要吃他的药。

后来小林与叶吉卿商量，要给李检查检查。

经叶吉卿再三劝说，李以不吃药不打针为条件，这才接受检查。

化验结果，证实是中了毒。

因为小林中将不知道这是他们日本人干的事，所以把化验结果讲了出来。那阿米巴菌正是日本为细菌战而搞出来的，从而更进一步证明是日本人下的毒手。

讲到这里，顺便提及这小林中将的下场：1945年，日军东京大本营调他回国，转入预备役。他免除了战场一死。

李士群经断定为中毒后，一面把江苏省立医院院长找来进行急救，一面致电马啸天、杨杰、晋辉等来苏州。

马啸天赶到苏州的时候，储麟荪正在给李打盐水针，这时李的血管已逐渐硬化，但他还认得马啸天，懊悔地说：

“啸天，我悔不听你的话！”

因马啸天过去也曾劝过李以退为进。

等到杨杰来到的时候，李再三地对杨说：

“那家伙（按：指熊剑东）与大块头苏成德不要忘记，这是我的遗命，也是纪律，你必须执行！尤其是大块头，不要忘了。”

杨杰似安慰般地回答说：

“你放心，我绝不忘记的。”

熊剑东固然因这次参与谋杀他，是大冤家。

苏成德这位李士群原来的救命恩人，仅仅因这次伪警政部被撤销而投奔了林柏生，升任伪南京警察局长。他因脱离了李士群控制，而获得最高的伪警衔。这竟会使李士群恨得比杀他的冤家还要深，这真是谁都没想到的。

据说，李在死前曾要拿枪来自杀。

他懊恼：

“我死倒不怕，可是我做了一生的特务，不料自己还陷落在特务的泥坑里，真是一世英名休矣！这是我自己对不住自己的。”

9月9日，李士群已是皮包骨头，在浑身抽搐中张口瞪目而死。

随医生一起来到“天香小筑”的护士尤佩芬，留下照顾李士群，她看到了他临死前的最后一幕。

尤佩芬记得：

“他（李士群）是住在二楼，楼下许多医生，中医西医都有……死亡诊断总归是最后一个医生开的。我们院长就写食物中毒。”

尤佩芬说：

“那时候日本领事馆的人就叫我们院长更正，不要写食物中毒。我们院长回答，如果是我写死亡诊断，我诊断就是食物中毒。”

所以，这日本领事要求篡改死亡诊断，本身正是欲盖弥彰。结果反而让真相大白。

反正，这是一场闹剧：

下毒者残忍，丢命者活该！

李士群死了。他的老婆和亲信，绝对没有找主子问个明白的胆量。是啊，死个把汉奸走狗，算得了什么？

但也不能就此了事啊？为了他们所谓的“生荣死哀”，就推选马啸天到南京去，开出条件，要求汪精卫答应：

一、要把李士群“国葬”；

二、要汪派代表致祭；

三、要汪精卫给一件纪念品殉葬；

四、要汪精卫题墓碑。

汪精卫对这四个要求，除“国葬”说是经提交伪中央政治会议决议改为“公葬”外，其他三事，全部照办。汪派伪行政院秘书长陈春圃致祭，纪念品是一方田黄图章，墓碑是“李士群先生之墓　汪兆铭题”11个字，还题写了墓志铭。在李士群大殓的前一天，由马啸天陪同陈春圃，带了伪中政会的决议及那方田黄图章和汪亲题墓碑字来到苏州。

大汉奸头子汪精卫为李士群之死向汪曼云感慨：

“日本人竟会这样不讲信义的！”

汪精卫发出的，正是他兔死狐悲之概！

但，这汪精卫难道真的不知道日本宰杀李士群的预谋？

汪精卫感情复杂了：

兔死狐悲感觉的外层，还蒙着他惺惺作态的虚伪。日本人替他除去令他终日提心吊胆的“恐怖分子”，他该感谢日本人才对。但同样值得担忧的是，哪天日本人不要自己时，下一个李士群会不会正是自己？

在苏州乌烟瘴气地折腾一阵后，缩得像猴子一样的李士群的尸体被装进一口硕大的楠木棺材，喧闹着抬进大上海，鬼哭狼号地在上海游街示威，把无耻和丑恶当作了荣耀。

浩浩荡荡的送葬游棺队伍过了泥城桥，到达南京路国际饭店时，突遇状况：

一群不速之客横街挡道，不让李世群的棺材队通过。

来者不是别人，正是李士群的老部下，原76号的行动总队长、军统特务林之江。他出场了。他带了十几个喽啰兄弟挡住了去路，不让通过。

山大王收买路钱居然收到了上海南京路。哪怕是李士群通往阎王殿的路口，买路钱也照收不误。

这下，“死阎王”遇到了“活煞星”！

除了这帮76号的党徒及对面这十几个反出76号的亡命之徒外，其他人都避得远远的看热闹，连警察和日本宪兵也不知躲在何处看风景。

读者或许会问：

这南京路国际饭店不是在公共租界地面吗？巡捕房哪儿去了？

我们之前忘记把这交代清楚：

1941年12月太平洋战争爆发，英美主张把公共租界和法租界主权交还蒋介石当局，日汪知道后，抢先占领了上海租界。此时租界巡捕房已全部被日伪“接管”。

林之江在前头放话了，他说，非要老板娘叶吉卿上前“摆句闲话”出来不可。

这“摆句闲话”，就是“表个态”，“把话说说清楚”的意思。

林之江还说，他替李士群搞了许多钱，开了场面，如今该解决解决才是。

送葬的队伍虽说人多势众，又是好勇斗狠的76号豺狼虎豹，可遇见这十几号不要命的，倒一下子失去了主意。连见多识广的老板娘叶吉卿也不知如何是好。

这事是不好办哪！

别说是动枪动刀死人流血，哪怕对方只是朝天开几枪，李士群哭丧队的男男女女也会立刻土崩瓦解，护送棺材的肯定吓得连车带棺材当街扔下，拔脚逃命，那局面就难看了。

再说，这林之江本就是个拼命三郎，其身后的什么地方或许还有熊剑东的人马，更说不定这位反复无常的林之江又回归军统了。

双方陷入僵局。

76号中，一些原来上海市党部的叛徒及原军统变节分子硬着头皮上前林大哥长林大哥短地套近乎。

无非是说，吾等兄弟如今能与兄长在此处会面，十分荣幸。顺便解释说李夫人如今落难了而且还重孝在身，不便前来见面。再说，李主任既然已经骑鹤归天，生前恩怨已是一笔勾销，林大哥不必为之耿耿于怀。还说，大家有数，林之江大哥对76号劳苦功高。眼下不论什么问题，只要林大哥开口，绝没有解决不了的，钱更不是问题，等等。

经众人说好说歹，林之江挥手放行。

接下来一段走向沪西虹桥路万国公墓的路上，原本嚣张无比的送葬队伍不知怎地蔫了下去，两个钟头左右的行程中，除哭丧队呜呜的哀鸣声外，已无其他声响。

当天就把李士群葬在虹桥路上的万国公墓。

这个后半生威风凛凛的死阎王，不想他的大出丧居然出了如此一个大洋相！

李士群当日要杀林之江，却给他逃了，今日落得报应。

六、魔窟灰飞烟灭

李士群的棺材运出苏州葬到上海。

苏州城内外老百姓表现出的幸灾乐祸情绪略略平静，毕竟一时快乐的心情不能克服长久的饥饿与痛苦。只要仍处于日本人的统治之下，死了一个李士群，还会有更多的李士群重新骑在头上，命运不会就此改变。

而在此同时，一个流传于汉奸和伪职人员中的传说，却日盛一日。

传说认定：

日本宪兵毒死了李士群。

众多汉奸和伪职人员人心浮动，疑心重重。

地下抗日游击队无情地追杀锄奸，皇军又动不动暗下毒手，这汉奸走狗还能有活路吗？

大概，大日本皇军看出了苗头，生怕传闻扩大开来引起其他意料不到的反应，于是，由驻苏州的宪兵队长出场，逼76号和伪江苏省的汉奸们签下了欲盖弥彰的“城下之盟”。

“天香小筑”，已故的伪江苏省主席李士群官邸。

这天夜里，傅也文、胡钧鹤、谢文潮等一些76号在苏州的特务头子连同伪江苏省政府的各厅、处、局长等，一一被苏州的日本宪兵队召到这里。

然后，宪兵们把守了“天香小筑”的大门，把这些人连同叶吉卿一起集合到大厅上。

宪兵队长发布演说：

“李士群的死，我们同是深感哀痛的。意外的是你们在李死后竟放出了一个恶毒的谣言，说李士群的死，是我们日本宪兵毒死的，这是绝对的造谣。我们日本宪兵是代表日本天皇执行宪兵任务的，会做这样的事情吗？你们的造谣不仅对我们日本宪兵是最大的诬蔑，也是对我们日本天皇的大不敬，这是不能容忍的！我们为了要证实我们宪兵是不干这种事的，这几天我们进行了调查，已得到了两个线索。”

队长用手直指叶吉卿，接着说：

“李士群的死是你和储麟荪，把他害死的。”

全场一下屏住气息，所有惊奇的目光不由得突然集中到叶吉卿的身上。

叶吉卿像被针扎痛了灵魂似的，在众目睽睽之下，委实抬不起头来，先是低声讷讷：

“随你瞎讲吧……”

接着，叶吉卿突然歇斯底里大发作，号啕大哭。这本是女人的看家本领，男人面对此种场面一般都会暂时放下话头。可这位日本宪兵队长丝毫不含糊，他继续指着叶吉卿发挥下去：

“据我们调查，你和储麟荪通奸，生怕给李知道，大家没命，于是先下手为强，把李毒死，以免东窗事发。”

叶吉卿听到这里，又羞又急又恨：

明明自己的丈夫是被他们毒死的，现在却被他们利用她与储麟荪的丑事，反打了一记耳光，使自己有话说不出。

只好继续放声大哭。

那个日本宪兵队长看到叶吉卿这么狼狈，就把还想对叶吉卿借题发挥的话暂时停下，转向“第二个线索”。

宪兵队长说的这第二个线索是：

李士群也可能是吴世宝的老婆佘爱珍毒死的。因为吴的死是李主谋下毒的，佘爱珍为了替夫报仇，也把李士群给吴吃的东西，暗里给李吃。所以吴与李的发病经过与死后的情况，都是一样的。李士群要是被毒死的话，佘爱珍也是一个重要的嫌疑。

宪兵队长警告说：

“假使这个谣言不止，我们为了要拿事实来辟谣，我们一定要把你们三人逮捕起来，进行侦查，以期得以水落石出，真相大白。不过这样一来，不仅李士群与你们三人出乖露丑，声名狼藉，对南京政府来说，也不好看。且我们知道李确是因病而死的，我们不愿把这件事情来扩大。不过对我们日本宪兵的造谣诬蔑，必须立即停止并应该书面承认李确是因病死亡，并无别的缘故。我们和李士群生前也是好朋友，在他死后，为了顾全他的名誉，对他的家属的错误，也可曲予原谅。现在我们有一张书面声明，要大家签名承认，否则我们就要把叶吉卿、佘爱珍、储麟荪三人立即逮捕。何去何从，应该立即决定！”

队长的训话到此为止。

于是大厅里便东一堆、西一堆地开起汉奸小组会议，众伪窃窃私语。

这些汉奸平时对中国人凶神恶煞一般，可这时在日本人面前，都像老鼠见猫一样，连骨头都吓软了。于是彼此相视了一下，以目光代替了语言，都乖乖地表示接受。

叶吉卿依然号啕大哭，并想以此来回避签字。

但情势岂能容她选择？不仅日本人气势汹汹，即一群汉奸，也生怕事情会弄到自己身上，都连劝带逼地要她屈从。于是，众人在这张纸上签了字，立下了“城下之盟”。

摆平这事，日本宪兵队拍拍屁股走了。

接下去，汉奸们却为李士群死后分赃的事忙开了。

苏州最高层的汉奸组织——伪江苏省政府，此时虽为愁云笼罩，可是饮马桥“天香小筑”的李府，却是人头攒动，热闹非常。

表面上，这些汉奸都是到死人家来治丧致哀的，实际大半是来观风向，想乘机捞点油水、分点好处的。李士群这一走，他生前的三个伪职位：伪江苏省政府主席、调查统计部长、特工总部主任，望穿眼的汉奸有的是。尤其是特工总部主任一职，想染指者，更不乏其人。但，没一个人敢出风头毛遂自荐，更没有一个人甘心表明自己谦逊。由于李士群生前霸道独大，在他之外，这些汉奸个个“脚碰脚”，彼此不相上下。所以李士群一命呜呼，76号这个头把交椅，就成了谁都好坐，谁也没有资格坐的局面。于是出现众丑既跃跃欲试，你争我夺，又没人敢口出狂言的状况。

其中，特工总部主任办公室书记兼机要处处长傅也文，自认为比别人稍胜半分，自恃与叶吉卿的一腿关系，很想乘此机会搏一把。

于是他便出面召集万里浪、胡钧鹤、杨杰、夏仲明、谢文潮、叶耀先、黄敬斋、晋辉、沈信一、姜颂平、傅胜兰、岳光烈、鲍君甫、杨寿章、杨采丞以及李士群的未亡人叶吉卿等开灵前会议。但人人心怀鬼胎，都希望有人来提自己当76号的山大王，可是谁都不愿提名对方，以毁灭自己的希望。

这样就陷入了你既不讲、我也不提的僵持局面。沉默许久，众人都感到自己无望了，于是只好转变方向。在同伙之外，找一个易于受自己控制的对象，以继承李士群。

于是大家都把目光转向陈璧君堂侄陈春圃。陈春圃现任伪行政院秘书长，李士群生前与陈春圃厚交。虽说陈春圃对于特务完全外行，但特务们认为他为人比较忠厚，易于控制。于是就有人主张请陈春圃来接替李士群，众汉奸也想不出其他意见。

满以为江苏这块肥肉，和调查统计部长这个显赫的要职，陈春圃一定会乐就不遑。

谁知陈春圃虽貌似忠厚，心底里却也是明白人。对特务们的这些内心，他哪会不明白？

当傅也文、胡钧鹤代表灵前会议的人员，向他表达意思时，陈春圃当即坚决婉辞，并向汪曼云表示了不接受的态度。

于是提出第二个人选。不是别人，正是丁默邨。傅也文与胡钧鹤便去南京拜访了丁默邨，意在敦促丁默邨重为冯妇。

丁默邨虽为之心动，毕竟他是从此处被驱逐的，心有顾虑，不敢贸然点头，只是表示大家再商量商量。傅、胡二人便回到苏州，向众人传达。但丁默邨方案遭到万里浪的坚决反对。由于万里浪代表了一批军统投伪特务的实力派，既然万有异议，只好从缓。

第三个人选是叶吉卿。

傅也文听说四川军阀刘湘死后，刘湘的老婆就要继刘湘为四川省主席的事，主张伪特工总部主任一职，由叶吉卿继任。

傅也文是打着他的如意算盘的。想凭他与叶吉卿的关系，控制76号主任一职。

由于叶吉卿本人也在场，且李士群才死，大家在感情上不便提出反对意见。同时叶吉卿本就是个特务，而且也有野心，看见有人提起，她便也乐得接受。

这样一来，叶吉卿当76号主任，而伪江苏省主席与伪调查统计部部长的两个官职，拱手让给外人。这就形成了灵前会议的最后决定。

于是，傅也文、杨杰、万里浪几个特务头头都奔到南京，一起去见汪精卫。傅也文、杨杰说是一致同意叶吉卿，而万里浪却变了卦：

傅与杨的话不能代表大家。

汪精卫原本是个傀儡，便请示日本特务机构梅机关。

这时梅机关当然清楚，李士群致死的真正原因是日本政策转向的必然需要，而绝非宪兵队特高课个人行为。既然日本方面必除李士群，现在竟有人主张由李妻叶吉卿来主掌76号的大权，岂能容许？

于是，由汪精卫的最高军事顾问松井中将出面，对汪伪特工进行改组，提出了一整套化整为零方案。

76号特务机构就被彻底分割瓦解，虽然汉奸特务依旧猖獗，但76号事实上已不复存在。

此时，军统方面在上海及长江三角地带的地下斗争形式也发生了改变。

由于租界“孤岛”落入日本人之手，继续利用“孤岛”为基地向日伪开展面对面的武装对攻已不可能。于是转向隐蔽，打情报战和信息战，从消灭敌伪骨干转向打入敌伪内部，收买和策反敌伪成员反正为己所用。

他们成功地挟持周佛海家属，逼其就范，派军统特务程克祥把电台架设到周佛海家（后来转到其妻弟杨惺华家），在周佛海的周边，唐生明、熊剑东等一批军统潜伏人员在内部对敌特进行破坏（如参与铲除李士群等），参与营救被捕的蒋方高层人物蒋伯诚、吴开先、马元放等人，甚至还营救了杜公馆管家万墨林。同时戴笠派了军统特务毕高奎、周镐、濮齐伟与丁默邨联系，也把军统电台设到丁默邨家，逼丁默邨按军统意图行事，比如，指令丁默邨为盟军登陆浙江省做好准备，等等。

通过同样的办法，1944年还从日本人手中营救了毛森和蒋安华等人。

随着第二次世界大战的进程，1943年以后的日伪无可奈何地进入了穷途末路。

汪精卫曾于1935年11月1日遭爱国志士孙凤鸣刺杀，枪伤未愈。1944年3月，陈年枪伤发作，汪精卫前往日本名古屋帝国大学医学院救治。这时，太平洋战线美军全面反攻，日军惨败。连日本东京都频遭美军B29轰炸机的集群轰炸。名古屋自然难逃一劫，病重的汪精卫被转移到没有暖气、阴冷潮湿的地下室，就在这里，汪精卫体验着惊天动地的大爆炸。在极度的惶恐不安中，他预感主子日本国情况不妙，他的卖国事业也将要面临最后的时光，自己的前途堪忧。情绪的悲观失望加上现实环境的恶劣，他染上肺炎，高烧不治。1944年11月10日，他凄凉地死在异国他乡。

在日本看来，死了就死了，不就是死了一个来自外国的走狗吗？另找个替代走狗又不是难事。

后来有人对此评论说，当主子自身难保的时候，一个傀儡的生命便实在不值一提了。

南京伪政权里的官员们在中山陵旁边的梅花山上，安葬了汪精卫。为了怕死后被人掘墓焚尸，在修建陵墓时，汪精卫的老婆陈璧君特意让人将五吨碎钢掺入混凝土中，浇筑成厚厚的墓穴。葬礼上，每个人都阴沉着脸，流露出对前途的不安和沮丧。

一号头目死了，二号陈公博继任伪政府主席与伪行政院长，他接手的是一副烂摊子。原本野心勃勃的周佛海更是垂头丧气，他的日记中，充满了悲也、苦也之类字眼。他们悲观地等待末日。

1945年7月，军统总部头子在浙江淳安召见忠义救国军京沪区指挥官阮清源、调查室主任刘方雄，中美所前进指挥所指挥官毛森等密谋并调整部署，策划在日军败后接收上海敌伪机构的计划。

就在日本投降前夕，曾经在上海从事锄奸的阮清源、刘方雄、毛森和毕高奎等奉命进入上海，准备逮捕汪伪汉奸。而此前，杜月笙已早早地回到上海，准备收拾并重整家业。

1945年8月15日，日本帝国宣布无条件投降。8月16日，陈公博召开临时会议，宣布存在了五年零五个月的伪国民政府就此解散。

陈公博也在考虑自己的活命问题。不久前，1945年7月3日，军统上海区的电台被日本宪兵队破获，抓走了发报人员，站长陈祖康侥幸脱逃。陈公博本想通过救出军统上海区电台人员来向军统示好。陈公博还通过杜月笙，想打通与老蒋的渠道，探求活命条件。但一切太迟了。

感到末日来临的陈公博，想到亡命日本。

1945年8月25日晨，陈公博带着妻子李励庄、秘书莫国康、原伪宣传部长兼伪安徽省主席林柏生、伪军事委员会经理总监何炳贤、伪实业部长陈君慧、伪行政院秘书长周隆庠等汉奸分子及日军顾问小川哲雄中

日本降使呈递降书

尉等八人，乘飞机经青岛逃向日本。

在知道盟军在日本上空的禁飞令马上生效的情况下，不惜冒险，汉奸们抢先几分钟在日本机场降落。

国民政府对陈公博等汉奸发布通缉令。

日本政府发出陈公博自杀身亡的假新闻，但被中方识破。

9月9日，何应钦向冈村宁次提出，陈公博私逃日本，对外宣称自杀，是企图逃脱制裁，日本政府必须马上将其交出。陈公博如果真的自杀，也要由中国方面派人验尸确定。

日本政府知道无法隐瞒，陈公博等一批汉奸堕入法网。

1945年的中秋夜，是抗战胜利后的第一个喜庆的节日。

如今称为东湖宾馆的那处花园洋房灯火灿烂，弦声悠扬，洋溢着浓郁的节日气氛。

当时这里不称东湖宾馆，而称新杜公馆。自从这新杜公馆落成以后杜月笙始终没用过。现在，他借给戴笠做军统办事机构用，中美合作所

陈公博出庭受审

和军统局上海联合办事处就设在此处。

军统局以戴笠的名义发出请柬，邀请各伪政权高官来出席中秋赏月晚宴，地点就在这杜美路 70 号杜公馆。对于汉奸们来说，这是个无人不知、

杜美路 70 号杜公馆（如今的东湖路 70 号）1945 年汉奸们享受了戴笠招待的中秋赏月晚宴

哪个不晓的地址。他们早早地捧着请柬，驾驶各种款式的轿车鱼贯而来。

上海杜美路 70 号门前的马路上沸沸扬扬。伪行政院长兼财政部长和上海市长周佛海，伪立法院副院长缪斌，伪浙江省长丁默邨等数百名汪伪高级官员和将领，齐齐赶来出席这“中秋赏月”晚宴。与现场气氛热烈祥和成鲜明对比的是，汉奸们的内心惶恐阴暗。他们战战兢兢地走了进来，琢磨着如何应对军统们的下马威。

还好，没有什么异常。50 余桌佳肴甚为丰盛，高脚酒杯在灯光下熠熠闪烁。酒过三巡，戴笠站了起来，开口说话：

“八年抗战，现已胜利，在座的不少人在抗战期间出任伪职，这当

然有各种原因。从今天起，只要能立功赎罪，政府是宽大为怀，既往不咎的……”

听到这里，汉奸们的那个激动简直是无法形容，一阵热烈的掌声打断了戴笠的发言。稍停，戴笠乘着酒兴继续侃侃而谈：

“解决汉奸问题，政治重于法律。要相信蒋委员长，相信政府。”

汉奸们为此拍红了巴掌。压在汉奸们心头的重负，终于开释了。这几百名汉奸得意忘形起来，划拳行令，插科打诨，一阵迷迷蒙蒙，一派乌烟瘴气。

他们忘乎所以，直把这中美合作所与军统局的联合办事处当成了当年的极司非而路 76 号。

这是戴笠的缓兵之计。

中秋聚宴后的第三天晚上，戴笠手下的 100 多个行动小组，把印制精美的请柬又送到了汉奸们的家中。

汉奸们按约来到愚园路 1136 号汪公馆。这不是陌生之地，正是汉奸们当年向汪主席朝圣之地。

汉奸们万万没料到的是，这次他们进的不是宴席，而是班房。

汪公馆的门槛只能进不能出。汉奸们的面孔一进门就变色，进来一个变一个。院里布满了荷枪实弹的军警特务，先进来的均已缩着脖子排成一溜，与后进来的面面相觑，连抱拳施礼的资格都没有了。

戴笠板着脸孔宣布：

“根据国民政府制定的惩治汉奸条例，凡当过特任职、简任职和荐任独立伪职的汉奸，都须按其职守受到检举。从现在起你们都是被捕的人犯，我准备把诸位送到监狱去。”

在法庭上受审的陈璧君

这天，列入汉奸嫌疑名单的100多人无一漏网。

与此同时，汪精卫的老婆陈璧君、伪广东省长褚民谊在广州落网，旋即被押往南京受审。

北京，南京，也照此办理。

12月5日，戴笠借用李宗仁北平行营指挥所的名义，在北平东城北兵马司1号举行盛大宴会，向伪华北政务委员会委员长王克敏等大汉奸发出了“敬备菲酌，恭请光临”的请柬。

晚上8时，正当50余名大汉奸开怀畅饮至极乐境界时，戴笠宣布了逮捕令。

王克敏生活糜烂，身体弱不禁风，精神更是衰弱不堪。这个当年从陈恭澍枪下捡了一命的汉奸，一听到自己的名字被列入逮捕的汉奸名单，随即瘫倒。

戴笠宽大地关照：

“你有病不必去监狱，可在家听候传唤。”

戴笠的关照对王克敏来说，反而是一种刺激。他犟头倔脑地说：

“这场祸事是我惹出来的，还是一起去吧。”

被押不久王克敏便病死狱中。伪华北政务委员会的汉奸首要王揖唐、王荫泰、齐燮元、汪时璟、殷汝耕等尽数被捉，关进炮局监狱。

伪内政部长梅思平、伪司法部长李圣吾、经理总监岑德广等在南京被捕。伪山东省长马良、杨毓珣，伪山西省长苏体仁、冯司直、王琅等也分别被捕。或许，只走失了高冠吾。

周佛海、罗君强、丁默邨、杨惺华、马骥良这几个人在1943年前后，因知道前途不妙而暗中表示效忠军统。他们受到区别对待。戴笠陪同他们乘飞机到重庆，采用软禁的办法，将他们幽禁在嘉陵江畔的“白公馆”。

“白公馆”依山而建，山涧、瀑布、石崖、小径，秀丽清幽，得天然之趣，周佛海等人串门、打牌、读报，倒也怡然自乐。后来听说此处死过不少人，加上日坐愁城心情烦躁，周佛海经要求，又被移居到原美国军官梅乐斯、贝乐利居住过的寓所，依然过着优裕宜人的软禁日子。

周佛海下面的唐生明和熊剑东归队，熊剑东任上海行动总指挥部副司令。

在1945年秋冬的肃奸行动中，戴笠指挥军统前后共捕捉汉奸4692名，其中移交各地高等法院审理者4292人，交司法机关处理者334人，查封逆产1456户。

殷汝耕1947年被南京高院判处死刑，由法警押解行刑

1945年11月23日，国民党政府正式颁布了《处理汉奸案件条例》。1946年底为告发汉奸截止日期。

从1945年11月23日起到1948年1月5日止，全国各省市共审判办结的汉奸案25155起，判刑的为14932人，其中死刑369人，无期徒刑979人，有期徒刑13570人，罚金14人。

大汉奸陈公博、褚民谊、王揖唐、齐燮元、殷汝耕、梅思平、林柏生、梁鸿志、傅式说等50余人被判死刑，陈璧君、陈则民、钱谦、周贯虹等近百人被判无期徒刑。

原来被软禁的周佛海等人，同样接受起诉。

周佛海先被判处死刑而被蒋介石赦免，改判无期徒刑，不久死于狱中。罗君强也被判无期徒刑。

头号巨奸汪精卫已死，但他埋葬在南京中山陵边，显然是对国父孙中山的亵渎。当局决定把他迁出火化。

1946年1月21日，按最高当局的授意，工兵部队用150公斤烈性炸药炸毁了钢筋混凝土构筑的汪坟。尸体与棺木一并被秘密拉到清凉山火葬场火化，骨灰以无人认领为由随意埋弃。

76号汉奸中，丁默邨、苏成德、杨杰、万里浪被判死刑执行枪决。胡钧鹤和佘爱珍等被判九年徒刑。

1945年丁默邨是伪最高国防会议秘书长、伪浙江省省长、伪浙江省党部主任、伪杭州“绥靖公署”主任、伪省保安司令等，在伪政权中地

位显赫。原本，由于后期丁默邨转身再次表示效忠中统和军统，按那时的情势，他虽然活罪难逃，但死罪可免。起初，他与周佛海一道被优待软禁。1946 年 7 月，押往南京老虎桥监狱待审。在监期间，他申请保外就医，却忘乎所以，招摇过市，被民众发现举报，终难逃法网。

根据陈立夫的回忆，丁默邨在保外就医时，顺道游览南京玄武湖，被中央社记者发现，报纸上刊出《丁默邨逍遥玄武湖》一文。

蒋介石看到这一报道后极为震怒：

“生病怎还能游玄武湖呢？应予枪毙！”

但事实上，在《中央日报》上登的文章是《审奸案又一怪事》。说到“汉奸丁默邨私通法警，乘车买药回府吃饭”。这篇报道介绍，1946 年 10 月 11 日上午 11 时，高良案开审，下午 1 时，审讯完结。丁默邨本应由三名法警押返老虎桥。然而此后一段时间，丁默邨失踪了！

原来，丁默邨刚出朝天宫大门，丁默邨的妻子、弟弟还有亲戚叶原翠三人，早已雇好了五辆人力车在那里等候。丁默邨出现后，三名法警，有两名即行离开，另一名法警登上了其中一辆人力车。这五辆人力车立即飞奔到姚家巷丁默邨的一名亲戚家中。据事后丁默邨供称，他到那里是为了“吃午饭”，吃完午饭后，连法警在内这五人又乘人力车至三山街，此时，街口早有一辆黑色小轿车在那里守候，五人即钻入车中，迅速开往太平路买药，买药完毕返回老虎桥监狱，这时已经过去了两个半小时，为下午 3 点半钟。

这报道，虽说不是“逍遥玄武湖”，但性质显然更严重，更能引起公愤，老蒋看到此报道，表示愤慨，扬言要杀他，不是不可能。

1947 年 2 月 8 日，国民政府首都高等法院判处丁默邨死刑。丁不服，上诉，5 个月后，被驳回。丁得知上诉被驳回，即将执行枪决时，脸色苍白，他死人似的两脚发软，瘫了下去。

1947 年 7 月 5 日下午 2 时，丁默邨被执行枪决，时年 46 岁。

丁默邨罪孽深重，一生汉奸，至死也没当明白。

苏成德、杨杰、万里浪当然是罪大恶极，死有余辜。

苏成德被判死刑的过程，前面已作介绍。即使不是徐兆麟查得苏成德残酷折磨张小通致死的全部情节，苏成德也会因其他罪行而获死罪的。

杨杰是76号的副主任，本就罪大恶极。仅仅以他带领76号刽子手集体屠杀中国农民银行职工一事，就足以定他几重的死罪。杨杰叛变当汉奸前是熊剑东部下，当汉奸期间按李士群指使，几次谋杀熊剑东未遂。由于熊剑东一直有重庆的背景，抗战胜利后，熊剑东在上海受重用，杨杰自然难逃一死。

1947年，汉奸被游街示众后押赴刑场的情景

近来，出现了一些有关万里浪被误解的说法，但这更可能是一些人对历史的误读。死在万里浪手下的抗日志士太多了，而叛变当汉奸后的他没有对中国人做过丝毫有益的事，其本人也没有丝毫悔改之意。汉奸万里浪被枪决，估计他自己都不会有疑问，他人何必去替他制造“误解”呢？只凭万里浪直接谋杀《申报》记者金华亭这一罪恶，死罪已足矣。

凭大众的感觉，76号这样的收场，是不会有太多的意外的。

祸害中华的汉奸们总算得到最终的清算。

另外，陈恭澍、王天木和林之江三人比较另类，经历曲折反复、错综复杂。

抗日战争胜利后，原军统同僚没有刻意为难他们。或许是特务们明白：在那种弥漫着血腥与阴谋诡计的复杂环境下，任何人在侥幸与不幸之间只有一步之差。陈恭澍和王天木居然到了老年还能在海峡彼岸相遇讨论人生。极端另类的林之江，心目中或许从来不曾知道什么是民族大义。

他叛出军统投入76号和再叛出76号回归军统，纯因个人意气用事。他本是有罪之人，或因与76号及李士群反目成仇而重新站队，较早返回军统阵营，从而免除法律制裁。然其自身却深受良心折磨。晚年，他留在香港，据说夜夜难脱“死鬼”纠缠而神经错乱致死。而王天木、陈恭澍之前的军统上海区长周道三（伟龙），据说因响应全国解放，参与策划湖南和平起义，而被他的原军统（保密局）下属逮捕，1950年死在台湾岛。

到此，抗日战争中的那场你死我活的锄奸战谢幕。

参考文献

《七十六号魔窟：汪伪特工总部口述秘史》蔡德金　团结出版社 2007
《间谍王——戴笠与中国特工》[美] 魏斐德著　团结出版社 2004
《汪政权的开场与收场》朱子家　香港春秋杂志社 1963
《周佛海日记》蔡德金　编注　中国社会科学出版社 1986
《陈布雷大传》王泰栋编著　团结出版社 2006
《沪西七十六号特工内幕》[日] 晴气庆胤著　朱阿根译　上海译文出版社 1985
《上海歹土：战时恐怖活动与城市犯罪 (1937—1941)》[美] 魏斐德　上海古籍出版社 2004
《戴笠传》良雄　台湾传记文学出版社 1982
《旧中国黑社会老大杜月笙野史》王俊　团结出版社
《审讯汪伪汉奸笔录》南京档案馆编　江苏古籍出版社 1992
《日伪关系研究——以华东地区为中心》张生　南京出版社 2003
《日本军国主义侵华人物》天津编译中心编　中国文史出版社 1994
《第二次中日战争史》吴湘湘　综合月刊社 1974
《汪精卫国民政府成立》黄美真　张云合编　上海人民出版社 1984
《近代中国外谍与内奸史料汇编清末民初至抗战胜利时期》洪桂已编　“国史馆”编印 1983
《汪伪“七十六号”特工总部》黄美真　姜义华　石源华　上海人民出版社 1984
《抗战揭秘：军统特工奇袭天马号列车》萨苏《文史参考》第一期 2010
《抗日锄奸团》百度 _ 百科
《汪精卫国民政府纪事》蔡德金　李惠贤　中国社会科学出版社 1982
《杜月笙策划我家逃离上海滩》沈宁《文史博览》2008 年第 10 期